LE GUIDE DE
L'AUTO 93

DENIS DUQUET
MARC LACHAPELLE
avec la collaboration de
JACQUES DUVAL

LES ÉDITIONS DE L'HOMME

Conception graphique de la couverture: Violette Vaillancourt et Nancy Desrosiers
Photos: Services de presse des manufacturiers, Marc Lachapelle et David Duquet

Conception graphique de la maquette intérieure: Éric L'Archevêque
Infographie: Éric L'Archevêque et Mario Paquin
Photos: Marc Lachapelle, Denis Duquet, David Duquet, Pierre-Louis Mongeau

DISTRIBUTEURS EXCLUSIFS:

- Pour le Canada et les États-Unis:
  LES MESSAGERIES ADP*
  955, rue Amherst, Montréal H2L 3K4
  Tél.: (514) 523-1182
  Télécopieur: (514) 939-0406
  * Filiale de Sogides Ltée

- Pour la Belgique et le Luxembourg:
  PRESSES DE BELGIQUE S.A.
  Boulevard de l'Europe 117
  B-1301 Wavre
  Tél.: (10) 41-59-66
      (10) 41-78-50
  Télécopieur: (10) 41-20-24

- Pour la Suisse:
  TRANSAT S.A.
  Route des Jeunes, 4 Ter
  C.P. 125
  1211 Genève 26
  Tél.: (41-22) 342-77-40
  Télécopieur: (41-22) 343-46-46

- Pour la France et les autres pays:
  INTER FORUM
  Immeuble ORSUD, 3-5, avenue Galliéni, 94251 Gentilly Cédex
  Tél.: (1) 47.40.66.07
  Télécopieur: (1) 47.40.63.66
  Commandes: Tél.: (16) 38.32.71.00
                     Télécopieur: (16) 38.32.71.28
                     Télex: 780372

Dépôt légal: 4e trimestre 1992
Bibliothèque nationale du Québec

ISBN 2-7619-1055-9

Les prix qui suivent (ainsi que les prix qui sont donnés ailleurs dans cet ouvrage) sont des prix de vente au détail maximum tels que suggérés par les manufacturiers. Comme certains constructeurs commercialisent leurs voitures tout équipées (c'est surtout le cas avec les automobiles importées) et que d'autres proposent des modèles auxquels il faut ajouter de nombreuses options, ces prix n'ont qu'une valeur de comparaison.

| Berline | 38 688 |
| Berline Touring | 42 688 |

CADILLAC FLEETWOOD — 156
| Berline | 39 988 |

CADILLAC BROUGHAM — 156
| Berline | 37 488 |

CADILLAC ELDORADO — 152
| Coupé | 40 988 |

CADILLAC SEVILLE — 152
| Berline | 44 488 |
| Berline STS | 48 688 |

CADILLAC ALLANTÉ — 150
| Cabriolet | 71 988 |
| Hardtop | 75 263 |

CADILLAC SIXTY SPECIAL — 154
| Limousine | 43 688 |

GEO METRO — 106
Hatchback 3 portes	7 995
Berline	9 495
GSi 3 portes	9 550
Hatchback 5 portes	8 995
Cabriolet	12 995

GEO STORM — 228
| Coupé 3 portes | 13 690 |
| Coupé GSi | 15 760 |

GEO TRACKER — 230
Cabriolet 2RM	11 995
Cabriolet 4RM	13 495
Hardtop 4 RM	13 750

CHEVROLET CAVALIER — 170
Coupé	9 998
Berline	10 498
Familiale	11 298
Coupé RS	11 298
Berline RS	11 798
Familiale RS	12 598
Cabriolet	18 098
Coupé Z24	14 798
Cabriolet Z24	21 598

CHEVROLET CORSICA — 160
| Berline LT | 12 998 |

CHEVROLET BERETTA — 160
Coupé	12 998
Coupé GT	14 998
Coupé GTZ	18 398

CHEVROLET LUMINA — 144
Coupé	17 998
Berline	16 398
Coupé Euro	18 998
Berline Euro	18 998
Berline 3.4	22 698
Coupé Z34	22 898

CHEVROLET CAMARO — 166

CHEVROLET CORVETTE — 172
Coupé	41 398
Cabriolet	48 298
Coupé ZR-1	76 898

CHEVROLET CAPRICE — 146
Berline	21 198
Berline Classic	23 598
Familiale	22 598

CHRYSLER IMPERIAL — 184
| Berline | 36 950 |

CHRYSLER NEW-YORKER FIFTH AVENUE — 184
| Berline | 26 790 |

CHRYSLER DYNASTY — 184
| Berline | 17 530 |

CHRYSLER LE BARON COUPE — 186
Coupé	18 110
Coupé LX	20 380
Coupé GTC	20 050
Cabriolet	22 400
Cabriolet LX	27 265
Cabriolet GTC	24 185

CHRYSLER LE BARON — 186
| Berline LE | 16 720 |
| Berline Landau | 19 960 |

CHRYSLER DAYTONA — 182
Coupé	12 855
Coupé ES	14 745
Coupé IROC R/T	16 735
Coupé IROC R/T	22 790

DODGE SHADOW — 332
Hatchback 3 portes	10 750
Hatchback 5 portes	11 060
Hatchback 3 portes ES	11 725
Hatchback 5 portes ES	12 035
Cabriolet	16 470
Cabriolet ES	16 905

DODGE SPIRIT — 330
| Berline | 13 575 |
| Berline ES | 17 485 |

DODGE STEALTH — 196
Coupé ES	26 695
Coupé RT	36 115
Coupé RT Turbo	42 235

DODGE/ PLYMOUTH COLT / EAGLE VISTA — 194
| Hatchback 2 portes | 9 805 |
| Hatchback 2 portes GL | 10 250 |

DODGE VIPER — 198

EAGLE SUMMIT — 194
| Berline | 9 805 |
| Berline Coupé | 10 250 |

EAGLE TALON — 202
Coupé DL	14 475
Coupé ES	17 215
Coupé TSi	19 975
Coupé TSi AWD	23 390

EAGLE 2000GTX — 200
| Berline | 19 125 |
| Berline Premium | 24 575 |

EAGLE VISION — 178
| Berline ESi | 19 125 |
| Berline TSi | 24 575 |

FERRARI — 204
| Ferrari 348 TS/TB | 165 000 |

Ferrari 512TR	280 000

FORD FESTIVA · 105

Hatchback L	8 295
Hatchback GL Sport	9 295
Hatchback LX	9 495

FORD ESCORT · 210

LX hatchback 2 portes	10 795
Berline	11 695
Hatchback 4 portes	11 695
Familiale	11 695
LXE Berline	15 195
GT hatchback	15 095

FORD PROBE · 216

Coupé	11 995
Coupé GT	15 885

FORD MUSTANG · 214

Coupé LX	10 995
Hatchback LX	12 195
Cabriolet LX	20 295
Coupé LX 5.0	15 395
Hatchback LX 5.0	16 195
Cabriolet LX 5.0	24 495
Hatchback GT	18 795
Cabriolet GT	24 995

FORD TEMPO · 224

Coupé GL	9 995
Berline GL	10 995
Berline LX	14 995

FORD THUNDERBIRD · 226

Coupé LX	19 595
Coupé Super Coupe	26 395

FORD TAURUS · 222

Berline GL	18 195
Familiale GL	18 195
Berline LX	22 595
Familiale LX	22 595
Berline SHO	30 095

FORD CROWN VICTORIA · 208

Berline S	23 095
Berline	23 995
Berline LX	25 595

HONDA CIVIC · 234

Berline LX manuelle	13 495
Berline LX automatique	14 395
Berline EX manuelle	15 445
Berline EX automatique	16 345
Berline EX-V manuelle	18 995
Berline EX-V automatique	19 895

HONDA CIVIC del Sol · 234

S manuelle	18 795
S automatique	17 855
Si manuelle	18 895
Si automatique	19 955

HONDA CIVIC COUPÉ · 234

DX manuelle	12 995
DX automatique	14 055
Si manuelle	15 495
Si automatique	16 395
Hatchback CX manuelle	10 395
Hatchback CX automatique	11 455
Hatchback DX manuelle	12 695
Hatchback DX automatique	13 595
Hatchback VX manuelle	12 995
Hatchback Si manuelle	14 995

HONDA ACCORD · 232

Coupé LX manuelle	16 995
Coupé LX automatique	17 945
Coupé EX-R manuelle	22 745
Coupé EX-R automatique	23 895
Berline LX manuelle	17 945
Berline LX automatique	18 895
Berline EX manuelle	20 445
Berline EX automatique	21 395
Berline EX-R manuelle	23 845
Berline EX-R automatique	24 795
Berline SE automatique	27 395
Familiale EX manuelle	21 995
Familiale EX automatique	22 945
Familiale EX-R manuelle	24 995
Familiale EX-R automatique	25 945

HONDA PRELUDE · 238

Coupé SR manuelle	24 895
Coupé SR automatique	25 895
Coupé 4-WS manuelle	26 595
Coupé 4-WS automatique	27 595
Coupé SR-V manuelle	28 995

HYUNDAI SCOUPE · 242

Coupé	10 995
Coupé LS	12 495
Coupé LS Turbo	13 795

HYUNDAI ELANTRA · 240

Berline GL	11 295
Berline GLS	12 795

HYUNDAI SONATA · 244

Berline GL	13 495
Berline GL V6	15 295
Berline GLS	16 695
Berline GLS V6	17 395

HYUNDAI EXCEL · 109

Hatchback CX	7 995
Hatchback CXL	9 495
Berline CX	10 595
Berline CXL	11 345

INFINITI G20 · 246

Berline manuelle	23 440
Berline automatique	24 450

INFINITI J30 · 248

Berline	41 500
Touring	44 500

INFINITI Q45 · 252

Berline automatique	59 500

JAGUAR XJ6 · 258

Berline Sovereign	69 500
Berline Vanden Plas	76 000

JAGUAR XJS · 258

Coupé 6 cyl.	67 500
XJS cabriolet	76 000

LADA SAMARA · 108

Hatchback 1,3 litre	5 895
Hatchback 1,5 litre	6 825
Hatchback 5 portes 1,5 litre	7 270
Berline 1,5 litre	7 440
Cabriolet 1,5 litre	Moins de 12 000$

LADA SIGNET · 108

familiale	6 980

NIVA	108
4x4	8 345
4x4 Cossack	9 385
4x4 camionnette	9 950
4x4 camionnette Super	10 960
4x4 Cossack cabriolet	11 690

LAMBORGHINI DIABLO	266
Coupé	335 000

LEXUS ES300	268
Berline manuelle	33 000
Berline automatique	34 000

LEXUS LS400	270
Berline	60 500

LEXUS SC 400	270
Coupé	54 000

LINCOLN TOWN CAR	
Berline Executive	41 195
Berline Signature	42 395
Berline Cartier	44 895

LINCOLN MARK VIII	274

LINCOLN CONTINENTAL	272
Berline Executive	39 895
Berline Signature	42 695

MAZDA 323	284
Hatchback 3 portes	9 435
Hatchback SE	12 180
Hatchback LX	13 545

MAZDA PROTEGÉ	284
Berline DX	12 675
Berline SE	13 996
Berline LX	14 795

MAZDA 626 CRONOS	288
Berline DX	12 675
Berline SE	13 996
Berline LX	14 795

MAZDA MX-6 MYSTÈRE	216
Coupé RS	19 375
Coupé LS	23 575

MAZDA MX-3 PRECIDIA	286
Coupé manuelle	13 995
Coupé GS manuelle	17 065

MAZDA MX-5 MIATA	294
Cabriolet	18 995

MAZDA 929 SERENIA	292
Berline	38 550

MERCEDES 190	300
Special Edition	31 975
Special Edition automatique	32 975
Berline 2,3 manuelle	38 050
Berline automatique 2,3	39 450
Berline 2,6 manuelle	45 050
Berline 2,6 automatique	46 050

MERCEDES 300D/300E/CE/TE/SE	302
300 D 2.5	58 550
300 E 2.8	60 600
300 E	68 050
300 E 4 matic	77 050
300 CE	80 800
300 CECV cabriolet	93 600
300 TE	71 400
300 TE 4 matic	80 500
400 E	76 600
500 E	108 600

MERCEDES CLASSE «S»	306
300 SD	94 600
300 SE	94 600
400SEL	107 000
500 SEL	127 600
600 SEL	171 300
500 SEC	133 100
600 SEC	176 100

MERCEDES 300SL/500SL/600SL	304
300 SL manuelle	107 600
300 SL automatique	108 600
500 SL	124 600
600 SL	151 100

MERCURY TRACER	210
Berline	11 995
Berline LTS	15 895

MERCURY TOPAZ	224
Coupé GS	9 995

Berline GS	10 995
Berline LS	14 995

MERCURY COUGAR	226
Coupé XR7	18 695

MERCURY SABLE	222
Berline GS	19 595
Familiale GS	19 595
Berline LS	22 895
Familiale LS	22 895

MERCURY GRAND MARQUIS	208
Berline GS	25 595
Berline LS	26 595

NISSAN SENTRA CLASSIC	107
Berline manuelle	9 590
Berline automatique	10 150

NISSAN 300ZX	328
Coupé manuelle	41 990
Coupé automatique	42 990
Coupé Turbo	50 390
Coupé 2+2	45 890

NISSAN 240SX	326
Coupé LE manuelle	22 890
Fastback SE	19 290
Fastback LE	23 690

NISSAN NX 1600/2000	318
Coupé 1600 manuelle	14 990
Coupé 2000 manuelle	17 690

NISSAN MAXIMA	316
Berline GXE	24 690
Berline SE manuelle	30 890
Berline Brougham	29 690

NISSAN SENTRA	320
Berline DLX	13 090
Berline XE	14 290
Berline GXE	16 490

NISSAN ALTIMA	322
Berline XE	16 490
Berline GXE	18 690
Berline SE	21 190

OLDSMOBILE CIERA — **136**

Berline	17 298
Familiale	17 998
Berline SL	21 198
Familiale SL	21 798

OLDSMOBILE 98 REGENCY — **142**

Berline	29 298
Berline Touring	34 998
Berline Elite	31 798

OLDSMOBILE DELTA ROYALE 88 — **138**

Berline	23 098
Berline LS	25 998

OLDSMOBILE ACHIEVA — **336**

Coupé «S»	15 298
Berline «S»	15 398
Coupé «SL»	17 498
Berline SL	17 598

OLDSMOBILE CUTLASS SUPREME — **340**

Coupé	18 998
Coupé International	26 898
Berline	19 198
Berline International	27 098
Cabriolet	26 798

PLYMOUTH SUNDANCE — **332**

Hatchback 3 portes	10 750
Hatchback 5 portes	11 060
Hatchback Duster	11 370
Hatchback Duster 5 portes	11 680

PLYMOUTH ACCLAIM — **330**

Berline	13 575

PLYMOUTH LASER — **202**

Coupé	14 145
Coupé RS	16 310
Coupé RS Turbo	19 525
Coupé RS Turbo AWD	23 195

PONTIAC LE MANS — **170**

Hatchback Aerocoupe	8 740
Hatchback LS	10 615
Berline	10 995

PONTIAC SUNBIRD — **170**

Coupé LE	10 498
Berline LE	10 998

Coupé SE	11 698
Berline SE	12 198
Coupé GT	14 998
Cabriolet SE	17 998

PONTIAC GRAND AM — **336**

Coupé SE	14 898
Coupé GT	16 498
Berline SE	14 998
Berline GT	16 598

PONTIAC GRAND PRIX — **340**

Coupé SE	18 398
Berline SE	19 498
Coupé GT	24 298
Berline LE	18 598
Berline STE	25 098

PONTIAC BONNEVILLE — **138**

Berline SE	23 498
Berline SSE	29 196
Berline SSEi	34 498

PONTIAC FIREBIRD — **166**

PORSCHE 968 — **346**

Coupé	59 500
Cabriolet	69 800
Coupé Tiptronic	63 500
Cabriolet Tiptronic	73 800

PORSCHE 911 — **342**

Carrera 2	84 500
Carrera 2 Targa	87 200
Carrera 2 cabriolet	95 700
Carrera 2 Tiptronic	88 500
Carrera 2 Tiptronic Targa	91 200
Carrera 2 cabriolet Tiptronic	99 700
Carrera 4	99 800
Carrera 4 Targa	102 400
Carrera 4 cabriolet	110 900
Turbo	129 900

PORSCHE 928 GTS — **344**

Coupé	99 800

SAAB — **352**

900 S hatchback 3 portes	25 195
900 S hatchback 5 portes	25 695
900 S cabriolet	39 395
900 T cabriolet	46 295

900 T hatchback 3 portes	36 695
9000 CS	32 095
9000 CSE Turbo	46 145
9000 CD	37 995
9000 CSE Turbo	45 995

SATURN — **354**

Berline SL	10 995
Berline SL1	12 350
Berline SL2	15 095
Familiale SW1	12 995
Familiale SW2	15 895
Coupé SC1	13 195
Coupé SC2	15 895

SUBARU SVX — **358**

Coupé automatique	36 995

SUBARU LEGACY — **360**

Berline manuelle	16 988
Familiale manuelle	18 995
Berline manuelle 4RM	20 195
Familiale manuelle 4RM	20 895
Berline LS automatique	25 595
Familiale LS automatique	26 945
Berline manuelle Turbo	25 995
Berline automatique Turbo	26 995
Familiale automatique Turbo	27 795

SUBARU LOYALE — **356**

Berline manuelle	11 995
Berline automatique	13 045
Familiale manuelle	12 495
Familiale automatique	13 545
Brline 4 RM	12 995
Familiale manuelle 4RM	13 495

SUBARU JUSTY — **110**

Hatchback 3 portes	7 795
Hatchback GL 3 portes ECVT	9 495
Hatchback GL 5 portes 4rm	9 995
Hatchback GL 5 portes ECVT	10 795

SUZUKI SWIFT — **111**

Hatchback L	8 895
Hatchback automatique L	8 495
Hatchback GS	8 195
Hatchback GT	11 895

Berline 1,3 L	8 995
Berline L automatique L	9 595
Berline 1,6 GL	10 695
Berline 1,6 GL automatique	11 295
Berline GLX	11 595
Berline GLX automatique	12 195

TOYOTA TERCEL — 378

Coupé S	9 098
Coupé DX	10 368
Coupé DX automatique	11 018
Berline DX	10 578
Berline DX automatique	11 538
Berline LE	12 218
Berline LE automatique	12 868

TOYOTA PASEO — 378

Coupé manuelle	14 398
Coupé automatique	15 348

TOYOTA COROLLA — 370

Berline manuelle	14 598
Berline automatique	15 178
Berline LE manuelle	16 798
Berline LE automatique	17 798
Familiale manuelle	16 158
Familiale automatique	17 098
Familiale 4RM manuelle	17 408
Familiale 4RM automatique	18 288

TOYOTA CAMRY — 366

Berline	18 778
Berline automatique	19 778
Berline LE automatique	23 058
Berline V6 automatique	21 828
Berline LE V6	24 398
Berline LE V6 automatique	25 398
Familiale manuelle	20 518
Familiale automatique	21 518
Familiale LE automatique	25 298
Familiale LE V6	27 668

TOYOTA CELICA — 368

Coupé ST	19 078
Coupé ST automatique	19 878
Coupé GT	20 798
Coupé GT automatique	21 798
Liftback GT	21 118
Liftback GT automatique	22 118
Liftback GT-S	24 158
Liftback GT-S automatique	25 048
Liftback GTS AWD Turbo	31 828

TOYOTA MR2 — 374

Coupé manuelle	26 628
Coupé turbo	31 828

VOLKSWAGEN GOLF — 384

VOLKSWAGEN PASSAT (1992) — 390

Berline CL	19 790
Familiale	20 230
Berline GL	21 695
Berline G60 Syncro	25 995
Familiale G60 Syncro	26 995

VOLKSWAGEN CORRADO VR6 — 380

VOLVO SÉRIE 240 — 392

Berline 244 manuelle	24 270
Berline 244 automatique	24 995
Familiale 245 manuelle	25 270
Familiale 245 automatique	25 995

VOLVO SÉRIE 800 — 394

Berline GT manuelle	29 100
Berline GT automatique	29 850
Berline GTS manuelle	32 100
Berline GTS automatique	32 850

VOLVO SÉRIE 900 — 398

Berline 944	29 995
Familiale 945	30 995
Berline 944 S	31 885
Familiale 945 S	32 885
Berline 944 Turbo	34 135
Berline 945 Turbo	35 135
Berline 964	43 045
Familiale 965	44 045

LISTE DE PRIX / CAMIONNETTES ET FOURGONNETTES 1992

CHEVROLET ASTRO/GMC SAFARI — 158

Fourgonnette régulière	19 198
Fourgonnette allongée	19 998
Fourgonnette 4RM	21 898
Fourgonnette allongée 4RM	22 698

CHEVROLET BLAZER/ GMC JIMMY — 162

2 portes 4x2	17 698
2 portes 4x4	19 698
4 portes 4x4	20 898
4 portes 4x2	19 698

CHEVROLET LUMINA APV/ PONTIAC TRANS SPORT — 174

Lumina APV	18 798
Lumina APV LS	21 698
Trans Sport SE	18 898
Trans Sport GT	21 498

CHEVROLET S-10 / GMC SONOMA — 176

4x2 empattement court	9 998
4x2 empattement long	12 098
4x4 empattement court	14 598
4x4 embattement long	16 198
Chevrolet K-Blazer /GMC Yukon	22 898

DODGE DAKOTA — 188

Empattement court	11 165
Empattement long	12 310
Sport S 4x2	12 760
Empattement court 4x4	15 375
Empattement long 4x4	15 805
Sport S 4x4	17 090
Club Cab	13 410
Club Cab 4x4	16 545
Club Cab Sport	16 105
Club Cab Sport 4x4	18 510

DODGE RAM 50 / POWER RAM 50 — 190

Caisse normale	10 025
Caisse normale SE	11 775
Caisse allongée	11 270

EAGLE SUMMIT WAGON — 192

DL	13 600
LX	14 705
AWD	15 935

FORD AEROSTAR — 206

Fourgonnette 4x2	17 095
Fourgonnette 4x4	19 795
Fourgonnette allongée 4x2	18 095
Fourgonnette allongée 4x4	20 895

FORD EXPLORER — 212

2 portes 2 roues motrices	18 895
2 portes 4 roues motrices	20 695
4 portes 2 roues motrices	23 495
4 portes 4 roues motrices	25 295

FORD RANGER — 220

Cabine régulière XL 4x2	10 995
Cabine régulière XL 4x4	11 995

Cabine régulière XLT 4x2	12 795
Cabine régulière XLT 4x4	16 595
Cabine allongée XL 4x2	14 395
Cabine allongée XL 4x4	18 195

ISUZU RODEO — 254

ISUZU SPACECAB — 254

ISUZU TROOPER II — 256

Modèle S	25 825
Modèle LS	28 825

JEEP CHEROKEE — 262

2 portes 4x2	15 040
4 portes 4x2	17 005
2 portes 4x4	17 165
4 portes 4x4	18 305
2 portes 4x2 Sport	16 765
4 portes 4x2 Sport	18 230
2 portes 4x4 Sport	18 390
4 portes 4x4 Sport	19 530
4 portes 4x2 Country	17 480
4 portes 4x4 Country	19 455
4 portes 4x4 Country	19 605
4 portes 4x4 Country	20 745

JEEP GRAND CHEROKEE — 262

4 portes 4x4	21 905
4 portes 4x4 Laredo	24 180
4 portes 4x4 Limited	33 355

JEEP GRAND WAGONEER — 262

4 portes 4x4	34 310

JEEP YJ — 260

Utilitaire 4x4	12 605
S	15 220
Sahara	17 810
Renegade	20 270

MAZDA — 280

Empattement court	9 995
Empattement court SE5	10 995
Empattement long	10 695
Cab Plus DX	13 595
Cab Plus SE-5	14 215
Cab Plus Sport	15 895
4X4	
Empattement court	14 340

Empattement long	15 040
Cab Plus DX	17 550
Cab Plus Sport	19 790

MAZDA MPV — 282

2RM	19 345
4RM	26 645

NISSAN AXXESS — 312

5 passagers manuelle XE	17 190
5 passagers automatique XE	18 190
SE 2 RM manuelle	18 090
SE 4 RM manuelle	20 890

CAMIONNETTES NISSAN — 314

Caisse normale DLX manuelle	9 490
Caisse ultra robuste manuelle	12 390
King Cab DLX manuelle	11 490
King Cab SE-V6 manuelle	15 690
King Cab XE manuelle	16 190

NISSAN PATHFINDER — 314

4 portes XE manuelle	22 490
4 portes XE auto	23 690
4 portes SE manuelle	25 790

NISSAN QUEST — 308

XE	22 290
GXE	26 590

PLYMOUTH VOYAGER /DODGE CARAVAN/ CHRYSLER TOWN & COUNTRY — 334

Fourgonnette	15 810
SE	17 160
SE 4RM	20 750
LE	21 225
LE 4RM	23 260
LX	23 390
LX 4RM	25 295
Grand	19 350
Grand SE	19 350
Grand SE 4RM	21 300
Grand LE	22 010
Grand LE 4RM	23 945
Chrysler Town & Country	31 470
Chrysler Town & Country 4RM	33 335

SUZUKI SIDEKICK — 230

Cabriolet JA manuelle	11 995
Cabriolet JX manuelle	14 195
Cabriolet JLX manuelle	16 295

Hardtop JA manuelle	12 295
Hardtop JX manuelle	14 495
4 portes JX manuelle	14 985
4 portes JLX manuelle	17 795

SUZUKI SAMURAI

Utilitaire cabriolet	8 895
Utilitaire Édition Spéciale	9 995

TOYOTA 4RUNNER — 362

2 portes SR5	20 878
4 portes SR5	21 588
4 portes SR5 automatique	22 578
2 portes V6 SR5	23 808
4 portes V6 SR5	24 518

TOYOTA PREVIA — 376

Fourgonnette manuelle	21 448
Fourgonnette automatique	22 378
Fourgonnette LE automatique	26 688
Fourgonnette 4RM automatique	26 538
Fourgonnette LE 4RM automatique	30 408

TOYOTA CAMIONNETTE — 364

Empattement régulier 4x2 manuelle	11 328
Empattement long 4x2 manuelle	12 588
Xtracab 4x2 manuelle	14 088
Xtracab 4x2 manuelle V6	17 798
Empattement régulier 4x4 manuelle	17 078
Empattement long 4x4 manuelle	17 548
Xtracab 4x4 manuelle	19 398
Empattement régulier 4x4 V6 manuelle	17 798
Xtracab 4x4 V6 manuelle	19 398
Xtracab 4x4 V6 SR5 manuelle	23 108

VOLKSWAGEN EUROVAN — 382

	23 595

1993	TOUT LE VÉHICULE AN/KM	MOTO-PROPULSEUR	ANTI-POLLUTION	CORROSION	CEINTURES DE SÉCURITÉ ET COUSSINS GONFLABLES	
ACURA	3/60	5/100 + P.C.	5/80	Surf: 3/ill Perf: 5/ill	Ceintures: 5/100 Coussin: 3/60	
AUDI	4/100 + E.T.	4/100	5/80	Surf: 4/100 Perf: 10/ill	Ceintures: 4/100 Coussin: 4/100	
BMW	4/80	4/80	5/80	Surf: 4/80 Perf: 6/ill	Ceintures: 4/80 Coussin: 4/80	
CHRYSLER JEEP EAGLE 5th Ave & Imperial	5/80	7/115	5/80	Surf: 1/20 Perf: 7/160	Ceintures: 5/80 Coussin: 5/80	
Tous les véhicules de fabrication domestique	Choix de: 3/60 ou 1/20 et	3/60 7/115 (1)	5/80	Surf: 1/20 Perf: 7/160	Ceintures: 3/60 Coussin: 3/60	
Tous les véhicules importés autos et camions + Laser et Talon	Choix de: 3/60 et ou 1/20 et	5/100 7/115	5/80	Surf: 1/20 Perf: 7/160	Ceintures: 3/60 Coussin: 3/60	
FORD Autos + camions	3/60	3/60	5/80	Surf: 1/20 Perf: 6/160	Ceintures: 5/80 Coussin: 5/80	
Lincoln	4/80 + E.N.	4/80				
GENERAL MOTORS-GEO Autos + camions	3/60	3/60 (2)	5/80	Surf: 1/20 Perf: 6/160	Ceintures: 3/60 Coussin: 3/60	
Cadillac	4/80	4/80		Surf: 1/20 Perf: 6/160	Ceintures: 4/80 Coussin: 3/ill	
Allanté	4/80	7/160 + P.C.		Surf: 1/20 Perf: 7/160	Ceintures: 4/80 Coussiné 4/ill	
Honda	3/60	5/100 + P.C.	5/80	Surf: 3/ill Perf: 5/ill	Ceintures: 5/100 Coussin: 3/60	
Hyundai	3/60	5/100 + P.C.	5/80	Surf: 1/20 Perf: 5/ill	Ceintures: 3/60 Coussin: N/D	
Infiniti	4/100	6/100 + P.C.	6/100	Surf: 4/100 Perf: 7/ill	Ceintures: À vie Coussin: 4/100	
Jaguar	4/80	4/80	5/80	Surf: 4/80 Perf: 6/ill	Ceintures: 4/80 Coussin: 4/80	
Lada	3/72	3/72	5/80	Surf: 1/20 Perf: 5/ill	Ceintures: 1/20 Coussin: N/D	
Lexus	4/80	6/110 + P.C.	6/110	Surf: 4/80 Perf: 6/ill	Ceintures: 6/110 Coussin: 6/110	

Mazda	3/80	5/100 + P.C.	5/80	Surf: 3/80 Perf: 5/ill	Ceintures: Coussin:	5/100 5/100
Mercedes	4/80	4/80	5/80	Surf: 4/80 Perf: 5/ill	Ceintures: Coussin:	4/80 4/80
Nissan	3/80	6/100 + P.C.	6/100	Surf: 3/80 Perf: 6/ill	Ceintures: Coussin:	À vie 3/80
Porsche	2/ill	2/ill	5/80	Surf: 2/ill Perf: 10/ill	Ceintures: Coussin:	2/ill 2/ill
SSI						
Saturn	3/60	3/60	5/80	Surf: 1/20	Ceintures:	3/60
SAAB	3/60	6/120 (3) + P.C.	5/80	Perf: 6/160	Coussin:	3/60
Isuzu	3/60	5/100	5/80			
Subaru	3/60	5/100 + P.C.	5/80	Surf: 1/ill Perf: 5/ill	Ceintures: Coussin:	5/100 5/100
Suzuki	3/80	3/80	5/80	Surf: 3/80 Perf: 5/ill	Ceintures: Coussin:	3/80 N/D
Toyota	3/60	5/100 + P.C.	5/100	Surf: 3/60 Perf: 5/ill	Ceintures: Coussin:	5/100 3/60
Volkswagen	3/60	3/60	5/80	Surf: 3/60 Perf: 6/ill	Ceintures: Coussin:	3/60 N/D
Volvo	3/80	3/80	5/80	Surf: 1/ill Perf: 5/ill	Ceintures: Coussin:	5/ill 5/ill

Entretien total: Vidange d'huile, pneus, parallélisme, mise au point, etc.

Entretien normal: Interventions de service selon une grille d'entretien pré-établie. Ne comprend pas tous les services.

Principales composantes: Direction, suspension, freins, moteurs électriques, refroidissement, etc.

P.C.:   principales composantes

E.T: entretien total

E.N.:   entretien normal

Surf: surface

Perf: perforation

ill: illimitée

(1):   camion diesel: 7/160 - franchise de 100.00 $ après 3/60

(2):   camion diesel, garantie pour moteur seulement: 5/160 - franchise de 100.00 $ après 3/60

(3):   franchise de 150.00 $ après 3/60

Source: CAA-Québec

Avant-propos

Après vingt-sept ans d'existence, il était temps que le *Guide de l'auto* se mette à la page. Les progrès techniques dans l'industrie du livre s'étant effectués à peu près au même rythme que dans l'industrie de l'automobile, il nous a paru tout naturel de concevoir un ouvrage qui soit le reflet de cette rapide évolution. C'est donc avec beaucoup de fierté que je vous présente cette édition en couleurs qui vous permettra de contempler les automobiles dans tout leur éclat.

C'est également avec grand plaisir que j'accueille de nouveau Jacques Duval, qui a bien voulu faire un essai au volant de la mystérieuse *Consulier* en plus de nous offrir d'autres textes passionnants. Vous constaterez en le lisant que notre collaborateur n'a rien perdu de sa verve de journaliste.

Notre désir de faire peau neuve se remarque jusque dans les fiches techniques qui ont été modifiées de manière à en faciliter la consultation. Les informations que vous y trouverez sont encore plus précises et plus détaillées. De plus, un tableau vous renseignera en un coup d'œil sur l'application et la durée des garanties. Vous verrez que les modèles 1993 sont encore plus sophistiqués que ceux des années passées et à quel point ils se distinguent par la qualité de leur assemblage. Dans l'histoire de l'automobile, en matière de qualité et de quantité, jamais le choix n'a été aussi vaste.

Nous sommes donc persuadés que cette vingt-septième édition du *Guide de l'auto* vous procurera des heures agréables et qu'elle vous aidera à faire un choix judicieux.

Denis Duquet

REMERCIEMENTS

Sans la collaboration des personnes dont les noms suivent, la présente édition du *Guide de l'auto* ne serait certainement pas aussi complète. Les auteurs tiennent donc à remercier:

BMW Canada: John Girard, Alain Laforest
Chrysler Canada: Jules Lacasse, Denise Aird, Walt McCall, Lori McTavish
General Motors du Canada: Marc Osborne, Diane Maheu, Barry Kuntz, Richard Jacobs, Chris Douglas
Honda Canada/Acura: Terry Green, Dennis Manning, Carol Susko, Doug Mepham
Hyundai Canada: Jean Desjardins, Michel Mérette, Brahm Sand
Jaguar Canada: John Arnone, Hector Sigouin
Lexus Canada: Wayne Jefferey
Mazda Canada: Michel Benchimol, Vic Hirst, Frank Mancuso, Greg Young
Mercedes-Benz Canada: Gerry Girouard, Dieter Scharf
Mercedes-Benz of North America: A.B. Schuman
Pirelli Canada: Denis Monette, Renato Cantoni
Nissan Canada: Malique Laliberté, Marie-France Michaud, Lynn Palardy, Stéphane Tremblay, Max Wickens
Subaru Canada: Wally Bachelor, Trudy Blackwood, Robert Vilas
Toyota Canada: Suzanne Boisvert, F. David Stone, Dan McTeague
Volkswagen/Porsche/ Audi: Louise Desilets, Luc Bellefleur, Gérald Godin, Bernice Holman, Margaret Jeffery
Volvo Canada: Ken Barratt, René Hubler, Cliff Barri

Une mention spéciale à: Johanne Mercier et Paul Seitz Communications
Un gros merci à Jacques Guertin et Céline Rodier du Circuit de Sanair. Sans leur collaboration, le test des 24 Heures n'aurait pu se réaliser.

Un remerciement bien senti aux concessionnaires suivants pour l'aide particulière qu'ils nous ont apporté

Auto Symbol (Alfa Romeo): Mirko Lanaro
Boulevard Saint-Martin Auto: Carmine et Gerry Dargenio
Bourassa Saab-Saturn-Isuzu: Yves Désormeaux
Canbec Auto (BMW): Urs Pfund, Christian Dubois
Clermont Chevrolet Geo-Oldsmobile-Cadillac: Pierre Clermont Sr, Pierre Clermont Jr, Robert Pagé
Lemenn Automobile (Volvo): Laurent Laliberté, Gaston Gagnon
Luciani Automobiles (Acura): Camillo Luciani, Carmello Pouliati
Verchères Auto (Honda): Claude Coiteux

Nos remerciements aux participants des différents matchs comparatifs et essais spéciaux:
Claude Carrière, David Duquet, Daniel Duquet, Yvan Fournier, Pierre-Louis Mongeau, Jean Desnoyers, George Powell, Pierre DesMarais III, François Macret, Jimmy Cancino et Henry Dowden.

Enfin, des remerciements bien sentis à Daniel Boivin ainsi qu'à Daniel Demers et Benoît Francoeur de la boutique Sonoritech pour leur support technique fort apprécié.

Les grandes questions de l'heure

ROULER SANS MOURIR...
EST-CE POSSIBLE?

Un dossier sur la sécurité automobile par JACQUES DUVAL

Du plus loin que je me souvienne, la sécurité passive dans les voitures nord-américaines a commencé avec l'apparition des... tableaux de bord rembourrés. Les monstres de la route qui sévissaient à l'époque, bardés de chromes rutilants, étaient affublés de freins à tambours d'une inefficacité désolante et de directions floues d'une imprécision lamentable mais, en cas d'accident, on avait l'assurance de savoir que si notre boîte crânienne devait aller s'abîmer contre le tableau de bord, le choc serait coussiné par un généreux rembourrage de caoutchouc mousse habillé de vinyle. La mort en douceur quoi...

En ce temps-là (que je situerais peu avant la parution du premier *Guide de l'auto*), la sécurité automobile figurait très très loin dans les motifs qui incitaient les acheteurs à choisir un modèle plutôt qu'un autre. Bref, on s'en foutait comme de l'an quarante. Que les pneus soient de véritables savonnettes, personne (ou presque) n'y prêtait attention en autant qu'ils soient à flanc blanc. Quant aux ceintures de sécurité, elles n'avaient pour seuls adeptes que ce petit noyau d'originaux et de détraqués qui osaient s'afficher au volant de voitures venues d'outre-mer (ou de «l'auttte bord» comme on disait à l'époque). Ces engins à part des autres, on les définissait comme «des p'tits chars anglais» et cela même s'ils n'étaient pas toujours origi-naires de l'auguste empire britannique. L'industrie anglaise de l'automobile avec ses Austin, Vauxhall, Anglia, Hillman et cie connut un tel succès à ses débuts chez nous que toutes les petites voitures, qu'elles fussent françaises, allemandes ou italiennes, étaient englobées dans la masse des «p'tits chars anglais».

Mais je m'égare un peu du dossier...

N'empêche que ces quelques observa-tions étaient nécessaires pour démontrer le peu de cas que l'on faisait de la sécu-rité automobile au début des années 60. Les choses ont beaucoup changé par rapport à 1973 par exemple alors que j'avais réalisé (en collaboration avec le Club Automobile du Québec) un sondage portant sur plusieurs aspects du marché automobile et notamment sur les motifs d'achat des diverses marques. À la page 27 du *Guide de l'auto 1973* on trouve le résultat de la partie du questionnaire trai-tant du choix d'un modèle. Croyez-le ou non, à la question «Qu'est-ce qui a motivé le choix de votre voiture?», les 3 779 répondants n'ont même pas accordé 1 p. 100 de leurs motifs d'achat à la sécurité. Des onze facteurs décision-nels cités, aucun ne fait mention de «sécurité» alors que la durabilité, le coût d'entretien, le prix d'achat et... le confort accaparent les plus gros pourcentages. Même l'apparence et la grosseur du «char» avaient plus de signification que la sécurité.

Le même sondage réalisé aujourd'hui donnerait des résultats fort différents

puisque la sécurité, qu'elle soit active ou passive, fait désormais partie des grandes préoccupations des automo-bilistes lors de la sélection d'un véhicule. Des firmes comme Volvo et Mercedes-Benz ont longtemps prêché dans le désert en misant sur la sécurité de leurs voitures tandis que les manufacturiers américains offraient en option des équipements comme les ceintures de sécurité, les freins à disques ou les pneus à carcasse radiale dont quasiment personne ne voulait. Au Québec, on peut dire que le *Guide de l'auto* a joué un grand rôle dans cet éveil et cette sensi-bilisation à la sécurité automobile.

DEUX TYPES: ACTIVE ET PASSIVE

Il existe deux types de sécurité dans un véhicule automobile: la sécurité passive et la sécurité active. Si l'on part du principe qu'il existe très peu d'accidents **d'automobiles** et énormément d'acci-dents **d'automobilistes**, la sécurité active est d'une extrême importance. Car une voiture sûre doit être capable d'excuser certaines erreurs de conduite. Quand il est question de sécurité active, on parle par exemple d'une bonne tenue de route, de pneus offrant une adhérence optimale dans toutes les circonstances, d'un freinage fiable et en droite ligne, d'une direction vive et précise et de cer-taines autres qualités moins évidentes comme une bonne visibilité, une ergonomie bien étudiée (permettant d'atteindre les commandes sans retirer son attention de la route) et même de

sièges confortables capables de réduire la fatigue et les erreurs de jugement qu'elle peut entraîner.

La sécurité passive intervient après coup, autrement dit quand on fait face à l'inévitable et que ça va donner un grand coup. C'est ainsi que les coussins gon-flables font partie de la sécurité passive tandis que les freins ABS appartiennent plutôt à l'autre type de sécurité, l'active.

Aujourd'hui, le vent a tourné et aucun constructeur ne peut se permettre d'offrir un véhicule qui n'offre pas de solides garanties de sécurité. Il aura fallu l'intervention des gouvernements d'une part et des consommateurs de l'autre pour que la sécurité devienne un atout recherché dans une automobile.

LE COUSSIN GONFLABLE: MYTHE OU RÉALITÉ

De tous les équipements ou accessoires destinés à améliorer la sécurité passive d'un véhicule, le fameux coussin gon-flable joue un rôle de tout premier plan. On dit même qu'il est, dans une large mesure, à l'origine de l'augmentation importante du taux de survie des auto-mobilistes entre 1980 et 1992. Selon une étude réalisée par la revue américaine *Autoweek* en août 1992, la voiture type de 1992 est 43 p. 100 plus sûre que ne l'étaient les modèles de 1980. Peut-on en conclure qu'on a finalement réussi à construire la voiture anti-mort?

Rien n'est moins sûr et même si je me sens beaucoup plus à l'abri des con-séquences d'un accident dans une voiture dotée d'un sac gonflable, on aurait tort de croire qu'il s'agit d'une panacée. Il ne faut pas se leurrer sur l'efficacité des coussins de sécurité. Ils sont nécessaires et d'un grand secours en cas de collision frontale, mais leur efficacité repose sur **l'utilisation de la ceinture de sécurité**. Les statistiques nous apprennent qu'utilisé sans ceinture de sécurité, le coussin gonflable n'est efficace que dans 18 p. 100 des cas dans la prévention de décès à la suite d'un accident grave. Par contre, lorsqu'elle est utilisée seule, la ceinture de sécurité est efficace dans une proportion de 42 p.100. Finalement, la combinaison ceinture/sac gonflable fait monter les chances de survie à 46 p. 100.

Ces chiffres peuvent surprendre et minimiser la valeur des coussins gonflables. L'explication est pourtant simple: le coussin gonflable ne se déploie qu'en cas d'impact frontal alors que la ceinture de sécurité protège les occupants d'un véhicule dans toutes les circonstances. Malgré tout, le coussin gonflable est pratiquement indispensable si l'on veut met-

tre toutes les chances de son côté et il faut se réjouir de constater que sa présence en équipement standard dans les voitures ne se limite plus aux modèles de luxe comme c'était le cas il y a quelques années. Il faut aussi souhaiter qu'un nombre de plus en plus grand de manufacturiers l'installent aussi bien du côté du conducteur que du côté du passager avant pour éviter, comme cela arrive malheureusement souvent, que le conducteur se sorte indemne d'un grave accident alors que son passager a perdu la vie.

LE FONCTIONNEMENT DU COUSSIN

Le coussin gonflable est un sac de nylon dissimulé au centre du volant ou à l'emplacement habituellement réservé au coffre à gants qui a été conçu pour se déployer lors d'une collision frontale équivalant à un impact frontal à 19 km/h contre un mur de béton. Dans un intervalle de 1/25e de seconde après l'impact, soit la moitié du temps nécessaire pour cligner des yeux, le coussin se remplit d'azote, un gaz non toxique, afin de protéger la tête, le cou et la poitrine du conducteur ou du passager. Certains craignent que le coussin les étouffe et ne leur permette pas de quitter la voiture après l'accident. Or, il faut savoir que le coussin se dégonfle une fraction de seconde après s'être gonflé de manière à ne pas obstruer la vue du conducteur.

Quant à la fiabilité du système, qu'il me suffise de mentionner que les coussins gonflables ne datent pas d'hier et que leur développement s'est échelonné sur une période de plus de vingt ans (voir *Guide de l'auto 1972*).

CETTE SÉCURITÉ INVISIBLE

Comme on l'a vu plus haut, le seul fait de rouler dans une voiture munie d'un sac gonflable ne vous donne pas automatiquement un passeport pour l'éternité. Il faut également prendre en considération la solidité de la structure. Par exemple, lors d'une collision latérale, toutes les parties du véhicule soumises à des contraintes importantes (par exemple les portières) doivent être protégées par des renforts et des tôles ultra résistantes.

En dépit de tous les efforts des constructeurs automobiles pour rendre leurs véhicules plus sûrs, il faut se rappeler que, dans 90 p. 100 des cas, c'est une défaillance humaine qui est à l'origine des accidents de la circulation. D'où l'importance de la sécurité passive parce qu'il y aura toujours des conducteurs distraits, négligents ou peu responsables. Ou tout simplement mal conseillés comme ceux qui croient bien faire en plaquant dans la vitre arrière de leur voiture l'infâme écriteau «bébé à bord». En voulant inciter les automobilistes qui roulent derrière eux à la prudence, ces chers parents ne font que diminuer leur visibilité et créer un angle mort qui pourrait bien les mener tout droit vers un grave accident. Si vous aimez vos enfants, débarrassez-vous au plus vite de ces fâcheuses pancartes qui sont plus dangereuses qu'autre chose.

SÉCURITÉ ACTIVE ET ABS

Dans la mesure où il est nettement préférable de ne jamais avoir recours à la sécurité passive d'une voiture, il faut pouvoir compter sur toutes ces petites et grandes choses qui s'inscrivent au chapitre de la sécurité active. Cela peut aller du simple positionnement d'un rétroviseur à la sophistication d'un système de freinage antiblocage ou, pour employer sa dénomination la plus courante, ABS.

Tout comme le coussin gonflable, l'ABS a ses partisans et ses détracteurs. Les premiers défendent farouchement ses vertus: freinage rectiligne sur route glissante, contrôle absolu de la direction par le non-blocage des roues avant, sécurité accrue sur chaussée à faible adhérence, etc. Les sceptiques (lire détracteurs) affirment que l'ABS prolonge les distances d'arrêt et n'est pas toujours souhaitable sur certaines surfaces. Plus précisément, ils prétendent, grâce à leurs qualités de conducteurs, pouvoir faire mieux que l'électronique. De mon côté, sans prétendre que le système est parfait, je me sens beaucoup plus en sécurité au volant d'une voiture dotée d'un ABS.

Même si le coussin gonflable a un petit côté spectaculaire, il faut se souvenir que plusieurs spécialistes de l'automobile considèrent les freins antiblocage comme la plus grande amélioration de la dernière décennie au chapitre de la sécurité routière. C'est d'ailleurs l'efficacité de ce système qui a incité plusieurs compagnies d'assurances, aux États-Unis et au Canada, à offrir des réductions de primes allant de 5 à 10 p. 100 aux propriétaires de voitures munies d'un ABS.

Les freins ABS, d'abord confinés aux voitures de luxe (comme le coussin gonflable), sont maintenant offerts dans une très grande variété de marques et de modèles. Faut-il souligner qu'il vaut mieux investir dans un ABS que dans un système de son haut de gamme lorsque les deux font partie de la liste des options? Car l'ABS ne fait pas qu'offrir un meilleur contrôle au moment du freinage lors de situations d'urgence: il permet surtout de diriger le véhicule en empêchant les roues de se bloquer. J'ai assisté et pris part à de nombreuses démonstrations de l'ABS et, chaque fois, j'en suis revenu tout à fait convaincu de ses mérites. Pour le néophyte, les pulsations ou le bruit de la pédale de freins à l'entrée en fonction de l'ABS peuvent être gênants au début mais c'est un bien petit inconvénient compte tenu du rôle important que joue ce système dans la prévention des accidents.

ABS INVERSÉ = TRACTION ASSERVIE

Après s'être acharnés pendant une bonne dizaine d'années à perfectionner le fonctionnement du freinage antiblocage, les ingénieurs n'ont pas mis de temps à découvrir qu'on pouvait tirer un autre avantage de ce dispositif.

En inversant le processus qui mène au relâchement de la pression dans le maître-cylindre pour diminuer la puissance de freinage à une roue en perte d'adhérence, on s'est rendu compte qu'on pouvait mieux contrôler la traction des roues motrices. Il suffisait d'introduire une autre donnée dans le microprocesseur de l'ABS pour lui permettre de devenir un système antipatinage ou de contrôle de la traction. Il existe, selon les constructeurs (voir *Guide de l'auto 1992*), plusieurs versions de ce dispositif qu'on appelle «traction asservie», de la plus simple à la plus sophistiquée. Toutefois, qu'importe la méthode utilisée (application des freins ou réduction temporaire de la puissance du moteur), il en résulte une plus grande stabilité de la voiture. En d'autres termes, le système est conçu de manière à améliorer la motricité au cours d'accélérations sur des surfaces à faible coefficient d'adhérence. Certains diront que le blocage du différentiel (autobloquant) joue le même rôle mais un tel système a une influence négative sur le comportement du véhicule lorsqu'une roue glisse d'un seul côté. Dans les mêmes conditions, la traction asservie donne de bien meilleurs résultats sans pour autant avoir la même efficacité que la traction intégrale. Mais cette dernière solution engendre une augmentation notable du poids du véhicule tout en ayant de sérieuses répercussions sur les coûts de production.

LA SÉCURITÉ GLOBALE

La question de la sécurité globale (passive et active) dans la construction automobile englobe un nombre presque illimité de facteurs. Dans une voiture, tout (ou presque) a une incidence sur la sécurité. Un exemple: l'appareil radio doit posséder des boutons de syntonisation faciles à repérer pour éviter que l'on quitte trop longtemps la route des yeux quand on l'utilise. Cela s'appelle une bonne ergonomie et fait partie aussi de la sécurité d'utilisation d'un véhicule.

En conclusion, il faut se rappeler que la voiture la plus sûre au monde sera toujours celle dont le conducteur est alerte, prudent et… méfiant à l'égard des autres usagers de la route. C'est encore la meilleure méthode pour rouler sans mourir.

Courant d'avenir ou utopie?

Pour son prototype E1 à propulsion électrique, BMW a choisi d'installer le moteur de 45 chevaux entre les roues arrière motrices. La batterie au sodium-soufre est installée sous la banquette arrière. Elle doit être maintenue à une température de 300° C (572° F).

Votre prochaine voiture sera-t-elle électrique ou, mieux encore, solaire? N'y comptez pas trop. Pas pour une décennie, peut-être plus. En fait, il se peut aussi que vous ne possédiez jamais une telle voiture si vous demeurez et conduisez au Québec. Cela est d'autant plus vrai si vous espérez que son prix se compare à celui d'une voiture conventionnelle de taille égale. Beaucoup trop d'obstacles se dressent effectivement devant l'apparition de ce type de voiture chez nous. Nous verrons bien sûr rouler quelques voitures électriques dans nos rues ces prochaines années. Mais ce seront des curiosités, des objets rares, chers et peu pratiques, réservés aux mieux nantis et... aux branchés. Le nombre de véhicules électriques va croître peu à peu, du moins dans les grandes villes, mais ce seront essentiellement des utilitaires, qui appartiendront aux grandes entreprises et aux services publics. Chrysler, par exemple, doit mettre en vente une fourgonnette électrique, la TEVan, en 1993. Mais le prix des 50 véhicules qu'elle doit construire oscillera entre 100 000 et 120 000 $ US. Pour l'immense majorité des Québécois, toutefois, la voiture électrique n'est donc pour l'instant qu'un rêve aussi lointain qu'improbable.

RIEN DE NOUVEAU

Ce n'est pourtant pas d'hier que l'on parle de voiture électrique. Elle est même devenue un des mythes les plus tenaces du monde de l'automobile depuis les soi-disantes crises du pétrole et la «découverte» de la pollution atmosphérique durant les années 70. On se mit alors à percevoir l'énergie électrique et solaire comme les solutions à tous les maux du monde moderne. Déjà en 1967, année de parution du premier *Guide de l'auto,* les magazines spécialisés annonçaient le début imminent d'une nouvelle ère, celle de la voiture électrique. On voit ce que cela a donné par la suite. Un quart de siècle plus tard, nous en sommes au même point ou presque.

Dire que la voiture électrique existe depuis plus d'un siècle. Les premières furent en effet mises au point par le Britannique J. K. Starley et l'Américain Fred M. Kimball en 1888 et c'est aussi un engin à propulsion électrique qui fut le premier à pulvériser le «mur» des 100 km/h en 1899. Avec sa carrosserie en forme d'obus à deux pointes, au centre de laquelle émergeaient la tête et les épaules du pilote, «La jamais contente» fut poussée à 105,882 km/h par le Belge Camille Jenatzy, en pleine course avec une autre voiture électrique.

Au début des années 70, on aurait aussi dénombré quelque 50 000 véhicules électriques en Angleterre. Mais cela n'est presque rien si l'on considère que des taxis électriques roulaient déjà au cœur de New York en 1897. En 1912, on comptait d'ailleurs environ 20 000 autos électriques

Sur le prototype de véhicule électrique expérimental FEV de Nissan, la recharge des batteries au nickel-cadmium en seulement 15 minutes exige pour l'instant un courant de 440 volts, un câble de diamètre impressionnant et ce puissant groupe électrogène.

en Amérique. Selon le magazine québécois *L'Auto ancienne,* la compagnie Detroit Electric Car Company en fabriqua même durant près de trente ans. Certains de ses modèles ont parcouru plus de 300 km en essais, mais leur autonomie conseillée était de quelque 130 km, à 45 km/h. Peu à peu, les «électriques» tombèrent dans l'oubli, éclipsées par les voitures à essence. Jusqu'au jour où celles-ci rendirent l'air de Los Angeles irrespirable.

ENCORE LA CALIFORNIE

Si la propulsion électrique fait si souvent la manchette ces temps-ci, c'est la faute des Californiens. Le «Golden State», où la voiture est reine, est toujours aux prises avec des problèmes de pollution atmosphérique critiques, surtout à Los Angeles. Les différents paliers de gouvernement ont donc établi des paramètres très stricts pour l'utilisation de tout carburant ou combustible. Les manufacturiers d'automobiles ont évidemment été visés, par le biais du redoutable California Air Resources Board (CARB). En plus de resserrer encore ses normes visant les véhicules à carburants conventionnels, déjà les plus strictes au monde, la Californie exigera dès 1998 que 2 % des véhicules vendus par chaque fabricant sur son territoire aient un taux d'émis-

sion de polluants nul. Et ce pourcentage passera à 5 % en 2001 et 10 % en 2003. Cette règle s'adresse aux constructeurs qui vendent plus de 5 000 voitures par année dans cet État. Les contrevenants seront frappés d'amendes et autres pénalités. Pour l'instant, à de rares exceptions près, les véhicules à propulsion électrique sont ceux qui ont les meilleures chances de se conformer à de telles exigences et surtout de telles échéances. Cela, même s'ils sont loin d'être aussi parfaitement écologiques et inoffensifs qu'on le croirait à première vue. La notion de «pollution zéro» ne s'applique en effet qu'au véhicule lui-même et non à sa fabrication ou à celle de l'énergie employée pour recharger ses piles.

Dix autres États du Nord-Est américain ont déjà exprimé leur intention ferme d'imposer les nouvelles normes californiennes chez eux et trois autres encore considèrent sérieusement leur adoption. La Californie représente actuellement 11,5 % du marché américain de l'automobile. Si ses normes sont appliqués par les 13 autres États, elles toucheront 36,7 % du marché de ce pays. Cela signifierait, dès 1998, la vente de 110 000 véhicules à «pollution nulle» et plus d'un demi-million en 2003, si le marché total se maintient à 15 millions d'unités. D'autres pays, notamment l'Allemagne, s'apprêtent également à bannir

les moteurs à combustion du centre de leurs grandes villes.

UNE COURSE VERS LA PRODUCTION EN SÉRIE

Lorsque l'on considère l'importance et l'influence du marché californien, on comprend que les grands constructeurs travaillent d'arrache-pied sur des véhicules qui correspondent aux nouveaux édits. Quantité de prototypes ont été promenés d'un salon à l'autre depuis quelques années, mais seule General Motors s'est engagée publiquement à fabriquer une telle voiture. D'ici deux ans, GM amorcera dans son usine de Lansing au Michigan la production d'une voiture électrique dérivée de son prototype Impact. Il faut dire que la recherche sur la propulsion électrique se poursuit depuis 1956 chez GM.

Ses grandes rivales Chrysler et Ford ne sont pas en reste dans ce même domaine. La première progresse rapidement dans le développement d'une fourgonnette électrique utilitaire baptisée TEVan, dont il était question plus haut. Chrysler dévoilait aussi, au dernier Salon de Detroit, son prototype EPIC (Electric Power Inter-urban Commuter). Cette fourgonnette préfigure la prochaine génération des Caravan et Voyager, prévues pour 1995 ou 1996, qui

Au Salon de Detroit 1992, Chrysler dévoilait l'EPIC, un prototype de fourgonnette à propulsion électrique qui emploie une nouvelle génération de batteries au plomb. Ce véhicule annoncerait aussi la silhouette des prochaines fourgonnettes Chrysler.

pourraient être offertes en version électrique.

Au même salon, Ford dévoilait de son côté le prototype Ghia Connecta et l'Ecostar, une micro-fourgonnette dérivée de l'Escort européenne et convertie à la propulsion électrique. La Connecta, toute en rondeurs, préfigure la compacte de demain mais la petite Ecostar roulera dès le printemps 1993, confié vraisemblablement à des agences gouvernementales et autres institutions de même nature. Ces deux véhicules partagent un rouage électrique de 75 chevaux qui a été développé de concert avec la General Electric. Leur alimentation se fait par le biais de piles au sodium-soufre et dans sa configuration actuelle, l'Ecostar aurait une autonomie de 160 km et une vitesse de pointe de 120 km/h. Ford a récemment placé son programme de propulsion électrique en phase d'accélération.

Sur le front européen, tous les grands constructeurs sont aussi à l'affût. BMW, Fiat, Ford, Mercedes-Benz, Opel, Peugeot et Volkswagen possèdent tous un ou plusieurs véhicules à propulsion électrique. La plupart de ces véhicules sont expérimentaux mais quelques-uns roulent déjà depuis un moment, produits en quantité restreinte. Peugeot offre la 205 Électrique depuis quelques années, Fiat son Elettra, version électrique de la mini Panda, depuis un an. Le numéro un européen, Volkswagen, commercialise la Golf Citystromer et la Jetta E. Les prix vont de quelque 16 000 $ pour une voiture allemande baptisée Mini-E1 à plus

General Motors possède une longueur d'avance sur ses rivales dans la course à la production d'un véhicule de série à propulsion électrique. C'est le prototype Impact qui a lancé le bal.

de 80 000 $ pour la Jetta électrique. Dans presque tous les cas, il s'agit de voitures de série transformées. BMW, par contre, possède déjà deux versions d'une voiture conçue dès l'origine pour la propulsion électrique. Les prototypes E1 et E2 des Bavarois ont fait sensation dans les salons de l'automobile ces deux dernières années (Francfort, Tokyo, Los Angeles). La E2 s'adresse spécifiquement aux conditions nord-américaines. Avec l'Impact de GM, ce sont les voitures électriques les plus plausibles et les plus raffinées que l'on ait vues à ce jour. Elles sont présentement alimentées par des piles au sodium-soufre. La E1 peut atteindre 80 km/h en 18 secondes et filer à 120 km/h sur une distance maximale d'environ 265 km.

EN ATTENDANT LA PILE MIRACLE

Mais dans ce dossier de la voiture électrique, le fait le plus marquant est sans contredit la décision des trois grands Américains de travailler conjointement au développement de batteries plus performantes pour leurs éventuels véhicules électriques. Baptisé «US Advanced Battery Consortium» (USABC) ce projet n'est qu'un seul de la dizaine qu'ont formés les trois grands depuis quelques années. Il n'en dispose pas moins d'un budget de 260 millions $ US, étalé sur quatre ans, dont la moitié provient du «Department of Energy» américain.

Les principaux obstacles à l'émergence de la voiture électrique demeurent ceux du stockage de l'énergie électrique et de la recharge des piles. L'essence, par exemple, peut produire 50 fois plus d'énergie qu'une pile classique plomb-acide, à volume et à poids égaux. Or, si l'électronique et la technique automobile en général ont fait des bonds prodigieux depuis, on en est encore à la préhistoire, ou presque, en matière de piles électriques. Plusieurs types de piles exigent de surcroît une recharge de plusieurs heures et certaines sont difficiles à

Le prototype Ghia Connecta de Ford possède le même rouage électrique que la minicamionnette Ecostar, mise à l'essai en plusieurs exemplaires sur la route par Detroit Edison.

recycler et d'autres encore comportent des dangers réels. Les piles au sodium-soufre, entre autres, dont la température de fonctionnement est d'environ 300° C et qui peuvent libérer des substances toxiques si leur enveloppe se rompt dans une collision.

Dans ce domaine, la plupart attendent un miracle. Pas GM. Pressée de mettre en production sa voiture électrique, elle a choisi pour l'instant de s'en tenir aux piles classiques au plomb, faute de mieux. La voiture sera donc lestée de 400 kg de batteries, qui lui procureront une autonomie de 200 km à une vitesse constante de 90 km/h. Et la recharge exigera six heures. Le «consortium» américain mise actuellement sur un nouveau type de pile mis au point par la firme Ovonic Battery Co. du Michigan. L'USABC a même versé 18 millions $ US à cette firme, le premier contrat qu'il accorde. Cette pile est composée de nickel, vanadium, titane et zirconium. On l'utilisait jusqu'à maintenant sur des ordinateurs, téléphones cellulaires etc. mais elle pourrait permettre à une voiture électrique de parcourir de 300 à 500 km avec une recharge de seulement 15 minutes (à peine plus qu'un plein d'essence) et sa vie utile serait à peu près égale à celle d'une voiture (160 000 km). Ce qui n'est pas le cas des autres types de piles dont le remplacement pourrait coûter quelques milliers de dollars et devoir s'effectuer à tous les deux ans. Plusieurs autres types de batteries sont toutefois à l'étude. Entre autres des piles au: sodium-soufre (NaS), sodium-nickel-chlore (NaNiCl), bromure de zinc

Le prototype Chico de Volkswagen explore la propulsion hybride. Il combine un bicylindre deux temps et un moteur électrique, qui se relaient selon les conditions.

(ZnBr), nickel-cadmium (NiCd), zinc-air, fer-nickel et une pile brevetée en France, sur laquelle travaille l'Institut de recherche en électricité du Québec (IREQ). Cette pile au lithium ultra-mince, baptisée «accumulateur à électrolyte polymère» a des performances très semblables à celles de la pile Ovonic. Hydro-Québec a également mis à l'essai une fourgonnette électrique alimentée par 36 accumulateurs au plomb que ses employés ont surnommée la «Watture».

Nous avons pu examiner de près, quant à nous, le prototype FEV (Future Electric Vehicle) de Nissan, sur sa piste d'essai d'Oppama au Japon. Le petit coupé a roulé durant environ une heure, atteignant 100 km/h dans un silence déroutant avant de nécessiter une recharge. Si courte soit-elle (les piles du FEV retrouvent 40 % de leur charge en six minutes et 100 % en 15 minutes) la recharge a exigé la présence d'une génératrice montée sur camion, du chargeur spécial «Super Quick Charging» et d'un câble électrique de taille impressionnante (son diamètre est d'environ 8 cm et la prise encore plus large), capable de soutenir une tension de 440 volts. Cela poserait évidemment de réels problèmes à l'utilisateur moyen. On imagine le coût de transfor-

mation de l'infrastructure électrique en fonction d'un tel équipement. De toute manière, Nissan affirme qu'elle ne construira jamais ce véhicule et ses ingénieurs affirment croire assez peu à la voiture électrique!

Il est évident, par contre, que l'apparition imminente de voitures électriques telles que l'Impact de GM (si le modèle de série conserve le nom du prototype, ce qui devrait être le cas) viendra chambarder les données de cette équation, du moins pour la Californie. On voit, par exemple, déjà émerger là-bas les résultats de travaux de recherche et de développement menés par des firmes spécialisées en aérospatiale. La compagnie Calstart, par exemple, est un regroupement de 20 firmes de haute technologie qui ont décidé de mettre en commun travail et ressources pour œuvrer au développement de la propulsion électrique et de tous les systèmes connexes. On parle déjà, par exemple, d'un système qui utiliserait le poids des accumulateurs pour tendre les ceintures en cas de collision ou d'un appareil de recharge rapide par induction électrique. Développé par Hugues Aircraft (propriété de... GM) ce dispositif permettrait la recharge par voie électro-magnétique, éliminant ainsi la question des prises élec-

triques conventionnelles. Il est plausible que ce système devienne d'ailleurs la norme en matière de recharge quand les véhicules électriques deviendront réalité.

Au Québec, les premiers empêchements au développement d'une flotte de véhicules électriques sont assurément d'ordre géographique. L'âpreté du climat, les conditions routières qui en découlent et l'étendue du territoire sont des problèmes avec lesquels n'ont pas à composer les ingénieurs qui travaillent sur une voiture destinée exclusivement à la Californie. L'aérodynamique exceptionnelle et les pneus ultra-étroits de l'Impact de GM ne lui seraient pas non plus d'un grand secours dans une tempête de neige québécoise. Ses batteries, déjà amputées d'une bonne partie de leur puissance par le froid intense, n'auraient alors plus grand chose à offrir pour réchauffer l'équipage, extraire la voiture de son banc de neige et mener ensuite le tout à destination si le trajet est de plus d'une poignée de kilomètres.

Et que fait-on en cas de panne... de courant? Un bidon vide n'est pas d'un grand secours avec une voiture électrique et il n'existe

Toyota explore actuellement un nombre impressionnant de nouveaux types de moteurs dont ce bicylindre deux temps. Elle a également montré un six cylindres deux temps.

Quel que soit le mode de propulsion choisi, la légèreté est un élément-clé des véhicules futurs. GM pousse le concept d'un cran avec l'Ultralite, dont la coque est faite de fibres de carbone. Un module à l'arrière loge un tricylindre deux temps.

actuellement aucune infrastructure qui permette le ravitaillement rapide de véhicules électriques. Nous en sommes encore à la préhistoire dans ce domaine. Certes, le Québec recèle un potentiel énorme en matière d'hydro-électricité et il s'agit toujours, en théorie, de la forme de d'énergie la plus «propre» et la plus sûre que l'on connaisse. Du moins dans son procédé de production. Et c'est une ressource renouvelable. Un jour, le Québec se trouvera peut-être en excellente position si le développement de la propulsion électrique se concrétise. L'État de New York, par exemple, est parmi la dizaine de ceux qui vont adopter les normes californiennes. Or, pour alimenter tous ces véhicules, on ne pourra se permettre de multiplier les centrales thermiques fonctionnant au charbon ou au pétrole lourd, génératrices de pluies acides. Pas plus qu'on ne songera à multiplier les centrales nucléaires (il en faudrait plus de 90 si tous les Américains roulaient électrique). L'hydro-électricité aura bien meilleur goût (et meilleure presse) lorsque les Américains seront confrontés à de tels choix.

ET SI C'ÉTAIT AUTRE CHOSE

Quoi qu'il advienne, l'électricité pourrait éventuellement être utilisée pour produire de l'hydrogène. Le procédé de fabrication le plus propre est l'hydrolyse, qui exige tout bonnement le fractionnement de la molécule d'eau pour en libérer l'atome d'oxygène et

en retirer H_2, la molécule d'hydrogène. Or, il faut une énorme quantité d'électricité pour y arriver. Qui, cependant, peut en offrir autant que le Québec et ses voisins canadiens? De plus, l'hydrogène devient alors, à toutes fins utiles, de l'électricité emmagasinée sous forme gazeuse (température ambiante) liquide (-262° C) ou solide (-271° C). Lorsque le Conseil de l'industrie de l'hydrogène parle des quantités d'hydrogène qu'elle exportera bientôt vers l'Europe, où il servira entre autres à propulser des autobus, elle le mesure d'ailleurs en mégawatts et non en mètres cube!

Aux yeux des ingénieurs et spécialistes, l'hydrogène est effectivement le véritable carburant miracle, puisque sa combustion ne libère essentiellenent que de l'eau et qu'il affiche une grande densité d'énergie. Sa production, si elle se fait par le biais de l'hydro-électricité, est également tout aussi propre. Cela, évidemment, si le développement des centrales s'est fait en respectant aussi parfaitement que possible les contraintes écologiques.

Mazda est déjà optimiste sur le rendement du moteur rotatif expérimental à hydrogène montré au Salon de Tokyo dans le prototype HR-X. Mieux encore, Mazda Canada nous permettait récemment de faire une balade, courte mais révélatrice, dans une voiture à hydrogène. Il s'agissait d'une familiale

Mazda Capella Cargo, un modèle qui n'est pas importé chez nous, dont le compartiment moteur recelait un birotor Wankel alimenté par hydrogène, d'une puissance de 82 chevaux. Sur un circuit d'une poignée de kilomètres, la Capella «hydrogène» s'est comportée avec une parfaite civilité. En fait, le rotatif a même semblé plus doux et civilisé encore que sous le capot de la sportive RX-7. Mazda affirme que le rotatif est idéal pour la combustion de l'hydrogène, puisque l'admission et la combustion s'y font dans des chambres parfaitement séparées. La puissance de ce carburant entraîne effectivement des problèmes de pré-allumage et de détonation dans les moteurs à pistons conventionnels, où les temps d'admission et de combustion se chevauchent.

L'ingénieur Yagi, directeur du projet hydrogène chez Mazda à Hiroshima, annonçait du même coup que Mazda allait mettre en circulation un certain nombre de voitures à hydrogène d'ici trois ans. Et il ajoutait que la firme japonaise, qui ne croit guère au potentiel à long terme de la voiture électrique, rencontrerait sans peine l'échéance californienne de 1998 avec des voitures dont l'échappement ne laissera échapper que des gouttes d'eau. Tout cela, en bonne partie, est dû au développement d'un médium de stockage beaucoup plus performant. Pour emmagasiner de

Mazda croit tenir une carte d'atout avec son moteur rotatif fonctionnant à l'hydrogène. Le prototype HR-X roule déjà grâce à une deuxième génération expérimentale de ce moteur d'environ 100 chevaux.

Si Mazda est si confiante de faire une percée avec son rotatif à hydrogène, c'est grâce à ce réservoir inédit. Avec ses éléments à hydreux métalliques, il permettrait une autonomie de 200 km et 500 recharges.

l'hydrogène sous forme gazeuse, on peut utiliser des «hydreux métalliques» (metal hydrides), qui sont ni plus ni moins une éponge métallique. En incorporant du magnésium au composé principal d'un tel réservoir, Mazda a réussi à en augmenter 50 fois la vie utile et à en réduire le poids considérablement. Le réservoir qui se trouvait dans la soute de la Capella aurait été parfaitement invisible si les ingénieurs l'avaient simplement recouvert de la moquette habituelle. Or, il permettrait au prototype HR-X une automomie de 200 km et pourrait être rempli environ 500 fois, pour une vie utile de 100 000 km. Cela se compare plus qu'avantageusement à ce que l'on compte obtenir comme durée utile de la part des accumulateurs actuels.

Il y a plusieurs années, Mercedes-Benz a étudié puis abandonné le réservoir à hydreux métalliques, qui imposait de surcroît une charge additionnelle d'environ une tonne (1 000 kg) au véhicule. Elle s'était alors tournée vers l'hydrogène sous forme liquide, à l'instar de sa grande rivale BMW. Tous deux possèdent des prototypes de tels véhicules et jusqu'à tout récemment, mentionnaient l'an 2025 comme échéance réaliste pour leur mise en application. Avec les développements récents en matière de stockage du côté de chez Mazda, il est probable que cet échéancier se modifiera du

côté des Allemands. Mercedes-Benz a déjà eu des échanges avec des représentants de Mazda au sujet de la propulsion à hydrogène. Les deux s'empressent d'ajouter qu'il ne s'agit pour l'instant que d'un «échange d'idées».

De façon plus immédiate, cependant, les véhicules à propulsion mixte ou «hybrides» sont sans doute ceux qui proposent certaines des alternatives les plus intéressantes et plausibles aux pures électriques pour l'automobiliste québécois. La propulsion électrique serait réservée à la circulation urbaine où l'autonomie, la performance et les vitesses élevées et soutenues n'ont pas la même importance. C'est d'abord dans les grandes villes, après tout, que l'on doit réduire bruit et pollution. Sur la route, un moteur à combustion interne prend le relais pour assurer la propulsion à vitesse constante, la recharge des accumulateurs et l'alimentation des accessoires. De plus, il est beaucoup plus facile de contrôler les émissions polluantes d'un moteur à explosion qui fonctionne à régime constant, et c'est là qu'on obtient la plus faible consommation. Les inconvénients de la propulsion mixte sont le coût et la complexité de fabrication de même que le poids et l'encombrement additionnels qu'implique l'installation de deux groupes propulseurs distincts. Les moteurs deux temps, exceptionnellement compacts, et le moteur diesel, très frugal et durable, pourraient toutefois se prêter à merveille à cet exercice.

Le prototype Duo de Audi et la fourgonnette GM HX3 sont deux illustrations très différentes de ce principe. La première est une Audi Avant quattro conventionnelle dont les roues avant sont entraînées par le moteur à essence et les roues arrière par des moteurs électriques. En propulsion électrique, l'autonomie de la Duo la plus récente n'est toutefois que de 80 km et sa vitesse de pointe de seulement 65 km/h. Il s'agit donc de propulsion d'appoint. De plus, une bonne part du volume utile sera sacrifiée au rouage électrique et aux batteries au sodium-

soufre. Le prototype HX3 de GM, d'autre part, combine un rouage électrique et un tricylindre à essence de 900 cm^3. Ce dernier joue un simple rôle de soutien. Il entraîne un générateur qui recharge les accumulateurs et alimente les moteurs électriques au besoin. Sur le joli prototype Chico de Volkswagen, un bicylindre à essence de 636 cm3 et 34 chevaux sert à l'accélération et les moteurs électriques prennent le relais à vitesse de croisière. La Golf Hybrid reprend ce principe, avec cependant un moteur diesel de 60 chevaux pour l'accélération. Opel et GM, par ailleurs, ont également montré les prototypes Twin et Ultralite, sur lesquels le groupe motopropulseur tout entier est interchangeable. Les deux ont recours soit à un tricylindre, soit à un module entièrement intégré à propulsion électrique, monté à l'arrière.

Il ne faut d'ailleurs surtout pas sonner si tôt le glas du moteur conventionnel. On va continuer d'en réduire les émissions polluantes et la consommation par le biais du contrôle et de la modification des paramètres, grâce à l'électronique. Volkswagen met aussi au point un moteur à injection directe qui sera ultrapropre et frugal. Et il y a enfin les moteurs deux temps, légers, simples et puissants, que sont à mettre au point bon nombre de constructeurs, de Jaguar à Toyota, en passant par Chrysler, Ford et GM. L'électronique de pointe permettra d'en juguler la soif féroce et les émissions polluantes.

En définitive, cependant, il faut constater que le parc automobile ne changera de façon radicale que lorsque les gouvernements finiront par traiter l'essence pour ce qu'elle est: une ressource non renouvelable et polluante dont le prix doit augmenter au même rythme que sa rareté. Face à des prix de l'essence stratosphériques, les consommateurs abandonneront vite les voitures gloutonnes. Qui sait, ils pourront peut-être se tourner alors vers des véhicules électriques polyvalents, autonomes et abordables.

Le prototype Audi Avus quattro a été la vedette surprise du dernier salon de Tokyo. Avec sa longue carrosserie d'aluminium et ses immenses roues de 20 pouces, elle évoque les légendaires voitures de course Auto Union d'avant-guerre. Le nom Avus est celui d'un célèbre circuit de 10 km sur lequel ces autres «flèches d'argent» se produisaient. Audi prévoit doter l'Avus d'un tout nouveau moteur à 12 cylindres dont les trois rangées de cylindres seraient disposés en «W». Sa puissance: 509 chevaux, qui lui permettraient d'atteindre 100 km/h en 3 secondes et une vitesse de pointe de 340 km/h, via rouage intégral.

Dévoilé au dernier salon de Tokyo, le prototype Cocoon de Nissan est une étude de style sur le thème du véhicule idéal pour la famille moderne. Le constructeur a surtout cherché à offrir une habitacle exceptionnel tout en conservant le centre de gravité très bas et donc aussi les qualités de comportement d'une familiale intermédiaire classique.

Le constructeur Subaru s'est penché lui aussi sur le thème du «break sportif», comme le désignent nos cousins d'outre-Atlantique. En prenant comme point de départ son coupé Grand Tourisme SVX, il en est arrivé au prototype Amadeus qui reprend plusieurs des astuces de l'excellent SVX. L'Amadeus a de bonnes chances de devenir un modèle de série.

Il y a plusieurs années que l'on espère un petit coupé de la part du Suzuki. Au dernier salon de Tokyo, ce constructeur relançait à coup sûr les rumeurs en dévoilant un nouveau prototype préfigurant exactement ce type de voiture. La Suzuki Spry, tout comme les coupés RS qui l'ont précédée, offrirait un moteur central. Le prototype semble lui aussi prêt à être produit en série.

Le prototype AXV-3 fut dévoilé en grande première au salon de Tokyo et présenté quelques semaines plus tard également au salon de Detroit. Avec ce petit coupé biplace, Toyota explore le concept d'une voiture ultralégère (son poids serait de seulement 700 kilogrammes), qu'elle doterait d'un bicylindre deux temps, également à l'étude au département de recherche.

Toyota possède elle aussi son studio californien, baptisé Calty. Les stylistes y ont réalisé entre autres la fourgonnette Previa et la Celica. Ils ont aussi pour mission de surprendre. C'est réussi avec l'Avalon, conçue pour «transporter deux couples lors d'une sortie» au dire de ses auteurs. À destination, son pare-brise s'abaisse et l'habitacle se referme comme une huître!

Le prototype Shoccwave a été créé au studio californien de Ford, installé là-bas pour s'y imprégner des plus récents courants sur le marché le plus avant-gardiste de la planète. Les stylistes qui y travaillent ont entre autres dessiné les nouvelles Probe. La Shoccwave est une simple étude de style, qui aurait toutefois pu habiller la grande sportive CN34, placée en attente depuis.

Le concept de «l'habitacle avancé» progresse constamment. Après les nouvelles berlines LH de Chrysler, on pourrait bientôt voir apparaître chez Oldsmobile une version de série du prototype Anthem. Il s'agit d'une berline de taille intermédiaire qui pourrait prendre le relais de la Cutlass Supreme au sein de la gamme au cours des prochaines années.

Dans les meilleurs cas, les différents prototypes ou études de style que l'on montre dans les grands salons de l'automobile annoncent des modèles qui seront produits en série peu après. Il semble que ce soit le cas pour ce coupé de taille intermédiaire, dévoilé par Chevrolet au salon de Détroit. Le nom Monte Carlo, un des mieux connus de cette marque, revivrait avec lui.

La Sceptre pourrait annoncer une berline de luxe Buick qui s'attaquerait aux voitures de luxe européennes et japonaises. Contrairement à la quasi-totalité des Buick récentes, la Sceptre est une propulsion. Son moteur est un V6 suralimenté par compresseur de 3,5 litres et 250 chevaux. Elle est dotée d'une suspension active et de coussins gonflables avant et arrière.

Ce cabriolet Lincoln Marque X ne serait semble-t-il rien de moins que la future version décapotable de la nouvelle Mark VIII, décrite plus loin dans la présente édition du *Guide*. Elle est d'ailleurs propulsée par le même V8 tout aluminium à double arbre à cames en tête de 4,6 litres et 280 chevaux. Elle offre également un pédalier réglable et des pare-soleil à cristaux liquides.

On se perd en conjecture depuis de nombreuses années sur la forme et l'architecture mécanique de la prochaine génération de la diva américaine, la Corvette. Et Chevrolet d'alimenter régulièrement la rumeur avec des prototypes très différents les uns des autres. Après des Corvette ultraprofilées à moteur central, voici la Sting Ray III, modèle d'élégance et de... probabilité.

Les stylistes du «Corvette Group» ont eu la main fort heureuse avec la Sting Ray III. Ce serait une réussite par ses seules qualités esthétiques. Les ingénieurs s'en promettent tout autant, même s'il est plus que probable que la prochaine Corvette, que l'on attend pour 1995, conserve son V8 avant et ses roues arrière motrices. On se promet surtout de renforcer la structure.

General Motors dévoilait le prototype Ultralite lors du plus récent salon de Détroit.. Il s'agit d'une berline conçue pour accueillir en tout confort quatre passagers. Elle ne pèse cependant que 650 kg, affiche un coefficient de traînée de 0,19 et son moteur tricylindre deux temps de 111 chevaux ne consomme que 3 l / 100 km. Un rêve de frugalité pour écologiste en moyens.

L'Ultralite offre une légèreté et une solidité incomparables. La Formule Un et la série IndyCar ont prouvé les vertus extraordinaires d'une structure en fibre de carbone en cas de choc violent. Son principal inconvénient est cependant de taille. Une telle coque vaut environ 16 000 $ soit quelques dizaines de fois le prix d'une carrosserie de métal conventionnelle.

Le prototype Honda EP-X a devancé quelques créations récentes en proposant à ses passagers des sièges en tandem. Honda a d'autre part prouvé, avec la nouvelle Civic del Sol, qu'elle savait s'inspirer de sa division motocyclette pour autre chose que la technique moteur. Son profil étroit et ses modules de commande jouxtant le volant type course en sont un bon exemple.

Honda a changé ses habitudes et présenté quelques prototypes au dernier salon de Tokyo. Le EP-X (pour Experimental Personal) est un minuscule coupé tout aluminium propulsé par un tricylindre de 1 000 cm^3, d'une puissance de 90 chevaux. Il suit une tendance actuelle vers des citadines simples, légères, ultraéconomiques et aussi maniables que possible.

Lorsque la FS-X fit une deuxième apparition, au salon de Détroit, elle portait le nom Acura. Il n'en fallait pas plus pour relancer les rumeurs selon lesquelles la marque de prestige de Honda serait à parachever une super-berline qui vienne affronter les grandes Infiniti et Lexus. La FS-X offrirait à la fois un rouage intégral et quatre roues directrices commandées par ordinateur.

La première version du prototype FS-X, dévoilée en grande première au salon de Tokyo, portait l'emblème et le nom de Honda. Il s'agit d'une berline de grand luxe, qui serait propulsée par un V6 de 3,5 litres double arbre à cames en tête inspiré du moteur de la grande sportive NSX. Comme pour celle-ci, la carrosserie et la structure seraient taillées dans l'aluminium.

Le constructeur coréen Hyundai a créé une des belles surprises de la dernière année en dévoilant le prototype HCD-1 lors du salon de Détroit. Dessiné et réalisé dans son studio californien, il s'agit d'un petit roadster découvrable qui serait propulsé par une version du nouveau moteur Alpha. Une version série de ce prototype pourrait être construite à l'usine de Bromont.

Nissan n'en est pas à sa première étude sur le thème du roadster minimaliste. Elle avait créé la Saurus il y a quelques années, inspirée de la légendaire Lotus Super Seven. Présentée au salon de Tokyo, la Duad présente l'originalité de porter son moteur en position très reculée, tout juste à gauche du pilote sous la bosse ! La nacelle du passager se trouve directement derrière.

Avec l'immense popularité des camionnettes en Amérique, il était tout naturel que Ford s'amuse à «jazzer» un peu le best-seller nord-américain absolu: la grande camionnette de série F. On en a tiré quelques variations dont cette Sportside, élaborée sur la base d'un modèle Super Cab. Ford produira aussi, en nombre limité, une camionnette semblable, dotée d'un V8 plus puissant.

Sur le thème de la camionnette sportive, la Sonoma GTX de la division GMC propose un profil surbaissé, de gros renflements d'aile et une plate-forme arrière en matière composite. Elle est également propulsée par le même V6 suralimenté que les camionnettes Syclone et Typhoon, couplé à une boîte automatique et un rouage intégral. À regarder seulement, sans doute.

Destiné à être complice d'une multitude d'activités extérieures, le prototype Salsa propose un intérieur tout simple, à la fois confortable, ergonomique et multifonctionnel. Les stylistes de Pontiac voudraient même que toutes ses commandes soient parfaitement imperméables. On pourrait ainsi le passer au boyau au retour de la plage, comme sur le prototype Stinger.

Le Salsa peut se transformer de coupé sport en camionnette en un tournemain. On peut aussi fermer complètement l'arrière avec une coquille de plastique, le même matériau que le reste de la carrosserie. Le Salsa était équipé d'un quatre cylindres mais on songe à le doter d'un moteur deux temps. Pontiac songe sérieusement à produire en série une version de ce prototype.

Chevrolet nous assure que le Sizigi n'est qu'un prototype, mais il est presque certain qu'il offre un aperçu très fidèle de ce que seront les fourgonnettes APV de la prochaine génération. Le prototype se distingue entre autres par des porte-à-faux beaucoup moins prononcés et des jantes de 18 pouces. Son pare-brise est toutefois encore immense et il offre deux toits ouvrants.

Mazda créait tout récemment une nouvelle entité distincte qui a pour mission, entre autres, d'explorer des concepts inédits pour elle. En plus d'avoir concocté des versions plus puissantes et racées de la Miata, le groupe M2 a réalisé le M2 1009, un «4x4» compact, dévoilé au dernier salon de Tokyo. Mazda songe d'ailleurs sérieusement à se doter d'un tel véhicule.

Chrysler ne s'asseoit pas sur ses lauriers. Ses stylistes continuent d'ailleurs d'explorer le concept des berlines à «cabine avancée». La Cirrus offrirait même un aperçu de la silhouette des prochaines JA, remplaçantes des Spirit et Acclaim. Elle est toutefois pourvue d'un V6 deux temps à injection directe, turbocompressé, gavé au méthanol et bon pour 400 chevaux!

La France possède aussi ses marques de sportives à saveur exotique. MVS Venturi conçoit et fabrique de fort élégants coupés et cabriolets, depuis quelques années. Les dirigeants de la marque ont également acquis l'écurie de Formule Un de Gérard Larrousse et construit l'an dernier cette version «Trophy» de 400 chevaux de son coupé, destinée à une série monotype.

Les propriétaires du modèle actuel de Chrysler New Yorker auront sans doute un choc en voyant la berline qui remplacera ce modèle anguleux au printemps 1993. Il s'agit déjà d'un quatrième modèle élaboré sur la plate-forme LH mais le premier de la série «207», désignée ainsi à cause de la longueur de sa carrosserie, supérieure de 7 po (17,7 cm) à celle des LH «régulières».

Photographié ici à son dévoilement au salon de Détroit, le prototype EPIC était montré surtout pour son rouage électrique. Selon toute vraisemblance, il s'agirait aussi d'un aperçu assez fidèle de la prochaine génération des fourgonnettes «Autobeaucoup» de Chrysler, attendues en 1995. L'EPIC offre une autonomie de 200 km et une vitesse maxi de 110 km/hi.

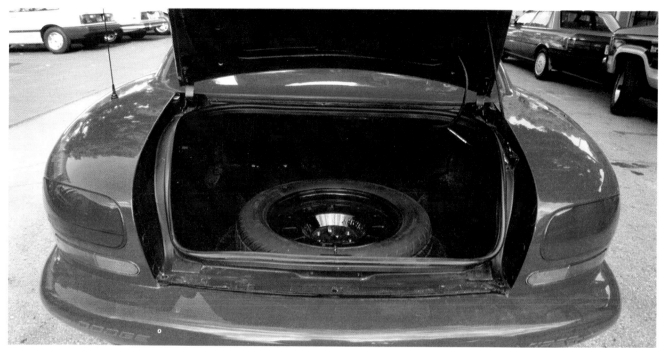

Voici sans doute le premier coup d'œil qu'on vous offre du coffre de la Dodge Viper! Il est compréhensible que l'on se soit attardé plutôt à sa silhouette et à ses performances. Un examen du coffre ne révèle pas la moindre parcelle de tapis. C'était voulu. On voit ici un pneu de rechange, qui pourrait toutefois être remplacé par une bonbonne de scellant pressurisé.

Voilà un autre coup d'œil que ne risque pas souvent d'offrir la désormais célèbre Dodge Viper, voiture de soleil par excellence. La capote souple est surtout conçue pour le dépannage. Elle réduit cependant de façon efficace le bruit et la turbulence qui sont assez importants par journées de grand vent. Rangée, elle occupe cependant à peu près tout l'espace dans le coffre.

Le légendaire Carroll Shelby, créateur des non moins légendaires AC Cobra, s'est lancé avec grand plaisir sur le circuit californien de Willow Springs au volant de la Viper. C'est en songeant aux voitures qu'a créées le grand Texan que François Castaing, Tom Gale et Bob Lutz de Chrysler de même que Shelby lui-même ont eu l'idée d'en faire renaître l'esprit dans la Viper.

La Viper a permis à Chrysler de roder sa nouvelle philosophie de développement simultané: le projet fut complété en seulement 36 mois. On a également mis à l'essai, sur ce modèle de très petite série, de nouvelles techniques novatrices. Son tableau de bord, par exemple, est un moulage d'une pièce, réalisé avec un plastique spécial. Et ainsi de suite. Le look est ultraclassique.

Consulier GTP

Anti-Ferrari ou «kit car» ?

À écouter le bailleur de fonds de l'entreprise ou à lire les copies des coupures de presse, on a l'impression qu'il s'agit de la plus grande innovation automobile depuis les ressorts en matière plastique de la Corvette. Pourtant, à première vue, la voiture qui fait l'objet d'un tel flot d'éloges ressemble un peu beaucoup à ce que l'on appelle avec une certaine dérision, un «kit car».

La Consulier GTP LX, une réalisation floridienne qui se veut une anti-Ferrari.

J'étais évidemment curieux de poser mon postérieur dans le baquet de cet engin bizarre afin d'avoir une idée un peu plus objective de cette voiture sport, la Consulier GTP, que son constructeur floridien présente avec force superlatifs comme la plus récente addition au cercle fermé des «exotiques». Quand on a été chroniqueur automobile pendant près de 30 ans, on s'efforce de ne pas rire quand on tente de vous faire croire que l'on a finalement réussi à mettre au point la voiture qui va reléguer toutes les Ferrari et Porsche de cette planète au rang de pièces de musée. Bref, les gens de chez Consulier ont une confiance aveugle en leur produit. À tel point qu'ils sont même prêts à payer toute personne capable de faire la preuve que leur enthousiasme est exagéré.

Les plus avertis ont sans doute entendu parler du défi audacieux mis de l'avant par les promoteurs de cette voiture pour lui donner ses lettres de créance. Pour les autres, rappelons que l'on offre une somme de 25 000 $ US à quiconque pouvant réaliser, au volant de n'importe quelle voiture vendue en Amérique du Nord, un meilleur temps de piste que la Consulier GTP.

À ce jour, personne n'a empoché le magot pour la simple raison que chaque fois que quelqu'un a essayé de relever le défi, les responsables de la compagnie ont eu recours à toute une série d'entourloupettes pour ne pas verser la somme promise.

La Consulier GTP est-elle aussi extraordinaire que l'on voudrait nous le laisser croire? Pour en avoir le cœur net, je me suis rendu à quelques encablures de ma retraite floridienne à l'endroit même où est construite cette voiture, à Riviera Beach, en banlieue nord de West Palm Beach.

CARROSSERIE EXCLUSIVE

On m'a gentiment accueilli et fait faire le tour du propriétaire avant de me confier les clefs d'une voiture d'essai. Permettez-moi d'abord de résumer ce que j'ai appris lors de ma visite de l'usine et au fil de mes conversations avec le directeur du marketing, Peter Magnuson, et le président de la compagnie, Warren Mosler.

Ces deux optimistes sont convaincus que la Consulier préfigure ce que sera la voiture de demain. Selon eux, sa carrosserie en matériaux composites (de la fibre de verre renforcée de kevlar et fibres de carbone) permet une légèreté et une solidité que les grands manufacturiers ne pourront plus se permettre d'ignorer d'ici quelques années. Et pour donner du

poids à son argumentation, le sympathique directeur du marketing s'empresse de sauter sur le capot d'une des carrosseries à l'état brut qui traînent dans un coin de l'atelier. Ce petit numéro de cirque sert à prouver que la caisse pourra probablement résister à l'impact qui vous aura envoyé six pieds sous terre et cela dans une voiture dont le poids n'excède pas les 1000 kg. Très impressionnant, sauf qu'une voiture doit posséder d'autres qualités que celle que l'on puisse marcher dessus sans qu'elle ne s'abîme.

Selon Warren Mosler, le mandat confié à ses ingénieurs fut de créer une voiture de route offrant la sensation

La Consulier se démarque par sa carrosserie en matériaux composites avec kevlar et fibres de carbone.

Le capot arrière de la Consulier comporte deux extracteurs d'air pour le refroidissement du moteur.

et la griserie que l'on éprouve en conduisant une voiture de course. À ce chapitre, l'exercice est plutôt réussi mais le président de Consulier aurait eu intérêt à faire appel aussi à un bon studio de design. Car, au delà de tous ses petits travers gênants, l'irritant majeur de ce curieux engin est son look. Tout le monde aime conduire une voiture qui attire l'attention et c'est le cas de la Consulier qui est suffisamment laide pour que l'on se retourne sur son passage.

MANQUE DE RAFFINEMENT

Le modèle qui me fut confié pour ces impressions de conduite était un LX conçu d'abord pour la route alors qu'il existe une version plus dépouillée destinée à la compétition. La première impression ramène l'idée du «kit car» mal dégrossi. L'accès au poste de pilotage ne se fait pas avec une grande désinvolture et une fois calé au volant, l'œil critique s'attarde sur la légèreté de la finition. La grossièreté de certains éléments (comme les charnières de portes et la rudimentaire pochette qui tient lieu de coffre à gants) ne manquent pas de choquer la vue. Dans la Consulier, la visibilité arrière est aléatoire au mieux et j'aurais préféré deux essuie-glaces au lieu d'un seul à la place de cette forêt de petits cadrans (11 en tout) qui meublent avec bien peu d'élégance le tableau de bord. Mais cessons d'être aussi pointilleux et voyons si la Consulier se défend assez bien sur la route pour que l'on soit tenté de convaincre un garagiste du Québec d'en devenir le distributeur.

Son moteur central, un 4 cyl. turbo de 2,2 litres emprunté au stock de pièces de Chrysler, s'accommode fort bien de ses 200 ch. comme en fait foi un temps d'accélération d'environ 6 s entre 0 et 100 km/h. La voiture est non seulement rapide mais très vive dans ses réactions en raison d'une crémaillère (non assistée) hypersensible qui demande à être apprivoisée. La légèreté de l'ensemble a aussi des effets bénéfiques sur la tenue de route dont les limites apparaissent difficilement atteignables sur des voies publiques. Le roulis est tout à fait inexistant mais malgré la sécheresse de la suspension à quatre roues indépendantes, le confort demeure acceptable.

Le confort toutefois ne se mesure pas strictement aux mouvements de la suspension et si la Consulier ne vous soumet pas à de trop violentes secousses, elle n'en demeure pas moins agressante par son niveau sonore. Et il n'y a pas que le moteur qui fait sentir sa présence mais aussi la construction artisanale de la voiture qui se traduit par une symphonie de bruits et de grincements. La carrosserie devient aussi une vraie caisse de résonance qui amplifie tous les bruits de roulement.

Comme je l'écrivais plus haut, Warren Mosler a gagné son pari de créer une voiture de route qui se comporte comme une voiture de course. J'irais jusqu'à dire que la Consulier m'a même donné l'impression de conduire une monoplace de formule 2000... qui aurait été carrossée par un des anciens designers de chez Trabant.

On pourrait évidemment retenir le très haut niveau de performances de cette voiture et faire preuve d'une certaine indulgence face à ses imperfections. On ne peut malheureusement ignorer le montant de la facture qui se chiffre à 50 000 $ US sans oublier toutes les taxes qui viendraient se greffer à ce chiffre si la voiture était importée au Canada. C'est très très cher pour une voiture qui a beaucoup d'un «kit car» et très peu d'une Ferrari. Enzo peut reposer en paix...

CONSULIER GTP LX 1992

ASPECT TECHNIQUE

Groupe propulseur:	propulsion
Empattement:	254 cm
Longueur:	437 cm
Poids:	976 kg
Répartition du poids av./ar.:	37/63
Moteur:	central, transversal 4 cyl. 2213 cm^3, Chrysler Turbo II, 200 ch. à 5200 tr/min
Transmission:	
standard:	boîte manuelle 5 rapports, Getrag
option:	boîte automatique 4 rapports
Suspension avant:	indépendante, *inboard*
arrière:	indépendante, *inboard*
Direction:	à crémaillère
Freins: avant:	disques ventilés
arrière:	disques ventilés
Pneus:	P205/55R15 (V6)

ASPECT PRATIQUE

Carrosserie:	coupé
Nombre de places:	2
Valeur de revente:	nouveau modèle
Indice de fiabilité:	nouveau modèle
Coussin gonflable:	non
Réservoir de carburant:	50 litres
Garantie:	n.d.
Capacité du coffre:	n.d.
Performances:	0-100 km/h: 6,1 s
vitesse max.:	235 km/h
consommation:	n.d.
Échelle de prix:	49 900 $ US

Les matchs comparatifs

FACE À FACE DES FOURGONNETTES

Match regroupant tous les modèles sur le marché:

**Chevrolet Astro,
Dodge Caravan,
Ford Aerostar,
Mazda MPV ,
Mercury Villager/Nissan Quest/ Pontiac Trans Sport,
Toyota Previa,
Volkswagen Eurovan**

Le secteur des fourgonnettes est celui qui est le plus animé sur le marché automobile. Ces véhicules ont la cote de popularité non seulement en raison de leur polyvalence mais également de leur côté sympathique. Les sportifs ne jurent que par elles, les familles en sont ravies et plusieurs PME les utilisent exclusivement. Avec un auditoire aussi varié, pas surprenant que les chiffres de vente ne cessent de grimper. Mais face à une clientèle aussi variée, les manufacturiers y sont allés de différentes approches. Pour certains, c'est le côté utilitaire qui a été jugé le plus important, d'autres ont tenté de joindre l'utile à l'agréable en tentant d'allier le confort d'une automobile au côté pratique d'une fourgonnette. Enfin, quelques modèles ont carrément opté pour le confort et l'agrément de conduite.

Comment départager tous ces modèles? C'est la tâche à laquelle se sont attaqués notre douzaine d'essayeurs dont l'âge variait de 16 à 58 ans. Il était intéressant lors de notre randonnée comparative dans les Cantons de l'Est d'entendre les remarques et commentaires des participants. Certains sont littéralement tombés en amour pour un modèle et en vantaient les mérites. Pour d'autres, c'était l'aversion la plus complète. Toutefois, la raison a toujours eu le dessus sur les sentiments et les fiches comparatives remplies nous ont prouvé que nos essayeurs ont accompli leur tâche avec sérieux. Et ce qui était intéressant dans le groupe réuni en cette belle journée de septembre, c'est que plusieurs concevaient la fourgonnette de différentes façons. Il a été intéressant de les confronter avec les solutions pro-

posées par les ingénieurs des différentes compagnies. Toutefois, comme on pourra le constater, le verdict est passablement similaire à ce qui se passe sur le marché au chapitre de la popularité et du nombre d'unités vendues.

Quant à la méthodologie utilisée lors de ce test, elle est fort simple. Nous avons réuni un groupe de conducteurs de tout âge et possédant une expérience des plus variées, et nous les avons invités à participer à une randonnée sur les routes des Cantons de l'Est. Les différentes conditions routières leur ont permis de départager les véhicules évalués. Ajoutez à cela des tests de performance mesurés et vous avez suffisamment d'input pour départager les participants.

Chevrolet Astro

Lorsque la division Chevrolet a lancé sa fourgonnette Astro au milieu des années 80, les ingénieurs de cette division avaient insisté sur le fait que leur choix s'était porté sur une propulsion dérivée de la plate-forme de la camionnette S-10 afin de permettre à cette fourgonnette de pourvoir subir les pires traitements dans le cadre d'une utilisation commerciale. Selon eux, cette fourgonnette allait être appréciée des entrepreneurs et autres commerçants. On prévoyait une vocation de véhicule de tourisme, mais à un degré moindre.

Ils se sont royalement trompés puisque la Astro est presque aussi populaire en version tourisme qu'en version commerciale. Toutefois, pour l'utilisateur familial, cette fourgonnette ne peut cacher ses muscles et sa plate-forme de camion.

L'assise est haute, la suspension plutôt ferme et la silhouette presque semblable à un cube. On a beau avoir organisé l'habitacle de façon bourgeoise avec ses sièges colorés et une équipement relevé, le comportement de la Astro est davantage inspiré de celui des camionnettes. De plus, son principal handicap constitue l'espace pour les jambes pour le conducteur et le passager avant. Les passages des roues empiètent dans la cabine et viennent gruger un espace vital. De plus, les portes arrière à battant créent une véritable poutre placée dans le champ de vision du rétroviseur intérieur et obstrue sérieusement la visibilité arrière. Heureusement que les rétroviseurs extérieurs sont larges et très efficaces.

Au chapitre de la conduite, cette Chevrolet est nécessairement assez nerveuse en raison de la présence de son moteur V6 4,3 litres de 200 chevaux. Pas surprenant d'apprendre non plus que ce modèle est celui possédant la plus forte capacité de traction. Alliée à la robustesse de la plate-forme, la Astro est un véhicule idéal; pour remorquer de plus lourdes charges. En outre, il ne faut pas oublier de souligner que le rayon de braquage de cette propulsion est fort impressionnant, ce qui facilite les manœuvres de stationnement et ajoute à la maniabilité en conduite urbaine.

Plus robuste et commerciale que familiale, la Astro s'adresse à ceux qui recherchent un véhicule robuste et fort. Son poste de pilotage élevé, ses suspensions fermes et sa silhouette quasiment militaire lui ont fait perdre de précieux points.

Dodge Caravan

Le numéro un sur le marché canadien s'est également fort bien débrouillé lors de notre match comparatif. En fait, c'est l'équilibre général de cette fourgonnette qui fait sa force. Ce modèle ne surpasse pas la concurrence dans aucun domaine ou presque, mais se maintient tout près du sommet à tous les chapitres, ce qui lui permet d'accumuler de précieux points. C'est d'ailleurs, ce qui lui a permis de se démarquer de notre groupe en dépit du fait que la version qui nous avait été prêtée n'était pas tellement représentative en raison d'une finition moyenne et d'un niveau d'équipement plus modeste que celui des autres modèles participants à cet essai.

Comme toujours, c'est l'agrément de conduite, la grande maniabilité, la présentation d'ensemble, le tableau de bord sobre et complet, bref une foule de facteurs qui lui permettent de plaire et d'enregistrer des points. De plus, sa position de conduite relativement basse et une direction souple et précise ajoutent à l'agrément de conduite. Le comportement routier est passablement homogène à l'exception du sautillement du train arrière sur mauvaise route. Mais dans l'ensemble, cette fourgonnette est agréable à conduire et se révèle particulièrement confortable lors de longs trajets.

Notre véhicule d'essai était doté du moteur V6 3,3 litres couplé à la boîte automatique à quatre rapports. Cette combinaison assure de bonnes reprises et des accélérations adéquates. Encore là, on obtient un bel équilibre et une consommation relativement modeste pour une fourgonnette. Ce moteur permet également de transporter de plus lourdes charges sans trop d'ennuis. Toutefois, lorsqu'elle est trop chargée, cette traction voit sa suspension arrière s'affaisser de façon assez importante. Malgré ces quelques réserves, la Dodge Caravan s'est imposée lors de cet essai comparatif surtout en raison de son équilibre. Elle ne fait rien d'extraordinaire mais ne fait rien de mauvais. Cet équilibre lui permet de se tirer fort bien d'affaires. Il faut également ajouter que l'expérience acquise lors des premières années de fabrication de la fourgonnette Autobeaucoup a permis à Chrysler de raffiner sa seconde génération par l'intermédiaire d'une foule de petits détails qui font la différence. Et de plus, le comportement routier de cette fourgonnette peut être amélioré en optant pour la suspension sport qui est vraiment efficace et disponible pour la première fois en 93.

Un prix de vente très compétitif, une polyvalence de bon aloi associée à un agrément de conduite supérieur à la moyenne expliquent la popularité des fourgonnettes Chrysler. Cette recette lui permet de se maintenir en tête malgré la présence de modèles plus récents.

Ford Aerostar

Pour de nombreux essayeurs, l'Aerostar a été la révélation de ce match. En effet, plusieurs semblaient avoir des préjugés défavorables envers cette Ford qui jouit elle aussi d'une grande popularité. Les essayeurs ont apprécié sa présentation générale, son habitacle, la puissance de son moteur V6 4,0 litres et une conduite qui n'est pas vilaine non plus.

Comme la Chevrolet Astro, la Ford Aerostar est inspirée d'une camionnette puisqu'elle est dérivée ni plus ni moins de la camionnette Ranger. Cette propulsion est donc en mesure de bien se débrouiller en ce qui concerne l'utilisation commerciale. Toutefois, un peu comme ce fut le cas pour la Astro, les ventes dans la catégorie tourisme ont rapidement pris le dessus. Et pour être utilisée en tant que fourgonnette familiale, l'Aerostar n'est pas dépourvue d'arguments. La présentation intérieure est moins austère que celle de la Astro et l'ensemble est plus accueillant. Il faut souligner au passage l'efficacité des systèmes de climatisation et de sonorisation de cette fourgonnette qui sont supérieurs à la moyenne.

Bien que passablement agréable sur le plan de la présentation, sa conduite nous permet de prendre contact avec une fourgonnette qui se comporte comme une camionnette. Ce n'est pas désagréable en soit, mais l'Aerostar n'est pas aussi compétente sur le plan du comportement routier que les Autobeaucoup de Chrysler et la Mercury Villager/ Nissan Quest. Le train arrière est passablement sensible aux imperfections de la chaussée et il faut en tenir compte en conduite hivernale. De plus, le roulis en virage est assez prononcé.

Malgré tout, cette Ford est d'une bonne polyvalence tout en étant alléchante en raison de son prix attrayant et d'une présentation qui est toujours plaisante même si elle date de plusieurs années.

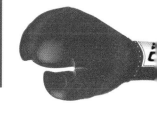

Mazda MPV

Comme les modèles Chevrolet Astro et Ford Aerostar, la Mazda MPV est dérivée d'une camionnette. mais cette propulsion a essentiellement privilégié le côté tourisme par rapport à la version utilitaire. La plus belle preuve de cet énoncé est l'absence d'une porte latérale coulissante à l'arrière. Cette idée n'a pas tellement plu à nos essayeurs. De plus, cette vocation plus bourgeoise se traduit également par une habitabilité bien moyenne, des sièges arrière très lourds à manipuler si on veut les enlever et une présentation mi-figue, mi-raisin. Et il faut ajouter que les places arrière sont très justes, et ce pour les personnes de tous les gabarits.

Mais ce qui handicape le plus cette Mazda est son moteur V6 3,0 litres qui s'est révélé gourmand, très gourmand même en plus de proposer des performances adéquates mais pas nécessairement proportionnelles à la consommation élevée. Pour faire bonne mesure, il est important de souligner que la MPV n'est pas une vilaine routière. Sa suspension n'est pas trop sèche, la direction est précise et l'agrément de conduite dans la bonne moyenne. Mais, cela s'arrête là. Sous presque aucun rapport cette fourgonnette ne se démarque fermement du lot. Elle possède de bonnes qualités, une finition honnête et un niveau d'équipement passablement relevé, mais elle ne réussit pas à se démarquer nulle part.

Elle est de plus handicapée par une ergonomie passablement déficiente. Trop de commandes ont été placées à des endroits qui ne sont pas dans le champ de vision du conducteur.

Elle possède donc suffisamment de qualités pour se placer au milieu de sa catégorie, mais elle n'a pas la touche magique qui lui permettrait de se démarquer. D'autant plus qu'elle est vendue à un prix relativement plus élevé que certaines Nord-Américaines dotées d'un moteur V6 plus puissant et moins gourmand.

MATCHS COMPARATIFS

Mercury Villager — Nissan Quest

Les deux dernières venues dans la famille des fourgonnettes suscitent bien entendu beaucoup d'intérêt. Nous avons regroupé ces deux véhicules sous la même enseigne car ils sont le fruit d'une collaboration entre Ford et Nissan tout en étant assemblés à la même usine et partageant les mêmes organes mécaniques. De plus, les différences entre ces deux fourgonnettes ne sont pas suffisantes pour les départager l'une de l'autre.

Ceci dit, nos deux nouvelles venues ont suscité l'intérêt et même l'enthousiasme de la plupart des essayeurs. Le dicton «Tout nouveau tout beau» s'est appliqué une fois de plus. Il faut admettre que ces deux nouvelles fourgonnettes ont plusieurs atouts qui permettent aux gens de s'emballer à leur sujet. Dans un premier temps, la présentation intérieure est cossue, les sièges arrière peuvent se régler de plusieurs manières tandis que la banquette arrière est montée sur des rails et peut s'ajuster de multiples façons. Ajoutez à cela un groupe propulseur bien équilibré grâce au moteur V6 3,0 litres de Nissan et sa boîte automatique quatre rapports. Cette boîte est à commande électronique et il est possible de choisir entre le mode «puissance» et «régulier».

Ces fourgonnettes ne font pas de cachette quant à l'option confort qu'elles ont adoptées. En effet, ce sont les fourgonnettes qui se rapprochent le plus d'une familiale. Si la suspension est confortable et la conduite presque similaire à une automobile, l'espace pour les bagages est passablement restreint une fois tous les sièges en place. De plus, l'accès à la banquette arrière n'est pas une sinécure si les sièges baquets médians sont en position. Enfin, ces sièges baquets peuvent s'enlever, mais ils sont passablement lourds. Toutefois, une fois remisée, la banquette arrière montée sur rails peut être placée en différentes positions. Cet élément ajoute à la polyvalence de ces fourgonnettes.

En fait, si le duo Quest/Villager doit s'incliner devant la fourgonnette de Chrysler, c'est tout simplement que l'option confort est particulièrement biaisée, ce qui permet à l'Autobeaucoup plus équilibrée de se glisser en avant.

Pontiac Trans Sport

Une autre fourgonnette qui est à vocation confort plutôt qu'utilitaire est la Pontiac Trans Sport. Toutefois, contrairement aux Villager et Quest, cette Pontiac est loin de faire l'unanimité. En effet, quelques essayeurs l'ont souverainement détestée tandis que d'autres ne cessaient de vanter la qualité de son groupe propulseur et la polyvalence de son habitacle. L'unanimité s'est toutefois faite sur les avantages de sa carrosserie en matière composite et sur la désagréable position de conduite que l'on doit endurer en raison de l'excentricité des stylistes qui l'ont affublée d'un nez aussi fantaisiste.

Toutefois, depuis l'arrivée du moteur V6 3,8 litres disponible en option avec une boîte automatique 4 rapports, le groupe propulseur est nettement de qualité supérieure, ce qui permet à cette Pontiac d'être la sportive du groupe du point de vue des performances. Curieusement, elle n'est pas aussi maniable que la Chevrolet Astro en conduite urbaine puisque cette traction ne peut être aussi maniable qu'une propulsion à ce chapitre.

Un autre élément qui milite en faveur de la Trans Sport et de sa sœur jumelle la Chevrolet Lumina APV est la disposition des sièges baquets arrière qui sont faciles à enlever et peuvent être disposés de différentes manières. De plus, il est possible de rabattre le dossier de ces mêmes sièges arrière pour permettre de transporter un objet encombrant sans devoir enlever toutes les banquettes.

Toutefois, une silhouette plutôt basse a pour effet de limiter le dégagement pour la tête et cette Pontiac est plus un véhicule pour personnes que pour les bagages. Il est fort dommage que sa silhouette fort controversée vienne handicaper cette fourgonnette qui possède en plus une bonne fiabilité si on s'appuie sur les différents sondages de satisfaction de la clientèle.

Quant à notre match, il est certain qu'une silhouette un peu plus conventionnelle alliée à un pare-brise plus raisonnable lui aurait permis de mieux se classer.

Toyota Previa

Si la Pontiac Trans Sport était l'excentrique sur le plan visuel, sur le plan mécanique la palme est revenue à la Toyota Previa. Et ce titre a été adjugé sans discussion. En effet, avec son moteur central placé sous les sièges avant, son demi-arbre de couche souple actionnant les accessoires du moteur laissés en place sous le capot avant, vous conviendrez que la Previa mérite ce titre d'emblée. Mais ce brio technique est également un handicap car la presque totalité de nos essayeurs ne semblaient pas tellement emballés d'être assis au dessus du moteur, ce qui explique pourquoi la position de conduite est particulièrement élevée.

Mais ce n'est pas uniquement à propos de la position du moteur que la Previa a perdu des points; c'est également en raison de la faible puissance de ce quatre cylindres qui, bien que solide, peine à la tâche lorsque la fourgonnette est lourdement chargée. Ce trait de caractère est d'autant plus déplorable que l'habitabilité de la Previa est supérieure à la moyenne. Il faut en conclure que les concepteurs ont prévu que cette fourgonnette serait surtout utilisée pour transporter des passagers et non des objets.

D'ailleurs, à ce chapitre, la Previa est l'une des fourgonnettes les plus confortables qui soient. Les sièges avant sont accueillants et offrent un bon support. A l'arrière, il est possible de commander des sièges baquets pivotants qui permettent de transformer cette fourgonnette en salon de thé ou presque. Toujours sur le plan du confort, la Previa peut être équipée d'une «boîte froide» reliée au système de climatisation et qui permet de conserver les boissons froides.

Elégante, confortable et d'une finition impeccable, la Previa déçoit quelque peu au chapitre de la conduite. Une position de conduite élevée, un moteur relativement peu performant et une direction qui devient très vive par vent latéral sont autant d'éléments qui la pénalisent. De plus, son prix d'achat passablement élevé par rapport à la concurrence contribue à cette position un peu en retrait.

Volkswagen EuroVan

Cette fourgonnette détonne dans notre groupe en raison de ses dimensions qui sont plus importantes que le reste du groupe. En plus, son moteur cinq cylindres en ligne est le moins puissant. Il en résulte une équation qui s'est avérée fatale pour cette robuste Allemande. En effet, alors que la EuroVan avait réussi à se débrouiller relativement bien dans notre classement cumulatif, les résultats des performances et du freinage ont porté un coup fatal à son classement. Mais il ne faut pas juger la EuroVan uniquement sur son classement final qui la place en huitième position. Cette fourgonnette est non seulement la plus spacieuse, mais elle est également celle qui offre le plus d'espace de rangement tandis que ses sièges sont les plus confortables. En outre, les dossiers peuvent se rabattre pour servir de table. Et si vous aimez

vous déplacer à l'intérieur du véhicule une fois celui-ci immobilisé, la EuroVan est exemplaire à ce chapitre. Et il faut ajouter un seuil de chargement très bas associé à un hayon de très grande dimension qui facilite l'accès à la soute à bagages. Et la liste des accessoires ne se termine pas là puisque son ergonomie est exemplaire. Tout est à la portée de la main et la consultation du tableau de bord est très facile. Toutefois, une couple d'essayeurs n'ont pas tellement apprécié la position du levier de vitesses qui est placé tout près du siège du conducteur. Heureusement, les autres ont compris que cette disposition facilitait le déplacement vers l'arrière. Mais la principale faiblesse de cette fourgonnette n'est pas son encombrement supérieur à la moyenne mais son moteur de 110 chevaux. Ce gros cinq cylindres de 2,5 litres

se tire assez bien d'affaires dans la plupart des circonstances mais il ne semble pas avoir convaincu la majorité de nos essayeurs. Malgré tout, les autres qualités intrinsèques de même qu'un bonne maniabilité ont permis à la EuroVan de se classer très honorablement dans le choix personnel des essayeurs.

Solide, robuste et dotée d'une suspension arrière indépendante qui lui assure une bonne tenue de route, cette fourgonnette est la seule sur le marché à pouvoir accommoder sept personnes et leurs bagages. Avec les autres fourgonnettes, on doit laisser un ou deux passagers derrière soi si on veut transporter les bagages des cinq autres. De plus, à l'usage, cette utilitaire se fait apprécier comme le démontre la randonnée «industrielle» qui est décrite dans une autre partie de cet ouvrage. Encore une fois, la EuroVan fait bande à part, mais elle est de loin la plus intéressante sur le plan pratique.

LE SORT EST JETÉ

Voilà donc un autre match de complété. Cette fois, c'est la Dodge Caravan qui prend le premier rang quelques points seulement devant le Villager/Quest et l'Aerostar. Mais il ne faut pas nécessairement s'en tenir de façon rigoureuse à ce classement. D'ailleurs, même s'ils ont placé la Chrysler au premier rang, plusieurs de nos essayeurs optaient pour d'autres modèles lorsque le temps est venu de parler d'utilisation personnelle.

En outre, à ce classement global, plusieurs ont dressé un classement «industriel» portant uniquement sur le côté pratique et utilitaire des fourgonnettes en présence. À ce moment, la EuroVan de Volkswagen l'emporte tandis que la Chevrolet Astro et la Ford Aerostar suivent.

Somme toute, on peut choisir n'importe laquelle de ces fourgonnettes et les chances de se tromper son minces. En fait, il s'agit de savoir choisir le véhicule qui convient à ses besoins et à ses goûts.

RÉSULTATS DU MATCH

CLASSEMENT GLOBAL

1- Dodge Caravan	308,4 pts
2- Mercury Villager/Nissan Quest	306,4 pts
3- Ford Aerostar	305,8 pts
4- Toyota Previa	304,2 pts
5- Chevrolet Astro	297,4 pts
6- Mazda MPV	296.,1 pts
7- Pontiac Trans Sport	290,2 pts
8- Volkswagen EuroVan	287,4 pts

CHOIX PERSONNEL DES ESSAYEURS

1- Dodge Caravan	47 pts
2- Mercury Villager/Nissan Quest	46 pts
3- Toyota Previa	43 pts
4- Volkswagen EuroVan	28 pts
5- Ford Aerostar	27 pts
6- Mazda MPV	25 pts
7- Pontiac Trans Sport	22 pts
8- Chevrolet Astro	18 pts

CLASSEMENT «INDUSTRIEL»

1- Volkswagen EuroVan	50 pts
2- Chevrolet Astro	45 pts
3- Ford Aerostar	43 ps

Subaru Legacy Turbo VS Volkswagen Passat Syncro

Pour plusieurs automobilistes québécois, la traction intégrale est la solution à nos conditions routières. Si cette approche technique risque de ne pas trouver tellement de preneurs au cours de la canicule de juillet, elle devient nettement plus intéressante lorsque le verglas de l'automne et les tempêtes hivernales s'associent pour rendre la vie des automobilistes de plus en plus difficile.

Malgré tout, les voitures à traction intégrale ne semblent pas avoir la popularité qu'elles devraient logiquement obtenir, surtout au Québec. Plusieurs soulignent que le coût plus élevé à l'achat, la crainte d'une mécanique plus complexe et le nombre relativement peu élevé de modèles dotés de tels systèmes expliquent la popularité relativement modeste des tractions intégrales.

Toutefois, compte tenu de l'intérêt quand même important des automobilistes envers ce type de voitures, nous avons décidé de mettre sur pied un match comparatif assez spécial: comparer une Volkswagen Passat Syncro à une Subaru Legacy 4x4. Ce test a été effectué au cours de l'hiver 1991-1992 et a permis de trouver les forces et les faiblesses de ces deux voitures tout en vérifiant la valeur de la traction inté-grale en conduite hivernale. Nous avons également pu vérifier la fiabilité mécanique de ces deux voitures puisque nous avons parcouru plus de 15 000 km avec chacune.

ALLEMAGNE VS JAPON

En tout premier lieu, nous devions choisir des voitures qui seraient intéressantes et représentatives. Nous avions songé à effectuer un test États-Unis, Allemagne, Japon mais nous avons dû abandonner ce projet faute de représentant du côté nord-américain, la seule berline disponible étant fabriquée par une firme japonaise même si elle était vendue sous une bannière nord-américaine. Ce match comparatif est donc devenu une rencontre Europe-Japon.

Du côté des européennes, le choix était relativement facile puisque seules les voitures Audi et Volkswagen proposent des berlines à traction intégrale. Si le choix s'est porté sur la Passat au lieu de l'Audi Quattro, c'est que non seulement la Passat était vendue à un prix plus abordable, mais elle proposait un ensemble mécanique fort intéressant avec son moteur à compresseur et son différentiel électronique. Enfin, la dernière raison mais non la moindre, c'est que les Audi 1992 n'ont jamais visité les berges canadiennes et que l'introduction des modèles 1993 était trop tardive pour affronter l'hiver 1991-1992.

Du côté des Japonaises, le choix était tout aussi aisé. Dans un premier temps, c'est la compagnie Subaru qui a démocratisé les voitures 4x4 à la fin des années 70 même si c'est Audi qui a été la première compagnie à introduire la traction intégrale sur une voiture de tourisme. Les premières Subaru 4x4 vendues au Canada étaient dotées d'un système devant être activé par le conducteur et ne pouvaient donc rouler en mode 4x4 sur les routes sèches. Toutefois, beaucoup de progrès ont été réalisés depuis et les voitures Subaru ont la réputation de posséder le système de traction intégrale le plus sophistiqué parmi ceux proposés par les constructeurs japonais.

Il faut de plus ajouter que la Subaru Legacy Turbo possédait une fiche technique en mesure de rivaliser avec celle de la Volkswagen Passat en raison de la présence d'un moteur turbocompressé sous son capot. Elle n'allait pas s'en laisser imposer par le compresseur de la Passat.

Et pour encore mieux équilibrer les choses, les deux voitures étaient munies d'une boîte manuelle à cinq rapports et d'un équipement presque similaire comprenant la climatisation, des roues en alliage, un système de son presque identique de même qu'un niveau de garniture presque semblable. Donc, nous étions prêts pour affronter l'hiver en mode 4x4.

LA FAÇON DE PROCÉDER

Pour pouvoir comparer l'efficacité, la fiabilité et le comportement d'ensemble de ces deux voitures dans des conditions quasiment similaires sur une période s'étalant de novembre à avril, il fallait trouver une solution simple mais efficace. La méthode adoptée fut que les deux principaux conducteurs roulent quelques milliers de kilomètres avec une voiture pour ensuite effectuer un échange, rouler avec l'autre puis faire un autre échange et ainsi de suite. Comme les deux essayeurs demeuraient dans la même région périphérique de Montréal et effectuaient des trajets presque similaires quotidiennement, l'essai allait permettre de bien comparer les deux voitures.

De plus, les deux premiers mois de cet essai ont été effectués avec les pneus d'origine, soit des Continental Super Contact pour la Passat et des Bridgestone sur la Subaru. Encore là, deux types de pneus qui se ressemblent. Par la suite, on a procédé à l'installation de pneumatiques d'hiver, des Pirelli P210 sur la Passat et des Bridgestone sur la Legacy. Cela devait nous permettre de vérifier l'efficacité du système de traction avec des pneus quatre saisons et avec des pneus d'hiver.

Pour le reste, nous avons roulé quotidiennement avec ces deux voitures, affrontant toutes les intempéries automnales et hivernales au fil des semaines et des mois. De plus, quelques voyages sur l'autoroute 20 et dans les Cantons de l'est ont permis de vérifier le comportement de ces deux voitures lors de randonnées plus longues.

LA PASSAT: SOLIDE ET RAFFINÉE

Sur le plan technique, la Passat Syncro se distinguait de plusieurs manières. Tout d'abord, elle possédait le moteur G60 doté d'un compresseur à spirale qui a débuté sa carrière sous le capot de la Corrado. Ce moteur développe 158 chevaux et sa puissance devait théoriquement être bien adaptée au gabarit de la Passat. Quant au système de traction intégrale, il s'agit d'un viscocoupleur qui transmet la puissance aux roues arrière lorsque les roues avant patinent. Le système est proportionnel et la distribution du couple est graduelle. Ce mécanisme est relativement simple et sa fiabilité a été éprouvée depuis plusieurs années sur les voitures de tourisme et les fourgonnettes Volkswagen.

La Passat Syncro est également dotée d'un différentiel autobloquant aux roues avant. Il s'agit d'un système à commande électronique qui agit sur les freins avant pour limiter le patinage sur les routes glacées.

Tout au long des 20 000 kilomètres de notre essai, la Passat Syncro a affiché une excellente fiabilité. Certains de nos lecteurs se sont plaints d'avoir éprouvé des ennuis mineurs avec leur Passat, qu'elle soit Syncro ou pas. En ce qui nous concerne, le seul ennui digne de mention fut des bruits causés par la pompe d'assistance de la direction aux alentours des 7 000 kilomètres. L'addition d'huile dans le carter du réservoir de la pompe d'assistance a permis de régler ce problème qui ne s'est plus manifesté par la suite.

Pour le reste, tout s'est déroulé sans anicroche. Aucun bruit de caisse, aucune pièce chancelante, aucun accessoire qui se rompt. Bref, le bonheur total ou presque. Quant à la voiture elle-même, elle s'est distinguée par le confort de ses sièges, la solidité de sa caisse, son agrément de conduite et son système de climatisation. De plus, toutes les personnes qui l'ont conduite ont apprécié son comportement routier stable, l'excellente visibilité et une bonne position de conduite. D'autre part, quelques-uns ont eu des réserves quant au guidage du levier de vitesses qu'ils disaient manquer de précision. Le secret: il fallait y aller en douceur et tout était impeccable. Par contre, si on utilisait trop ses muscles, le second rapport devenait récalcitrant.

Quant au moteur G60, il possède peu de couple à bas régime et cela s'est révélé un atout lorsque les routes étaient très glacées. Ce manque de puissance à bas régime peut toutefois en agacer certains dans la conduite urbaine. Par contre, dès que le compte-tours affiche plus de 3 500 tr/min, le moteur devient très performant et les reprises sont nerveuses. Il faut souligner qu'il n'a jamais refusé de démarrer, même par temps très froid. Quant à sa consommation moyenne. elle a été de 8,9 litres tout au long de cet essai qui s'est déroulé sur environ 20 000 kilomètres.

Au tour de la traction intégrale maintenant. Tout d'abord, il est important de souligner que les pneus Continental Super Contact se sont avérés passablement glissants sur la neige et la glace. En effet, il fallait conduire avec prudence alors que le train avant était parfois débordé. Par contre, une fois les Pirelli 210 montés, la transformation a été radicale. Non seulement la traction s'est révélée excellente mais la voiture affichait un meilleur équilibre dans les courbes.

Avec les pneus d'hiver, le comportement de la Passat est devenu exemplaire ou presque tandis que l'agrément de conduite était toujours au rendez-vous.

Somme toute, c'est un bilan fort positif pour cette Volkswagen Syncro. Elle s'est illustrée par une fiabilité exemplaire et un agrément de conduite fort intéressant. Son système de traction intégrale s'est révélé efficace, tout particulièrement avec des pneus d'hiver.

LA SUBARU LEGACY

Nous avons pris possession de la Subaru Legacy chez le concessionnaire Christofaro alors que l'odomètre affichait 2 km. Afin d'améliorer l'apparence de la voiture, Jos Christofaro avait demandé à ses carrossiers de peindre la calandre de la même couleur que celle de la carrosserie. Il s'agit d'un détail, mais un détail qui a contribué à relever l'apparence de la voiture qui est un peu fade. Chez Subaru, on devrait faire de même, l'esthétique y gagnerait.

Lors de notre prise de possession, la Subaru était toute neuve et elle ne souffrait d'aucun défaut d'ajustement, de réglage ou de toute autre nature. Toutefois, le moteur est devenu un peu plus rugueux après quelques centaines de kilomètres tandis que la boîte de vitesses voyait le deuxième rapport se faire tirer l'oreille pour s'enclencher de temps à autre. C'est tout de même curieux que nos deux voitures d'essai aient souffert du même trait de caractère en ce qui concerne le second rapport.

Bien que parfois rugueux, le moteur de la Subaru s'est révélé plus musclé à bas régime que celui de la Passat. En fait, ces deux groupes propulseurs ont pratiquement affiché des caractéristiques opposées. Celui de la Subaru est musclé à bas régime et s'essouffle au fur et à mesure de la hausse du régime. Sur la Passat, c'est exactement le contraire.

Bref, cette Japonaise propose un moteur performant que plusieurs ont trouvé relativement bruyant. Quant au système de traction intégrale, il fait appel à un viscocoupleur contrôlé électroniquement. À l'usage, ce système s'est montré très efficace et même parfois plus à l'aise que la Passat lorsque les routes étaient très glissantes. Il nous a semblé que la Subaru transmettait plus rapidement le couple aux roues arrière. Sur la Passat, il y avait un certain patinage des roues avant. Toutefois, cette efficacité dans le clan Subaru peut se transformer en inconvénient. À basse vitesse, l'arrière a tendance à déraper si on appuie trop rapidement sur l'accélérateur. Compte tenu de la puissance du moteur à bas régime et de la vitesse de réaction du système de gestion du couple, la réaction est trop vive et le système est pris en défaut en envoyant trop de puissance aux roues arrière. Une conduite plus souple a permis d'éliminer ces dérobades. Quant aux pneumatiques, les 10 000 premiers kilomètres ont été effectués avec des pneus quatre saisons qui sont devenus progressivement plus glissants au fil des kilomètres. Après 10 000 kilomètres, il était temps de passer aux pneus d'hiver qui ont eux aussi fait des merveilles pour le comportement de la voiture sur route enneigée ou glacée. Les Bridgestone utilisés sur cette voiture sont des pneus haut de gamme et leur performance est digne de mention.

Sur le plan de la fiabilité, aucun problème mécanique n'est survenu pendant la durée de notre essai. Par contre, nous avons été surpris de constater que le nombre de bruits de caisse est devenu passablement important au fil des kilomètres tandis que la Passat était toujours solide comme le roc. Malgré tout, il faut espérer qu'il s'agissait d'un incident isolé car les Subaru ont une bonne réputation sur le plan de la solidité. Peut-être que le fait d'avoir négligé une inspection obligatoire y est pour quelque chose!

En fait, au fil des kilomètres, la Subaru Legacy s'est révélée une voiture passablement agréable à conduire tout en étant confortable. En fait, le seul reproche majeur que l'on puisse faire à cette automobile est la piètre efficacité de ses phares. Un élément non négligeable lorsqu'on sait que cette voiture sera probablement conduite par mauvais temps. De plus, les projections de la route se déposent très facilement sur ces phares qui deviennent presque inutiles et qui nécessitent plusieurs arrêts pour les nettoyer dans le cadre d'un voyage de quelques centaines de kilomètres. Enfin, les freins de notre voiture d'essai étaient adéquats en conduite normale, mais leur puissance s'est révélée assez juste en certaines circonstances.

QUI L'EMPORTE?

Comme on peut le constater, nos deux voitures possèdent l'une et l'autre des qualités et des défauts qui s'annulent pratiquement les uns par rapport aux autres. Leur fiabilité a été presque identique, leur système de traction intégrale est efficace dans les deux cas bien que se comportant de façon différente. En fait, seule une carrosserie plus intègre et rigide avantage la Passat. Cette dernière possède également de meilleurs sièges mais sa radio est exécrable sur la bande AM. En fait, ces deux voitures s'adressent de par leur présentation et leur caractéristiques à des clientèles bien différentes.

Dans le cas de la Passat, il faut rechercher une voiture équilibrée, possédant de nombreux espaces de rangement, un coffre très spacieux, un moteur qui consomme peu en conduite urbaine et qui est paresseux à bas régime. D'autre part, la Subaru attirera l'intérêt de la personne voulant des accélérations ayant plus de mordant, une présentation un peu moins austère et une silhouette moins typée. Quant au moteur horizontal à cylindres à plat qui est typique de presque toutes les Subaru, cela n'est pas le lot de tout le monde non plus.

Bref, ces deux voitures nous ont démontré qu'elles étaient très efficaces en conduite hivernale grâce à leur système de traction intégrale. Leurs caractéristiques différentes les réservent à deux clientèles aux vues différentes. Quoi qu'il en soit, cet essai nous a permis, encore une fois, de nous emballer pour la traction intégrale lorsque les conditions routières se détériorent. Mais on oublie rapidement les tempêtes hivernales dès que le mois d'avril montre le bout de son nez...

RÉSULTATS DU MATCH

VOLKSWAGEN PASSAT SYNCRO

	Pauvre	Passable	Bon	Très bon	Excellent
• Comportement routier					•
• Freinage				•	
• Sécurité passive				•	
• Visibilité					•
• Confort				•	
• Volume de chargement					•

POUR

Excellente tenue de route
Finition exemplaire
Familiale pratique
Habitacle spacieux
Caisse solide

CONTRE

Reprises timides à bas régimes
Levier de vitesses imprécis
Sièges durs
Pneus standards peu efficaces en hiver

SUBARU LEGACY TURBO

	Pauvre	Passable	Bon	Très bon	Excellent
• Comportement routier				•	
• Freinage			•		
• Sécurité passive				•	
• Visibilité					•
• Confort				•	
• Volume de chargement				•	

POUR

Moteur nerveux
Système traction intégrale efficace
Bon comportement routier
Habitabilité adéquate

CONTRE

Bruits de caisse
Freins perfectibles
Phares de route à remplacer
Boîte de vitesses revêche

ASPECT TECHNIQUE

	Volkswagen Passat Syncro	Subaru Legacy Turbo
Groupe propulseur:	4x4	4x4
Empattement:	262,3 cm	258,1 cm
Longueur:	457,3 cm	451,0 cm
Poids:	1 125 kg	1 461 kg
Coefficient aérodynamique:	0,29	0,33
Moteurs:	4L 1,8 litre compresseur, 158 ch.	4 à plat 2,2 litres turbo, 160 ch.
Transmission:	boîte manuelle 5 rapports	boîte manuelle 5 rapports
Suspension avant:	indépendante	indépendante
arrière:	semi-indépendante	indépendante
Direction:	à crémaillère	à crémaillère
Freins: avant:	disques	disques ABS
arrière:	disques ABS	disques ABS
Pneus:	P195/65R14	P195/60HR15

ASPECT PRATIQUE

	Volkswagen Passat Syncro	Subaru Legacy Turbo
Nombre de places:	5	5
Valeur de revente:	très bonne	bonne
Indice de fiabilité:	8,5	8,0
Réservoir de carburant:	70 litres	60 litres
Capacité du coffre:	18 pi^3	12,8 pi^3
Performances:	0-100 km/h: 9 s	0-100 km/h: 8,3 s
vitesse max:	210 km/h	208 km/h
consommation:	10,6 litres/100 km après 20 000 km	11,8 litres/100 km après 20 000 km

Au fil des kilomètres

Volkswagen Eurovan: plus de 2000 km de labeur

Pendant tout près de 40 ans, la fourgonnette Vanagon de Volkswagen a fait partie de notre décor quotidien. À une certaine époque, elle était la seule du genre sur nos routes; elle a fait les délices de plus d'un hippie au cours des années 60. Mais, bien que toujours spacieuse et pratique, la Vanagon n'arrivait plus à tenir le coup face à une concurrence de plus en plus active dans cette catégorie. Son design d'une autre époque, son moteur arrière, sa sensibilité excessive au vent latéral, voilà autant d'éléments qui en faisaient le parent pauvre de la catégorie. Pourtant, c'est bien Volkswagen qui avait inventé le genre. Malheureusement, les nombreuses modifications apportées n'arrivaient plus à suivre l'évolution de cette catégorie, une des plus populaires actuellement.

Le temps était venu pour la Vanagon de tirer sa révérence et de faire place à un véhicule tout neuf, inspiré de la longue expérience acquise par Volkswagen dans ce secteur. Et à l'automne 1990, l'Eurovan, appelée Caravelle sur le marché européen, a été dévoilée aux salons de Birmingham et de Paris.

Cette nouvelle venue délaissait entièrement le concept de l'ancienne Vanagon. Non seulement la silhouette est totalement renouvelée, mais on a en plus délaissé le vétuste moteur «boxer» monté à l'arrière pour faire appel à la traction et à un moteur cinq cylindres monté transversalement.

Malgré ces transformations radicales, cette Volkswagen demeure un véhicule conçu avec logique qui est en mesure de rencontrer les besoins de bien des familles et de plusieurs travailleurs. Ce respect de la raison et de la logique est dans la lignée des modèles précédents qui ont toujours eu un auditoire très fidèle.

Considérant que le point fort de cette fourgonnette est surtout sa polyvalence

et son côté pratique, nous avons décidé de la mettre à l'épreuve d'une façon bien particulière. En effet, elle a été utilisée par un photographe dans le cadre de son travail. Pierre-Louis Mongeau est un professionnel réputé dont la spécialité est justement de se déplacer pour photographier des dirigeants d'entreprise ou des installations industrielles.

Pour mettre la nouvelle Eurovan à l'épreuve, Pierre-Louis et son équipe ont chargé l'Eurovan à bloc de matériel photographique et ont pris la direction de Philadelphie afin de photographier les toutes dernières réalisations ferroviaires de la maison Bombardier. Cette opération a permis de mettre l'Eurovan à l'épreuve sous plusieurs aspects: côté utilitaire, confort en voyage, polyvalence et même la fiabilité jusqu'à un certain point.

QUE D'ESPACE!

S'il est une chose que nos essayeurs ont appréciée, c'est bien l'espace que propose cette fourgonnette. En effet, habitués à une habitabilité beaucoup moindre sur les fourgonnettes compactes, les passagers de l'Eurovan ont grandement apprécié de pouvoir transporter tout le matériel nécessaire tout en étant en mesure de «prendre leurs aises» dans l'habitacle. Les places arrière sont confortables et le dégagement pour les jambes et la tête est nettement supérieur à la moyenne. De plus, les dossiers des sièges arrière peuvent se rabattre pour se transformer en table. Luxe qui a été apprécié par les membres de l'équipe. En fait, l'intérieur est tellement spacieux qu'il a provoqué un manque de rigueur chez les passagers qui ont profité de tout cet espace pour disséminer leurs effets personnels un peu partout dans la fourgonnette.

Les places avant ont également été jugées très confortables. Toutefois, selon le conducteur, la position de conduite de type «autobus commercial» est peut-être confortable pour de longs trajets, mais elle est assez peu inspirante.

Bref, l'habitabilité de cette fourgonnette n'a pas été prise en défaut. D'ailleurs, il faut admettre que l'Eurovan est la seule fourgonnette en mesure de transporter sept personnes et tous leurs bagages. Pour ce faire, elle bénéficie de dimensions passablement généreuses. Ainsi, dans sa version régulière, elle est plus longue que la plupart des fourgonnettes de sa catégorie et les dépasse pratiquement toutes en hauteur. De plus, son généreux dégagement pour la tête facilite les déplacements à l'intérieur du véhicule. Et il ne faut pas oublier de mentionner que les espaces de rangement sont légion. En plus, le dessus de la planche de bord peut servir de tablette pour remiser plusieurs objets, un élément qui s'est avéré fort utile lors du trajet Montréal-Philadelphie. Terminons ce tour du propriétaire en soulignant que le seuil de chargement est très bas et le hayon facile à refermer.

Contrairement à certaines fourgonnettes dans lesquelles les occupants des places avant ont peu d'espace pour les jambes en raison de la présence des passages de roue et de l'encombrement du moteur, l'Eurovan est très généreuse pour les places avant. De plus, le tableau de bord est bien présenté et comprend une instrumentation complète. En fait, ce tableau de bord est un des meilleurs exemples d'ergonomie que l'on puisse trouver sur le marché présentement. Tout est à portée de la main, logiquement disposé; les commandes sont toutes faciles à utiliser. Les seules notes discordantes: une position du volant passablement verticale qui ne fait pas l'unanimité et un levier de vitesses parfois difficile d'accès. Nous avons déjà souligné les avis partagés concernant la position de conduite, mais il faut également ajouter que la position du levier de vitesses tout près du siège du conducteur et légèrement en retrait a agacé nos essayeurs photographes.

PLUS DE CHEVAUX SVP

Contrairement à toutes les fourgonnettes Volkswagen qui ont précédé cette version, l'Eurovan n'utilise pas le moteur horizontal doté de quatre cylindres à plat et monté en porte-à-faux par rapport à l'essieu arrière. Cette configuration avait des avantages, tel un couple élevé à bas régime et la possibilité de pouvoir disposer le groupe propulseur sur les roues motrices arrière, mais ses désavantages

étaient nettement trop importants par rapport aux avantages, surtout la grande sensibilité au vent latéral. Cette fois-ci, les ingénieurs ont carrément changé leur fusil d'épaule en optant pour le «tout à l'avant». Non seulement le moteur est monté à l'avant sur les roues motrices, mais c'est un cinq cylindres monté transversalement.

Cette traction à moteur transversal est passablement large et cela a permis aux ingénieurs de Wolfsburg d'utiliser un moteur cinq cylindres emprunté à Audi et modifié afin de pouvoir répondre aux exigences d'une fourgonnette utilitaire. Le fait de monter ce moteur transversalement permet d'offrir une excellente habitabilité sans être ennuyé par des protubérances à l'intérieur de la cabine com-

me c'est le cas sur les fourgonnettes à moteur longitudinal. Les mécaniciens n'auront aucune difficulté à atteindre la mécanique car la calandre avant se démonte en quelques secondes pour exposer tous les organes vitaux.

Ce moteur d'une cylindrée de 2,5 litres développe 109 chevaux et un couple de 140 livres/pied à 2 200 tours/minute. Et c'est à ce moment que survient la critique la plus incisive de nos essayeurs. Selon eux, l'Eurovan pourrait facilement

s'accommoder d'une vingtaine de chevaux supplémentaires. Pourtant, le couple est passablement généreux à bas régime pour un moteur de cette cylindrée, ce qui explique pourquoi cette fourgonnette peut réaliser le 0-80 km/h en un peu moins de 11 secondes, ce qui est intéressant. Toutefois, les choses se gâtent légèrement par la suite puisqu'il faut cinq secondes de plus pour boucler le 0-100 km/h.

À quelques occasions, la puissance de l'Eurovan a paru insuffisante à notre équipe d'essayage; surtout lors des dépassements, qu'il fallait planifier longtemps à l'avance. Il faut ajouter que ce jugement a été porté en fonction d'une conduite qu'on voulait normale, soit ni sportive ni commerciale mais équivalente à celle d'une voiture. Somme toute, l'Eurovan doit être conduite en fonction d'un moteur qui manque un peu de punch. Ce qui ne l'empêche pas d'être en mesure de répondre aux attentes de la plupart des utilisateurs.

Et on n'a pas d'autre choix puisque ce moteur est le seul disponible. Il est offert en équipement standard avec une boîte manuelle à cinq rapports ou avec l'automatique à quatre rapports surmultipliée. Cet essai a été effectué avec une version à boîte automatique et nos essayeurs ont trouvé que le moteur était relativement bruyant en accélération. Toutefois, quelques semaines après cet essai assez exigeant, Pierre-Louis Mongeau a eu l'occasion de conduire une version dotée d'une boîte manuelle et il a nettement mieux apprécié la version manuelle qui permet de tirer des performances plus musclées du moteur. Si le conducteur aurait apprécié plus de chevaux sous la pédale d'accélération, les passagers se laissaient guider en toute confiance, profitant du confort des sièges et de la très bonne habitabilité de ce véhicule. Il faut ajouter que la suspension avant fait appel à des bras triangulés doubles et que l'essieu indépendant est maintenu en place par des bras tirés et des ressorts hélicoïdaux. Ce qui assure une suspension confortable et une tenue de route très homogène.

UNE HONNÊTE ROUTIÈRE

La tenue de route de cette Volkswagen est très honnête et la direction précise. De plus, cette nouvelle fourgonnette Volkswagen a perdu sa sensibilité excessive aux vents latéraux. Chargée ou pas, cette fourgonnette n'effraie plus le conducteur par ses louvoiements lorsque le vent fait des siennes. Malgré de bonnes bourrasques rencontrées sur les autoroutes de la Pennsylvanie, l'Eurovan est demeurée imperturbable. Toutefois, il ne faut jamais perdre de vue qu'on est au volant d'un véhicule aux dimensions passablement importantes et doté d'un centre de gravité plus élevé que celui d'une automobile. Il faut donc adapter son style de conduite en conséquence.

Sur la grande route, cette fourgonnette s'est donc comportée de façon civilisée et a été relativement facile à conduire, si on fait exception de son manque de puissance remarqué surtout lors des dépassements. Toutefois, à une vitesse de croisière de 100 km/h, le moteur tourne à près de 4 000 tr/min, ce qui provoque un niveau sonore un peu élevé. Malgré cela, personne ne s'est plaint de cette caractéristique.

Somme toute, cet essai a confirmé ce que nous avions découvert lors d'un essai «normal» effectué hors d'un contexte d'utilisation «professionnelle». Dans les deux cas, il est difficile de trouver à redire quant à l'homogénéité d'ensemble de cette fourgonnette qui est à la fois éminemment pratique et confortable. Le moteur est parfois timide, mais si on se montre logique, ses performances sont très adéquates pour un véhicule de cette classe.

De prime abord, une fourgonnette est essentiellement utilitaire et sert à transporter bagages et passagers. L'ergonomie, la capacité de chargement, l'habitabilité, une tenue de route sûre et une suspension confortable sont des éléments qui sont privilégiés dans ces circonstances au détriment d'un agrément de conduite plus relevé et d'accélérations foudroyantes. Et c'est cette approche rationnelle qui transparaît immédiatement lorsqu'on prend le volant de l'Eurovan, que ce soit pour aller faire ses courses, pour partir en vacances ou pour aller travailler. Le moteur n'est pas un foudre de guerre, mais son couple à bas régime permet des accélérations initiales en mesure de suivre et même de devancer aisément le flot de la circulation. De plus, ce moteur propose une bonne souplesse et ne semble jamais à court de souffle. Toutefois, quand il y a cinq personnes à bord et que la fourgonnette est lourdement chargée, il faut s'assurer une certaine marge de manœuvre dans les dé-

passements. Dans ces circonstances, une vingtaine de chevaux additionnels ne seraient pas superflus.

Malgré tout, il faut souligner qu'on s'adapte très rapidement à la conduite de cette fourgonnette qui est l'une des plus agréables à conduire qui soient. Un peu comme dans un autobus régulier, les passagers prennent leurs aises dans un véhicule spacieux et confortable tandis que le conducteur profite d'une position de conduite confortable — même si cet avis ne fait pas l'unanimité — et d'une visibilité sans faille tout en étant obligé de tenir compte d'un moteur parfois un peu juste dans les côtes et les dépasse-

ments. Soulignons aussi l'étonnant rayon de braquage de l'Eurovan, qui n'a besoin que de très peu d'espace pour tourner.

Enfin, le périple de plusieurs milliers de kilomètres de notre équipe de photographie s'est effectué sans aucune anicroche sur le plan de la fiabilité. Quant à la consommation de carburant, elle a été de 11 litres aux 100 km, ce qui est tout de même raisonnable compte tenu que le véhicule était lourdement chargé.

FICHE TECHNIQUE

VOLKSWAGEN EUROVAN

	Pauvre	Passable	Bon	Très bon	Excellent
• Comportement routier				•	
• Freinage			•		
• Sécurité passive			•		
• Visibilité				•	
• Confort				•	
• Volume de chargement					•

POUR

Habitabilité remarquable
Ergonomie exemplaire
Sièges confortables
Bonne tenue de route
Finition sérieuse

CONTRE

Puissance un peu juste
Position de conduite discutable
Levier de vitesses difficile d'accès
   (automatique)
Dimensions encombrantes
Silhouette austère

ASPECT TECHNIQUE

Groupe propulseur:	traction
Empattement:	292 cm - 332 cm (version allongée)
Longueur:	476 cm - 514,1 cm (version allongée)
Poids:	1 681 kg
Coefficient aérodynamique:	n.d.
Moteurs:	5L 2,5 litre, 110 ch. à 4500 tr/min.
Transmission: type:	boîte automatique 4 rapports
rapport du pont:	5,28
Suspension avant:	indépendante
arrière:	indépendante
Direction:	à crémaillère, assistée
Freins: avant:	disques
arrière:	tambours
Pneus:	P205/65SR15

ASPECT PRATIQUE

Carrosserie:	fourgonnette
Nombre de places:	5 - 7 - 10
Valeur de revente:	bonne
Indice de fiabilité:	8,5
Coussin gonflable:	non
Réservoir de carburant:	80 litres
Capacité du coffre:	12,25 pi^3
Performances:	0-100 km/h: 16,8 s
reprises 60-100 km/h:	12,4 s
consommation:	12,8 litres/100 km
Échelle de prix:	23 000 $ à 30 000 $

Mazda MPV 4X4: Agréable, solide, gloutonne et parfois inquiétante

Après quatre ans et 45 000 km, nos sentiments sont hélas partagés à l'égard de la Mazda MPV 4x4. Malgré ses qualités, elle n'a pas mérité une fiche immaculée.

Malgré sa réputation, notre MPV nous a causé suffisamment d'embêtements pour mériter des reproches bien sentis. Alors que des sondages de qualité ont souvent placé cette minifourgonnette au sommet de sa catégorie en matière de fiabilité, nous parlerions quant à nous de faillibilité. Personne n'est parfait, en somme. Durant les quatre années de l'essai, notre MPV 4x4 a joué exclusivement le rôle de véhicule familial et sillonné surtout les rues de la banlieue montréalaise. Après une série de peccadilles et de bévues techniques dûment consignées dans les éditions précédentes du *Guide,* elle nous inspire maintenant des inquiétudes quant à la durabilité de certains de ses organes vitaux. Au moment de dresser ce bilan, notre MPV est de nouveau chez le concessionnaire. On tente d'y déterminer si finalement, son moteur V6 a effectivement besoin d'un jeu complet de pistons à seulement 45 000 kilomètres. Rien de moins. Tout cela parce que nous avons demandé il y a plusieurs mois au concessionnaire d'identifier la source et la cause d'un claquement métallique persistant qui se manifestait durant les premières minutes d'utilisation. C'est alors qu'on avait posé ce diagnostic et sa cure plutôt draconienne. Et il ne s'agit pas d'un problème isolé puisque nous nous sommes retrouvés sur une liste d'attente qui comptait alors 23 noms! Or, il semble que tout cela soit dû simplement au fait que Mazda utilise sur ce moteur des pistons de métal forgé et non coulé, justement pour améliorer l'endurance de ce moteur. Il semble toutefois que ce message de qualité n'ait pas été transmis de façon adéquate au réseau de concessionnaires. La plupart, sinon la totalité des utilisateurs de MPV, s'accommoderaient sans doute volontiers de ce bruit passager au nom d'une plus grande longévité de leur moteur.

Quoi qu'il en soit, nous avons dû visiter le concessionnaire Mazda à sept reprises depuis la rédaction du compte rendu précédent. Une poignée extérieure de portière s'est, par exemple, brisée à nouveau au plus fort de l'hiver. Après avoir attendu les pièces durant plus de cinq semaines, nous y avons perdu une heure et demie parce qu'on avait commandé les mauvaises pièces! Mazda a connu beaucoup de succès depuis quelques années, mais elle ne devrait jamais oublier que la réussite, sur le marché actuel, passe par la qualité totale.

POURTANT SOLIDE

La MPV demeure une fourgonnette impeccablement dessinée et construite dans son ensemble. Après quatre ans, malgré les secousses engendrées par une suspension assez ferme, la carrosserie et les panneaux intérieurs n'émettent toujours aucun bruit anormal. Il faut souligner aussi la bonne qualité de la peinture. Après quatre ans de fréquents passages au lave-auto et malgré le fait qu'elle n'a été cirée qu'une seule fois, elle a conservé en bonne partie son éclat. On n'y trouve pas la moindre trace de rouille et aucune marque évidente. Notre MPV 1989 a encore fière allure, ce qui augure bien pour une éventuelle revente.

En fait, la solidité d'ensemble de la MPV est sa plus grande qualité, mais elle a un prix. Mazda a dû y mettre le métal, donc le poids. Cela se traduit par des accélérations et des reprises médiocres et une consommation élevée, à plus forte raison sur le modèle quatre roues motrices. La moyenne de consommation de la nôtre, calculée sur 45 000 km, a grimpé à 16,01 l/100 km. Durant l'hiver, alors qu'il faut souvent rouler en mode quatre roues motrices pour profiter d'un comportement sûr, la consommation atteint parfois 22 l/100 km en ville. De plus, la MPV a nécessité un premier remplacement des garnitures de freins à tambour à 38 000 km et un deuxième remplacement des plaquettes avant à 41 000 km. Le poids élevé du MPV 4x4 entraîne sans doute une usure plus rapide des freins, surtout si l'on roule presque toujours en ville. On a enfin dû remplacer l'autre jambe de force avant après que la suspension se soit mise de nouveau à émettre de forts craquements en roulant.

Côté confort et ergonomie, la MPV marque toujours des points. Le siège du conducteur est même devenu plus confortable avec les années. L'intérieur tient bon, dans l'ensemble. Nous n'avons eu, en fait, qu'à resserrer une vis sur une des branches du volant qui menaçait de tomber. Il y a aussi des traces de rouille sur les supports des sièges avant. Les commandes sont toujours douces et précises.

CHAUSSURES ITALIENNES DE QUALITÉ

Depuis le compte rendu précédent, nous avons remplacé les pneus d'origine. L'un d'eux étant devenu inutilisable et ce modèle n'étant plus fabriqué, nous en avons profité pour chercher mieux, surtout en matière d'adhérence sur pavé mouillé. Nous avons visé dans le mille en achetant un jeu de Pirelli P500, taille 215/65R15. En plus de rendre la conduite par temps pluvieux nettement plus sûre, les P500 ont amélioré de façon étonnante la précision de la direction, la tenue de cap et l'agrément de conduite. Le confort et le silence de roulement sont également meilleurs. Un excellent achat. Leur seul défaut: une tendance à «rouler carré» sur les premiers mètres par temps froid.

Malgré les soucis trop nombreux qu'elle nous a causés durant ces trois années, malgré une soif exagérée pour son volume intérieur, nous aimons toujours notre MPV. Elle offre un agrément de conduite et d'utilisation élevé pour ce type de véhicule. Mazda devra cependant la rendre plus spacieuse, l'alléger et améliorer sa sécurité passive pour que la prochaine MPV demeure compétitive. Ce n'est pas un mince défi. Et si elle demeure fidèle à la propulsion, nous continuerons de conseiller fortement le modèle 4x4 au public québécois.

Saturn: 12 000 km

Lorsque les nouvelles voitures Saturn ont fait leur apparition au Québec à l'automne 1991, elles étaient pratiquement inconnues du public. Pas surprenant d'ailleurs puisque ces voitures avaient vu le jour une année auparavant et avaient été réservées exclusivement au marché américain. Ce n'est qu'après une année de distribution aux États-Unis que cette marque a effectué ses débuts chez nous.

Cette entrée en scène s'est fait remarquer de plusieurs façons. D'abord par une campagne publicitaire télévisée dotée de messages publicitaires vraiment uniques sur le plan visuel. En outre, la plupart des chroniqueurs automobiles ont accordé de très bonnes notes à cette nouvelle venue. Ajoutez à cela la silhouette sympathique de cette voiture et vous avez tous les éléments pour que cette nouvelle venue connaisse du succès sur le marché québécois.

Il n'en fallait pas plus pour que la population soit fortement intéressée et intriguée à la fois par cette nouvelle famille de voitures. D'autant plus que la Saturn est dotée d'une carrosserie en résine et assemblée dans une usine ultramoderne faisant appel à des méthodes de fabrication assez uniques. Tout cela a provoqué une averse de demandes d'informations de la part des lecteurs concernant cette voiture en général et sa fiabilité en particulier.

La nouveauté d'ensemble de la voiture, sa carrosserie en résine plastique de même que ses caractéristiques générales intéressaient les automobilistes, mais plusieurs s'interrogeaient sur la fiabilité de cette nouvelle venue. Compte tenu de cet intérêt particulier, la Saturn devenait une candidate idéale pour figurer dans la section «Au fil des kilomètres».

Nous avons donc entrepris un essai longue durée de cette voiture au début du mois de mai et la Saturn du *Guide de l'auto* avait parcouru plus de 12 000 kilomètres lorsque le temps est venu de rédiger ce compte rendu. Comme vous allez le constater dans les lignes qui vont suivre, cette voiture s'est révélée intéressante à plus d'un point de vue.

UN MODÈLE REPRÉSENTATIF

Pour ce test longue durée, nous avons opté pour la berline SL2. Le choix de la berline était facile à faire puisque c'est ce modèle qui affiche la plus grande diffusion par rapport au coupé sport. De plus, la version SL2 possède un moteur plus complexe sur le plan mécanique et un nombre d'accessoires plus élevé, ce qui nous permet d'essayer un plus grand nombre de choses en même temps.

Notre modèle d'essai était donc une berline dotée du moteur 1,9 litre 16 soupapes à double arbre à cames en tête associé à la boîte manuelle à cinq rapports. Cette version est équipée d'un climatiseur, de roues en alliage, de vitres et de serrures à commande électrique et d'un volant de luxe. Il faut préciser que cette voiture possède des ceintures motorisées puisqu'il s'agit d'une version respectant la loi américaine qui exige qu'une auto comprenne des ceintures passives à défaut de posséder un coussin gonflable.

Dans sa présentation extérieure, cette berline est d'inspiration nettement nord-américaine et ressemble à plusieurs autres modèles produits par General Motors. Un peu plus d'originalité serait souhaitable mais cette silhouette risque de conserver son élégance pendant plusieurs années. Cette approche est sans doute plus rassurante que celle de plusieurs producteurs japonais qui offrent des versions plus «jazzées» sur le plan visuel mais dont on se lasse rapidement.

La Saturn possède un tableau de bord homogène et de bonne présentation. Encore là, l'inspiration est définitivement nord-américaine tandis que la finition est équivalente de celle de toutes les

Japonaises sur le marché. À première vue, cet ensemble paraît banal, mais on apprend rapidement à en découvrir les avantages. Les cadrans sont de consultation facile, les commandes du régulateur de croisière facilement accessibles de par leur position sur le volant et les commandes de climatisation également simples et efficaces. Par contre, le coffre à gants s'est révélé être de dimensions adéquates mais son format quasiment vertical le rend plus ou moins pratique.

L'accès aux places avant est adéquat sans plus et le siège avant pourrait posséder un peu plus de recul. Toutefois, il s'agit d'une impression première puisque la position de conduite s'est révélée excellente lors de longs trajets. Il en est de même pour les sièges avant qui semblent offrir peu de support au premier contact et qui se révèlent très agréables en conduite normale. On aurait toutefois apprécié un meilleur support latéral en conduite rapide et sur des routes sinueuses. Mais, encore là, il ne s'agit que de détails car l'équilibre d'ensemble s'est révélé très bon à l'usage.

AGRÉABLE À CONDUIRE

Tout au long des 12 000 kilomètres qu'a duré cet essai, un élément est demeuré constant, soit l'agrément de conduite que procure cette voiture. Plusieurs chroniqueurs ont qualifié le moteur de bruyant, mais cet élément ne nous a nullement ennuyé au cours de l'essai. En fait, ce quatre cylindres à double arbre à cames en tête ne nous a pas paru plus bruyant que les autres groupes propulseurs de cette catégorie. Il pourrait s'accommoder d'une dizaine de chevaux supplémentaires, mais il est bien adapté à la voiture. Quant à la boîte manuelle, elle est précise, bien étagée et agréable à utiliser. Voilà des qualificatifs qui ne s'appliquent pas toujours aux voitures nord-américaines, aux produits GM en particulier. Dans le cas de la Saturn, le résultat est intéressant puisque le moteur et la transmission travaillent à l'unisson pour donner des prestations dans la bonne moyenne tout en assurant une belle homogénéité.

Mais si le groupe propulseur est bien adapté, l'élément le plus intéressant de cette voiture est certainement sa tenue de route. Le roulis de caisse en virage n'est pas négligeable, mais il est tout de même bien contrôlé. Mais, cela ne semble pas affecter le comportement de la Saturn. L'adhérence en virage est fortement supérieure à la moyenne pour une voiture de cette catégorie. Ajoutez une direction précise, une boîte de vitesses agréable à manier et vous avez une berline fort intéressante sur le plan de l'agrément de conduite.

Et notre voiture d'essai n'est pas une exception; nous avons eu l'opportunité de conduire d'autres modèles de la marque et le comportement routier s'est avéré tout aussi remarquable. Nous nous souvenons avec plaisir d'une randonnée au volant d'une berline SL1 sur les routes sinueuses d'un canton de l'Indiana. Dans le cadre du lancement des Saturn canadiennes, General Motors avait organisé une randonnée spéciale pour nous permettre de découvrir les qualités routières de cette voiture. Nous sommes en mesure de vous affirmer que ces voitures sont capables de se distinguer en conduite très rapide sur des routes très intimidantes. D'ailleurs, dans plusieurs courses de voitures de série disputées aux États-Unis, les Saturn dominent leur catégorie. Leur tenue de route leur permet de devancer la concurrence tandis que leur fiabilité mécanique leur assure de demeurer en tête.

Cette tenue de route est naturellement tributaire des pneumatiques qui équipent cette voiture. Notre modèle était doté de Firestone Firehawk qui se sont bien débrouillés tout au long des 12 000 km de notre essai. Toutefois, il faudra être vigilant car nous avons l'impression que le comportement de cette voiture est particulièrement sensible à la condition des pneus. Mais il s'agit de spéculation de notre part.

Pour résumer, cette voiture est agréable à conduire en raison de l'homogénéité de la mécanique et de l'excellence de la tenue de route. Il en résulte une conduite agréable que l'on soit conducteur sportif ou pas. Sur ce plan, la Saturn dépasse de nombreuses voitures d'origine asiatique qui sont bien assemblées et fiables mais qui procurent assez peu de plaisir. Cette Saturn semble proposer un excellent compromis entre la conduite à l'européenne et les voitures japonaises.

Toutefois, pour plusieurs acheteurs éventuels, la tenue de route et l'homogénéité des performances de la mécanique sont des éléments importants, mais moins que l'intégrité de la carrosserie et la fiabilité mécanique. De plus, nombreuses

sont les personnes rencontrées qui s'interrogent sur l'avenir des voitures Saturn. Tout d'abord, parlons donc de la fiabilité mécanique.

RIEN À DÉCLARER OU PRESQUE

Il fut une époque pas trop lointaine où toute nouvelle voiture devait être sur le marché depuis au moins deux ou trois ans avant que toutes les petites imperfections et les faiblesses mécaniques majeures aient été réglées. De nos jours, les méthodes de conception, de mise au point et de fabrication permettent aux manufacturiers de mettre sur le marché des voitures entièrement nouvelles sans pépins majeurs. La Saturn LS en est un bel exemple. En effet, à peine une année après son lancement, cette voiture possède une excellente réputation de fiabilité et de qualité de fabrication.

Il est vrai que les débuts de la compagnie Saturn ont été difficiles: la production a été retardée et des ennuis techniques sont venus ternir la mise au point de cette voiture. Mais, justement, pour une fois, General Motors a songé à long terme. Au lieu de lancer sur le marché une voiture dont la mise au point n'était pas complète, on a attendu que tout soit prêt. Les ralentissements de la production initiale, une erreur de liquide de refroidissement de la part du fournisseur qui a poussé Saturn à remplacer plus de 1 200 voitures, voilà des choses du passé. De nos jours, la production de cette voiture se fait sans anicroche et les produits Saturn figurent parmi les meilleurs en ce qui concerne la satisfaction de la clientèle.

Notre voiture d'essai semble respecter cette réputation d'intégrité et de fiabilité sur le plan mécanique. En effet, tout au long des 12 000 kilomètres, le moteur n'a

cessé de ronronner sans ennui tandis que le reste de la voiture est demeuré tout aussi intègre. Pas de bruits de caisse, pas de boutons ou de commandes qui se sont cassés, la boîte de vitesses est toujours aussi précise tandis que les freins ne sont presque pas usés. Bref, après 12 000 kilomètres, notre voiture est dans un état quasi identique à celui qu'elle arborait à sa sortie du garage.

En fait, seule la glace latérale avant gauche affiche un ralentissement lorsqu'elle remonte. Il suffit de la pousser un peu vers le haut pour qu'elle reprenne de la vitesse. Et ce détail est tellement anodin que nous avons oublié de le mentionner lors de l'inspection technique. Pour le reste, notre Saturn affiche une homogénéité exemplaire

plaire aussi bien au chapitre de la conduite que de son intégrité mécanique. Il est intéressant d'ajouter que la qualité des matériaux employés et du plastique du tableau de bord est apparente au fil des kilomètres. Les tissus des sièges, la qualité des commandes, les moquettes, tout a conservé sa fraîcheur, signe d'une belle qualité.

UNE CARROSSERIE EN PLASTIQUE !

La principale caractéristique technique de la Saturn est bien entendu sa carrosserie en matière composite. Pour nos hivers canadiens, cette nouveauté est attrayante puisque ce matériau résiste fort bien à la corrosion. En fait, cette voiture possède un châssis ajouré en métal dessiné afin d'être

léger et rigide à la fois. Par la suite, on y greffe les panneaux en matière composite qui forment les ailes, les portières et le capot. En fait, il s'agit d'une méthode dérivée de celle utilisée la première fois sur la Pontiac Fiero et sur les Pontiac Transport/ Lumina APV par la suite.

Dans un premier temps, il faut souligner que la peinture de notre voiture était sans reproche. Et les pièces en matière plastique s'harmonisaient parfaitement avec les parties métalliques, le toit notamment. De plus, cette caisse s'est révélée non seulement très rigide, mais également très solide puisqu'aucun bruit de caisse n'est venu entacher cet essai. Par ailleurs, il faut remarquer que les espaces entre les différentes pièces de la carrosserie sont plus importants que sur une voiture avec carrosserie en acier. La raison de cette différence est bien simple: les panneaux en plastique réagissent davantage au froid et à la chaleur. Cet espace additionnel permet de toujours avoir un ajustement correct.

Nous étions particulièrement inquiets de la résistance de la peinture aux éraflures en ce qui concerne les parties en matières composites. Après quelques mois d'usage, la peinture nous est apparue plus résistante que sur une voiture conventionnelle. Mais il faut souligner que notre voiture d'essai n'a pas été tellement soumise aux attaques de la vie urbaine, une bonne partie de cet essai s'étant déroulé en banlieue. Malgré tout, de nombreuses incursions dans les centre-villes de Québec et de Montréal ainsi que dans les stationnements de plusieurs centres commerciaux n'ont pu endommager ces panneaux en composite qui résistent très bien aux attaques des portières des autres voitures.

Donc, à la suite de cet essai de quelques mois, il ne semble pas y avoir de raison d'entretenir des craintes concernant la carrosserie en matière composite de cette voiture. Au contraire, sa solidité et sa conception saine sont une garantie pour les années à venir.

À L'IMAGE DE SA RÉPUTATION

Les débuts de la Saturn aux États-Unis ont été relativement lents. Un lancement discret, une distribution parcimonieuse et la crainte d'un autre bide du type Fiero ont incité beaucoup de prudence aux acheteurs. Toutefois, au fil des semaines et des mois, non seulement les ventes ont progressé, mais l'indice de satisfaction de la clientèle a grimpé lentement mais régulièrement. De nos jours, la Saturn est l'une des Nord-Américaines qui tiennent la dragée haute à la concurrence japonaise. Notre essai «Au fil des kilomètres» a confirmé cette réputation. Non seulement la conception de la voiture est saine, mais sa fabrication est soignée. Et ce qui est le plus fascinant sur cette voiture, c'est que, plus on la conduit, plus on l'apprécie. Elle impressionne peu au premier contact, la position de conduite agace même, il faut quelques jours pour s'acclimater à cette ceinture de sécurité motorisée, mais elle sait nous amadouer au fur et à mesure que les kilomètres s'accumulent à l'odomètre.

Compte tenu du sérieux de la compagnie Saturn et de son entêtement à éviter les pièges qui ont poussé General Motors à être boudée par des millions de clients, les chances de voir les voitures Saturn gagner de plus en plus de popularité ne sont pas minces. En fait, cette voiture est tout ce que cette compagnie nous a promis au cours de la dernière décennie et ne nous a pas toujours livré. Pour une fois, on a songé à l'avenir et les résultats sont probants. D'ailleurs, on adopte de plus en plus certaines méthodes de fabrication et de gestion de Saturn dans les autres divisions automobiles de ce géant qu'est GM.

FICHE TECHNIQUE

SATURN SL2

	Pauvre	Passable	Bon	Très bon	Excellent
• Comportement routier					●
• Freinage				●	
• Sécurité passive			●		
• Visibilité			●		
• Confort				●	
• Volume de chargement			●		

POUR

Excellente tenue de route
Freins puissants
Peinture impeccable
Carrosserie en matière plastique
Bonne position de conduite

CONTRE

Accès aux places avant difficile
Ceintures motorisées à l'avant
Coffre à gants de format étrange

ASPECT TECHNIQUE

Groupe propulseur:	traction
Empattement:	260,1 cm
Longueur:	447,8 cm
Poids:	1 050 kg
Coefficient aérodynamique:	0,31
Moteur:	4L 1,9 litre DACT, 124 ch.
Transmission: type:	boîte de vitesses manuelle 5 rapports
Suspension avant:	indépendante
arrière:	indépendante
Direction:	à crémaillère
Freins: avant:	disques
arrière:	tambours (disques avec ABS)
Pneus:	P195/60R15

ASPECT PRATIQUE

Carrosserie:	berline
Nombre de places:	4
Valeur de revente:	bonne
Fiabilité:	rien à signaler après 12 000 km
Coussin gonflable:	non
Réservoir de carburant:	48 litres
Capacité du coffre:	11,9 pi^3
Performances:	0-100 km/h: 9,1 s
vitesse maximale:	190 km/h
consommation:	7,9 litres/100 km après 12 000 km
Échelle de prix:	23 000 $ à 30 000 $

Les 24 heures du Guide

LES 24 HEURES DE SANAIR: 3e ÉDITION

La Honda Civic VX ou l'approche frugale

Nous sommes retournés au circuit Sanair cette année, pour un troisième essai-marathon de 24 heures. Cette fois-ci, nous avons pris le volant de la voiture la plus économique au pays: la Honda Civic VX.

Depuis sept ans maintenant, l'équipe du *Guide de l'auto* vous livre le bilan d'un essai tout à fait inhabituel. Le tout a débuté avec l'édition 1987, alors que nous ajoutions 10 000 kilomètres au compteur de la nouvelle Ford Taurus. L'idée était d'aller carrément au-delà du programme d'essai habituel au volant d'un modèle de grande série. C'était, en quelque sorte, un essai prolongé en concentré. Nous nous sommes pris au jeu,

répétant même l'exercice dans les deux éditions suivantes. Ces trois essais nous ont menés de la Floride à la Baie James, du mont Mégantic à Sept-Îles, de Gaspé à Sudbury. Et pourtant, malgré que nous accumulions la moitié du kilométrage annuel de l'automobiliste québécois moyen en dix jours, ces périples ont éprouvé les essayeurs beaucoup plus que les essayées.

Il fallait hausser la barre de quelques

crans et c'est pour cette raison que nous nous sommes retrouvés l'année suivante sur le circuit routier de Sanair à Saint-Pie de Bagot, théâtre de multiples essais spéciaux et matchs comparatifs du *Guide*. Dans cette arène, nous allions pouvoir augmenter rythme et intensité à volonté, en toute sécurité et sans risquer de mettre les gendarmes à nos trousses. Le tracé est presque entièrement plat et relativement court avec ses 2 km. Il com-

80

porte cependant une longue ligne droite et huit virages, tous très différents, qui mettent à rude épreuve aussi bien le moteur que la boîte de vitesses et les freins. Des changements de direction brusques et de longs virages en appui permettent aussi d'évaluer l'équilibre de la voiture, son adhérence, sa direction, sa suspension et le maintien de ses sièges.

Il faut dire aussi que l'idée de reproduire à l'échelle l'épreuve ultime en course d'endurance nous plaisait beaucoup. Contrairement aux équipes qui s'attaquent aux 24 Heures du Mans ou aux 24 Heures de Mosport comme de véritables commandos, nous nous y engagions avec le strict minimum. Dans notre cas, ce serait donc plutôt la charge de la brigade légère. L'équipe du *Guide* n'en connaît pas moins fort bien l'autre côté des choses. L'an dernier, un de ses deux auteurs était effectivement inscrit aux 24 Heures de Mosport pour une quatrième année à titre de pilote. Il fit d'ailleurs la

description de cette aventure dans l'édition 1992. Notre journaliste-pilote était à nouveau en piste aux 24 Heures cette année, de même qu'aux 1000 km de Mont-Tremblant.

LA CANDIDATE PARFAITE

Pour chacun de nos essais-marathons à Sanair, le choix de la voiture a été fait en fonction de critères autres que la performance absolue. Laissons ce critère unique au monde de la course. Pour l'édition 1989, par exemple, nous avions choisi la nouvelle Nissan Stanza GXE. Son différentiel autobloquant à viscocoupleur constituait, à nos yeux, une innovation technique intéressante pour les tractions avant. Nous voulions en savoir plus sur son rendement. L'année suivante, l'essai d'un coupé Volkswagen Corrado G60 nous permit de juger de la performance et de la résistance de son moteur,

suralimenté à l'aide d'un compresseur à spirale exclusif à VW.

Cette fois-ci, c'est une innovation signée Honda qui nous a inspirés. Parmi les nouvelles Civic présentées l'an dernier se trouve un modèle spécial: la Civic VX. Il s'agit d'un *hatchback* conçu pour offrir une économie d'essence exceptionnelle sans sacrifier le rendement, l'espace ou la performance. La VX s'est retrouvée en tête du palmarès annuel de la frugalité, tenu par Transport Canada. Sa consommation vérifiée est de 5,4 l/100 km en ville et de 3,9 l/100 km sur autoroute. Or, son moteur est un quatre cylindres de 1,5 litre alors que les championnes de l'économie, depuis plusieurs années, étaient les Geo Metro et leurs cousines, toutes propulsées par un tricylindre Suzuki de 1 000 cm^3. De plus, le moteur de la VX développe 92 chevaux, celui des Metro seulement 55. La Civic, enfin, est une voiture de 974 kg alors que la Metro n'accuse que 735 kg.

Le secret de la Honda réside dans la conception de son moteur. Il consomme d'abord un mélange pauvre en essence, un principe baptisé *lean-burn* dans la langue de Shakespeare. Le moteur de la VX est ensuite doté d'une nouvelle version du système de distribution variable VTEC (*Variable valve timing and lift electronic control system*), que l'on retrouve sur les Acura NSX et Integra GS-R, les Honda Civic Si et EX-V et enfin la nouvelle Civic del Sol Si. Dans le cas de la VX, on l'a cependant baptisé VTEC-E, cette dernière lettre signifiant *economy*. Au lieu d'être axés sur l'amélioration des performances, le calage variable des arbres à cames favorise le couple à bas et moyen régime. C'est ce qui explique les rapports inhabituellement longs de la boîte manuelle à cinq rapports de la VX. Elle se distingue également des autres Civic par ses roues d'alliage ultralégères et des pneus conçus pour offrir la moindre résistance possible au roulement. Malgré sa vocation, la VX atteint tout de même 100 km/h en 8,98 secondes. C'est moins

spectaculaire que les 7,51 secondes de la Civic Si, mais mieux qu'une Geo Metro, qui met 12,7 secondes à toucher 100 km/h.

Pour ces trois essais, enfin, nous avons fait des demandes identiques au fabricant: une voiture de pure série, un jeu de pneus et de roues de rechange, deux jeux de plaquettes de rechange pour les disques avant et un manuel de réparation. Nous nous sommes chargés du reste. Nous étions curieux de voir ce que ce mélange unique de sobriété et de performance pourrait accomplir dans le cadre de ces troisièmes «24 Heures de Sanair».

CHI VA PIANO...

L'approche allait évidemment devoir être entièrement différente. Puisque nous nous en tenions strictement à l'équipement de série, il allait falloir ménager par exemple les pneus étroits et durs de la VX. Ce n'est qu'à la toute fin de l'essai que nous avons osé boucler

quelques tours à plus vive allure pour connaître les limites réelles de la voiture. Nous avons inscrit facilement des temps de 75 secondes. La VX aurait pu faire mieux mais à ce rythme, ni ses freins ni ses pneus n'auraient duré très longtemps. À titre de comparaison, une Civic de modèle précédent tournait en 71 secondes à Sanair et une voiture modifiée pour la série Honda-Michelin en 68 secondes. Or, les deux affichaient la même puissance maximale que la VX (l'échappement libre de la Civic en livrée «course» lui offrait toutefois 7 chevaux additionnels environ). Cela se joue surtout au niveau de l'adhérence des pneus. Selon nos calculs, il fallait maintenir des temps de 90 secondes au tour pour atteindre nos objectifs avec la VX. La suite nous confirma la justesse de cette projection.

Côté freins, le plan était de compléter les 24 Heures sans changement de plaquettes. Lors des essais précédents, nous avions dû remplacer les plaquettes deux fois. Or, c'est une opération qui immo-

bilise la voiture durant au moins vingt minutes. Pour profiter au maximum de la faible consommation de la VX, il fallait arrêter le moins souvent possible, que ce soit pour se ravitailler en essence, changer de freins ou de pilote. Toujours selon nos calculs, la VX allait pouvoir tourner en piste jusqu'à huit heures sans ravitaillement. Quel contraste avec la Volkswagen Corrado G60 qui demandait sa ration aux deux heures, malgré un réservoir de 55 litres, soit 17 de plus que la Honda. Dans les faits, un réservoir était suffisant pour plus de cinq heures, peut-être six, ce qui est une éternité sur un circuit de cette taille.

C'est pour cette raison que Denis Duquet avait résolu d'étoffer l'équipement

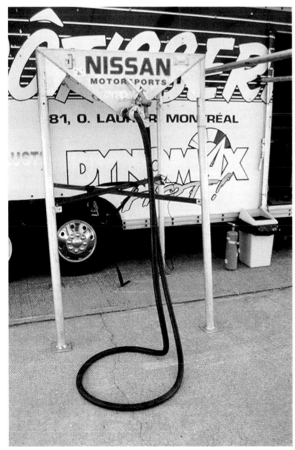

sonore plutôt sommaire de la VX. Il en profita pour mettre à l'essai un nouveau lecteur de disques compacts de Sony, modèle D808K, conçu expressément pour l'auto. L'appareil nous fut prêté par Daniel Demers de Sonoritech, installé rue Saint-Louis à Lemoyne. Il se distingue par un plateau de montage spécial qui combine une suspension qui isole le lecteur des chocs et lui fournit l'alimentation électrique du même coup. Le lecteur Sony, posé tout bonnement par terre côté passager, a résisté à 24 heures de ballottement continu sans un seul hoquet.

Le dernier élément à contrôler dans cette équation n'est certes pas le moindre puisqu'il s'agit de l'équipement de soutien et des outils. Nous avons pu profiter, une fois de plus, de l'accueil et de la bienveillance exceptionnels de toute l'organisation à Sanair, Jacques Guertin et Céline Rodier en tête. On nous a aussi prêté à nouveau un trio de walkie-talkie, dont l'apport est toujours précieux.

Nous avons enfin reçu un fier coup de main de Pierre Des Marais et Richard Laporte. Ces deux-là se partagent le volant de la Nissan NX2000/Dynomax inscrite en série Firehawk. C'est à eux que s'était joint le pilote attitré du *Guide* quelques semaines plus tôt, aux 24 Heures de Mosport. La longue remorque de l'équipe Dynomax/ Rôtisserie Laurier et l'auvent qui la complète ont été appréciés infiniment.

L'ouragan Andrew venait en effet tout juste de ravager la Floride et nous avions droit chez nous aussi à son humeur maussade, sous la forme de vents très forts, de nuages, de temps frais et d'un peu de pluie. Nous avons également eu accès à des outils aussi indispensables qu'un énorme cric, un excellent manomètre pour les pneus et un authentique réservoir de ravitaillement rapide. Il s'agit d'une espèce de pyramide d'aluminium inversée, fermée, montée sur de longues pattes et munie d'un pistolet verseur conventionnel.

C'EST PARTI... OU PRESQUE

Par un samedi matin gris, frais et très venteux, tout est finalement en place. Il ne manque plus en fait... que la voiture! Nous comptions lancer la voiture en piste à midi précises mais à cette heure-là, notre premier pilote n'est toujours pas rentré du restaurant où il est allé prendre des forces, au volant de la VX. Nous en tirons un principe fondamental: ne laisser sous aucun prétexte la voiture quitter le circuit à moins d'une heure du départ.

On donne finalement le départ à 13 h alors que le compteur de la Civic indique 7 344 km. Quelques minutes auparavant, on a modifié le gonflage des pneus, qui doit se faire de façon asymétrique à Sanair. Le pneu avant gauche, le plus durement traité, doit donc être surgonflé nettement pour réduire la déformation de la bande de roulement, la surchauffe et la dégradation qui s'ensuit. Même chose pour le pneu arrière gauche et l'avant droit, dans des mesures moindres. Le quatrième ne fait rien ou presque: on abaisse sa pression et il sera comme neuf après 24 heures. Dernier détail: on installe un

minuscule compteur manuel au tableau de bord, juste à droite du volant. Ce gadget doit permettre au pilote de compter lui-même les tours. Du moins, en théorie. Denis Duquet se promet de trouver un compteur automatique pour la prochaine fois.

Dès les premières minutes de l'essai, notre premier pilote, Yvan Fournier, adopte sans peine le rythme prescrit de 90 secondes au tour. Une heure plus tard, il est rejoint en piste par une Volkswagen Corrado. Pierre Des Marais et Marc Villeneuve, un ami venu lui prêter main-forte pour la mise en place de la remorque, se voient confier la délicate mission d'aller livrer un walkie-talkie au pilote de la VX. Nous avons pensé à ce «ravitaillement en plein vol» parce que nous avions tout bonnement oublié d'aller prendre les appareils à temps pour le départ. Sur la longue et large ligne droite de Sanair, l'opération s'effectue en un clin d'œil et en toute sécurité.

À 16 h 17, premier arrêt aux puits pour un changement rapide de pilote et une vérification des pneus. Yvan Fournier cède le volant à Jacques Duval après avoir bouclé 133 tours. Après plus de trois heures en piste, l'aiguille du réservoir d'essence pointe encore au-dessus de la moitié. On relève légèrement la pression des pneus du côté gauche. L'avant est légèrement usé à l'extérieur; l'arrière légèrement déformé. À 18 h 01, le père du *Guide de l'auto* rentre aux puits et cède le volant à David Duquet. On fait un premier plein d'essence et on remplace le pneu avant gauche, déjà usé, par précaution. Retour en piste à 18 h 07.

COUP DE FOUET DANS LA NUIT

L'aîné des fils Duquet entame alors le plus long quart de conduite de ces 24 heures: il passera presque six heures en piste. Après avoir piloté sous la pluie et s'être inquiété d'un bruit étrange au freinage, il rentre finalement aux puits à 23 h 45. On fait alors un deuxième plein d'essence et le père succède au fils derrière le volant. Retour en piste à 23 h 50. Un peu moins de quatre heures plus tard, le pilote affirme que tout va bien à bord. Quelques secondes plus tard, un bruit sec résonne comme un coup de fouet entre les murs de ciment de la piste. Le walkie-talkie annonce: «C'est une crevaison mais je vais pouvoir me rendre aux puits.» Heureusement, l'éclatement s'est produit dans le long sixième virage et le pilote n'a eu aucun mal à maintenir la VX en piste.

À 3 h 55 le dimanche matin, on remplace donc la roue avant droite, dont la bande de roulement est complètement usée et percée d'un trou de près de deux centimètres à l'intérieur. L'extérieur est presque intact. C'est pourquoi nous n'avons rien remarqué lors de l'arrêt précédent. On fait le plein une troisième fois même si le réservoir est encore à moitié plein. Denis cède le volant à Marc Lachapelle, qui prend la piste à 4 h 06. Une heure plus tard, alors que le ciel pâlit peu à peu, le pilote est intrigué par le fonctionnement du totalisateur de kilométrage de la voiture. Par la voie des ondes, il mesure avec David Duquet la distance parcourue sur dix tours. Ils

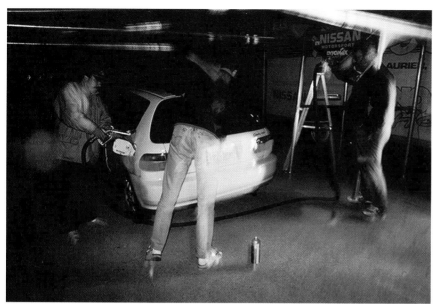

notent un écart entre la distance enregistrée et la longueur mesurée de la piste qui est de 2 km exactement à la trajectoire idéale. L'étalonnage précis du compteur confirmera que l'écart est d'environ 0,4 km sur une distance de 25 km. L'essai y gagne 30 km en distance corrigée.

À 8 h 20, arrêt aux puits pour le quatrième et dernier plein d'essence. On remplace les deux pneus du côté gauche. L'extérieur du pneu arrière est usé jusqu'à la corde, littéralement. Nous évitons à coup sûr un éclatement imminent. Marc Lachapelle cède les commandes à Yvan Fournier qui repart avec un walkie-talkie rechargé et sa bouteille d'eau Evian à 8 h 30. Après quatre heures de pilotage impeccable, il rentre une dernière fois aux puits. Marc Lachapelle se chargera de la dernière demi-heure. Après s'être assuré que les freins sont encore en très bon état, il boucle quelques tours rapides comme prévu, pour reprendre aussitôt après le rythme de croisière. Pas question de tenter le sort. À 13 h précises, le compteur de la Civic indique qu'elle a parcouru

1 702,75 km. Le total corrigé sera de 1 732,43 km, soit 866 tours, et le réservoir d'essence est encore à moitié plein. La VX a consommé 162 litres d'essence en tout, pour une moyenne de 9,35 l/100 km. Rappelons qu'elle était constamment soit en accélération soit en décélération. À titre de comparaison, la norme «autoroute» de Transport Canada est obtenue après une balade continue de 16

km, à une vitesse moyenne de 77 km/h. Or, un tour du circuit de Sanair, bouclé en 90 secondes, équivaut à une vitesse moyenne de 80 km mais la voiture aura dû négocier huit virages et subir trois freinages.

Après 24 heures, le moteur de la VX tourne encore comme une horloge. Il affiche entre autres un couple étonnant pour cette cylindrée, dès 2 000 tr/min. Cette technique a un avenir certain. Mitsubishi et Toyota possèdent d'ailleurs déjà des moteurs *lean-burn,* mais le dispositif VTEC-E demeure pour l'instant exclusif à Honda.

Quant à l'équipe du *Guide,* elle se contentera d'ajouter qu'elle a déjà son idée pour donner suite à cette série d'essais. La suite dans la prochaine édition.

Merci à Jacques Guertin et Céline Rodier de Sanair, à Terry Green, Dennis Manning, Doug Mepham et Carol Susko de Honda Canada de même qu'à Pierre Des Marais, David Duquet, Jacques Duval, Yvan Fournier et Marc Villeneuve.

De nouvelles aventures

Au cœur d'un drôle d'été, mon équipe d'adoption a frôlé la victoire aux 24 Heures de Mosport. Trois semaines plus tôt, par contre, je ne parcourais qu'une fraction des 1000 kilomètres de Mont-Tremblant. La course est toujours une loterie.

Par Marc Lachapelle

Depuis mes débuts tardifs de coureur automobile en 1988, je n'ai couru qu'une ou deux fois par saison mais je n'ai jamais raté les 24 Heures de Mosport. Cette course a quelque chose de fascinant pour le coureur récalcitrant que je suis, à cause peut-être de ce vieux circuit tortueux, rapide, souvent impitoyable. Mosport impose le respect, surtout la nuit et encore davantage sous la pluie. Je m'étonne aussi à chaque fois des efforts surhumains ou futiles que

déploient les équipes pour rester en course. Et le dimanche, au petit matin, l'allée des puits offre un spectacle inouï, mélange de souk graisseux et de Cour des Miracles de la mécanique.

Pour revenir «faire» les 24 Heures, il faut d'abord trouver un volant, pour employer le terme consacré. Depuis 1988, j'ai été assez chanceux, prudent et rapide pour qu'on me réinvite. Cette année, l'appel est venu d'une équipe québécoise: Pierre Des Marais et Richard Laporte m'ont

proposé de piloter leur Nissan NX2000, peinte aux couleurs de Dynomax et inscrite en classe Tourisme de la série canadienne Firehawk. L'année précédente, ils s'étaient fort bien débrouillés aux 24 Heures à leur première tentative, se maintenant dans le peloton de tête jusqu'à la mi-course.

Cette année, l'équipe Dynomax/Nissan s'attaquait sérieusement aux 24 Heures. Durant la journée de vendredi, on a tout vérifié une dernière fois, essayant de

tout prévoir, mais l'essentiel de la préparation était fait. Pourtant, l'imprévisible s'est produit: en séance de qualification, alors que Pierre Des Marais veut doubler un concurrent plus lent, les voitures se touchent légèrement. On redoute un bris de cardan. Le chef-mécano André Lévesque a la mine sombre mais après démontage et vérification, on constate avec soulagement qu'il n'y a rien de cassé. La petite Nissan sera en piste ce soir-là pour la séance d'essais nocturnes.

Le lendemain, le départ est donné comme prévu à 13 h. Pierre Des Marais est aux commandes. Qualifiée 7e en catégorie, la NX reprend peu à peu des positions. Richard Laporte poursuit dans la même veine ensuite, si bien que le numéro 55 est pointé 1er en classe Tourisme après quatre heures de course. En fait, à la seule exception du classement de la cinquième heure où la petite NX est pointée 2e derrière une Integra GS-R, sur le même tour, l'équipe Dynomax est demeurée 1re en classe

Tourisme durant seize heures, rien de moins. Mais voilà qu'à 9 h 40, il y a un pépin. On roule sur piste mouillée depuis 4 h 15 mais il suffit d'un dérapage dans le virage n° 1 et la voiture reste bloquée dans le bac de gravier. Par chance, on neutralise rapidement la course et la remorqueuse remet aussitôt la voiture en piste.

Une position de tête et une avance de deux tours se sont cependant transformées en deuxième place avec un retard de deux tours. Peu après, Pierre Des Marais passe le relais à Richard Laporte qui poursuit la chasse à la Honda CRX qui nous a chipé la première place. À 11 h 30 environ, c'est fait; il double la CRX, reprenant du même coup la tête de sa catégorie. Il l'ignore, toutefois, et continue de rouler «le couteau entre les dents», comme il le dira lui-même. Et quelques tours plus loin, alors qu'il double en toute hâte une autre CRX par l'extérieur, encore dans le premier virage, l'arrière se dérobe une fraction de seconde. Les deux voitures exécutent

ensuite un mouvement de balancier, mais c'est la NX qui fait les frais de l'accrochage en allant donner violemment dans le mur intérieur après un long dérapage. Richard Laporte en sera quitte pour des douleurs au cou et au dos les jours suivants. Il est surtout désolé de voir une solide victoire s'envoler et dépité, comme le reste de l'équipe, de voir le museau enfoncé de la petite Nissan. Déjà, cependant, on parle de la course de la fin de septembre à Mont-Tremblant. Cinq semaines pour remettre la voiture en état.

L'auteur de ces lignes, lui, est satisfait de ses six heures de pilotage, dont trois sous la pluie au petit matin. Satisfait surtout d'avoir maintenu la voiture en tête. Le moment le plus excitant? Certainement sa pirouette de 360 degrés, tout juste devant la tour de contrôle, lorsqu'une Corvette (encore elles) a joué des coudes avec le pare-chocs arrière de la petite NX en la doublant à toute vitesse.

TORTUE RAPIDE TORTUE BOITEUSE

L'aventure fut radicalement différente lors des 1000 kilomètres de Mont-Tremblant. Pour la saison 1992, Jacques Duval devait piloter une Ford Taurus SHO en série Firehawk, mais des ennuis de santé l'en ont empêché. Jeff Girard, champion canadien de Formule 2000 en titre, le remplaça lors de l'épreuve qui fut présentée sur le circuit Gilles-Villeneuve en prélude au Grand Prix. Pour l'épreuve suivante en sol québécois, le créateur du *Guide* songea à un journaliste-pilote de sa connaissance. Si on avait dit un jour à l'adolescent que j'étais, inconditionnel de l'émission *Prenez le volant,* que Jacques Duval allait un jour lui faire une telle offre, je ne l'aurais pas cru. J'ai répondu oui sans hésitation. Je me suis donc retrouvé à Saint-Jovite, casque en main, pour y trouver une équipe imposante mais plutôt désorganisée.

Après moult péripéties, je finis par boucler trois petits tours le vendredi matin, dans une des quatre Taurus SHO peintes aux couleurs des Tortues Ninja, commandite oblige. Une voiture dont les freins ont connu de bien meilleurs jours.

L'après-midi, je participe enfin à la deuxième moitié de la séance de qualification. Je renoue avec le circuit et me trouve assez vite à l'aise au volant de cette grosse berline bien musclée, qui avale les deux premiers virages dans de réjouissantes dérives des quatre roues. Lorsque les temps sont finalement publiés, je souris. J'ai fait honneur à mon hôte en inscrivant le meilleur temps des pilotes de l'équipe, par une marge d'une seconde, et en tournant à 0,2 seconde de Scott Maxwell, vainqueur des deux premières épreuves au volant d'une Taurus rivale (2:06.546 vs 2:06.761 minutes).

Le lendemain, on me confie malgré tout le volant de la voiture n° 33 qui doit prendre le départ 12 positions plus loin sur la grille, avec un temps de 1:10.482! Le comble, c'est que le moteur a des ratés dès le deuxième virage et qu'au huitième, c'est la panne complète, au premier tour! Deux heures plus tard, la Taurus n° 33 reprend la piste aux mains de mon copilote, Steve Poirier. Je reprends le volant au milieu de la course mais deux tours plus loin, l'embrayage se met à patiner. Peu après, c'est le KO technique. Par la suite, les Taurus de cette équipe ont eu droit à un embrayage modèle 1992 et la plupart ont même complété les 24 Heures de Mosport. Ce jour-là au circuit, cependant, j'aurai marché plus longtemps que piloté!

Tableaux des matchs par catégorie

Catégorie: 4x4

Classement par catégorie	Chevrolet Blazer	Ford Explorer	Isuzu Rodeo	Isuzu Trooper	Jeep Cherokee	Jeep Grand Cherokee	Nissan Pathfinder	Range Rover	Toyota 4Runner
Budget (achat / valeur, entretien, consommation) 10 pts	6	8	7	7	6	8	7	6	7
Performances (vitesse / accélération) 20 pts	15	16	15	14	17	17	16	16	14
Sécurité (tenue route, freinage, direction) 30 pts	22	23	23	23	22	24	25	23	23
Confort (suspension, sièges, climatisation) 20 pts	14	17	16	16	15	17	16	17	16
Carrosserie (habitabilité, équipement, finition) 20 pts	14	17	15	17	14	17	15	17	16
Total	71	81	76	77	74	83	79	79	76
Classement	6	2	4	3	5	1	2	2	4

Catégorie: Américaines standard

Classement par catégorie	Buick Park Avenue	Buick Roadmaster	Buick Le Sabre	Chrysler Fifth Avenue	Chevrolet Caprice	Ford Crown Victoria	Oldsmobile Eighty Eight	Pontiac Bonneville
Budget (achat / valeur, entretien, consommation) 10 pts	7	7	7	7	7	8	7	8
Performances (vitesse / accélération) 20 pts	16	15	15	14	15	16	15	15
Sécurité (tenue route, freinage, direction) 30 pts	25	23	24	23	23	24	24	24
Confort (suspension, sièges, climatisation) 20 pts	17	16	16	16	16	16	15	15
Carrosserie (habitabilité, équipement, finition) 20 pts	17	15	16	15	15	16	16	16
Total	82	76	78	75	76	80	77	78
Classement	1	5	3	6	5	2	4	3

Catégorie: Aubaines & mini

Classement par catégorie	Geo Metro	Ford Festiva	Hyundai Excel	Lada Samara	Subaru Justy	Suzuki Swift	Nissan Sentra Classic
Budget (achat / valeur, entretien, consommation) 10 pts	8	9	7	6	7	8	8
Performances (vitesse / accélération) 20 pts	14	16	17	14	16	16	16
Sécurité (tenue route, freinage, direction) 30 pts	24	23	22	21	23	23	24
Confort (suspension, sièges, climatisation) 20 pts	15	17	16	14	14	15	16
Carrosserie (habitabilité, équipement, finition) 20 pts	16	16	15	14	16	16	17
Total	77	81	77	69	76	78	81
Classement	3	1	3	5	4	2	1

Catégorie: Cabriolets

Classement par catégorie	BMW 325is	Geo Metro	Cadillac Allanté	Chrysler le Baron	Ford Mustang	Mazda MX-5 Miata	Oldsmobile Cutlass Supreme	Saab 900	Nissan 240 SX	Porsche 968 Cabrio
Budget (achat / valeur, entretien, consommation) 10 pts	6	7	6	7	7	8	6	6	8	7
Performances (vitesse / accélération) 20 pts	15	11	18	15	15	13	13	15	14	17
Sécurité (tenue route, freinage, direction) 30 pts	26	20	27	23	23	28	24	25	25	28
Confort (suspension, sièges, climatisation) 20 pts	18	14	17	16	15	16	17	18	16	15
Carrosserie (habitabilité, équipement, finition) 20 pts	17	14	16	15	15	15	15	18	16	16
Total	82	66	84	76	75	80	75	82	79	83
Classement	3	8	1	6	7	4	7	3	5	2

Catégorie: Camionnettes

Classement par catégorie	Chevrolet S-10	Dodge Dakota	Dodge Ram 50	Ford Ranger	Isuzu Spacecab	Mazda B2600	Nissan Hardbody	Toyota compactes	Toyota T100
Budget (achat / valeur, entretien, consommation) 10 pts	7	8	7	8	8	9	7	8	8
Performances (vitesse / accélération) 20 pts	16	12	16	18	15	14	15	16	16
Sécurité (tenue route, freinage, direction) 30 pts	21	22	21	20	20	21	22	22	22
Confort (suspension, sièges, climatisation) 20 pts	15	16	16	16	16	16	16	17	18
Carrosserie (habitabilité, équipement, finition) 20 pts	15	18	16	17	16	15	16	17	15
Total	74	76	76	79	75	75	76	80	79
Classement	5	3	3	2	4	4	3	1	2

Catégorie: Compactes sport

Classement par catégorie	Infiniti G20	Audi 90	BMW 325i	Lexus ES300	Mercedes 190 2,3	Saab 900 Turbo	Volvo 850
Budget (achat / valeur, entretien, consommation) 10 pts	8	8	8	7	7	7	8
Performances (vitesse / accélération) 20 pts	16	17	17	16	16	17	16
Sécurité (tenue route, freinage, direction) 30 pts	25	26	27	25	27	25	26
Confort (suspension, sièges, climatisation) 20 pts	16	17	17	17	16	16	16
Carrosserie (habitabilité, équipement, finition) 20 pts	16	16	16	17	16	16	17
Total	81	84	85	82	82	81	83
Classement	5	2	1	4	4	5	3

Catégorie: Compactes

Classement par catégorie	Acura Integra	Chevrolet Corsica	Ford Tempo	Honda Accord	Hyundai Sonata	Mazda Cronos	Nissan Altima	Plymouth Acclaim	Subaru Legacy	Toyota Camry	Volkswagen Passat
Budget (achat / valeur, entretien, consommation) 10 pts	8	6	6	8	6	8	8	6	7	9	8
Performances (vitesse / accélération) 20 pts	15	14	14	15	16	16	15	14	15	16	17
Sécurité (tenue route, freinage, direction) 30 pts	26	22	21	25	23	25	25	22	25	25	26
Confort (suspension, sièges, climatisation) 20 pts	15	14	15	17	15	16	17	15	16	17	16
Carrosserie (habitabilité, équipement, finition) 20 pts	15	14	15	17	15	17	17	14	16	18	17
Total	79	70	71	82	75	82	82	71	79	85	84
Classement	4	7	6	3	5	3	3	6	4	1	2

Catégorie: Coupés sport

Classement par catégorie	Camaro Z-28	Chrysler Daytona	Eagle Talon	Ford Mustang GT	Ford Probe GT	Honda Prelude	Mazda MX-6 Mystère	Nissan 240SX	Toyota Celica	VW Corrado
Budget (achat / valeur, entretien, consommation) 10 pts	7	7	9	8	9	7	8	8	8	8
Performances (vitesse / accélération) 20 pts	18	16	17	16	16	16	16	15	15	17
Sécurité (tenue route, freinage, direction) 30 pts	27	23	27	22	27	27	26	26	24	26
Confort (suspension, sièges, climatisation) 20 pts	17	13	14	13	16	16	16	16	16	16
Carrosserie (habitabilité, équipement, finition) 20 pts	15	14	16	15	16	15	16	16	17	18
Total	84	73	83	74	84	81	82	81	80	85
Classement	2	8	3	7	2	5	4	5	6	1

Catégorie: Fourgonnettes

Classement par catégorie	Chevrolet Astro	Dodge Caravan	Ford Aerostar	Dodge Colt Wagon	Mazda MPV	Mercury Villager	Nissan Axxess	Nissan Quest	Pontiac Trans Sport	Toyota Previa	VW EuroVan
Budget (achat / valeur, entretien, consommation) 10 pts	8	8	8	7	7	7	7	7	7	7	6
Performances (vitesse / accélération) 20 pts	17	16	16	14	15	17	14	17	16	15	14
Sécurité (tenue route, freinage, direction) 30 pts	24	26	24	24	24	25	23	25	24	24	24
Confort (suspension, sièges, climatisation) 20 pts	15	18	17	15	17	17	16	17	17	18	16
Carrosserie (habitabilité, équipement, finition) 20 pts	16	17	17	17	17	17	16	17	15	18	18
Total	80	85	82	77	80	83	76	83	79	82	78
Classement	4	1	3	7	4	2	8	2	5	3	6

Catégorie: Grand luxe

Classement par catégorie	Audi V8	BMW 740iL	Cadillac STS	Infiniti Q45	Jaguar XJ-6	Lexus LS400	Mercedes 500SEL
Budget (achat / valeur, entretien, consommation) 10 pts	7	7	8	8	7	8	7
Performances (vitesse / accélération) 20 pts	17	17	18	17	16	16	18
Sécurité (tenue route, freinage, direction) 30 pts	27	26	24	25	23	24	26
Confort (suspension, sièges, climatisation) 20 pts	17	18	17	17	17	18	18
Carrosserie (habitabilité, équipement, finition) 20 pts	17	19	17	17	17	18	19
Total	85	87	84	84	80	84	88
Classement	4	2	3	3	5	3	1

Catégorie: Intermédiaires de luxe

Classement par catégorie	Acura Legend	Audi 100	BMW 535i	Chrysler Concorde	Infiniti J30	Lexus ES300	Mazda 929 Serenia	Mercedes-Benz 300E	Nissan Maxima	Saab 9000CSE	Volvo 960
Budget (achat / valeur, entretien, consommation) 10 pts	7	7	7	7	7	7	7	7	8	7	7
Performances (vitesse / accélération) 20 pts	17	15	18	16	16	17	16	17	17	18	17
Sécurité (tenue route, freinage, direction) 30 pts	25	27	27	27	27	25	24	28	26	26	26
Confort (suspension, sièges, climatisation) 20 pts	16	16	17	17	18	15	15	18	17	17	17
Carrosserie (habitabilité, équipement, finition) 20 pts	17	17	17	18	16	17	16	17	16	17	17
Total	82	82	86	85	84	81	78	87	84	85	84
Classement	5	5	2	3	4	6	7	1	4	3	4

Catégorie: Intermédiaires

Classement par catégorie	Chevrolet Lumina	Chrysler Intrepid	Ford Taurus	Pontiac Grand Prix	Saab 900	Volvo 244GL
Budget (achat / valeur, entretien, consommation) 10 pts	6	8	8	8	6	8
Performances (vitesse / accélération) 20 pts	15	17	16	15	14	14
Sécurité (tenue route, freinage, direction) 30 pts	25	28	26	26	26	25
Confort (suspension, sièges, climatisation) 20 pts	15	17	17	16	15	17
Carrosserie (habitabilité, équipement, finition) 20 pts	14	18	16	15	15	15
Total	75	88	83	80	76	79
Classement	6	1	2	3	5	4

Catégorie: Sous-compactes

Classement par catégorie	Dodge Colt	Ford Escort	Honda Civic	Hyundai Excel	Mazda 323	Nissan Sentra	Saturn SL	Suzuki Swift	Toyota Tercel	VW Golf
Budget (achat / valeur, entretien, consommation) 10 pts	7	8	8	6	7	7	8	7	9	8
Performances (vitesse / accélération) 20 pts	16	16	16	13	15	15	16	14	15	16
Sécurité (tenue route, freinage, direction) 30 pts	25	25	25	21	24	25	26	21	23	27
Confort (suspension, sièges, climatisation) 20 pts	16	16	16	14	15	16	16	14	15	16
Carrosserie (habitabilité, équipement, finition) 20 pts	16	16	17	14	15	16	16	15	15	17
Total	80	81	82	68	76	79	82	71	77	84
Classement	4	3	2	9	7	5	2	8	6	1

Catégorie: Sportives

Classement par catégorie	Acura NSX	Chevrolet Corvette	Dodge Stealth Turbo	Mazda RX-7	Nissan 300 ZX Turbo	Porsche 968
Budget (achat / valeur, entretien, consommation) 10 pts	8	6	7	8	7	6
Performances (vitesse / accélération) 20 pts	16	18	15	17	15	16
Sécurité (tenue route, freinage, direction) 30 pts	28	26	24	26	23	27
Confort (suspension, sièges, climatisation) 20 pts	15	14	15	15	17	15
Carrosserie (habitabilité, équipement, finition) 20 pts	16	14	16	15	18	15
Total	83	78	77	81	80	79
Classement	1	5	6	2	3	4

AUBAINES ET MINIS

Ford Festiva

Cette mini-compacte est avec nous depuis quelques années et elle s'est taillé une bonne part du marché. Ces résultats ne sont pas le fruit du hasard puisque cette petite Ford fabriquée en Corée avait mérité les grands honneurs de notre match comparatif des minis réalisé il y a quelques années. La Festiva possède non seulement une silhouette sympathique, mais son habitacle offre une surprenante habitabilité compte tenu de ses dimensions extérieures. De plus, ses grandes surfaces vitrées assurent non seulement un habitacle bien éclairé mais une visibilité exceptionnelle, ce qui n'est pas à dédaigner en conduite urbaine où cette mini devra se glisser parmi les masto-dontes et les autres voitures plus grosses. Toutefois, il faut souligner que ce petit *hatchback* est en fait un modèle 2+2 puisque les places arrière sont relativement petites. Cependant, la capacité de chargement est passablement bonne en raison d'un coffre d'assez bonnes dimensions et de dossiers arrière rabattables. Toutefois, les sièges sont assez peu confortables car ils manquent de rembourrage.

Sur la route, la Festiva se défend assez bien en dépit de pneus étroits et d'un centre de gravité passablement élevé. Et, contrairement à plusieurs autres modèles de cette catégorie, cette Ford possède une belle homogénéité avec la boîte automatique. En outre, la direc-tion non assistée est passablement lourde et les manœuvres de station-nement sont particulièrement difficiles. En dépit de ses nombreuses qualités, cette mini connaît une diffusion assez limitée. La cause: son prix est trop près de celui de la Escort de base qui est plus spacieuse et plus puissante.

AUBAINES ET MINIS

Geo Metro/Asüna

Cette mini était autrefois appelée la Chevrolet Sprint/Pontiac Firefly, mais l'arrivée de la division Geo a entraîné une révision complète des nomenclatures. Quoi qu'il en soit, les voitures sont demeurées sensiblement les mêmes par rapport à l'année dernière. Vendues à un prix très compétitif, aussi bien la version *hatchback* que la berline nous proposent une finition très juste et une caisse dont la solidité ne semble pas à toute épreuve. Mais, en dépit des apparences, ces deux modèles semblent posséder une fiabilité adéquate compte tenu de la catégorie et du prix de vente. Le moteur trois cylindres a fait ses preuves depuis belle lurette et il continue d'équiper la version *hatchback*.

Quant à la berline, elle possède le quatre cylindres 1,3 litre qui assure un gain de 15 chevaux et des reprises plus nerveuses. Mais, un des principaux défauts de ces voitures est l'embrayage manuel qui manque nettement de progressivité. Il faut parfois faire patiner l'embrayage inutilement et ceci n'est pas pour favoriser la longévité de cette pièce. Si vous aimez les voitures qui assurent une tenue de route précise et stable, mieux vaut éviter la Geo Metro dont les seules qualités semblent être l'économie d'achat et d'opération. La direction manque de précision tandis que la tenue de route en général a vite fait de nous inciter à respecter les limites de vitesse.

Économiques à l'achat, ces voitures sont relativement fiables mais leur comportement routier pourrait être facilement amélioré, ne serait-ce que par l'utilisation de pneumatiques plus larges.

AUBAINES ET MINIS

Nissan Sentra Classic

Contrairement à plusieurs autres voitures de cette catégorie, la Nissan Sentra Classic n'est pas une mini mais une authentique compacte. En fait, elle fait partie des aubaines et non des minis. Cette voiture était en fait la Sentra tout court avant que la nouvelle version ne fasse son apparition il y a deux ans. Chez Nissan on a eu la bonne idée de conserver l'ancien modèle qui était assemblé au Mexique et de le proposer à un prix inférieur à 10 000 $. Ce fut un succès instantané.

Sa silhouette est discrète mais non désuette et l'habitacle propose une bonne habitabilité aussi bien aux places avant qu'arrière. Quant à la finition, elle est bonne mais elle pourrait être un peu plus raffinée. Mais, à ce prix, il est difficile d'en demander plus. Naturellement, comme cette voiture est de conception relativement ancienne et que son tableau de bord était déjà considéré comme vieillot lors de son lancement, les choses ne se sont pas améliorées. Toutefois, les cadrans sont de consultation facile et les commandes à la portée de la main.

En conduite, la tenue de route est relativement neutre bien qu'on doive enregistrer un sous-virage assez prononcé dans les courbes à court rayon. Quant au moteur, il s'acquitte bien de sa tâche même s'il est bruyant en pleine accélération. La boîte de vitesses est bien étagée pour une voiture à vocation économique et sa course assez précise.

Bref, la Nissan Sentra Classic est une voiture honnête et fiable qui répond parfaitement aux besoins des gens cherchant une bonne valeur pour leur investissement, tout modeste soit-il.

AUBAINES ET MINIS

Lada Niva, Samara

Il fut une époque où la diffusion des voitures Lada était tellement discrète que la plupart des gens croyaient que cette marque était disparue du marché canadien. C'était mal connaître la ténacité des distributeurs de Lada au Canada qui ont lutté farouchement pour se maintenir à flot sur notre marché.

De nos jours, la marque reprend progressivement du terrain au fur et à mesure que la gamme de produits se diversifie et le nombre de concessionnaires augmente petit à petit. Ce n'est pas encore le retour aux années de prospérité du début des années 80, mais c'est une progression quand même. Quant aux modèles qui sont offerts, la grande nouvelle est l'arrivée d'une version berline de la Samara. Cette traction avant possède une silhouette passablement intéressante et son habitabilité est quand même bonne même si la présentation intérieure n'a certainement pas le même raffinement que les orientales de la catégorie. D'ailleurs, certaines commandes sont passablement primitives.

Quant à la conduite, elle est handicapée par un roulis excessif en virage bien que la tenue de cap soit bonne et la voiture relativement neutre. Toutefois, il faut un certain temps pour s'acclimater à la boîte de vitesses qui est passablement rétive. Soulignons au passage que la Samara sera bientôt dotée de l'injection d'essence et d'une boîte automatique optionnelle.

Il ne faut pas oublier non plus la Niva et ses versions camionnette et cabriolet. Il faut louer l'ingéniosité de Lada d'avoir su non seulement rendre la Niva plus attrayante, mais d'avoir su réaliser des modèles différents.

AUBAINES ET MINIS

Hyundai Excel

La compagnie Hyundai s'est établie sur le marché canadien grâce à une voiture de bas de gamme offerte à un prix vraiment bas. Ceci avait permis à une bonne quantité d'acheteurs de se tourner vers ce constructeur coréen qui en était à ses premières armes au Canada. De nos jours, la marque s'intéresse à des marchés plus diversifiés mais n'a pas oublié les clients à la recherche d'une voiture conciliant un bon équilibre à un prix très compétitif.

La Excel est en fait une version coréenne de la Mitsubishi Mirage et à ce titre elle bénéficie d'une plate-forme passablement sophistiquée même si sa date de conception commence à remonter passablement loin. Cette plate-forme est rigide et assure un bon ancrage aux éléments de la suspension. Toutefois, des ressorts un peu plus fermes et de meilleure qualité pourraient prévenir le roulis en virage et la perte d'adhérence en virage serré. Quant au moteur 1,5 litre, il a fait ses preuves au fil des années et il s'agit d'un des moteurs les plus polyvalents qui soient. Toutefois, dans la Excel, il est passablement rustre et bruyant. Et si jamais vous optez pour la boîte automatique trois rapports disponible en option, les passages saccadés des vitesses vous feront pratiquement regretter d'avoir ignoré la boîte manuelle, ce qui ne contribue pas à relever l'agrément de conduite qui est passablement faible.

Mais le principal problème de cette Hyundai est sa finition inégale qui est son handicap majeur associé à une tenue de route bien moyenne. Seul son prix alléchant permet de compenser quelque peu. Un contrôle de qualité plus serré permettrait facilement d'augmenter sa valeur.

AUBAINES ET MINIS

Subaru Justy

La Subaru Justy serait théoriquement appelée à connaître une bonne diffusion dans notre pays. Dans un premier temps, il s'agit d'une voiture économique de petite dimension, ce qui rencontre les besoins de plusieurs acheteurs. D'autant plus que les petites japonaises ont la cote à ce chapitre. Dans un second temps, elle est la seule voiture de la catégorie à proposer une traction intégrale. Et en corollaire, il est possible de commander une boîte automatique à rapports continuellement variables. Pourtant, la Justy continue de se faire rare, ce qui est dommage d'autant plus qu'elle est offerte en version trois et cinq portes. Quant à sa silhouette, elle n'est pas moderne mais sympa-

thique tout de même. Son habitacle est bien présenté dans l'ensemble et l'habitabilité des places avant est excellente pour une voiture de cette catégorie. Sur le plan mécanique, sur la Justy, Subaru a délaissé momentanément les moteurs horizontaux à cylindres opposés pour opter pour un moteur trois cylindres de conception plus conventionnelle. Ce moteur est tout au moins aussi performant que celui utilisé sur la Geo Metro. Mais ce qui place la Justy dans une classe à part est la possibilité de commander une version quatre roues motrices. Ce groupe propulseur associé à la faible puissance du moteur permet de se moquer des routes les plus enneigées. De plus, la boîte

automatique à vitesses constamment variables est intéressante et fiable comme l'a prouvé un essai long terme réalisé il y a quelques années par l'équipe du *Guide de l'auto*.
On peut déplorer cependant une ventilation assez peu efficace, un intérieur triste et une sensibilité au vent latéral.

AUBAINES ET MINIS

Suzuki Swift

Même si la Suzuki Swift est la sœur de la Geo Metro, elle possède suffisamment de caractéristiques à part pour lui permettre de se distinguer. Dans un premier temps, cette voiture est offerte en une multitude de versions associant équipement et moteur différents afin de rencontrer les demandes d'une clientèle variée. La Swift GA et son moteur tricylindres 1,0 litre propose une économie de carburant passablement impressionnante puisque ce petit *hatchback* propose une moyenne de 4,3 l/100 km sur la grand route. Pour obtenir de tels résultats, les ingénieurs ont utilisé un train de soupapes à action directe et à régleurs hydrauliques de soupapes. Et si vous aimez les minis

qui ont du coffre, la Swift GT et son moteur de 100 chevaux vous assure des performances nettement au-dessus de la moyenne. Et la GT ne propose pas que de la puissance, sa tenue de route est assez bonne même s'il faut un certain doigté pour la maîtriser.

Entre les deux extrémités de la gamme, on retrouve quelques autres modèles alliant le moteur quatre cylindres de 1,3 litre à différentes options qui permettent d'en varier le prix et le positionnement sur le marché.

La gamme Swift comprend également une berline qui peut être commandée avec un quatre cylindres 1,6 litre développant 92 chevaux. Si vous recherchez une économie supérieure, le moteur

1,3 litre peut être commandé. Toutefois, la suspension avant de la berline manque de débattement et devient désagréable sur les routes en mauvais état. En plus, la qualité de la finition pourrait être améliorée.

Conclusion

Ce groupe de huit voitures nous propose plusieurs variantes tant en ce qui concerne la qualité des performances que la fiabilité. Même si leur prix de vente est généralement bas, il ne faut se précipiter. Dans certains cas, l'achat d'une version usagée plus solide et plus spacieuse se révélera plus intéressante à long terme. De plus, il ne faut pas oublier que ces modèles ont parfois tendance à se déprécier plus rapidement que des versions plus relevées et plus chères. Elles vous permettent cependant de rouler sans trop débourser.

Fiche technique

NOM DU MODÈLE	FESTIVA	METRO	SENTRA	LADA SAMARA	EXCEL	JUSTY	SWIFT
Longueur	356,8 cm	371,1 cm	423 cm	400,6 cm	410 cm	369,5 cm	374,5 cm
Empattement	229,1	226,6 cm	243 cm	246,0 cm	283,3 cm	228,6 cm	226,5 cm
Poids	809,6 kg	768 kg	1 030 kg	900 kg	965 kg	830 kg	780 kg
Coefficient aérodynamique	0,39	0,34	n.d.	n.d.	0,35	0,38	0,39
Groupe propulseur	traction	traction	traction	traction	traction	traction	traction
Moteur	4 cyl.	3L	4L	4L	4L	3L	3L/4L
Cylindrée	1,4 litre	1,0 litre	1,6 litre	1,3 l/1,5 l	1,5 litre	1,2 litre	1,0 l/ 1,3l/1,6l
Puissance	63 ch.	55 ch.	70 ch.	60 ch./75 ch.	81 ch.	73 ch./66 ch.	55ch./70 ch./ 92ch./100/ch.
Boîte de vitesses std	bvm 5 rap.	bvm 5 rap.	bvm 5rap.	bvm 5 rap.	bvm 5 rap.	bvm 5 rap.	bvm 5 rap.
Boîte de vitesses opt.	bva 3 rap.	bva 3 rap.	bva 4rap.	aucune	bva 4 rap.	var. cont.	bva 3 rap.
Suspension: av./arr.	ind./semi-ind.	ind./ind.	ind./ind.	ind./ind.	ind./ ind.	ind./ind.	ind./ind.
Direction	crémaillère	crémaillère	crémaillère	crémaillère	crémaillère	crémaillère	crémaillère
Freins: av./arr.	disque/ tambours	disques/ tambours	disques/ tambours	disques/ tambours	disques/ tambours	disques/ tambours	disquers/ tambours
Pneus	P145/70SR12	P145/80R12	P175/70SR13	P165/70R13	P155/80R13	P145/70R30	P155/70R13
Type de carrosserie	hatchback	hatchback, berline, cabriolet	coupé berline	hatchback, cabrio	hatchback, berline	hatchback	hatchback berline
Nombre de places	4	6-Jan	5	4	5	4	5
Coussin gonflable	non	non	non	non	non	non	non
Réservoir de carburant	37,8 litres	40 litres	50 litres	50 litres	40 litres	35 litres	40 litres
Capacité du coffre	11,7 pi^3	10,2 pi^3	12,2pi^3	11,6 pi^3	7,5 pi^3	9,25 pi^3	10,2 pi^3
Performances 0-100 km/h (s)	12,2	15,6	12,2	12,2	12,0	13 (ECVT)	12,25 (1,3 l/man)
Consommation (l/100km)	6,6	5.6	7,6	8,7	8	7,6	7,2 (1,3 man)
Échelle de prix	8 500 $ - 10 000 $	8 500 $ - 12 500 $	9 500 $ - 10 500 $	5 900 $ - 8 000 $	7 500 $ - 12 350 $	8 500 $ - 10 000 $	7 000 $ - 14 000 $

Essais et analyses

ACURA

Integra

L'option de 160 chevaux

Les origines des Acura Integra sont peut être moins glorieuses que celles de la Legend puisqu'elles sont dérivées de la Honda Civic. Cela n'empêche pas ces voitures d'offrir un agrément de conduite supérieur à la moyenne tout en étant offertes à des prix relativement modestes. Et on peut même se payer un moteur de 160 chevaux.

Au cours de l'an dernier, sans tambour ni trompette, la division Acura dévoilait une version fort intéressante de l'Integra Coupe: la GS-R. Cette nouvelle venue était équipée du moteur atmosphérique offrant le plus de puissance par litre disponible sur le marché nord-américain. Pour pouvoir tirer 160 chevaux d'un moteur 1,7 litre, les ingénieurs se sont tournés vers le système VTEC de contrôle électronique de calage avec degré d'ouverture variable des soupapes. Et ce moteur ne craint pas les régimes élevés. En fait, il

développe sa puissance maximale à 7 600 tr/min tandis que la zone rouge du moteur est située à 8 000 tr/min. Ce moteur possède donc les caractéristiques de puissance et de couple que l'on retrouve sur des moteurs spécialement destinés à la compétition.
À la lecture de la fiche technique, il est facile de conclure que ce coupé Integra est appelé à jouer les sportifs. Pourtant, sa présentation est on ne peut plus sobre. Contrairement à ce que les Américains auraient probablement fait avec un coupé

de cette nature, on s'est refusé chez Acura à faire appel aux bandes décoratives voyantes, aux artifices tape-à-l'œil et à toute la panoplie des gadgets visuels associés aux sportives.
Sur le plan de la conduite, cette Acura n'est pas un *muscle car* mais plutôt une voiture dotée d'un moteur raffiné qui nécessite une intervention du conducteur pour en tirer toute la performance. Si le 0-100 km/h est bouclé en un peu plus de 7 secondes, il faut attendre que le moteur ait atteint les 4 200 tr/min pour que les

prestations deviennent sportives. La personne qui réussit à jouer habilement du levier de vitesses et qui est en mesure de maintenir le régime à plus de 4 000 tr/min aura droit à des prestations élevées. En fait, cette voiture s'apprécie au *feeling* de la conduite et non par des accélérations à l'emporte-pièce. Il ne faut pas avoir peur de faire appel à un régime élevé du moteur, sans quoi cette Integra ne dévoile pas toutes ses qualités.

Quant à la berline et au coupé standard, ils nous reviennent pratiquement intacts. Si leur comportement routier est intéressant et leur finition exemplaire, on peut déplorer des sièges assez peu confortables et une caisse qui manque nettement de rigidité. Ils peuvent encore se défendre assez bien face à la concurrence, mais il ne faudra pas trop attendre car leurs défauts sont de plus en plus évidents.

CE QU'IL FAUT SAVOIR

ACURA INTEGRA

	Pauvre	Passable	Bon	Très bon	Excellent
• Comportement routier					•
• Freinage					•
• Sécurité passive			•		
• Visibilité				•	
• Confort			•		
• Volume de chargement		•			

POUR
Comportement routier
Très bonne visibilité
Moteurs sportifs
Agrément de conduite relevé
Ergonomie efficace

CONTRE
Caisse manque de rigidité
Portières bruyantes
Boîte automatique décevante
Places arrière justes
Moteur parfois rugueux

Quoi de neuf?

Habillages spéciaux de certains modèles

ASPECT TECHNIQUE

Groupe propulseur:	traction
Empattement:	255,1 cm - 260 cm (berline)
Longueur:	439,2 cm - 448,4 cm (berline)
Poids:	1 141 kg - 1 170 kg (berline)
Coefficient aérodynamique:	0,32 - 0,34 (berline)
Moteurs:	4L 1,8 litre, 140 ch. - 4L 1,7 litre, 160 ch.
Transmission:	
standard:	boîte manuelle 5 rapports
option:	boîte automatique 4 rapports
Suspension avant:	indépendante
arrière:	indépendante
Direction:	à crémaillère, assisté
Freins: avant:	disques (ABS optionnel)
arrière:	disques (ABS optionnel)
Pneus:	P195/60R14

ASPECT PRATIQUE

Carrosserie:	berline - coupé
Nombre de places:	4 - 5 (berline)
Valeur de revente:	bonne
Indice de fiabilité:	8,5
Coussin gonflable:	non
Réservoir de carburant:	50 litres
Capacité du coffre:	12,25 pi^3
Performances:	0-100 km/h: 8,9 s
vitesse max.:	190 km/h
consommation:	10,2 litres/100 km
Échelle de prix:	18 500 $ à 24 000 $

ACURA

Legend

Entre deux feux

La berline Legend fut la première voiture de luxe japonaise offerte chez nous. Elle a indéniablement ouvert la voie aux Lexus et Infiniti mais son succès a fait qu'elle doit maintenant affronter de sérieuses rivales à la fois moins et plus dispendieuses qu'elle. On peut en dire autant pour le coupé du même nom.

Lorsque Acura a renouvelé cette gamme en 1991, elle semblait en excellente position pour maintenir son avance sur un marché qu'elle venait de défricher. La nouvelle Legend demeurait fidèle à la traction avant, mais gagnait à la fois en volume intérieur, en puissance et en élégance. Elle avait certes assez de qualités pour inspirer les concepteurs des nouvelles LH de Chrysler et, à un peu plus de 40 000 $, semblait taillée sur mesure pour une économie difficile. Mais le marché lui-même en a voulu autrement. On réserva

un accueil très favorable aux marques Infiniti et Lexus que venaient tout juste de lancer Nissan et Toyota. Les rivales de la Legend étaient impressionnantes en elles-mêmes, mais leur constructeur mettait également l'accent de façon encore plus nette sur le service et la satisfaction maximale de leur clientèle. Elles doublèrent d'ailleurs aussi Acura dans les différents sondages de qualité en tête desquels on la retrouvait depuis ses tout débuts. Le prix de ces berlines était plus élevé mais on les perçut comme des concurrentes des

grandes marques allemandes. La Legend, elle, faisait souvent ses conquêtes parmi la clientèle des marques nord-américaines. Le comble c'est que, non contentes d'affronter directement la nouvelle berline Vigor d'Acura, des voitures comme les Infiniti J30 et Lexus ES300 se permettent aussi de chauffer la Legend. Moins chères et moins spacieuses, elles offrent malgré cela beaucoup en termes de performances, de luxe et, disons-le, de prestige. Il est certain que Honda doit vite élaborer une stratégie pour relancer sa propre marque de prestige. Le prototype FS-X, dévoilé au Salon de Tokyo, offre la promesse d'une carrosserie d'aluminium et d'une version du V6 de la sportive NSX. Chose certaine, la berline Legend doit vite être améliorée. Les retouches apportées cette année à sa boîte de vitesses automatique sont certainement un pas dans la bonne direction. Elle était nettement désavantagée en douceur face à l'Infiniti J30, par exemple. L'offre du deuxième coussin gonflable en équipement de série est également un atout appréciable, mais les Legend ne sont pas les seules à le faire. Notons enfin que le coupé Legend, qui se retrouve dans une position semblable face à des voitures comme les Lexus SC400, Cadillac Eldorado et Lincoln Mark VIII, devrait avoir droit, en cours d'année, à un moteur plus puissant de 230 chevaux.

CE QU'IL FAUT SAVOIR

ACURA LEGEND

	Pauvre	Passable	Bon	Très bon	Excellent
• Comportement routier			•		
• Freinage			•		
• Sécurité passive				•	
• Visibilité				•	
• Confort			•		
• Volume de chargement			•		

POUR

Rendement du moteur
Bon confort de roulement
Tableau de bord réussi
Deux coussins gonflables
Excellente chaîne sono
Construction solide

CONTRE

Direction lente, surassistée
Volant trop bas
Roulis et sous-virage
Freinage moyen
Siège trop haut
Verrouillage incomplet

Quoi de neuf?

Deux coussins gonflables standards
Boîte automatique améliorée

ASPECT TECHNIQUE

Groupe propulseur:	traction
Empattement:	291 cm - 283 cm (coupé)
Longueur:	495 cm - 489 cm (coupé)
Poids:	1 567 kg
Coefficient aérodynamique:	0,34 - 0,32 (coupé)
Moteur:	V6 3,2 litres, 210 ch.
Transmission:	
standard:	boîte manuelle 5 rapports
option:	boîte automatique 4 rapports
Suspension avant:	indépendante
arrière:	indépendante
Direction:	à crémaillère, assistée
Freins: avant:	disques ABS
arrière:	disques ABS
Pneus:	P205/60VR15

ASPECT PRATIQUE

Carrosserie:	berline - coupé
Nombre de places:	5
Valeur de revente:	bonne
Indice de fiabilité:	8
Coussins gonflables:	conducteur - passager (optionnel)
Réservoir de carburant:	68 litres
Capacité du coffre:	15,2 pi^3
Performances:	0-100 km/h: 7,94 s - 8,2 s (coupé)
vitesse max.:	210 km/h
consommation:	13,4 litres/100 km
Échelle de prix:	42 000 $ à 48 000 $

NSX

Les tribulations de la diva japonaise

Le lancement de la NSX a créé une onde de choc dans le monde de l'automobile en 1991. Durant quelque temps, on se l'est littéralement arrachée, du Japon à la Californie. Depuis, la demande s'est estompée, forçant même Honda à réduire la cadence de production. Le pouvoir d'envoûtement de la diva est pourtant intact.

Après avoir été époustouflés lors du lancement officiel de la NSX, nous nous étions fait un devoir et un plaisir de la conduire sur quelques milliers de kilomètres pour l'édition précédente du *Guide*. Nous l'avions également opposée à ses concurrentes les plus sérieuses dans un match comparatif sans merci. Sur les routes californiennes et au circuit de Laguna Seca, elle avait affiché, au premier contact, un niveau de performance et de comportement assez inouï, à plus forte raison pour un constructeur japonais qui en était à sa

première tentative avec une telle voiture. Dans une large mesure, ces impressions sont demeurées intactes lorsque nous avons finalement pu mener un essai exhaustif de la NSX sur les routes du Québec. Bien que la chose ait été prévisible, nous avions cependant noté les réactions beaucoup plus sèches de ses suspension et pneus sur les chaussées incertaines de notre beau pays. Nous avions dû aussi constater qu'il s'agit bel et bien d'une voiture sport et non d'une grand-tourisme, une vocation à laquelle les billards cali-

forniens nous avaient laissé croire un moment. Il faut dire que l'assise très basse, l'absence notoire de rangement dans la cabine (le coffre à gants est tout de même acceptable) et un coffre minuscule ne font rien pour nous convaincre du contraire. Qu'à cela ne tienne, puisque celle que l'on a surnommée «la Ferrari japonaise» existe avant tout pour les performances, les sensations et le plaisir de conduire. Les ingénieurs de Honda ont cherché à rendre sa conduite accessible à tous: ils y sont arrivés, sans engendrer le manque total de caractère et de nervosité que l'on craignait. Face à la Mazda RX-7, sa rivale la plus récente et directe, la NSX demeure plus rassurante et stable à piloter. Elle est une pure joie à conduire sur circuit. Sur la route, on remarque plus facilement la lourdeur de sa direction en appui ou à la manœuvre. Le fait qu'elle soit une des voitures les plus fiables sur le marché la démarque de toutes les sportives à l'exception de la Miata. Comme toute sportive d'exception, c'est le moteur de la NSX qui assure le spectacle avec une musique incomparable en accélération jusqu'à 8 000 tr/min. Lors de notre match des sportives, la victoire lui avait toutefois échappé de peu à cause d'un couple moyen en reprise. Honda doit d'ailleurs exaucer bientôt notre souhait d'une hausse de cylindrée, de couple et de puissance.

CE QU'IL FAUT SAVOIR

ACURA NSX

	Pauvre	Passable	Bon	Très bon	Excellent
• Comportement routier					◉
• Freinage					•
• Sécurité passive					•
• Visibilité				•	
• Confort			•		
• Volume de chargement	•				

POUR

Moteur éblouissant
Tenue de route exceptionnelle
Performances de haut niveau
Boîte de vitesses impeccable
Qualité de fabrication
Ultrafiable pour une sportive

CONTRE

Direction parfois lourde
Reprises moyennes
Manque de rangement
Confort des sièges relatif
Quelques bruits et vibrations
Mécanique inaccessible

Quoi de neuf?

Coussin gonflable côté passager de série
Ceintures à tension positive en cas de collision

ASPECT TECHNIQUE

Groupe propulseur:	propulsion (+ antipatinage)
Empattement:	253 cm
Longueur:	440,5 cm
Poids:	1 365 kg - 1 405 kg (automatique)
Coefficient aérodynamique:	0,32
Moteur:	V6 3,0 litres, 270 ch. à 7 100 tr/min - 252 ch. à 6 600 (automatique)
Transmission:	
standard:	boîte manuelle 5 rapports
option:	boîte automatique 4 rapports
Suspension avant:	indépendante
arrière:	indépendante
Direction:	à crémaillère (automatique: assistée)
Freins: avant:	disques ABS
arrière:	disques ABS
Pneus:	P225/50ZR16

ASPECT PRATIQUE

Carrosserie:	coupé sport
Nombre de places:	2
Valeur de revente:	moyenne
Indice de fiabilité:	9
Coussins gonflables:	conducteur / passager
Réservoir de carburant:	70 litres
Capacité du coffre:	5 pi^3
Performances:	0-100 km/h: 5,47 s
vitesse max.:	270 km/h
consommation:	9,8 litres/100 km
Échelle de prix:	74 000 $ à 79 000$

Vigor

Un accident de parcours

La réputation de Honda sur le plan technique est impeccable. Aussi, lorsque la compagnie a dévoilé un nouveau modèle à moteur longitudinal, on s'attendait à une voiture nettement au-dessus du lot. Pourtant, si l'exécution technique est intéressante, le résultat final manque d'homogénéité.

Il est difficile de trouver une voiture qui nous laisse plus perplexe que l'Acura Vigor. En effet, sur le plan technique, cette voiture est l'une des plus sophistiquées à être produites par ce manufacturier. Pourtant, en conduite, elle est loin de nous emballer. Le problème semble en être un d'homogénéité. Si les organes mécaniques sont intéressants en raison de la présence d'un moteur cinq cylindres longitudinal, si la silhouette est dans la bonne moyenne et l'habitacle de belle facture, le lien ne s'établit pas entre ces divers éléments.

Dans un premier temps, le moteur est puissant, souple et nerveux, mais il ne peut se faire justice en raison d'un comportement routier passablement décevant, surtout pour une voiture Honda. Et il y a cette direction plus ou moins précise qui ne vient pas améliorer les choses. Il est vrai qu'on s'est inspiré des voitures Audi pour réaliser la Vigor, mais il n'était pas nécessaire d'opter pour un roulis de caisse et un tangage aussi forts. L'Audi roule en virage, mais son comportement routier est de loin supérieur à celui de sa rivale japo-

naise. Et elle n'est pas affublée de ce désagréable sous-virage qui gâche vraiment le plaisir de conduire. Il semble que cette voiture ait été dessinée pour ne rouler que sur les grands boulevards.

Un autre point décevant de cette voiture est son habitacle. La présentation est impeccable, luxueuse même. Et comme sur toutes les autres Acura, l'ergonomie est de premier ordre. Malheureusement, l'habitabilité est décevante, très décevante même. Si les places avant sont tout de même potables, les places arrière sont presque uniquement destinées à des enfants ou à des adultes de très petite taille. Les stylistes ont voulu donner à cette voiture une allure de coupé même s'il s'agissait d'une berline. Eh bien! ils ont réussi non seulement à dessiner une carrosserie qui ressemble à celle d'un coupé, mais aussi à conserver la piètre habitabilité arrière des coupés. Et toujours au sujet du style, il est curieux que les designers de Honda qui sont généralement considérés comme futuristes soient allés à contre-courant de la tendance actuelle en adoptant un long capot alors que le type à «cabine avancée» avec capot court est supposé être la voie du futur.

Cet ensemble de facteurs peut expliquer pourquoi la Vigor jouit d'une popularité et d'une diffusion bien moyennes.

CE QU'IL FAUT SAVOIR

ACURA VIGOR

	Pauvre	Passable	Bon	Très bon	Excellent
• Comportement routier		•			
• Freinage				•	
• Sécurité passive				•	
• Visibilité				•	
• Confort			•		
• Volume de chargement			•		

POUR
Accélérations sportives
Silence de roulement
Présentation intérieure
Coffre spacieux
Équipement complet

CONTRE
Habitabilité décevante
Position de conduite à revoir
Coffre à gants lilliputien
Direction imprécise
Embrayage sec
Faible motricité sous la pluie

Quoi de neuf?

Boîte automatique révisée

ASPECT TECHNIQUE

Groupe propulseur:	traction
Empattement:	280,5 cm
Longueur:	483,5 cm
Poids:	1 455 kg
Coefficient aérodynamique:	0,37
Moteur:	5L 2,5 litres, 176 ch.
Transmission:	
standard:	boîte manuelle 5 rapports
option:	boîte automatique 4 rapports
Suspension avant:	indépendante
arrière:	indépendante
Direction:	à crémaillère, assistée
Freins: avant:	disques ABS
arrière:	disques ABS
Pneus:	P205/60R15

ASPECT PRATIQUE

Carrosserie:	berline
Nombre de places:	5
Valeur de revente:	faible/moyenne
Indice de fiabilité:	8,0
Coussin gonflable:	conducteur
Réservoir de carburant:	65 litres
Capacité du coffre:	14,2 pi^3
Performances:	0-100 km/h: 7,9 s
vitesse max.:	210 km/h
consommation:	12,4 litres/100 km
Échelle de prix:	27 000 $ à 32 000 $

164/Spider

La passion de conduire

Même si la distribution n'est pas le point fort d'Alfa Romeo en Amérique du Nord, les Québécois ont la chance de pouvoir compter sur un réseau de concessionnaires limité mais sérieux. Les revendeurs de cette marque ont à cœur de voir ces belles Italiennes être découvertes et appréciées à leur juste valeur.

Dans un monde où toutes les voitures ont tendance à se ressembler, l'Alfa 164 se démarque de fort belle façon. Cette berline propose des formes élégantes et originales qui lui confèrent un air racé et sportif à la fois. Et cette voiture ne se contente pas de faire tourner les têtes, elle gâte également son conducteur par un agrément de conduite supérieur à la moyenne. Le grondement du moteur V6, la boîte manuelle d'un maniement facile et une tenue de route neutre sont des éléments que tout conducteur apprécie. Et on peut se payer bien des audaces au volant de cette voiture puisqu'elle pardonne énormément. Même s'il s'agit d'une traction, on a tout de même réussi à assurer un comportement et une sensation de conduite passablement intéressants.

Comme il faut s'y attendre sur une Alfa, l'habitacle ne se gêne pas pour s'illustrer par une présentation un peu à part. Mais, fini les folies de jadis! L'excentricité est tellement bien contrôlée que le tableau de bord est différent et non plus délirant. Ajoutez des sièges confortables et une position de conduite moins radicale que sur certaines Italiennes et la 164 a tout pour plaire. Il est vrai que sa diffusion est presque confidentielle, que sa fiabilité n'a jamais su se faire valoir et que certains ajustements ne sont pas permanents, mais cette voiture est à ne pas négliger si vous privilégiez l'agrément de conduite avant tout. Et il ne faut pas oublier que cette voiture est passablement spacieuse pour sa catégorie.

La gamme Alfa propose également la Spider. Ce cabriolet n'est pas né de la dernière pluie puisque ses origines remontent à plus d'un quart de siècle. Mais sa silhouette a été revue il y a trois ans et elle réussit à soutenir la comparaison avec plusieurs autres cabriolets modernes. Sa conduite est une expérience mémorable avec une position de conduite très inclinée, un levier de vitesses presque horizontal, une direction à vis et galet au «feeling» unique et un moteur au grondement rageur. Pourtant, si sa sonorité est gutturale, ce petit quatre cylindres 2,0 litres ne développe que 115 chevaux. Cela peut sembler modeste, mais les prestations sont tout de même intéressantes.

La personnalité attachante de la Spider et son agrément de conduite compensent largement pour certains aspects vétustes de son équipement et une finition qui laisse parfois à désirer.

CE QU'IL FAUT SAVOIR

ALFA ROMEO 164/SPIDER

	Pauvre	Passable	Bon	Très bon	Excellent
• Comportement routier				•	
• Freinage			•		
• Sécurité passive				•	
• Visibilité				•	
• Confort				•	
• Volume de chargement				•	

POUR

Silhouettes élégantes
Agrément de conduite assuré
Moteur V6 (164)
Tenue de route sportive
Sièges confortables

CONTRE

Adhérence moyenne
Freins spongieux (164)
Direction lourde (Spider)
Performances moyennes
 (V6 180 ch.)
Fiabilité inégale

Quoi de neuf?

Remplaçante de la 164 attendue en cours d'année

ASPECT TECHNIQUE

Groupe propulseur: traction - propulsion (Spider)
Empattement: 266 cm - 225 cm (Spider)
Longueur: 455,5 cm - 428,7 cm (Spider)
Poids: 1 300 kg (1 410 kg)
Coefficient aérodynamique: 0,30 (164)
Moteurs: V6 3,0 litres 180 ch. - V6 3,0 litres 200 ch. - 4L 2,0 litres 115 ch. (Spider)
Transmission:
  standard: boîte manuelle 5 rapports
  option: boîte automatique 4 rapports
Suspension avant: indépendante
  arrière: indépendante - ess. rigide (Spider)
Direction: à crémaillère - billes (Spider)
Freins: avant: disques
  arrière: disques
Pneus: P195/60VR15 - P185/70HR14 (Spider)

ASPECT PRATIQUE

Carrosserie: berline - cabriolet
Nombre de places: 2 - 5
Valeur de revente: faible
Indice de fiabilité: 7,0
Coussin gonflable: non
Réservoir de carburant: 70 litres - 46 litres (Spider)
Capacité du coffre: 17,8 pi^3 - 10,5 pi^3 (Spider)
Performances: 0-100 km/h: 7,9 s - 10,4 s (Spider)
  vitesse max.: 225 km/h - 200 km/h (Spider)
  consommation: 10,3 l/100 km - 12,5 l/100km (Spider)
Échelle de prix: 26 000 $ à 42 000 $

AUDI

90/90 Quattro

Une relève impressionnante

Les nouvelles Audi 1993 sont parmi nous depuis le printemps 1992 à la suite d'une refonte globale des modèles de ce manufacturier. Si leur diffusion n'est pas encore aussi importante qu'on serait en mesure de l'anticiper, ceux qui ont décidé de joindre le clan Audi ont été agréablement surpris.

Pour 1993, Audi a complètement transformé sa gamme de produits. En fait, toutes proportions gardées, ce manufacturier a lancé plus de nouveaux modèles que tout autre au cours des derniers mois. Et il ne s'agit pas de demi-mesures puisque la 90 est entièrement transformée. Sa carrosserie est plus moderne et fort esthétique. C'est en fait une des plus élégantes voitures disponibles présentement. On a profité de l'occasion pour augmenter la capacité du coffre à bagages même s'il a conservé plus ou moins la même forme et

que certains objets ne pourront pas encore s'y loger.

Mais la grande nouvelle, c'est l'arrivée d'un moteur V6 2,8 litres sous le capot de cette berline. Ce V6 développe 174 chevaux et propose un rapport poids-puissance intéressant. De plus, ce moteur est pratiquement une œuvre d'art tant sa présentation esthétique est poussée. Ce V6 est également d'une douceur remarquable et d'une grande souplesse. Initialement, l'accélération semble hésitante mais au-delà de 3 000 tr/min, les choses

s'activent. Cette Audi est passablement sportive de par son comportement général. La direction est précise tandis que la voiture est neutre en virage malgré un sous-virage initial. Le roulis de caisse est assez important comme sur toutes les Audi, mais ne nuit pas à la tenue de route. L'habitacle, tout en étant relativement spacieux pour les dimensions de la voiture, est un exemple à suivre sur le plan de l'ergonomie et du confort. Les sièges sont confortables en plus d'assurer un bon support lombaire et latéral. Quant au tableau de

124

bord, les instruments sont faciles à consulter et les commandes toutes à portée de la main. Les commandes de la climatisation auraient intérêt à être révisées tandis que la radio est moche en bande AM.

Comme c'est la tradition chez Audi, le système Quattro est d'une efficacité sans égale sur pavé humide. Ce système est d'un grand raffinement sur le plan des performances tout en étant très simple au chapitre de la mécanique. En hiver, il faut conduire une telle voiture pour réaliser à quel point cette compagnie maîtrise la traction intégrale dans les voitures de tourisme. La traction est toujours bien répartie et la voiture ne perd jamais son agrément de conduite. Par contre, sur pavé sec, on ne se rend pas compte que l'on conduit une traction intégrale.

CE QU'IL FAUT SAVOIR

AUDI 90

	Pauvre	Passable	Bon	Très bon	Excellent
• Comportement routier					•
• Freinage					•
• Sécurité passive			•		
• Visibilité				•	
• Confort				•	
• Volume de chargement			•		

POUR

Moteur V6 bien adapté
Freinage puissant
Version Quattro
Ergonomie impeccable
Tenue de route supérieure

CONTRE

Roulis en virage
Manque de couple à bas régime
Coffre encore restreint
Commandes de climatisation à revoir
Valeur de revente incertaine

Quoi de neuf?

Tout nouveau modèle
Moteur V6 de 2,8 litres

ASPECT TECHNIQUE

Groupe propulseur:	traction - 4x4
Empattement:	261,2 cm
Longueur:	448,2 cm
Poids:	1 275 kg
Coefficient aérodynamique:	0,31
Moteur:	V6 2,8 litres, 174 ch.
Transmission:	
standard:	boîte manuelle 5 rapports
option:	boîte automatique 4 rapports
Suspension avant:	indépendante
arrière:	indépendante
Direction:	à crémaillère, assistée
Freins: avant:	disques ABS
arrière:	disques ABS
Pneus:	P195/50 R 15

ASPECT PRATIQUE

Carrosserie:	berline
Nombre de places:	5
Valeur de revente:	nouveau modèle
Indice de fiabilité:	nouveau modèle
Coussin gonflable:	conducteur
Réservoir de carburant:	70 litres
Capacité du coffre:	15,18 pi^3
Performances:	0-100 km/h: 8,5 s
vitesse max.:	210 km/h
consommation:	13,5 litres/100 km
Échelle de prix:	35 000 $ à 42 000 $

Les décathloniennes

Après avoir offert une injection de puissance bénéfique à son vaisseau amiral, la berline V8 quattro, Audi amorçait l'an dernier l'importation d'une série 100 entièrement remodelée. Parfaitement fidèles à la tradition, ces championnes de la polyvalence appuient le retour progressif de la marque aux avant-postes.

Le docteur Ferdinand Piëch, petit-fils de Ferdinand Porsche, père du rouage intégral quattro et nouveau grand patron du groupe géant Volkswagen AG, verra certainement d'un bon œil l'accent qu'a choisi de mettre l'importateur canadien sur les modèles quattro Audi. Cela vaut doublement pour les berlines de série 100 et leur grande cousine, la V8. Cette année, la seule berline de luxe à rouage intégral offerte chez nous est d'ailleurs rejointe par une cousine au tempérament résolument sportif: la S4. Il s'agit d'une version de la

nouvelle berline 100, propulsée par le dernier cinq cylindres à être offert par la marque Audi. Ce moteur à culasse 20 soupapes est turbocompressé et développe 230 chevaux. Il était offert depuis quelques années en Europe mais n'avait pas encore franchi l'Atlantique. La S4 se distingue également de ses sœurs par des jantes d'alliage standards chaussées de pneus nettement plus larges et mordants (225/50ZR16), des sièges mieux galbés et un tableau de bord où rayonne un jeu très complet de superbes

cadrans analogiques à fond blanc. En deux mots, la S4 est la réponse d'Audi aux superberlines BMW M5 et Mercedes-Benz 500E. Elle est cependant offerte à un prix beaucoup plus accessible (pour une berline de luxe) et offre évidemment à l'acheteur ou acheteuse du Québec l'avantage incomparable du meilleur rouage intégral sur le marché. Il faut dire cependant que la S4 n'est offerte qu'avec une boîte manuelle et que, malgré sa puissance, elle n'offre ni les sensations ni les performances exceptionnelles de ses rivales. Il s'agit plutôt d'une voiture qui, par son prix, son équipement, sa sécurité et sa polyvalence unique, offre une alternative fort intéressante aux grandes berlines de luxe japonaises. C'est déjà beaucoup. Le comportement des modèles 100 se rapproche beaucoup de celui de la S4. La stabilité du rouage quattro mais également son poids ont pour effet de gommer une bonne partie des sensations et performances. Le nouveau V6 Audi est axé sur la douceur et la souplesse. Ses réactions et sa prise de régime sont aussi paresseuses que celles des anciens «5 en ligne». Les amateurs de sensations seront peut-être mieux servis ailleurs mais ils pourront difficilement retrouver un tel mélange de qualité, de sécurité et d'équipement. Cette série 100 demeure le véritable cœur de la gamme du constructeur d'Ingolstadt.

CE QU'IL FAUT SAVOIR

AUDI 100 QUATTRO

	Pauvre	Passable	Bon	Très bon	Excellent
• Comportement routier					●
• Freinage				●	
• Sécurité passive				●	
• Visibilité			●		
• Confort				●	
• Volume de chargement			●		

POUR

Sécurité exceptionnelle
Comportement irréprochable
Équipement ultracomplet
Solidité toute germanique
Fiabilité en hausse
Tableau de bord magnifique

CONTRE

Performances décevantes
Faible agrément de conduite
Direction légère (100 quattro)
Tissus de sièges ternes
Sélecteur exécrable (autom.)
Console centrale trop large

Quoi de neuf?

Série 100 entièrement nouvelle
Nouveau modèle S4 quattro turbocompressé

ASPECT TECHNIQUE

Groupe propulseur:	intégrale - traction (modèle 100)
Empattement:	269,2 cm - 270,3 cm (V8)
Longueur:	489,2 cm - 487,4 cm (V8)
Poids:	1 685 kg - 1 715 kg (S4) - 1 820 kg (V8)
Coefficient aérodynamique:	0,30
Moteur:	V6 2,8 litres, 172 ch. - 5L turbo, 227 ch. (S4) - 4,2 litres, 276 ch. (V8)
Transmission:	
standard:	manuelle 5 rapports - autom. 4 rap. (V8)
option:	boîte automatique 4 rapports
Suspension avant:	indépendante
arrière:	indépendante
Direction:	à crémaillère, assistée
Freins: avant:	disques ABS
arrière:	disques ABS
Pneus:	195/65HR15 - 215/60HR15 (S4/V8)

ASPECT PRATIQUE

Carrosserie:	berline
Nombre de places:	5
Valeur de revente:	nouveaux modèles (V8: bonne)
Indice de fiabilité:	nouveaux modèles (V8: 8)
Coussins gonflables:	conducteur - passager
Réservoir de carburant:	80 litres
Capacité du coffre:	16,4 pi³ - 16,7 pi³ (V8)
Performances:	0-100 km/h: 10,65 s
vitesse max.:	210 km/h (limitée électroniquement)
consommation:	14,8 l/100km - 14,6 (S4) - 16,4 (V8)
Échelle de prix:	37 000 $ à 47 000 $ (S4: 51 000 $)

BMW

318i/320i/325i

Les références se multiplient

Les nouvelles «petites» BMW connaissent énormément de succès partout où elles sont vendues. Le constructeur bavarois poursuit néanmoins à un rythme accéléré l'expansion et le raffinement de cette série. Après les coupés, voici un nouveau moteur, une décapotable et une M3 époustouflante à l'horizon.

En une année, les BMW de série 3 sont redevenues les références incontournables dans ce segment qu'elles ont créé. Le mérite des Bavarois est d'autant plus grand que les rivales y sont maintenant légion. Réussite technique aussi bien qu'esthétique, la berline 325i a été rejointe par la berline 318i et les nouveaux coupés 318is et 325is. Pour l'année 1993, BMW remet cela avec un nouveau modèle intermédiaire, la berline 320i, une nouvelle décapotable, des retouches mécaniques pour ses moteurs et une nouvelle boîte automatique à cinq rapports. La berline 320i est propulsée par une version des excellents six cylindres en ligne BMW déjà offerte en Europe. Ce modèle vient combler le vide important qui existait entre les 318i et 325i. Il permet de jouir de la douceur, du raffinement et de la sonorité remarquables des «six» BMW, à plusieurs milliers de dollars de moins. Le prix d'entrée pour la 320i est d'un peu plus de 30 000 $ alors qu'il passe cette année à tout près de 35 000 $ pour la 325i. La différence de performance entre 320i et 325i est minime en conduite normale, surtout que ce moteur a droit cette année, tout comme le 2,5 litres, au calage variable des arbres à cames, un dispositif qui permet de mieux étaler la force de couple. De plus, la 320i pourra être dotée d'une boîte automatique à cinq rapports. BMW Canada considère par contre que les moteurs de ses 325i et 318i sont assez souples pour se défendre avec des boîtes à quatre rapports. Les modèles 318i et 318is, d'autre part, malgré des performances plus modestes, offrent toutes les qualités qui rendent cette série remarquable: bon comportement, solidité, ergonomie et silhouettes exceptionnelles. Ce sont de vraies BMW. Il serait malgré tout intéressant de voir leur moteur gagner un peu de cylindrée et une vingtaine de chevaux, ce qui corrigerait leurs faibles reprises à bas régime. Chose certaine, puissance et couple ne feront certainement pas défaut à la nouvelle M3. Développée par la division Motorsport autour du coupé, elle est propulsée par un six cylindres de 3 litres qui développe 286 chevaux. Autant que l'ancienne M6, donc, malgré son demi-litre de cylindrée en moins. Elle est dotée d'une suspension et de sièges entièrement différents. On ne peut nous confirmer sa date d'arrivée, mais ce sera certes après la nouvelle décapotable qui, elle, fera son entrée au cours de l'année 1993.

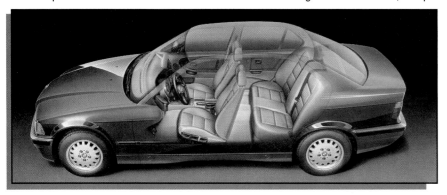

CE QU'IL FAUT SAVOIR

BMW 318/325

	Pauvre	Passable	Bon	Très bon	Excellent
• Comportement routier					●
• Freinage					●
• Sécurité passive				●	
• Visibilité					●
• Confort				●	
• Volume de chargement			●		

POUR
Performances élevées (325)
Silhouettes magnifiques
Tenue de route, maniabilité
Excellent freinage
Solidité irréprochable
Série très complète

CONTRE
Faibles reprises (318)
Tissu des sièges terne
Direction floue au centre
Sensibles au vent latéral
Coussin gonflable en option
Sono décevante

Quoi de neuf?

Modèle 320i
Décapotable en cours d'année
Distribution variable (ACT) moteurs 6 cylindres

ASPECT TECHNIQUE

Groupe propulseur:	propulsion
Empattement:	270 cm - 257 cm (cabriolet)
Longueur:	443,3 cm - 432,5 cm (cabriolet)
Poids:	1 300 kg - 1 370 kg (cabriolet 318i)
Coefficient aérodynamique:	0,29
Moteurs:	4L 1,8 litre, 134 ch. - 6L 2,5 litres, 189 ch.
Transmission:	
standard:	boîte manuelle 5 rapports
option:	boîte automatique 4 rapports
Suspension avant:	indépendante
arrière:	indépendante
Direction:	à crémaillère, assistée
Freins: avant:	disques ABS
arrière:	disques ABS
Pneus:	205/60 R 15

ASPECT PRATIQUE

Carrosserie:	berline - coupé - décapotable
Nombre de places:	5 - 4 (cabriolet)
Valeur de revente:	très bonne
Indice de fiabilité:	8
Coussin gonflable:	conducteur (optionnel)
Réservoir de carburant:	62 litres
Capacité du coffre:	15,3 pi³
Performances:	0-100 km/h: 9,67 s - 8,02 s (325i)
vitesse max.:	205 km/h
consommation:	12,9 litres/100 km
Échelle de prix:	27 000 $ à 44 000 $

Le retour de la M5

BMW a conçu la série 5 comme la gamme du juste milieu. Ses dimensions sont intéressantes sans être généreuses et elle possède un prestige supérieur à la série 3, mais sans porter ombrage aux modèles de la série 7. Pourtant on a choisi cette famille pour nous proposer la berline la plus sportive au monde.

Les Bavarois n'ont pas raté leur coup en renouvelant leur série intermédiaire en 1989. Ils n'ont cessé de la raffiner et de l'étoffer depuis. Les «5» de BMW sont encore très belles et offrent toujours un habitacle confortable et des contrôles et commandes d'une ergonomie simplement exemplaire. Ce sont ensuite des voitures dont on a grandement amélioré et raffiné le comportement par rapport à la génération précédente. Et les tests les plus rigoureux (entre autres ceux de l'agence allemande TUV) ont prouvé enfin qu'elles offrent une

sécurité passive exceptionnelle, même sans coussin gonflable. Cela dit, elles l'offrent malgré cela en équipement de série au conducteur. Finalement les «série 5» sont performantes et l'agrément de leur conduite est conforme à la réputation de la maison. Même la 525i, propulsée par le même six cylindres de 2,5 litres que la 325i, se tire très honorablement d'affaire. Disons cependant que la chose est un peu moins vraie dans le cas de la nouvelle «familiale sportive» 525i Touring, qui atteint 100 km/h en 10,4 secondes.

Disponible depuis l'an dernier, elle complète toutefois fort bien la série. La métamorphose est évidemment impeccable comme on devait s'y attendre. La Touring a comme première rivale la familiale Mercedes-Benz 300TE, qui est cependant beaucoup plus chère. Notons que le toit ouvrant électronique de la BMW fait presque toute la longueur du plafond et est impressionnant, mais que sa commande est complexe et frustrante au premier abord. On attend, mais l'an prochain seulement, une 530i propulsée par le nouveau

V8 BMW de 3 litres, d'une puissance d'environ 215 chevaux. Il lui permettra d'affronter plus directement les meilleures Japonaises de la catégorie. Quant à la magnifique nouvelle super-berline M5 qui orne ces pages, elle nous arrivera sans doute cette année, probablement sur commande ferme uniquement. Nous avons pu la conduire en Europe. Avec son moteur de 3,8 litres et ses 340 chevaux, elle offre une réplique plus que convaincante à la Mercedes 500E. BMW Motorsport a également allégé sa pédale d'embrayage, corrigeant ainsi le pire défaut de l'impératrice des berlines sportives. Elle a profité de plusieurs autres retouches pertinentes, dont de superbes nouveaux sièges et des jantes magnifiques. Et c'est toujours une voiture fabuleuse et une aubaine, toutes proportions gardées, face à la 500E.

CE QU'IL FAUT SAVOIR

BMW 525I/ 535I/M5

	Pauvre	Passable	Bon	Très bon	Excellent
• Comportement routier					•
• Freinage					•
• Sécurité passive					•
• Visibilité				•	
• Confort				•	
• Volume de chargement			•		

POUR

Moteurs fantastiques
Tenue de route sûre
Freins puissants
Agrément de conduite
Performances uniques (M5)

CONTRE

Manque de couple à bas régime
  (2,5 litres)
Coffre peu profond
Certains bruits de vent
Version Touring mérite un
  moteur plus puissant

Quoi de neuf?

Moteur de la M5 modifié

ASPECT TECHNIQUE

Groupe propulseur:	propulsion
Empattement:	276,1 cm
Longueur:	472,0 cm
Poids:	1 470 kg
Coefficient aérodynamique:	0,31 (coupé)
Moteurs:	6L 2,5 litres, 189 ch. - 6L 3,5 litres, 209 ch. - 6L 3,8 litres, 340 ch. (M5)
Transmission:	
standard:	boîte manuelle 5 rapports
option:	boîte automatique 4 rapports
Suspension avant:	indépendante
arrière:	indépendante
Direction:	à billes, assistée
Freins: avant:	disques ABS
arrière:	disques ABS
Pneus:	P225/60VR15 - P235/45ZR17 (M5)

ASPECT PRATIQUE

Carrosserie:	berline - familiale
Nombre de places:	5
Valeur de revente:	très bonne
Indice de fiabilité:	8,5
Coussin gonflable:	conducteur
Réservoir de carburant:	80 litres - 90 litres (M5)
Capacité du coffre:	16,2 pi^3
Performances:	0-100 km/h: 8,2 s - 7,2 s - 5,9 s
vitesse max.:	206 km/h - 230 km/h - 250 km/h
consommation:	12,3 - 13,7 - 16,9 litres/100 km
Échelle de prix:	50 000 $ à 80 000 $

BMW

735i/740i/740iL/750iL

La douceur du V8

Même si la 750iL avec son fabuleux moteur V12 est une des berlines les plus sophistiquées qui soient, son prix de plus de 100 000 $ la place hors de portée de bien des gens. Pour pouvoir assurer une douceur et des accélérations ayant du punch à un prix modique, un moteur V8 était la solution parfaite.

Cette année, la grande nouvelle dans la Série 7 de BMW est l'arrivée d'un nouveau modèle propulsé par un moteur V8: la 740i/740iL. Ce nouveau modèle vient s'imbriquer entre la 735i et la luxueuse 750iL avec son moteur V12.

Quant au moteur de la 740i, il s'agit d'un V8 4,0 litres développant 286 chevaux. Ce moteur possède en plus du bloc des culasses en aluminium abritant 24 soupapes et deux arbres à cames en tête par rangée de cylindres. L'allumage est effectué par des bougies munies de deux électrodes et ali-

mentées par une bobine individuelle pour chaque cylindre tandis que le système DME de gestion électronique du moteur contrôle plusieurs fonctions plus efficacement et permet une meilleure économie de carburant. Et comme sur certains autres moteurs BMW, le collecteur d'admission est fabriqué en matière composite et peut être recyclé. Quant à la transmission automatique à cinq rapports, elle s'adapte automatiquement au type de conduite du conducteur en plus de pouvoir être programmée de trois façons: économie, sport et hiver.

Sur le plan visuel, la 740 diffère très peu des modèles 735i et 750iL qui continuent à être offerts. Toutefois, les ouvertures de la calandre de la 740i sont légèrement plus larges que sur les autres versions.

Sur la route, le comportement d'ensemble de cette voiture se situe entre celui de la 750iL et celui de la 735iL. Le moteur est pratiquement aussi souple que le V12 de la 750iL tout en proposant presque la même agilité que celui de la 735iL. Mais ce qui frappe le plus, ce sont les performances intéressantes alliées à une grande douceur du moteur. Et les performances de la 740 ne sont pas à dédaigner car il nous a été possible de boucler le 0-100 km/h en 7,4 secondes.

En ce qui concerne les modèles 735i et 750iL, ils nous reviennent virtuellement inchangés si ce n'est la disponibilité de quelques accessoires additionnels ou quelques retouches de détail. Comme la 740i, ces berlines permettent de concilier une conduite agréable avec une voiture dont le côté éminemment pratique est toujours apprécié. De plus, la 750iL se distingue par la douceur de son groupe propulseur qui est puissant certes mais qui se caractérise avant tout par sa souplesse et ses accélérations en douceur. Malgré ce moteur puissant, cette berline reste maniable et son comportement est bien équilibré.

CE QU'IL FAUT SAVOIR

BMW 735I/740I/750IL

	Pauvre	Passable	Bon	Très bon	Excellent
• Comportement routier					•
• Freinage					•
• Sécurité passive					•
• Visibilité				•	
• Confort				•	
• Volume de chargement			•		

POUR

Moteur V8 inspiré
Douceur du V8
Tenue de route superlative
Ergonomie exemplaire
Équipement sophistiqué

CONTRE

Coffre peu profond
Prix élevé
Tangage à haute vitesse
Léger roulis de caisse en virage

Quoi de neuf?

Nouveau V8 4,0 litres
Coussin gonflable côté passager

ASPECT TECHNIQUE

Groupe propulseur:	propulsion
Empattement:	283,3 cm
Longueur:	491,0 cm
Poids:	1 750 kg
Coefficient aérodynamique:	0,33
Moteurs:	6L 3,5 litres, 211 ch. - V8 4,0 litres, 286 ch. - V12 5,0 litres, 300 ch.
Transmission:	
standard:	boîte manuelle 5 rapports
option:	boîte automatique 4 - 5 rapports
Suspension avant:	indépendante
arrière:	indépendante
Direction:	à crémaillère, assistée
Freins: avant:	disques ABS
arrière:	disques ABS
Pneus:	P225/60 ZR 15 (740i)

ASPECT PRATIQUE

Carrosserie:	berline
Nombre de places:	5
Valeur de revente:	très bonne
Indice de fiabilité:	8,5
Coussins gonflables:	conducteur - passager
Réservoir de carburant:	90 litres
Capacité du coffre:	17,6 pi³
Performances:	0-100 km/h: 8,3 s - 7,4 s - 7,2 s
vitesse max.:	220 km/h - 250 km/h
consommation:	15,9 - 16,4 - 18,9 litres/100 km
Échelle de prix:	66 500 $ à 105 000 $

BMW

850i/850Cis

L'engouement s'accroît avec l'usage

La silhouette relativement discrète de ce coupé grand sport, son comportement fort civilisé ainsi que la douceur de son moteur V12 donnent l'impression, à prime abord, d'une voiture sans grande saveur. Toutefois, au fil des kilomètres, elle sait facilement séduire.

De toutes les BMW, la 850 est celle qui possède sans aucun doute le profil le plus discret. D'abord, on est déçu par une certaine mollesse sur le plan visuel. Toutefois, au fil des jours, son élégance et son caractère raffiné nous gagnent à sa cause. Et il ne faut pas non plus oublier que ce coupé est très efficace sur le plan aérodynamique pour une voiture équipée de pneus larges puisque son coefficient de traînée est de 0,29. Détail intéressant, pour une meilleure étanchéité de l'habitacle, les glaces avant s'abaissent de quelques millimètres pour

permettre à la portière de se fermer plus facilement. Par la suite, un dispositif automatique leur fait reprendre leur place. En outre, les rétroviseurs extérieurs ont été spécialement dessinés pour réduire la turbulence éolienne et les bruits qui s'ensuivent.

Mais ce qui caractérise le plus ce coupé grand-tourisme, c'est son moteur V12. Grâce à ses 300 chevaux, ce moteur permet des accélérations et des reprises impressionnantes. Ainsi, le 0-100 km/h se boucle en 6,5 secondes tandis qu'il faut

environ 6 secondes pour réaliser le 80-120 km/h. Quant à la tenue de route, elle est fort rassurante. La stabilité en virage de la 850 est un témoignage de l'efficacité de la suspension arrière comprenant un pont intégral composé d'une suspension à cinq bras à action tridimensionnelle. Les 850i sont également dotées en équipement de série du système ASC qui réduit le couple du moteur et intervient sur les freins pour assurer une bonne traction même si les conditions routières sont peu favorables. Toujours sur le plan de la conduite, la 850i isole les occupants des conditions extérieures tout en procurant un bon *feedback* au conducteur. Stable et lourde, cette voiture demeure imperturbable même lorsque l'indicateur de vitesse affiche les 250 km/h.

Ce coupé ne se laisse pas découvrir au premier essai. Il faut passer quelques jours à son volant pour être graduellement envoûté par son raffinement tant dans l'habitacle que dans ses performances. De plus, cette année, la 850 bénéficie de quelques petites retouches qui la rendent plus pratique et plus intéressante. C'est ainsi que les places arrière sont dotées de dossiers qui peuvent se replier pour favoriser le transport d'objets encombrants.

Plus tard dans l'année, une version plus sportive, la Csi, sera disponible.

CE QU'IL FAUT SAVOIR

BMW 850I

	Pauvre	Passable	Bon	Très bon	Excellent
• Comportement routier					•
• Freinage					•
• Sécurité passive					•
• Visibilité				•	
• Confort				•	
• Volume de chargement			•		

POUR

Silhouette élégante
Boîte manuelle 6 rapports
Tenue de route impeccable
Équipement complet
Moteur V12 ultradoux

CONTRE

Prix élevé
Moteur gourmand
Places arrière inutiles
Certaines commandes
  complexes

Quoi de neuf?

Version plus sportive CSi prévue
Sac pour skis
Dossiers arrière rabattables

ASPECT TECHNIQUE

Groupe propulseur:	propulsion
Empattement:	268,4 cm
Longueur:	478,0 cm
Poids:	1 790 kg
Coefficient aérodynamique:	0,29
Moteur:	V12 5,0 litres, 300 ch.
Transmission:	
standard:	boîte manuelle 6 rapports
option:	boîte automatique 4 rapports
Suspension avant:	indépendante
arrière:	indépendante
Direction:	à billes, assistée
Freins: avant:	disques ABS
arrière:	disques ABS
Pneus:	P235/50 ZR 16

ASPECT PRATIQUE

Carrosserie:	coupé
Nombre de places:	2+2
Valeur de revente:	bonne
Indice de fiabilité:	8,5
Coussin gonflable:	conducteur
Réservoir de carburant:	90 litres
Capacité du coffre:	9 pi^3
Performances:	0-100 km/h: 6,8 s
vitesse max.:	250 km/h
consommation:	16,8 litres/100 km
Échelle de prix:	106 500 $ à 110 000 $

BUICK

Century/ Oldsmobile Ciera

L'attrait de l'expérience

Même si plusieurs modèles plus spectaculaires leur volent la vedette, ces deux voitures continuent de se vendre à un rythme record. Les acheteurs de Century et de Ciera sont plutôt attirés par leur fiabilité et leur côté pratique. Cette philosophie est respectée en 1993.

Ce duo connaît des chiffres de vente intéressants en raison de l'homogénéité du produit et de son prix d'achat abordable. Il ne faut toutefois pas perdre de vue que si la Buick Century et l'Oldsmobile Ciera sont appréciées d'une certaine partie du public, c'est qu'elles proposent une conduite qui est loin d'être désagréable, une bonne habitabilité et une fiabilité qui n'a pas été problématique au cours des récentes années.

Il est vrai qu'on peut reprocher aux versions animées par le moteur 2,2 litres de manquer de punch, mais celles équipées du V6 3,3 litres sont en mesure de nous offrir un bel équilibre entre les accélérations et la consommation de carburant. En outre, il est fortement recommandé d'opter pour la boîte automatique surmultipliée. L'économie de carburant est meilleure et l'agrément de conduite est relevé d'un cran. Précisons que pour 1993, le moteur 2,5 litres utilisé précédemment est remplacé par le 2,2 litres de conception plus moderne et plus économique en carburant qui offre la même puissance et est égale-

ment réputé pour être plus fiable.

Si ces voitures offrent de belles qualités sur le plan de l'habitabilité, de l'économie à l'achat et d'un équipement standard relevé, il faut déplorer la présence de tableaux de bord dont la conception est vieillotte et l'ergonomie inexistante ou presque. De plus, le châssis est surtout mis au point en fonction de la grande route et ces voitures sont beaucoup moins à l'aise sur des routes tortueuses, tout spécialement avec la suspension standard. Malgré tout, elles se débrouillent honnêtement mais il faut oublier la conduite sportive. D'ailleurs, sur la plupart des modèles, des options à consonance sportive tels le groupe d'instruments rallye et les sièges baquets sport ne font plus partie de la liste de l'équipement disponible.

Si vous recherchez une familiale d'une certaine grosseur, la Cutlass Cruiser S de même que la Century Limited sont des choix intéressants. Ces deux versions offrent une bonne habitabilité, une silhouette qui est encore moderne et un comportement routier plus qu'adéquat. En outre, le moteur V6 3,3 litres se tire bien d'affaires avec ses 160 chevaux et son couple adéquat à bas régime.

En conclusion, ces deux modèles sont en mesure de bien se défendre.

CE QU'IL FAUT SAVOIR

CENTURY

	Pauvre	Passable	Bon	Très bon	Excellent
• Comportement routier			•		
• Freinage			•		
• Sécurité passive			•		
• Visibilité			•		
• Confort			•		
• Volume de chargement				•	

POUR

Équipement complet
Fiabilité assurée
Bonne routière
Moteur V6 3,3 litres
Dimensions intéressantes

CONTRE

Roulis en virage
Moteur 2,2 litres bruyant
Silhouette vieillotte
Direction surassistée
Modèle en sursis

Quoi de neuf?

Moteur 2,2 litres standard
Réservoir de carburant plus gros
Coussin de sécurité disponible

ASPECT TECHNIQUE

Groupe propulseur:	traction
Empattement:	266,4 cm
Longueur:	483,4 cm
Poids:	1 275 kg
Coefficient aérodynamique:	0,38
Moteurs:	4L 2,2 litres, 110 ch. - V6 3,3 litres, 160 ch.
Transmission:	
standard:	boîte automatique 3 rapports
option:	boîte automatique 4 rapports
Suspension avant:	indépendante
arrière:	semi-indépendante
Direction:	à crémaillère
Freins: avant:	disques
arrière:	tambours
Pneus:	P185/75R14

ASPECT PRATIQUE

Carrosserie:	berline - coupé - familiale
Nombre de places:	5
Valeur de revente:	bonne
Indice de fiabilité:	8,5
Coussin gonflable:	conducteur
Réservoir de carburant:	65 litres
Capacité du coffre:	15,8 pi³ (berline)
Performances:	0-100 km/h: 10,3 s (V6)
vitesse max:	185 km/h
consommation:	9,9 litres/100 km (2,2 litres)
Échelle de prix:	18 000 $ à 21 000 $

BUICK

Le Sabre/Pontiac Bonneville/Oldsmobile 88

Un bon rapport qualité/prix

L'an dernier, General Motors a dévoilé trois nouveaux modèles destinés à remplacer sa gamme d'intermédiaires qui avaient pris de l'âge. Même si on a conservé les mêmes plates-formes, ces nouvelles venues ont agréablement surpris par leur équilibre et leur homogénéité.

Comme vous pourrez le constater à la lecture de ce texte, ces trois voitures ont plusieurs points en commun même si elles diffèrent également à plusieurs chapitres. Par exemple, elles sont toutes trois propulsées par le même moteur V6 de 3,8 litres développant 170 chevaux. Ce moteur a évolué chez Buick au cours des années et il a été sérieusement révisé il y a quelques années alors que non seulement sa puissance était portée à 170 chevaux, mais sa mécanique interne modifiée afin d'assurer une meilleure fiabilité et une plus grande longévité. Cette année encore, ce moteur est l'objet de nombreuses retouches internes tandis que son couple est augmenté et sa consommation de carburant diminuée. Ajoutons que Pontiac offre sur la SSEI une version à compresseur de ce même moteur; la puissance disponible est de 205 chevaux.

Côté boîte automatique, la seule disponible est la nouvelle boîte Turbo-Hydramatic qui a été dévoilée au cours de 1991. Il s'agit d'une version largement améliorée de l'ancienne boîte à quatre rapports qui a connu sa part de problèmes dans le passé. Cette fois-ci, il semble qu'on a vraiment réussi à produire une boîte efficace et fiable. Cette version est à commande électronique pour assurer une efficacité optimale et des passages de vitesses plus doux.

Comme il fallait s'y attendre, ce trio partage également les mêmes éléments de suspension. À l'avant, on retrouve des jambes de force de type MacPherson reliées à un bras triangulaire inférieur. À l'arrière, ce sont encore des jambes de force qui sont utilisées. À souligner que les ressorts hélicoïdaux à l'avant comme à l'arrière sont à flexion variable.

Quant aux freins, on retrouve des disques à l'avant et des tambours à l'arrière. Encore une fois, cette décision surprend à une époque où de plus en plus de manufacturiers offrent des freins à disques aux quatre roues. Selon les ingénieurs de GM, les freins à disques aux roues arrière n'améliorent pas le freinage et les tambours sont adéquats. Ils ont peut être raison mais cela peut nuire à la mise en marché face à une concurrence offrant quatre freins à disques.

PONTIAC BONNEVILLE

Par le passé, les stylistes de Pontiac nous ont habitués à des voitures qui avaient du punch sur le plan visuel. La nouvelle Bonneville poursuit cette tradition esthétique en étant à la fois différente des modèles des autres divisions et plus audacieuse dans sa présentation.

À l'avant, elle se démarque par un pare-chocs stylisé surplombé d'une calandre ovale très mince. Cette calandre est encadrée par des phares étroits et allongés de formes aérodynamiques se prolongeant dans les ailes. La silhouette arrière est encore plus raffinée alors que la custode est pratiquement éliminée en raison d'un pilier «C» très fin qui n'est pas sans rappeler celui de la BMW 535i. Mais ce qui contribue le plus à accentuer le caractère de cette Pontiac, ce sont les feux arrière ovoïdes de bonnes dimensions qui permettent à coup sûr de distinguer cette voiture. Tous les modèles offerts proposent donc un bon équilibre sur le plan visuel et leurs formes élégantes sont plaisantes. Toutefois, la version SSEi a un *look* à part grâce à de nombreux artifices aérodynamiques de bas de caisse. Comme Pontiac ne dévoile pas le coefficient de traînée de cette voiture, il est impossible de savoir si ces ajouts sont efficaces. De plus, cette version est beaucoup trop chargée

sur le plan visuel et le résultat peut être assez catastrophique compte tenu de la couleur de la carrosserie.

Si l'extérieur a été revu de façon positive, il en est de même pour l'habitacle. Les sièges sont confortables et le tableau de bord est non seulement agréable à l'œil, mais de consultation facile. Il s'agit en fait d'une évolution de la version précédente. Les cadrans sont de bonnes dimensions et leur positionnement adéquat. En outre, la plupart des commandes sont à portée de la main. Les sièges sont relativement confortables et les places arrière spacieuses. Toutefois, la position de conduite est handicapée par une colonne de direction anormalement longue. Le volant réglable ne peut pas toujours compenser pour cette anomalie et certains conducteurs auront de la difficulté à trouver une bonne position de conduite. Malgré ce détail, l'habitacle est confortable et accueillant tout en possédant une personnalité bien à part.

Le silence de roulement est impressionnant en raison d'une carrosserie très rigide qui ne laisse place à aucun bruit de caisse. Cela donne une assise très solide des éléments de la suspension qui absorbent les trous et les bosses en douceur. De plus, en virage, cette berline aux dimensions quand même passablement généreuses est d'une bonne neutralité tout en affichant un certain roulis de caisse. Dans l'ensem-

ble, le comportement routier est sain et homogène. Il faut cependant déplorer une direction un peu trop floue dont le rayon de braquage est vraiment décevant. La Bonneville n'est certainement pas l'auto idéale pour se faufiler dans les espaces de stationnement du premier coup et il faut adapter sa conduite à cette caractéristique. Une chose est certaine, Pontiac devrait s'inspirer de Volvo dont les voitures possèdent un rayon de braquage phénoménal.

Dans l'ensemble, la Pontiac Bonneville est une bonne routière dont la tenue de route est homogène tandis que son prix alléchant, sa longue liste d'options et son habitabilité sont autant d'arguments en sa faveur.

BUICK LESABRE

La Buick LeSabre a connu sa part de publicité au cours des dernières années alors qu'elle était nommée la meilleure voiture nord-américaine pour la satisfaction des clients selon les sondages de la firme J.D. Powers. En fait, la LeSabre est devenue une inspiration chez Buick et a montré la voie aux autres divisions. Toutefois, malgré cette enviable réputation, elle avait de plus en plus de difficulté à se faire justice sur un marché encombré et secoué par la récession.

Bien qu'élégante, cette Buick a le défaut de trop ressembler à la Park Avenue. En plus, du côté de l'habitacle, la similitude se poursuit alors que les stylistes ont encore opté pour le tableau de bord rectangulaire sur lequel cadrans et commandes sont essaimés. Si l'ergonomie semble en prendre un coup de prime abord, on se rend rapidement compte que la plupart des commandes sont à portée de la main et leur fonctionnement relativement facile. Comme sur la Park Avenue, le passager peut contrôler la climatisation par l'intermédiaire de commandes placées dans la portière. Enfin, comme sur plusieurs voitures de luxe, un haut-parleur est incorporé dans la partie supérieure de la portière.

Le volant très dépouillé doté d'un coussin gonflable en son moyeu ainsi que le siège 55/45 offrant peu de support latéral sont des indices que cette voiture est avant tout dessinée pour répondre aux attentes du conducteur qui privilégie le luxe et la douceur de roulement aux performances. Malgré cette vocation fortement bourgeoise, la Buick LeSabre offre un comportement routier passablement homogène. La suspension standard DynaRide propose une certaine mollesse un peu guimauve qui a presque toujours été associée aux Buick. Toutefois, cette suspension permet quand même une conduite rapide et agressive. Il y a un roulis de caisse, mais les roues assurent une bonne adhérence et la voiture est passablement neutre en virage. Quant à la direction, elle est un peu trop démultipliée, mais intéressante dans l'ensemble. Somme toute, la Buick LeSabre est une voiture élégante et spacieuse qui propose en même temps une tenue de route saine et un moteur dont les performances sont bien adaptées.

OLDSMOBILE 88 ROYALE

Contrairement à la Buick LeSabre qui ressemble à sa grande sœur la Park Avenue, la carrosserie de la nouvelle 88 Royale ne s'inspire pas de la Ninety Eight et c'est tant mieux à notre avis. La Ninety Eight est une grosse berline de luxe qui est très intéressante par son équilibre, son confort et son comportement routier; toutefois, sa partie arrière est trop lourde. La nouvelle 88 Royale s'inspire en bonne partie de l'avant de la Ninety Eight, mais possède un arrière-train totalement différent et nettement plus intéressant.

En fait, la 88 Royale est l'une des voitures les mieux réussies sur le plan esthétique du côté des Nord-Américaines. Et elle ne se débrouille pas trop mal du côté de l'aérodynamique puisque son coefficient de traînée est de 0,31. Ce qui est un peu mieux que celui de la LeSabre qui propose un Cx de 0,32.

L'habitacle est également équilibré. Le tableau de bord est plus dynamique que celui de la LeSabre mais moins que celui de la Bonneville. Mais, comme c'est matière de goût, libre à vous de différer d'opinion. Malheureusement, les commandes mal conçues et inutilement complexes de la climatisation et de la radio vont certainement en irriter plusieurs.

Sur la route, la 88 propose un comportement homogène, prévisible et agréable. La suspension standard est relativement ferme et procure une sensation de conduite plus précise. La direction nous a semblé un peu moins assistée, ce qui est apprécié. Et il faut souligner que la suspension sportive offerte par Oldsmobile sur la 88 Royale permet d'en faire une traction dotée d'une tenue de route vraiment intéressante.

Bref, cette Oldsmobile est fort réussie aussi bien sur le plan de la conduite que de la présentation d'ensemble.

CE QU'IL FAUT SAVOIR

BUICK LE SABRE

	Pauvre	Passable	Bon	Très bon	Excellent
• Comportement routier				•	
• Freinage			•		
• Sécurité passive				•	
• Visibilité				•	
• Confort			•		
• Volume de chargement				•	

POUR

Silhouette agréable
Moteur bien adapté
Bonne tenue de route
Habitabilité intéressante
Silence de roulement

CONTRE

Tableau de bord quelconque
Roulis en virage
Certaines commandes mal placées
Suspension Dynaride trop souple

Quoi de neuf?

Moteur V6 3 800 révisé
Contrôle de traction disponible sur certains modèles

ASPECT TECHNIQUE

Groupe propulseur:	traction
Empattement:	281,4 cm
Longueur:	508 cm
Poids:	1 550 kg
Coefficient aérodynamique:	0,32
Moteur:	V6 3,8 litres, 175 ch.
Transmission:	
standard:	boîte automatique 4 rapports
option:	aucune
Suspension avant:	indépendante
arrière:	indépendante
Direction:	à crémaillère
Freins: avant:	disques ABS
arrière:	tambours ABS
Pneus:	P205/70R15

ASPECT PRATIQUE

Carrosserie:	berline
Nombre de places:	5 - 6
Valeur de revente:	bonne
Indice de fiabilité:	8,5
Coussin gonflable:	conducteur
Réservoir de carburant:	68 litres
Capacité du coffre:	17,5 pi^3
Performances:	0-100 km/h: 10,3 s
vitesse max.:	190 km/h
consommation:	13,6 litres/100 km
Échelle de prix:	24 000 $ à 27 000 $

BUICK

Park Avenue/Oldsmobile Ninety Eight

Les patriciennes se raffinent

Les Park Avenue et Ninety Eight occupent toujours le sommet des gammes Buick et Oldsmobile en matière de luxe et d'habitabilité. On leur a confié la mission de perpétuer la tradition du luxe à l'américaine pour ces deux marques. Est-ce assez pour survivre sur le marché actuel?

Les noms Park Avenue et Ninety Eight ont une longue histoire derrière eux chez Buick et Oldsmobile. Ils ont toujours été associés à des voitures longues et lourdes, puissantes et luxueuses, mais tout de même moins que les cousines de chez Cadillac. Cela est encore vrai pour les modèles actuels bien que sous cette forme, les séries Park Avenue et Ninety Eight n'en soient qu'à leur troisième année. Comme la quasi-totalité des Cadillac, les grandes Buick et Oldsmobile brandissent fièrement la bannière de la tradition, mais ce sont

néanmoins de grandes tractions avant qui ont recours aux techniques les plus modernes. Leur application est cependant toujours subordonnée à une allure, à un style qui ne doit pas choquer la clientèle traditionnelle. À l'extérieur, c'est tout à fait réussi; les grandes Buick et Oldsmobile sont toujours parmi les berlines les plus attrayantes que l'on puisse trouver, toutes catégories confondues, bien que la Ninety Eight ait de petits airs futuristes avec ses puits de roues partiellement masqués à l'arrière. De toute manière, dans un cas

comme dans l'autre, c'est à l'intérieur que ça se gâte. Non pas pour des questions de volume ou de confort puisque les deux sont très agréables. Les places arrière sont très accueillantes et les sièges sont très convenables, malgré le fait que le tissu simili-velours de certaines finitions pourra rebuter une partie de la clientèle dans cette catégorie. Les Park Avenue et Ninety Eight ont plutôt des problèmes de présentation et d'exécution au chapitre des instruments et du tableau de bord. Ce qui est très acceptable dans l'absolu le devient beaucoup moins lorsque l'on considère les rivales que ces voitures doivent maintenant affronter: Acura, Infiniti, Lexus.

Buick et Oldsmobile ont fait des efforts encore cette année mais il faudra sans doute attendre la prochaine génération

pour avoir droit à des intérieurs de qualité égale à ceux des nouvelles Cadillac Seville. Entre-temps, les Park Avenue et Ninety Eight continuent d'offrir beaucoup pour leur prix, même dans leurs versions Ultra et Touring Sedan. Dans un segment aussi coupe-gorge, où les baby-boomers se pointent en nombre grandissant, il leur faudra un style impeccable. Et à quand le coussin gonflable pour le passager? Ce n'est plus un luxe, avec la venue au printemps 1993 d'une rivale aussi redoutable que la nouvelle Chrysler New Yorker de série LH.

CE QU'IL FAUT SAVOIR

BUICK PARK AVENUE

	Pauvre	Passable	Bon	Très bon	Excellent
• Comportement routier				•	
• Freinage			•		
• Sécurité passive				•	
• Visibilité				•	
• Confort				•	
• Volume de chargement					•

POUR

Bons groupes propulseurs
Comportement routier sûr
Grande habitabilité
Versions Ultra et Touring Sedan
Roulement doux et silencieux
Silhouettes réussies

CONTRE

Suspension de base trop souple
Freins arrière à tambour
Rangement déficient à l'intérieur
Certaines finitions intérieures kitsch
Faible maintien latéral des sièges

Quoi de neuf?

Instruments et volant redessinés (Buick)
Suspension autonivelante (Buick)
Raffinement accru du moteur V6 3800

ASPECT TECHNIQUE

Groupe propulseur:	traction
Empattement:	281,2 cm
Longueur:	521,2 cm
Poids:	1 604 kg
Coefficient aérodynamique:	0,31
Moteurs:	V6, 3,8 litres, 170 ch. - V6 3,8 litres, compressé, 205 ch.
Transmission:	
standard:	boîte automatique 4 rapports
option:	aucune
Suspension avant:	indépendante
arrière:	indépendante
Direction:	à crémaillère, assistée
Freins: avant:	disques ABS
arrière:	tambours ABS
Pneus:	205/70 R15 (option: 215/60 R16)

ASPECT PRATIQUE

Carrosserie:	berline
Nombre de places:	5, 6
Valeur de revente:	bonne
Indice de fiabilité:	8
Coussin gonflable:	conducteur
Réservoir de carburant:	68 litres
Capacité du coffre:	20,3 pi^3
Performances:	0-100 km/h: 9,2 s (compresseur)
vitesse max:	195 km/h
consommation:	13,4 litres/100 km
Échelle de prix:	30 000 $ à 36 000 $

Regal / Chevrolet Lumina

Honnêtes, mais est-ce suffisant?

On insiste beaucoup, chez Buick et Chevrolet, sur le fait que les Regal et Lumina représentent la quintessence de la voiture «familiale» type. Or, Ford en a transformé le profil durant les années 80 et Chrysler cette année avec les LH. Entre-temps, les Lumina et Regal n'ont jamais même dérangé la Taurus. Inquiétant?

Les séries Regal et Lumina ont beaucoup en commun. Elles sont d'abord toutes deux tirées de la plate-forme intermédiaire W ou GM10. Ce sont ensuite les plus populaires des quatre (les autres sont la Grand Prix de Pontiac et l'Oldsmobile Cutlass Supreme) dans tous les sens de ce mot. Et enfin, ces deux modèles sont construits dans les usines d'Oshawa en Ontario. Ces usines se sont distinguées l'an dernier pour la qualité de leur travail, s'il faut en croire une étude de l'omniprésente firme de sondage J.D. Power & Associates. La

Buick Regal, de plus, s'est retrouvée 7e à un autre classement établi par cette firme et axé sur la fiabilité. Elle s'y trouve derrière des Infiniti, Lexus, Toyota et aussi la Cutlass Ciera d'Oldsmobile, classée 4e et fabriquée à l'époque chez nous, à l'usine de Boisbriand.

Les Regal et Lumina se sont maintenues sur le marché durant le premier semestre de l'année 1992. Ce sont des voitures honnêtes, spacieuses, dont le comportement routier est très acceptable. Et elles sont populaires auprès des acheteurs des parcs

automobiles. Depuis leurs débuts en 1988 (la Regal fut la première GM10 à être lancée), elles ont toujours affiché une solidité de caisse d'excellent niveau. Elles ont finalement pu profiter pleinement l'an dernier de leurs quatre freins à disques avec la venue du freinage antibloquant ABS VI. Le système est maintenant offert de série sur toutes les Regal et sur les Lumina Euro et Z34. Il est toujours optionnel sur les autres Lumina.

Mais tout n'est pas parfait pour autant au royaume de Regal et Lumina. Depuis

1988, elles sont affligées des pires tableaux de bord de l'industrie automobile. Et de cela, rien ne change en 1993. Et elles n'offrent toujours aucun coussin gonflable, alors que la plupart de leurs rivales en possèdent un, que les Taurus et Sable peuvent en recevoir deux et que les LH de Chrysler s'apprêtent à faire une razzia avec une paire de coussins gonflables en équipement de série. La Regal, durant ce temps, a droit entre autres au moteur V6 3800 «optimisé» en option et la Lumina à un nouveau quatre cylindres (!) de base de 2,2 litres et 110 chevaux. Autant dire que l'on jette des sacs de sable devant un raz-de-marée. À quand des intermédiaires à la fine pointe de la technique moderne GM ? Poser la question, c'est hélas y répondre. Bonne chance tout de même aux travailleurs d'Oshawa.

CE QU'IL FAUT SAVOIR

BUICK REGAL

	Pauvre	Passable	Bon	Très bon	Excellent
• Comportement routier				•	
• Freinage				•	
• Sécurité passive		•			
• Visibilité				•	
• Confort				•	
• Volume de chargement			•		

POUR

Nouveaux sièges «orthopédiques»
Silhouette élégante
Moteur 3,4 DACT (Lumina)
Intérieurs spacieux
Construction et finition soignées
Fiabilité en hausse

CONTRE

Tableau de bord impossible
Rangement insuffisant
Aucun coussin gonflable
Ceintures avant désagréables
Ergonomie déficiente (Lumina)
Sièges peu accueillants (Lumina)

Quoi de neuf?

Nouveau moteur de base (Lumina)
Lumina adaptée au méthanol disponible
Boîte automatique électronique standard (Regal)

ASPECT TECHNIQUE

Groupe propulseur:	traction
Empattement:	273 cm
Longueur:	492,5 cm - 491,7 cm - 503,7 cm (Lumina)
Poids:	1515 kg / 1474,2 kg
Coefficient aérodynamique:	0,30 - 0,31 (Lumina)
Moteurs:	V6 3,1 litres, 140 ch. (opt. V6 3,8 litres, 170 ch.) (Lum: 4L 2,2 litres - V6 3,1 litres - 3,4 litres, 210 ch.)
Transmission:	
standard:	automatique 4 rapports (Lumina: 3 rap.)
option:	aucune (Lum: autom. 4 rap. - man. 5 rap.)
Suspension avant:	indépendante
arrière:	indépendante
Direction:	à crémaillère, assistée
Freins: avant:	disques (ABS option)
arrière:	disques (ABS option)
Pneus:	205/70 R 15 (225/60R16 option)

ASPECT PRATIQUE

Carrosserie:	berline, coupé
Nombre de places:	4,5
Valeur de revente:	bonne
Indice de fiabilité:	8
Coussin gonflable:	non
Réservoir de carburant:	62,4 litres - 64,7 litres (Lumina 4L)
Capacité du coffre:	15,8 pi^3 - 15,6 pi^3 (coupé)
Performance:	0-100 km/h: 9,8 s
vitesse max:	210 km/h
consommation:	14,3 litres/100 km
Échelle de prix:	19 000 $ à 25 000 $

Caprice/Buick Roadmaster

Si le rétro vous intéresse

Autant la Chevrolet Caprice que la Buick Roadmaster sont des voitures dont le style et les dimensions nous ramènent à une époque où les Nord-Américains confondaient généralement qualité et dimensions. Ce duo tente de faire revivre le passé tout en utilisant des éléments plus modernes.

De nos jours, il est difficile de croire que des voitures comme la Roadmaster et la Chevrolet Caprice ont déjà été considérées comme étant de dimensions normales. Pourtant, c'était le cas à la «belle époque». De nos jours, elles s'adressent aux nostalgiques et à ceux qui ont besoin d'un habitacle plus que spacieux même s'il leur faut s'habituer à une caisse monstrueuse ou presque.

On a voulu faire de la Buick Roadmaster la réplique d'un modèle légendaire chez Buick. Mais c'est tout au plus une version

plus élégante de la Chevrolet Caprice. Elle propose les mêmes dimensions gargantuesques et partage les mêmes organes mécaniques. Toutefois, les stylistes ont eu le coup de crayon plus heureux dans son cas. Quant à la Caprice, elle a droit à une modification de sa silhouette alors qu'on a réduit la partie arrière afin de la rendre moins grotesque. C'est nettement plus élégant. Mais le fait demeure que cette voiture présente l'une des apparences les plus farfelues de toute l'industrie.

Pour animer ces mastodontes, on fait appel à des moteurs V8 de grosse cylindrée, cela va de soi. Le moteur standard est le traditionnel V8 5,0 litres de 170 chevaux couplé à une boîte automatique à quatre rapports. Toutefois, il est possible de commander en option le V8 5,7 litres qui propose seulement 10 chevaux additionnels mais dont le couple est supérieur. C'est le moteur à commander sur la version familiale.

Malgré leur suspension arrière «classique» avec ses ressorts à lames, ces deux voitures possèdent une tenue en virage fort suprenante. Il y a beaucoup de roulis de caisse, mais la voiture demeure assez neutre. La direction surassistée et peu précise rend la conduite plus difficile sur route sinueuse. Ces voitures sont nettement plus à l'aise sur les autoroutes et les grands boulevards.

Vestige des années cinquante, la Roadmaster, tout comme la Chevrolet Caprice, répond aux attentes des amateurs de grosses voitures et de ceux qui ont besoin de transporter six personnes dans un confort supérieur à la moyenne. Elles répondent à ces attentes tout en proposant un comportement routier honnête mais assez peu enthousiasmant. Quant à la silhouette de la Caprice Classic, libre à vous d'interpréter les objectifs de l'équipe de stylistes et leur acuité visuelle.

CE QU'IL FAUT SAVOIR

CAPRICE CLASSIC

	Pauvre	Passable	Bon	Très bon	Excellent
• Comportement routier			•		
• Freinage				•	
• Sécurité passive				•	
• Visibilité			•		
• Confort				•	
• Volume de chargement					•

POUR

Familiale logeable
Habitacle confortable
Tenue de route adéquate
Choix de moteurs
Silhouette révisée (Caprice)

CONTRE

Dimensions encombrantes
Roulis en virage
Consommation élevée
Silhouette controversée
 (Caprice)
Tableau de bord rétro

Quoi de neuf?

Révision esthétique: Caprice

ASPECT TECHNIQUE

Groupe propulseur: propulsion
Empattement: 295 cm
Longueur: 544 cm
Poids: 1 800 kg
Coefficient aérodynamique: 0,32
Moteurs: V8 5,0 litres, 170 ch. - V8 5,7 litres, 180 ch.
Transmission:
 standard: boîte automatique 4 rapports
 option: aucune
Suspension avant: indépendante
 arrière: essieu rigide
Direction: à engrenage interne
Freins: avant: disques ABS
 arrière: tambours ABS
Pneus: P205/75R15

ASPECT PRATIQUE

Carrosserie: berline - familiale
Nombre de places: 6 - 8
Valeur de revente: moyenne
Indice de fiabilité: 8,5
Coussin gonflable: conducteur
Réservoir de carburant: 70 litres
Capacité du coffre: 20,4 pi^3
Performances: 0-100 km/h: 10,8 s
 vitesse max.: 185 km/h
 consommation: 13,7 litres/100 km
Échelle de prix: 21 000 $ à 26 000 $

BUICK

Riviera

Un destin nébuleux

L'image est cruelle pour une voiture qui porte un nom aussi riche dans l'histoire de l'automobile américaine, mais le coupé Buick Riviera est comme une feuille morte. Malgré son originalité, ou peut-être à cause d'elle, il décrit une longue spirale vers le bas pendant que Buick s'interroge sur son sort ultime. Dommage.

La première Buick Riviera est apparue en 1963, connaissant immédiatement un succès monstre autant auprès du public que des critiques. Trente ans plus tard, ce modèle est devenu un véritable classique, une voiture digne des meilleures collections et un jalon important dans l'histoire de l'automobile nord-américaine. Il est donc d'autant plus regrettable que la voiture qui porte ce nom en 1993 soit devenue à peu près invisible. Lancée en 1986, la Riviera actuelle a connu depuis une réussite commerciale plus que

mitigée. Cette année, elle perd sa presque jumelle, la Toronado, qu'Oldsmobile a retirée du marché. Il est plus que vraisemblable que la Riviera tire aussi sa révérence l'an prochain. Ni Buick ni Oldsmobile n'a officiellement annoncé de suite à ces deux modèles. Des photos-espions ont montré un prototype au profil intéressant, qu'on a identifié malgré son camouflage comme une possible remplaçante pour la Toronado. Or, cette voiture avait l'allure et les proportions de la Cadillac Seville actuelle. Il s'agit donc d'une berline, et ni la

Riviera ni la Toronado n'a jamais offert plus de deux portières. Il semble que le sort de ce prototype soit encore incertain. Ce qui ne l'est pas du tout est le fait que le nom Riviera mérite mieux que de végéter ainsi. Buick a réussi à relancer les ventes de ce modèle en allongeant sa partie arrière de 30 cm pour l'année 1989. Elles avaient presque doublé durant l'année suivante. Le coffre gagna au moins une bonne part de volume dans ce retour au passé. L'année suivante, Buick abandonnait l'écran cathodique futuriste qui permettait de contrôler aussi bien la climatisation que la chaîne stéréo. Il faut dire que cela demandait beaucoup trop d'attention au conducteur pour être parfaitement sûr. Ironiquement, les Japonais raffolent de tels gadgets mais pour l'Amérique, cet écran arrivait trop tôt. Quoi qu'il en soit, la Riviera aborde 1993 avec de menus changements. Elle profite surtout des raffinements apportés chez GM à l'excellent V6 de type 3800. Cette année encore, la Riviera la plus intéressante possède l'option Gran Touring, qui améliore nettement la tenue de route et la sécurité sans entamer le confort. Pour le reste, espérons que Buick appose un jour le nom Riviera à une voiture qui en soit digne. Exemple: une Riviera avec une version du V8 Northstar de 295 chevaux...

CE QU'IL FAUT SAVOIR

BUICK RIVIERA

	Pauvre	Passable	Bon	Très bon	Excellent
• Comportement routier				•	
• Freinage				•	
• Sécurité passive				•	
• Visibilité			•		
• Confort				•	
• Volume de chargement			•		

POUR

Moteur souple et doux
Excellente boîte automatique
Comportement routier solide
Option Gran Touring à conseiller
Confort de roulement
Équipement complet

CONTRE

Mauvaise visibilité de 3/4 arrière
Esthétique en recul
Direction lente
Faible garde au toit à l'arrière
Série en fin de carrière
Tableau de bord trop chargé

Quoi de neuf?

Nouvelle couleur «cerise de France»...
Nouvelle mini-pompe à lave-glace...
Roues d'alliage de 16 pouces (optionnelles)

ASPECT TECHNIQUE

Groupe propulseur:	traction
Empattement:	274,3 cm
Longueur:	503,4 cm
Poids:	1 589,4 kg
Coefficient aérodynamique:	0,33
Moteurs:	V6, 3,8 litres, 170 ch. à 4 800 tr/min
Transmission:	
standard:	boîte automatique 4 rapports
option:	aucune
Suspension avant:	indépendante
arrière:	indépendante
Direction:	à crémaillère, assistée
Freins: avant:	disques ABS
arrière:	disques ABS
Pneus:	205/70R15 (Gran Touring: 215/60R16)

ASPECT PRATIQUE

Carrosserie:	coupé
Nombre de places:	5
Valeur de revente:	moyenne
Indice de fiabilité:	7,5
Coussin gonflable:	conducteur
Réservoir de carburant:	71,16 litres
Capacité du coffre:	14,4 pi^3
Performances:	0 - 100 km/h: 9,0 s
vitesse max:	185 km/h
consommation:	12,4 litres / 100 km
Échelle de prix:	30 000 $ à 33 000 $

Allanté

Un moteur plus musclé

La marque Cadillac a le vent dans les voiles. Les nouvelles Eldorado et Seville ont contribué énormément à rehausser le prestige de cette division qui en avait besoin. Voilà maintenant que l'Allanté bénéficie du nouveau moteur Northstar qui vient parachever le développement de ce cabriolet.

Cela semble être devenu une tradition chez General Motors que de lancer un nouveau modèle de voiture pour ensuite le raffiner au fil des années. Malheureusement, il en résulte que la voiture en question souffre d'une réputation plus ou moins flatteuse. C'est le cas de l'Allanté dont on termine enfin la mise au point plus de cinq années après son lancement. Après plusieurs modifications au châssis et à la suspension, voilà que ce cabriolet possède enfin un moteur digne de cette catégorie. En effet, le nouveau moteur V8 4,6 litres Northstar de 295 chevaux assure à cette voiture une certaine exclusivité sur le plan mécanique ainsi que des prestations de calibre supérieur.

Avec ce nouveau moteur 32 soupapes sous son capot, l'Allanté met à bon usage sa suspension RSS vraiment unique qui réagit automatiquement aux variations de la surface de la route. Avec ce système et sa suspension arrière à bras courts et longs, cette Cadillac propose une tenue de route vraiment intéressante. La voiture est non seulement stable et neutre en virage, mais elle ne se laisse pas déporter par les imperfections du pavé. Ajoutez à cela un système de contrôle automatique de traction et vous avez l'une des voitures les plus sophistiquées non seulement du point de vue technique mais également au chapitre du comportement routier. Cette sophistication se reflète également dans la nouvelle boîte de vitesses automatique à quatre rapports 4T80-E qui est non seulement à commande électronique, mais qui sait fort bien s'accommoder de la puissance de ce nouveau moteur.

Au fil des années, cette Cadillac est devenue une voiture nettement plus intéressante tant sur le plan de l'agrément de conduite qu'au chapitre des performances. Ces améliorations se retrouvent également en ce qui concerne la qualité d'assemblage.

Par le passé, cette voiture a été ennuyée par une foule de petits inconvénients mineurs qui n'ont pas leur place sur une voiture de ce prix. En plus de renforcer la caisse et d'améliorer la finition, on a remplacé plusieurs éléments par d'autres plus fiables et plus robustes. Malgré tout, l'Allanté doit faire face à de nombreux préjugés de la part des acheteurs. Pourtant, cette voiture est vraiment transformée. À titre d'exemple, le toit souple est fabriqué d'un tissu plus résistant et on en a sérieusement révisé le mécanisme de fermeture. Bref, l'Allanté est comme le bon vin, elle s'améliore avec l'âge.

CE QU'IL FAUT SAVOIR

CADILLAC ALLANTÉ

	Pauvre	Passable	Bon	Très bon	Excellent
• Comportement routier					•
• Freinage				•	
• Sécurité passive					•
• Visibilité			•		
• Confort				•	
• Volume de chargement		•			

POUR

Nouveau moteur
Suspension sophistiquée
Tenue de route
Fiabilité en progrès
Toit souple révisé

CONTRE

Certains bruits aérodynamiques
Faible diffusion
Valeur de revente faible
Certaines commandes à revoir
Prix élevé

Quoi de neuf?

Nouveau moteur Northstar
Suspension électronique
Nouvelle boîte automatique

ASPECT TECHNIQUE

Groupe propulseur:	traction
Empattement:	252,5 cm
Longueur:	453,9 cm
Poids:	1 625 kg
Coefficient aérodynamique:	0,35
Moteur:	V8 4,6 litres, 295 ch.
Transmission:	
standard:	boîte automatique 4 rapports
option:	aucune
Suspension avant:	indépendante
arrière:	indépendante
Direction:	à crémaillère
Freins: avant:	disques ABS
arrière:	disques ABS
Pneus:	P255/55R16

ASPECT PRATIQUE

Carrosserie:	cabriolet
Nombre de places:	2
Valeur de revente:	faible
Indice de fiabilité:	7,5
Coussin gonflable:	conducteur
Réservoir de carburant:	83 litres
Capacité du coffre:	16,25 pi^3
Performances:	0-100 km/h: 7,5 s
vitesse max:	235 km/h
consommation:	16,3 litres/100 km
Échelle de prix:	72 000 $ à 85 000 $

CADILLAC

Eldorado/Seville

La puissance du Northstar

Ces deux voitures ont connu une entrée en scène pour le moins spectaculaire l'an dernier alors qu'elles se sont attiré des louanges aussi bien des spécialistes que des consommateurs. L'arrivée du moteur Northstar avec ses 295 chevaux vient parachever le travail sur les STS et TC.

Ces deux voitures nous avaient passablement épatés l'an dernier et nous n'avons pas modifié notre jugement. Toutefois, une fois l'impression première passée, nous avons décelé quelques lacunes au chapitre de l'ergonomie, de certaines commandes mal conçues et de quelques détails de finition qui agacent sur des voitures de cette catégorie. Toutefois, ce duo est toujours aussi intéressant aussi bien du côté de la tenue de route que de l'ensemble du design; il n'a pas de complexe à avoir face à la concurrence.

L'arrivée d'un nouveau groupe propulseur sur les modèles Seville STS et Eldorado TC vient leur ajouter encore plus de piquant. En effet, la présence du moteur Northstar sous le capot de ces deux Cadillac transforme leur personnalité du tout au tout. Avec une cylindrée de 4,6 litres et ses 290 chevaux, les performances sont presque égales aux meilleures de la catégorie. La tenue de route est surprenante en raison de l'utilisation de suspensions sophistiquées et de dispositifs électroniques qui ajustent constamment cette suspension en

fonction des conditions de la route et de la vitesse du véhicule.

Il est certain que la Seville STS est une candidate de premier plan pour affronter les Japonaises de luxe qui ne possèdent pas de caractère particulier envers cette Nord-Américaine qui surprend. Plusieurs devront abandonner leurs préjugés face à cette voiture et ceux qui le feront en seront quitte pour une agréable surprise.

Curieusement, l'Eldorado peut être livrée avec deux versions du moteur Northstar. Le Touring Coupe bénéficie du moteur de

295 chevaux tandis que le Sport Coupe, un modèle légèrement plus économique, est doté d'une version 270 chevaux de ce même moteur. Cela prend bien GM pour intervertir la signification de «Touring» et «Sport»! D'autre part, il ne faut pas oublier de souligner que l'Eldorado tout comme la Seville est une voiture qui n'est pas à dédaigner dans sa livrée régulière et avec son moteur 4,9 litres de 200 chevaux. On obtient quand même un bel équilibre et les performances seront jugées adéquates par la plupart des conducteurs.

Maintenant qu'on a réussi à obtenir un châssis performant et possédant une belle tenue de route, il faut souhaiter qu'on se tourne vers les commandes de la climatisation et du système de son...

CE QU'IL FAUT SAVOIR

CADILLAC SEVILLE

	Pauvre	Passable	Bon	Très bon	Excellent
• Comportement routier				•	
• Freinage				•	
• Sécurité passive				•	
• Visibilité			•		
• Confort					•
• Volume de chargement			•		

POUR

Moteur Northstar
Sièges confortables
Silhouettes modernes
Versions STS et TC
Freins puissants

CONTRE

Certaines commandes peu ergo-
nomiques
Custode trop lourde sur Eldorado
Finition perfectible
Direction toujours floue

Quoi de neuf?

Moteur Northstar 295 chevaux
Nouvelle suspension arrière

ASPECT TECHNIQUE

Groupe propulseur:	traction
Empattement:	281,9 cm
Longueur:	517,7 cm
Poids:	1 655 kg
Coefficient aérodynamique:	0,35
Moteur:	V8 4,9 litres, 200 ch. - V8 4,6 litres, 295 ch. (STS)
Transmission:	
standard:	boîte automatique 4 rapports
option:	aucune
Suspension avant:	indépendante
arrière:	indépendante
Direction:	à crémaillère
Freins: avant:	disques ABS
arrière:	disques ABS
Pneus:	P225/60R16

ASPECT PRATIQUE

Carrosserie:	berline
Nombre de places:	5
Valeur de revente:	bonne
Indice de fiabilité:	8
Coussin gonflable:	conducteur
Réservoir de carburant:	71,2 litres
Capacité du coffre:	14,4 pi^3
Performances:	
0-100 km/h:	8,7 s
vitesse max.:	190 km/h
consommation:	13,5 litres/100 km
Échelle de prix:	45 000 $ à 53 000 $

CADILLAC

De Ville/Sixty Special

Dernier tour pour les best-sellers

Eh oui! Les Nord-Américains ont encore acheté plus de Cadillac De Ville l'an dernier que toute autre voiture de luxe. Les mises à jour continuelles dont elles sont l'objet depuis des années ont porté fruit de toute évidence. Mais ces imposants et anguleux best-sellers arrivent en fin de carrière.

Il faut reconnaître que Cadillac connaît fort bien son public-cible, ou à tout le moins celui qui risque de s'intéresser à des voitures comme ses imposantes De Ville. La marque aux lauriers croisés nous a également prouvé, ces dernières années, qu'elle savait aussi s'adresser à des acheteurs plus jeunes avec des voitures nettement plus modernes et homogènes. La berline STS en est un exemple fort éloquent, avec son V8 à double arbre à cames en tête de près de 300 chevaux. On serait fou par ailleurs, chez Cadillac, de rayer

d'un trait une clientèle qui génère encore des ventes de plus de 150 000 de ces immenses tractions avant que sont les De Ville. Dans le jeu des noms auquel s'adonne régulièrement Cadillac, entre autres coupables, la série De Ville peut donner l'impression d'avoir été abandonnée par sa partenaire des dernières années, la série Fleetwood. N'ayez crainte. Elles sont toujours là. Elles ont simplement changé de nom. Celui de Fleetwood a été donné à la nouvelle méga-propulsion que lance Cadillac cette année. Les presque

jumelles des De Ville ont donc simplement hérité du nom de Sixty Special, qui appartenait jusque-là à un modèle ultra-luxueux de l'ancienne Fleetwood. Vous suivez? Quoi qu'il en soit, les séries De Ville et Sixty Special sont relativememt faciles à départager: il manque aux premières les jupes qui couvrent en partie les roues arrière des secondes. Ce ne sont effectivement que des versions un peu plus endimanchées, enrubannées et plus richement équipées des De Ville. Leurs dimensions vitales et leurs éléments mécaniques fondamentaux sont les mêmes. L'antipatinage électronique, par exemple, est offert en option sur les De Ville mais de série sur les Sixty Special et sur la De Ville Touring Sedan. Celle-ci est une version «sportive» de la De Ville. Nous parlions l'an dernier de sportive en tuxedo, il est peut-être plus juste d'écrire limousine en souliers de course, puisqu'il s'agit d'une De Ville dont on a raffermi la suspension et qui chausse de plus larges pneus à flancs noirs. Toutes ces berlines et le coupé De Ville (deux portières en moins) ont droit à une suspension dont l'amortissement varie selon la vitesse, l'accélération latérale ou l'intensité du freinage. Et l'an prochain, tous ces noms devraient passer à de nouvelles voitures, élaborées sur une version allongée de la plate-forme qui nous a valu la belle Seville.

CE QU'IL FAUT SAVOIR

CADILLAC DE VILLE

	Pauvre	Passable	Bon	Très bon	Excellent
• Comportement routier			•		
• Freinage			•		
• Sécurité passive				•	
• Visibilité			•		
• Confort				•	
• Volume de chargement					•

POUR

Version Touring Sedan
Bon moteur
Suspension moelleuse
Volume intérieur imposant
Silence et douceur de roulement
Maniabilité étonnante

CONTRE

Banquettes trop plates
Commandes confuses
Seuil de coffre trop haut
Silhouettes séniles
Roulis et tangage en abondance
En instance de remplacement

Quoi de neuf?

Direction à servo variable selon la vitesse
Suspension à contrôle d'amortissement variable
Partie avant redessinée

ASPECT TECHNIQUE

Groupe propulseur:	traction
Empattement:	289 cm
Longueur:	524 cm
Poids:	1 635 kg - 1 656 kg (Sixty Special)
Coefficient aérodynamique:	0,39
Moteur:	V8 4,9 litres, 200 ch. à 4 100 tr/min
Transmission:	
standard:	boîte automatique 4 rapports
option:	aucune
Suspension avant:	indépendante
arrière:	indépendante
Direction:	à crémaillère, assistée
Freins: avant:	disques ABS
arrière:	tambours ABS
Pneus:	205/70R15 - 215/60R16 (Touring Sedan)

ASPECT PRATIQUE

Carrosserie:	berline - coupé
Nombre de places:	6
Valeur de revente:	bonne
Indice de fiabilité:	7,5
Coussin gonflable:	conducteur
Réservoir de carburant:	68,1 litres
Capacité du coffre:	18,4 pi^3
Performances:	0-100 km/h: 8,7 s
vitesse max.:	180 km/h
consommation:	14,7 litres/100 km
Échelle de prix:	37 000 $ à 45 000 $

CADILLAC

Fleetwood/Brougham

Toujours plus gros

Si on se plaisait à se moquer des dimensions gargantuesques de la précédente Brougham, il faudrait inventer d'autres épithètes car la nouvelle génération est encore plus volumineuse. Et on a décidé de revenir à l'appellation Fleetwood, même si certains modèles s'appellent toujours Brougham.

Les Américains aiment les grands formats. D'ailleurs, pendant des années, les «Caddy» étaient les reines de la route non seulement en raison de leur luxe mais de leurs dimensions hors norme. Si ce critère a encore quelques adeptes, la nouvelle Fleetwood Brougham risque de connaître autant de succès que ses devancières. En fait, cette nouvelle venue est plus longue que le modèle qu'elle remplace. D'ailleurs, avec ses 571,7 cm, elle demeure le modèle en production le plus long en Amérique. Curieusement, ce modèle plaît beaucoup

aux Japonais et aux Arabes du Moyen-Orient.

Sous un extérieur qui n'est pas sans s'apparenter à celui de la Buick Roadmaster, cette «Caddy» de format jumbo n'est pas déplaisante à regarder. Et les stylistes ont même réussi à obtenir un coeficent de traînée de 0,36, une nette amélioration par rapport au 0,49 du modèle précédent. Naturellement, l'habitacle est en mesure d'abriter six passagers, et très costauds à part ça! Quant au tableau de bord, il respecte la tradition Cadillac

avec ses grandes surfaces planes et ses instruments rectangulaires. Ce n'est pas très moderne, mais tout de même équilibré dans l'ensemble. On a d'ailleurs eu tout l'espace voulu pour installer un coussin gonflable pour le conducteur et le passager.

Naturellement, pour animer cette grosse propulsion, le V8 5,7 litres et ses 185 chevaux était le choix logique. Sa puissance permet d'obtenir un temps d'accélération de 10,9 secondes pour boucler le 0-100 km/h. Ce n'est pas électrisant mais amplement suffisant compte tenu de la vocation de cette voiture. En conduite, ses dimensions intimident au tout début, mais c'est une question de kilomètres avant qu'on ait la voiture bien en main. La direction gagnerait à être plus précise tandis que le roulis et le tangage de la caisse sont perceptibles. Il faut de plus souligner que les rétroviseurs extérieurs sont relativement petits compte tenu des dimensions de la voiture.

Cette voiture, autant par son gabarit que par sa présentation, n'est pas en accord avec les tendances actuelles du marché. Cependant, pour la clientèle visée, elle est intéressante. Elle isole de la route et atténue les sensations de conduite, mais certains conducteurs apprécient ce comportement. Enfin, en virage, cette voiture se débrouille très bien.

CE QU'IL FAUT SAVOIR

CADILLAC FLEETWOOD

	Pauvre	Passable	Bon	Très bon	Excellent
• Comportement routier			•		
• Freinage			•		
• Sécurité passive				•	
• Visibilité			•		
• Confort				•	
• Volume de chargement					•

POUR

Suspension confortable
Moteur bien adapté
Volume de chargement
Équipement complet
Silence de roulement

CONTRE

Roulis en virage
Consommation élevée
Dimensions intimidantes
Miroirs trop petits
Portières lourdes

Quoi de neuf?

Tout nouveau modèle
Bougies à pointe de platine
Direction à assistance variable

ASPECT TECHNIQUE

Groupe propulseur:	propulsion
Empattement:	308,5 cm
Longueur:	571,7 cm
Poids:	1 980 kg
Coefficient aérodynamique:	0,36
Moteur:	V8 5,7 litres, 185 ch.
Transmission:	
standard:	boîte automatique 4 rapports
option:	aucune
Suspension avant:	indépendante
arrière:	essieu rigide
Direction:	à billes
Freins: avant:	disques ABS
arrière:	tambours ABS
Pneus:	P235/70R15

ASPECT PRATIQUE

Carrosserie:	berline
Nombre de places:	6
Valeur de revente:	moyenne
Indice de fiabilité:	8,5
Coussins gonflables:	conducteur - passager
Réservoir de carburant:	87 litres
Capacité du coffre:	20,8 pi^3
Performances:	0-100 km/h: 10,9 s
vitesse max.:	195 km/h
consommation:	14,3 litres/100 km
Échelle de prix:	40 000 $ à 45 000 $

Astro/GMC Safari

Un V6 de 200 chevaux

Chrysler a fait un malheur avec sa fourgonnette à traction avant et les ingénieurs de GM ont décidé de répliquer par une propulsion. Si l'Astro/Safari ne possède pas le même raffinement de conduite que la fourgonnette de Chrysler, elle jouit d'une robustesse qui est souvent appréciée.

Il est une chose que les autres fourgonnettes ne peuvent enlever à l'Astro/Safari, c'est son groupe propulseur costaud et robuste. Et cette année, ce réputé moteur V6 4,3 litres Vortec gagne 15 chevaux additionnels dans sa version régulière pour voir sa puissance portée à 165 chevaux, ce qui le rend en mesure d'affronter la plupart des travaux les plus robustes. De plus, cette année, une nouvelle boîte automatique à quatre rapports est offerte. Cette boîte à commande électronique est non

seulement plus efficace que la version qu'elle remplace, mais elle pèse 3,5 kg de moins. Cette boîte est également disponible avec la version de 200 chevaux du moteur Vortec. Ces fourgonnettes ont du muscle à revendre.

Sur le plan de la conduite, on ne peut s'empêcher de remarquer un centre de gravité élevé qui fait lever le pied dans les virages serrés. Cependant, dans l'ensemble, l'Astro/Safari se tire assez bien d'affaire d'autant plus que sa direction est assez précise et son rayon de braquage

très court. D'ailleurs, malgré son allure de costaud, cette fourgonnette est très à l'aise dans la circulation urbaine et se stationne presque les yeux fermés. Sur la grande route, comme toutes les fourgonnettes, l'Astro/Safari est sensible au vent latéral mais demeure toujours facile à contrôler même par vent violent. Par contre, la suspension arrière paraît assez rigide lorsque le véhicule est faiblement chargé.

Toutefois, si les sièges avant sont généralement confortables pour la plupart des anatomies, l'espace réservé pour les jambes est encombré par les passages d'aile et cela devient agaçant à la longue. De plus, le moteur envahit la cabine. Il faut par ailleurs souligner que le tableau de bord ne fait pas l'unanimité mais est particulièrement pratique. De plus, on note plusieurs espaces de rangement dans la cabine. Cependant, comme sur tous les autres modèles offerts par la concurrence, le dégagement pour les jambes est assez peu généreux pour les occupants des banquettes arrière. Enfin, seule la version allongée sera appréciée si on désire transporter sept personnes et leurs bagages.

Sa robustesse de camion, ses moteurs puissants, sa grande agilité ainsi que la possibilité d'une version 4x4 viennent compenser pour le faible espace pour les jambes à l'avant et la silhouette passablement équarrie qui en rebute certains.

CE QU'IL FAUT SAVOIR

CHEVROLET ASTRO

	Pauvre	Passable	Bon	Très bon	Excellent
• Comportement routier			•		
• Freinage			•		
• Sécurité passive				•	
• Visibilité			•		
• Confort					•
• Volume de chargement					•

POUR

Robustesse assurée
Moteur 200 chevaux
Version traction intégrale
Freins ABS
Grande capacité de chargement

CONTRE

Places avant limitées
Suspension ferme
Absence d'essuie-glace arrière
 (version standard)
Finition perfectible
Tableau de bord controversé

Quoi de neuf?

Boîte automatique toute nouvelle
Moteur standard plus puissant
Portes arrière «hollandaises»

ASPECT TECHNIQUE

Groupe propulseur: propulsion - 4x4
Empattement: 281,9 cm
Longueur: 449,1 cm
Poids: 1 640 kg
Coefficient aérodynamique: 0,38
Moteurs: V6 4,3 litres, 165 ch. - V6 4,3 litres, 200 ch.
Transmission:
   standard: boîte automatique 4 rapports
   option: aucune
Suspension avant: indépendante
   arrière: essieu rigide
Direction: à billes, assistée
Freins: avant: disques ABS
   arrière: tambours ABS
Pneus: P205/75R15

ASPECT PRATIQUE

Carrosserie: fourgonnette
Nombre de places: 2 - 5 - 7
Valeur de revente: bonne
Indice de fiabilité: 7,5
Coussin gonflable: non
Réservoir de carburant: 102,2 litres
Capacité du coffre: 141 pi^3 (sans banquette arr.)
Performances: 0-100 km/h: 11,8 s (V6, 200 ch.)
   vitesse max: 180 km/h (V6, 200 ch.)
   consommation: 13,7 litres /100 km (V6, 200 ch.)
Échelle de prix: 19 250 $ à 27 500 $

Beretta/Corsica

Parfois jolies, jamais géniales

La première génération des Beretta et Corsica entame sa sixième et vraisemblablement dernière année. Ces coupés et berlines compléteront ainsi une autre saison comme les plombiers de l'automobile qu'ils sont. Tous offrent beaucoup pour leur prix, mais pour le brio, le caractère et la qualité, il faudra repasser.

Comme tant d'autres modèles et séries chez General Motors, celle-ci est remplie de paradoxes. D'une part, les Beretta sportives sont assurément parmi les coupés les plus attrayants que l'on puisse trouver. Leur silhouette profilée est surtout merveilleusement servie en versions GT et GTX. À l'autre extrême, chez les berlines Corsica, on retrouve en version de base des voitures ternes et d'un faible raffinement qui ont cependant des vertus certaines aux yeux des parcs automobiles. On apprécie leur taille réduite, leur équipement

honnête, le choix de trois moteurs et surtout leur prix. D'autre part, malgré leur superbe silhouette, les Beretta les plus sportives souffrent toujours d'un manque de raffinement mécanique très net. Leur 2,3 litres à double arbre à cames en tête est encore trop bruyant en accélération mais il offre toujours un mélange très relevé de puissance, de force de couple et de souplesse. Il n'a donc d'autre choix que de souffrir du refus ou de l'incapacité des ingénieurs de GM de le doter de balanciers antivibration. Ensuite, malgré les limites

d'adhérence élevées que lui procurent ses gros pneus à taille basse, la GTZ est toujours loin d'offrir le raffinement de ses rivales japonaises ou européennes ou même simplement du coupé Saturn SC, issu d'une autre branche de la grande famille GM. Les berlines Corsica, d'autre part, sont irrémédiablement ternes, surtout en comparaison avec des rivales qui se sont modernisées ou améliorées sensiblement depuis 1988. Mais de façon réaliste, Beretta et Corsica ont présentement surtout des concurrentes nord-américaines. Face à ces dernières, Ford Tempo et Mercury Topaz d'un côté, Dodge Spirit et Plymouth Acclaim de l'autre, elles peuvent faire jeu égal grâce à leur V6 optionnel. À moins de ne chercher qu'une simple aubaine, les Beretta et Corsica ne présentent guère d'attrait et promettent peu d'agrément. Leur fiabilité n'a jamais non plus été exemplaire. GM aura au moins eu le mérite de les avoir dotées de tableaux de bord, d'instruments et de commandes infiniment plus ergonomiques il y a trois ans. Espérons qu'en renouvelant ce duo, Chevrolet saura tirer meilleur profit de cette plate-forme que les autres divisions. Les Buick Skylark, Oldsmobile Achieva et Pontiac Grand Am ont leurs défauts et connaissent déjà certains ratés en termes de qualité et de fiabilité. Ce sont des erreurs que GM ne peut plus se permettre.

CE QU'IL FAUT SAVOIR

CHEVROLET BERETTA

	Pauvre	Passable	Bon	Très bon	Excellent
• Comportement routier				•	
• Freinage			•		
• Sécurité passive				•	
• Visibilité				•	
• Confort			•		
• Volume de chargement		•			

POUR

Silhouette très réussie (GTZ)
Tenue de route (GTZ)
Performances (GTZ)
Choix de moteurs
Prix très compétitifs
Instrumentation complète

CONTRE

Moteur 2,3 litres bruyant
Pas d'autom. 4 rapports
Séries en fin de carrière
Fiabilité très moyenne
Versions de base ternes
Faible agrément de conduite

Quoi de neuf?

Pneus Goodyear GS-C pour la Beretta GTZ
Insonorisation accrue
Silencieux plus performants

ASPECT TECHNIQUE

Groupe propulseur:	traction
Empattement:	262,6 cm
Longueur:	465,8 cm
Poids:	1201,6 kg - 1253,3 kg (Corsica V6)
Coefficient aérodynamique:	0,33 (GTZ)
Moteurs:	4L, 2,2 litres, 110 ch. - V6 3,1 litres, 140 ch. - 4L, 2,3 litres, 175 ch. (GTZ)
Transmission:	
standard:	boîte manuelle 5 rapports
option:	boîte automatique 3 rapports
Suspension avant:	indépendante
arrière:	demi-indépendante
Direction:	à crémaillère, assistée
Freins: avant:	disques ABS
arrière:	tambours ABS
Pneus:	185/75R14 - 205/55VR16 (GTZ)

ASPECT PRATIQUE

Carrosserie:	coupé - berline (Corsica)
Nombre de places:	5
Valeur de revente:	moyenne
Indice de fiabilité:	7
Coussin gonflable:	conducteur
Réservoir de carburant:	59 litres
Capacité du coffre:	13,41 pi^3
Performances:	0-100 km/h: 11,4 s - 8,4 s (V6 man.) - 7,7 s (GTZ)
vitesse max.:	185 km/h - 205 km/h (GTZ)
consommation:	10,2 l/100 km - 13,21 l/100 km (V6)
Échelle de prix:	13 000 $ à 21 000 $

CHEVROLET

Blazer S-10/GMC Jimmy

La valeur de l'expérience

La concurrence se fait de plus en plus vive, mais les Blazer S-10/GMC Jimmy continuent de bien figurer au palmarès des ventes. Ce qui intéresse les acheteurs, ce sont le muscle de son moteur V6, la robustesse de sa plate-forme et un grand choix de modèles. De plus, ces utilitaires ont fière allure.

La Chevrolet Blazer S-10 ainsi que la GMC Jimmy sont des utilitaires qui jouissent d'une grande diffusion depuis des années. Malgré l'arrivée de nombreux autres modèles dans cette catégorie et la popularité sans cesse croissante des Jeep Cherokee et Ford Explorer, ces deux produits GM ont connu tout de même une diffusion relativement stable. Ce qui joue en faveur de ces deux véhicules, c'est une silhouette agréable qui a su vieillir harmonieusement. De plus, l'agrément de conduite n'est pas vilain alors que la suspension est relative-

ment souple et la direction assez précise. De plus, l'habitacle est accueillant même si plusieurs critiquent les sièges de la Blazer et du Jimmy. Ils ont une assise basse, mais leur confort n'est pas aussi mauvais qu'on le dit. Le tableau de bord original ne fait pas non plus l'unanimité. Quant à la finition et à la qualité d'assemblage, de gros progrès ont été effectués au cours des dernières années, mais il y a parfois des modèles qui sont en dessous des standards normaux. Par contre, la caisse est très solide et d'une bonne robustesse.

L'arrivée d'une version quatre portes et de modèles équipés de manière plus luxueuse a permis à ces utilitaires de connaître une popularité respectable.

Ce qui intéresse beaucoup d'acheteurs, c'est le fait qu'on peut équiper la Blazer/Jimmy du moteur V6 Vortec de 200 chevaux, ce qui assure une capacité de traction de plus de 2 250 kg. Et il ne faut pas oublier que dans sa version régulière, ce moteur se débrouille également fort bien avec ses 165 chevaux. Cette année, il faut mentionner la présence d'un arbre d'équilibrage sur ce moteur afin de réduire les bruits et les vibrations. De plus, plusieurs organes internes ont été revus afin d'en améliorer la fiabilité et la durabilité. Toujours sur le plan mécanique, on note l'introduction cette année d'une nouvelle boîte automatique à commande électronique qui vient remplacer la boîte assez rétive dont disposait cette utilitaire.

Même si la Blazer et la Jimmy ne sont pas en mesure d'éclipser la nouvelle Jeep Grand Cherokee ou la Ford Explorer, leurs qualités intrinsèques et une conduite se rapprochant d'une automobile les rendent intéressantes. Et il ne faut pas oublier que leur comportement hors route est plus qu'adéquat.

CE QU'IL FAUT SAVOIR

BLAZER

	Pauvre	Passable	Bon	Très bon	Excellent
• Comportement routier			•		
• Freinage			•		
• Sécurité passive				•	
• Visibilité					•
• Confort			•		
• Volume de chargement				•	

POUR

Moteur 200 chevaux
Version 4 portes
Choix de modèles
Boîte auto. 4 rapports
Caisse solide

CONTRE

Tableau de bord tourmenté
Sièges peu confortables
Finition perfectible
Direction floue
Plastique bon marché

Quoi de neuf?

Moteur 200 chevaux
Boîte auto. 4 rapports à commande électronique

ASPECT TECHNIQUE

Groupe propulseur:	propulsion - 4x4
Empattement:	271,8 cm
Longueur:	449 cm
Poids:	1 525 kg - 1 700 kg (4 p.)
Coefficient aérodynamique:	0,47
Moteurs:	V6 4,3 litres, 165 ch.
	V6 4,3 litres, 200 ch.
Transmission:	
standard:	boîte manuelle 5 rapports
option:	boîte automatique 4 rapports
Suspension avant:	indépendante
arrière:	essieu rigide
Direction:	à billes
Freins: avant:	disques ABS
arrière:	tambours ABS
Pneus:	P205/75/R15

ASPECT PRATIQUE

Carrosserie:	utilitaire - 2/4 portes
Nombre de places:	5
Valeur de revente:	bonne
Indice de fiabilité:	7,5
Coussin gonflable:	non
Réservoir de carburant:	75 litres
Capacité du coffre:	35,2 pi^3
Performances:	0-100 km/h: 10,6 s (V6 opt.)
vitesse max:	175 km/h (V6 opt.)
consommation:	13,8 litres/100 km
Échelle de prix:	18 250 $ à 22 500 $

Blazer/Yukon/Suburban

Des géants tranquilles

À des yeux de citadins, les jumeaux Blazer et Yukon et les Suburban à quatre portières ont sans doute quelque chose de monstrueux. Mais pour ceux qui recherchent un bon volume intérieur, une capacité de remorquage et des aptitudes tout terrain de haut niveau, ces gros utilitaires n'ont guère de rivaux.

Le «grand» Blazer a connu son heure de gloire au début des années 70. Les crises du pétrole et l'émergence des 4x4 compacts le reléguèrent dans l'ombre par la suite. Il était cependant toujours prisé des plaisanciers et des adeptes du caravaning, pour sa capacité de remorquage inégalée. Les Suburban, d'autre part, offraient les mêmes avantages mais également deux portières additionnelles et encore plus d'espace. Au Texas, ils sont si populaires qu'on les surnomme «Texas Cadillac» ou «Texas limousine». Or, ces deux familles de véhicules ont été fabriquées durant près de vingt ans sur la même plate-forme mécanique. En élaborant les nouvelles versions sur la plate-forme des camionnettes C/K actuelles, GM ne s'est pas contentée de maintenir les qualités des anciens modèles. Elle en a fait des véhicules qui leur sont nettement supérieurs. Cette métamorphose leur a valu, par exemple, des silhouettes beaucoup plus modernes, dont ils ont tiré une bien meilleure visibilité. La qualité et la sécurité de leur comportement routier et leur confort général ont égale-

ment grimpé de plusieurs crans. Ils sont même dotés d'un antiblocage complet. D'autre part, les Blazer, Yukon et Suburban affichent maintenant des cotes de consommation et des performances nettement meilleures que leurs devanciers, même avec des moteurs de plus faible cylindrée. L'avantage revient tout de même aux deux premiers, qui sont moins imposants et moins lourds. On a également revu entièrement l'aménagement de leur intérieur qui est maintenant à la fois plus confortable et plus pratique. Le

Suburban, par exemple, peut accueillir jusqu'à neuf passagers s'il est pourvu de la troisième banquette optionnelle. Les mécanismes des banquettes sont impeccables, ce qui permet d'en profiter pleinement.

ARGUMENTS DOUTEUX

Dommage, toutefois, que l'on ait omis d'équiper les places arrière d'appuie-tête dans des véhicules éminemment adaptés au transport d'adultes de toute taille.

L'argument qui veut qu'il soit difficile ou désagréable de replier les banquettes centrale et arrière s'il faut d'abord enlever les appuie-tête ne tient pas l'eau. GM n'a qu'à s'inspirer de certains de ses compétiteurs qui ont doté les places arrière de leurs camionnettes d'appuie-tête qui offrent une bonne protection contre le contrecoup d'un éventuel tamponnage par l'arrière et ne nuisent aucunement à leur manipulation. Il faut souligner que les banquettes sont fort bien conçues. Les commandes de la climatisation, d'autre part, sont toujours déroutantes et inefficaces et le ventilateur ne possède que trois réglages d'intensité. Il lui en manque au moins deux. On a toutefois amélioré cette année les boutons de la radio. Mais là encore, elles comportent encore un grand nombre de boutons moulés dans ce plastique gris poudre détestable que l'on retrouvait encore tout récemment à l'intérieur d'une multitude de séries chez GM. Mais qu'à cela ne tienne. La force et l'attrait unique de ces nouveaux géants demeure leur conduite facile, sûre et confortable. Ajoutées à leurs atouts traditionnels, ces qualités les rendent accessibles à un plus large public.

CE QU'IL FAUT SAVOIR

CHEVROLET BLAZER

	Pauvre	Passable	Bon	Très bon	Excellent
• Comportement routier				•	
• Freinage				•	
• Sécurité passive			•		
• Visibilité					•
• Confort				•	
• Volume de chargement					•

POUR

Volume intérieur inouï
Sièges très confortables
Bonnes performances
Comportement sûr
Douceur de roulement
Excellente visibilité

CONTRE

Accès vertigineux
Commandes confuses
Cassettophone inatteignable
Intérieur banal
Pas d'appuie-tête en arrière
Ceintures quelconques

Quoi de neuf?

Nouvelle boîte automatique électronique
Glaces teintées de série en «verre solaire»
Commandes radio redessinées

ASPECT TECHNIQUE

Groupe propulseur:	propulsion, quatre roues motrices
Empattement:	283,2 cm - 334 cm (Suburban)
Longueur:	476,7 cm - 557,5 cm (Suburban)
Poids:	2 090 kg - 2 319,7 kg (Suburban)
Coefficient aérodynamique:	0,45 (Suburban)
Moteurs:	V8 5,7 litres, 210 ch. - V8 7,4 litres, 230 ch.
Transmission:	
standard:	boîte manuelle 5 rapports
option:	boîte automatique 4 rapports
Suspension avant:	indépendante
arrière:	essieu rigide
Direction:	à billes, assistée
Freins: avant:	disques ABS
arrière:	tambours ABS
Pneus:	225/75R16 - 225/75R16 (option Suburban)

ASPECT PRATIQUE

Carrosserie:	utilitaire 2 port. - 4 port. (Suburban)
Nombre de places:	3 - 5 - 6 - 8 - 9
Valeur de revente:	très bonne
Indice de fiabilité:	8
Coussin gonflable:	non
Réservoir de carburant:	113 litres - 159 litres (Suburban)
Capacité du coffre:	53 pi^3 - 50,4 pi^3 ou 102,2 pi^3 (Suburban)
Performances:	0-100 km/h: 10,85 s - 12,2 s (Suburban)
vitesse max.:	160 km/h
consommation:	13,8 litres/100 km
Échelle de prix:	20 000 $ à 32 000 $

Camaro/Pontiac Firebird

Air classique pour orchestre québécois

Voici enfin, après onze ans, de nouvelles Camaro et Firebird. Ces coupés américains classiques se sont améliorés ces dernières années, mais ils étaient tout de même au bout de leur souffle. Il leur fallait un bond en avant pour demeurer compétitifs. C'est maintenant fait. Le résultat est cependant très familier.

Le lancement d'une toute nouvelle série Camaro/Firebird est un événement rare. Le dernier remonte en effet à plus de dix ans, avec la présentation d'une toute nouvelle génération de «F-Cars», comme les désigne GM dans son jargon. Tout en conservant intacte l'architecture mécanique que proposent ces voitures depuis la toute première Camaro, en 1967, les ingénieurs avaient alors réussi à donner aux nouvelles voitures F une tenue de route impressionnante pour leur gabarit. En plus de connaître un succès appréciable sur le

marché, où elles affrontaient surtout leur rivale de toujours, la Mustang, les Camaro et Firebird connurent une évolution technique constante au cours des onze années où elles furent produites. Cette évolution technique connut une accélération à compter de 1986, alors que GM créait la série monotype Player's Ltée/GM, réservée aux Camaro et Firebird. Cette série ajouta quelques chapitres épiques à l'histoire du sport automobile canadien, mais permit également aux ingénieurs de faire progresser les deux coupés de façon appré-

ciable. En dépit des progrès réalisés ces dernières années, les Camaro et Firebird avaient de plus en plus de difficulté à se défendre face à la Mustang mais surtout face au nombre croissant de sportives japonaises offertes à prix comparable. Il y a quelques années, GM s'était lancée dans un projet visant à remplacer les Camaro et Firebird par des voitures de conception entièrement nouvelle. Le projet GM80 a débouché sur des coupés traction dont la carrosserie serait composée de panneaux de plastique. Tout fut annulé à cause du coût faramineux qu'impliquait le développement complet de cette nouvelle série. Il faut dire également que la rumeur d'une Camaro traction avant avait soulevé un tollé de protestation auprès des inconditionnels de cette voiture. Ford y avait eu droit, quelques années plus tôt, lorsqu'il avait été question de remplacer la Mustang par une traction avant. Cette nouvelle voiture est devenue la Probe et la Mustang a encore renforcé sa position au sein de la gamme.

LA VOIX DU CLIENT

Lorsque la décision fut prise de se lancer dans le renouvellement de cette série, les responsables du projet entreprirent de sonder et de consulter de façon sérieuse la clientèle-type de ce genre de véhicule. Cette cueillette de renseignements avait débuté dans le cadre du projet GM80 et se poursuivit en vue du renouvellement des Camaro et Firebird. Or, selon les propos de l'ingénieur canadien Ted Robertson, à qui GM confia la direction de ce projet, le client voulait retrouver des voitures qui ressembleraient au modèle précédent. Il semble

que jamais par exemple on n'exprima le désir de voir naître des Camaro ou Firebird plus compactes ou qui offriraient des places arrière plus accueillantes. Or, c'est la voix que choisit d'écouter le constructeur, désireux de s'assurer que ces voitures retrouvent la place qu'elles occupaient jadis sur le marché. Cela dit, l'espoir de voir apparaître des F-Cars plus compactes, plus légères et plus modernes allait devoir être rangé au placard durant quelques années encore. Jusqu'en l'an 2004, peut-être, si les nouvelles démontrent la même longévité que leurs devancières. Nous pensons surtout à la suspension arrière à roues indépendantes, qui aurait sans doute contribué à transformer ces voitures plus que toute autre chose. Or, cela ne devait pas être. La voiture qui passe en trombe sur la couverture de la présente édition du *Guide de l'auto*,

comme d'ailleurs la nouvelle Camaro qui ornait la couverture de l'édition 92, possède un moteur avant, des roues arrière motrices et une suspension arrière à essieu rigide. Mais tout comme en 1982, il ne faut surtout pas juger de ses qualités sur des données aussi sommaires.

DES MORCEAUX DE CHOIX

Chevrolet et Pontiac comptent abaisser l'âge moyen de leurs acheteurs et recruter de nouveaux clients parmi une clientèle mieux instruite et rémunérée avec les nouvelles Camaro et Firebird. Pour y arriver, elles ont été dotées entre autres d'éléments standards tels que des coussins gonflables pour les deux passagers avant, des freins à disques avec antiblocage et un antivol. On a également déployé des efforts considérables pour renforcer la structure de ces nouveaux coupés, la plus sérieuse lacune du modèle précédent. L'ingénieur Robertson insista sur le fait que la structure des voitures F est entièrement nouvelle, ajoutant que les Camaro et Firebird ne partagent aucun de leurs panneaux de carrosserie, même pas leurs portières. Le dessin des tableaux de bord est également très différent. On retrouve même des bouches d'aération de forme différente sur les deux séries, et elles ne sont pas placées exactement au même endroit. Malgré cela, on reconnaît certains éléments des modèles précédents. Cela vaut

entre autres pour une soute à bagages de forme toujours étrange. Le volume de l'habitacle est identique à celui de l'ancien modèle et aucun effort particulier n'a été fait pour augmenter l'habitabilité des places arrière. Il semble que ces éléments ne font aucunement partie des critères d'achat de la clientèle visée.

PUISSANCE ET COMPORTEMENT FAMILIERS

Nous avons pu conduire quatre voitures différentes, toutes équipées du V8, sur certaines portions du Circuit Gilles Villeneuve. Nous en avons tiré de premières impressions sur le comportement général des nouvelles Camaro et Firebird en plus de mesurer leurs performances et leur freinage en toute sécurité. L'impression dominante, au premier contact, est sans contredit la puissance, la souplesse et la sonorité exceptionnelles du V8 de 5,7 litres, emprunté à la Corvette LT1. Ses 280 chevaux sont livrés par le biais d'une boîte automatique à quatre rapports ou d'une toute nouvelle boîte manuelle Borg-Warner à six rapports. La douceur et la progressivité de l'embrayage ajoutent également

beaucoup à la docilité de la Camaro Z-28 et des versions performance de la Firebird, les Formula et Trans-Am. Chose certaine, nous sommes à des années-lumière de la première Camaro Z-28 dont Jacques Duval faisait l'essai dans l'édition 1970 du *Guide*. Et pourtant, la nouvelle atteint 100 km/h en six secondes et bouclerait donc probablement le fameux «0-60» plus rapidement que la voiture de course rétive et inconfortable qu'était l'original. Les autres modèles sont propulsés pas une version modifiée du V6 à poussoirs de la version précédente. On nous dit que cette hausse de cylindrée de 3,1 à 3,4 litres a porté la puissance à 160 chevaux et qu'elle était motivée uniquement par le désir de maintenir les temps d'accélération de 0 à 60 milles à l'heure à 10 secondes. Il faut donc s'attendre à un sprint de 10,5 ou 11 secondes vers 100 km/h avec la version manuelle. Par ailleurs, plus on conduit les nouvelles F, plus on relève d'indices sur leur solidité accrue. Il faudra évidemment vérifier sur nos routes, puisque le tracé de l'île Notre-Dame possède sans doute la surface la plus lisse de toute la province. Notre premier contact nous a cependant

permis de constater que les nouvelles sont infiniment plus confortable que les anciennes voitures F, avec de nouveaux sièges baquets qui dispensent un confort et un maintien impeccables. Ils seraient quasiment parfaits s'ils offraient un support lombaire réglable. Il faut également saluer les progrès énormes accomplis en matière d'ergonomie. Il reste cependant trop de ce plastique gris qui refait encore surface dans les produits GM.

DE QUOI ÊTRE FIERS

Lors du lancement officiel des nouvelles Camaro et Firebird, au début de janvier, on fera également grand cas de l'endroit où GM a choisi de construire cette toute nouvelle série de voitures. Rares sont sans doute ceux qui ignorent encore qu'elles sortiront de l'usine de Boisbriand, à quelques dizaines de kilomètres au nord de Montréal. Comme nous l'écrivions déjà l'an dernier, il faut être extrêmement fier de cet exploit, puisque les travailleurs et les responsables de cette usine ont arraché de haute lutte ce «contrat» de fabrication, comme on dit dans le jargon de l'industrie automobile. Il faut souligner qu'ils y sont arrivés en prouvant de façon irréfutable qu'ils pouvaient produire les meilleures voitures de toutes les usines nord-américaines de GM (29 en tout). Il est intéressant de souligner que les toutes dernières Oldsmobile Ciera produites à Boisbriand ont permis à cette série de se hisser au quatrième rang de l'industrie en matière de qualité d'assemblage, derrière les Lexus LS400, Infiniti Q45, Toyota Cressida mais devant les Lexus SC400, Corolla, Camry, Acura Legend et autres. Pour ses nouvelles voitures F, GM devait s'assurer qu'elles aient la meilleure chance possible de rencontrer les plus hautes normes de qualité d'assemblage. Elle s'est donc tournée vers une de ses usines qui offrait les meilleures garanties en ce sens par la compétence de sa main-d'œuvre et de son équipe de direction. Cela était d'autant plus important que la fabrication des nouvelles Camaro et Firebird fait appel à de toutes nouvelles techniques, dont la moindre n'est certes pas l'utilisation de panneaux de carrosserie en polymère semblables à ceux qui ornent aussi les flancs des voitures Saturn. On compte bien tirer également le maximum du nouvel atelier de peinture qui a été construit à Boisbriand au coût de 450 millions de dollars il y a quelques années. Dans cet atelier, réputé parmi les plus modernes, on emploie des peintures à base d'eau, appliquées en deux étapes. Il y a une couche de base et une couche transparente («base coat/clear coat»). Chose certaine, les résultats sont prometteurs. La peinture, sur les voitures de présérie que nous avons pu conduire et photographier, était brillante et lisse. Elle a également résisté sans peine aux mauvais traitements qu'il a fallu lui faire subir pour les besoins de la photo. Il ne reste plus maintenant aux nouvelles Camaro et Firebird qu'à faire leurs preuves sur le marché, en espérant que leurs créateurs ont vu juste en respectant aussi scrupuleusement les désirs de leur clientèle existante. Chose certaine, les amateurs de performance ne seront pas déçus, mais ce n'est pas sur ce marché que l'on compte faire la majorité des ventes. L'équipe du *Guide,* quant à elle, soumettra bientôt toutes les versions à des essais complets dont nous vous rendrons compte dans la prochaine édition.

CE QU'IL FAUT SAVOIR

CHEVROLET CAMARO

	Pauvre	Passable	Bon	Très bon	Excellent
• Comportement routier					•
• Freinage					•
• Sécurité passive					•
• Visibilité				•	
• Confort				•	
• Volume de chargement		•			

POUR

Moteur V8 fabuleux
Tenue de route solide
Coussins gonflables standards
Excellents sièges
Freins antiblocage de série
Belle silhouette (Camaro)

CONTRE

Encore trop de plastique
Essieu arrière rigide
Coffre limité et de forme inégale
Partie avant discutable (Firebird)
Portières bruyantes en refermant
Plancher avant droit inégal

Quoi de neuf?

Voitures entièrement remodelées

ASPECT TECHNIQUE

Groupe propulseur:	propulsion
Empattement:	n.d
Longueur:	n.d
Poids:	n.d
Coefficient aérodynamique:	n.d
Moteurs:	V6 3,4 litres, 160 ch. à 4 600 tr/min - V8 5,7 litres, 280 ch. à 5 000 tr/min
Transmission:	
standard:	boîte manuelle 6 rapports
option:	boîte automatique 4 rapports
Suspension avant:	indépendante
arrière:	essieu rigide
Direction:	à crémaillère, assistée
Freins: avant:	disques ABS
arrière:	disques ABS
Pneus:	245/50ZR16

ASPECT PRATIQUE

Carrosserie:	coupé
Nombre de places:	4
Valeur de revente:	nouveau modèle
Indice de fiabilité:	nouveau modèle
Coussins gonflables:	conducteur/passager
Réservoir de carburant:	n.d.
Capacité du coffre:	n.d.
Performances:	0-100 km/h: 6,03 s (V8)
vitesse max.:	n. d.
consommation:	12,1 litres/100 km (V6)
Échelle de prix:	n.d.

Cavalier/Pontiac Sunbird

Sages mais fiables

Depuis le temps que ces deux voitures sont parmi nous, elles se confondent dans la circulation. Toutefois, aussi bien en raison de leur prix intéressant que de leur diversité de modèles, cette Chevrolet et cette Pontiac continuent de convaincre bien des acheteurs. Pour 1993, elles sont fidèles au rendez-vous.

La Chevrolet Cavalier et la Pontiac Sunbird constituent deux gammes de voitures proposant à l'acheteur une variété quasiment infinie de modèles et d'options. Cependant, Chevrolet se réserve l'exclusivité de la familiale tandis que les deux marques nous proposent une version cabriolet.

Si ces deux voitures réussissent à se maintenir parmi les plus vendues en Amérique année après année, c'est en raison de leur prix très compétitif certes, mais également grâce à une multitude de petites modifications mineures apportées année après année afin de permettre à ces modèles qui ont plus de 10 ans d'existence sur le marché de pouvoir soutenir la comparaison. Cette année, aussi bien la Cavalier que la Sunbird bénéficient d'améliorations visant à atténuer les bruits et les vibrations. De plus, les modèles V6 sont dotés d'un nouvel embrayage plus doux.

La berline est essentiellement à vocation familiale et le modèle animé par le quatre cylindres promet fiabilité et économie à l'achat. Il faut toutefois souligner que Pontiac opte pour le moteur 2,0 litres tandis que Chevrolet a adopté le 2,2 litres. La puissance développée est la même, soit 110 chevaux, mais le 2,0 litres de Pontiac est plus moderne sur le plan technique avec son arbre à cames en tête. Les deux se partagent cependant le V6 3,1 litres dont la puissance est de 140 chevaux. C'est le moteur standard sur les Cavalier Z24 et Sunbird GT. Ce moteur n'est pas particulièrement sportif, mais sa puissance permet quand même d'obtenir d'intéressantes prestations.

La Cavalier comme la Sunbird ne possèdent pas le même raffinement technique que bien des modèles plus modernes proposés par la concurrence, notamment les Japonais. Mais cela est largement compensé par une foule de modifications apportées au fil des années qui ont rendu ces voitures passablement homogènes. Et il ne faut pas oublier que leur prix de vente relativement bas est un autre argument à prendre en considération.

La familiale n'est pas offerte par Pontiac. C'est dommage car il s'agit d'un modèle qui est très polyvalent tout en offrant la puissance et la douceur du moteur V6. Quant au cabriolet, il dispose cette année d'une glace arrière en verre, un élément apprécié en conduite hivernale.

CE QU'IL FAUT SAVOIR

CHEVROLET CAVALIER

	Pauvre	Passable	Bon	Très bon	Excellent
• Comportement routier			•		
• Freinage			•		
• Sécurité passive				•	
• Visibilité				•	
• Confort		•			
• Volume de chargement			•		

POUR

Moteur V6
ABS standard
Gamme complète
Bonne habitabilité
Version familiale (Chevrolet)

CONTRE

Apparence vieillotte
Boîte auto. 3 rapports
Sièges peu rembourrés
Finition perfectible
Moteurs 4 cyl. bruyants

Quoi de neuf?

Modifications de détail
Embrayage manuel concentrique

ASPECT TECHNIQUE

Groupe propulseur:	traction
Empattement:	257 cm
Longueur:	463 cm
Poids:	1 225 kg
Coefficient aérodynamique:	0,36
Moteur:	4L 2,2 l, 110 ch. - Sunbird 4L 2,0 litres, 110 ch. - V6 3,1 litres, 140 ch.
Transmission:	
standard:	boîte manuelle 5 rapports
option:	boîte automatique 3 rapports
Suspension avant:	indépendante
arrière:	semi-indépendante
Direction:	à crémaillère
Freins: avant:	disques ABS
arrière:	tambours ABS
Pneus:	P185/75R14 (Z24: P205/60R15)

ASPECT PRATIQUE

Carrosserie:	coupé - berline - familiale - cabriolet
Nombre de places:	5
Valeur de revente:	faible/moyenne
Indice de fiabilité:	7,5
Coussin gonflable:	non
Réservoir de carburant:	57,5 litres
Capacité du coffre:	13,0 pi^3 (berline) - 13,2 pi^3 (cabriolet)
Performances:	0-100 km/h: 12,8 s - 9,8 s (Z24)
vitesse max:	175 km/h - 195 km/h (Z24)
consommation:	10,5 litres/100 km
Échelle de prix:	10 700 $ à 23 000 $

CHEVROLET

Corvette

400 chevaux et plus pour ses 40 ans

Le 2 juillet dernier, les ouvriers de l'usine de Bowling Green au Kentucky ont mis la dernière main à la millionnième Corvette. Et cette année, elle fête ses quarante ans. Chose certaine, ses concepteurs ne s'assoient pas sur leurs lauriers: en réponse à la Viper, ils ont porté la puissance de la ZR-1 à 405 chevaux!

La Corvette actuelle en est à sa neuvième année. Elle a escamoté complètement l'année-modèle 1983 et a abordé la suivante après avoir subi une transformation complète. En quarante ans, le «Corvette Group» n'aura eu que deux grands patrons, deux ingénieurs en chef: le légendaire Zora Arkus-Duntov et Dave McLellan. Or, ces deux hommes partagent une passion profonde, indéfectible et presque mystique pour la Corvette et pour la course automobile comme expression ultime de la performance d'une voiture sport. McLellan ne le

cache pas: en 1984, c'est une voiture de course que lançait sciemment Chevrolet sous les traits de la nouvelle Corvette. Elle n'a cessé de le prouver depuis, sur le circuit des épreuves pour voitures de série. Mais justement, la Corvette doit aussi rencontrer les attentes de confort et de commodité de clients qui n'ont rien de pilotes de course. Une majorité d'acheteurs de Corvette se font avant tout plaisir en s'offrant une telle voiture. Or, avec la suspension Z51, les premières Corvette de cette nouvelle génération avaient plutôt ten-

dance à punir leurs occupants. On n'a donc cessé depuis de rechercher le compromis parfait entre confort et tenue de route. Le développement mené en course d'endurance a permis d'améliorer sans cesse les freins, par exemple, mais parallèlement, on s'ingéniait à renforcer la carrosserie pour assouplir ensuite les suspensions. Le lancement de la décapotable, en 1986, et celui de la ZR-1 en 1989, vinrent accélérer le processus. Avec le nouveau moteur LT-1, le dispositif ASR antipatinage et la suspension réglable FX-3, la Corvette est au zénith de ses moyens. Mais, toute légendaire ou mythique qu'elle soit, le temps ne s'arrête pas plus pour la «Vette»

que pour une autre. La ZR-1 a remporté notre match des sportives l'an dernier mais doit maintenant offrir une réplique à la

Viper, aspirante au titre de sportive américaine absolue. Son V8 gagne donc 30 chevaux. La différence se mesure en dixièmes de seconde en accélération mais ne se sent guère au volant, puisqu'on a obtenu le gain de puissance à haut régime. Mais le défi le plus sérieux provient de la nouvelle Mazda RX-7. Comment les Américains feront-ils de la Corvette une voiture plus légère, plus agile, plus solide et plus performante, en demeurant fidèles au V8? Ce ne sont ni les idées ni l'enthousiasme mais bien les capitaux qui manquent dans la bande à Dave McLellan.

CE QU'IL FAUT SAVOIR

CHEVROLET CORVETTE

	Pauvre	Passable	Bon	Très bon	Excellent
• Comportement routier					•
• Freinage					•
• Sécurité passive				•	
• Visibilité				•	
• Confort		•			
• Volume de chargement		•			

POUR

Tenue de route impressionnante
Moteurs exaltants
Freinage sans reproche
Excellent maintien des sièges
Solidité en progrès
Antipatinage providentiel

CONTRE

Sportive lourde et large
Antipatinage bruyant, durable?
Accès aux sièges pénible
Rétroviseurs trop petits
Absence de repose-pied
Commandes de chauffage

Quoi de neuf?

Puissance et couple augmentés sur modèle ZR-1
Dimensions pneus et roues modifiées
Ensemble spécial 40ᵉ anniversaire

ASPECT TECHNIQUE

Groupe propulseur:	propulsion
Empattement:	244,3 cm
Longueur:	453,4 cm
Poids:	1 511,8 kg - 1 588 kg (ZR-1)
Coefficient aérodynamique:	0,33
Moteurs:	V8 5,7 litres, 300 ch. à 5 000 tr/min (ZR-1: V8 DACT 5,7 litres, 405 ch. à 5 800)
Transmission:	
standard:	boîte auto. 4 rap. - man. 6 rap. (ZR-1)
option:	boîte manuelle 6 rapports
Suspension avant:	indépendante
arrière:	indépendante
Direction:	à crémaillère, assistée
Freins: avant:	disques ABS
arrière:	disques ABS
Pneus:	av.: 225/45ZR17 arr.: 285/40ZR17

ASPECT PRATIQUE

Carrosserie:	coupé - décapotable
Nombre de places:	2
Valeur de revente:	très bonne
Indice de fiabilité:	7,5
Coussin gonflable:	conducteur
Réservoir de carburant:	75,7 litres
Capacité du coffre:	12,6 pi³ - 6,6 pi³ (décapotable)
Performances:	0-100 km/h: 5,11 s (LT-1)
vitesse max:	260 km/h
consommation:	14,4 litres/100 km
Échelle de prix:	43 000 $ à 73 000 $

APV/Pontiac Trans Sport

Enfin homogènes!

Ces deux fourgonnettes ont eu des débuts controversés. Non seulement leur silhouette futuriste faisait jaser, mais leur groupe propulseur laissait vraiment à désirer. Encore une fois, GM a tardé à réagir. Mais mieux vaut tard que jamais. Depuis l'an dernier, l'APV et la Trans Sport ont atteint leur maturité.

Chez GM, on s'entête toujours à proposer le moteur V6 3,0 litres et la boîte automatique à trois rapports. Mais, en pratique, le seul choix logique demeure le V6 3,8 litres et ses 170 chevaux associé à la boîte automatique à quatre rapports. Avec ce groupe propulseur, les accélérations se font en douceur et sans ennui tandis que les côtes sont avalées sans problème. Quant au moteur 3,1 litres, il est rapidement à bout de souffle et le passage des vitesses de la boîte à trois rapports est saccadé. Il faut par ailleurs souligner que le V6 3 800 est doté cette année d'un collecteur d'admission en matière composite qui est non seulement plus léger mais peut également être recyclé.

Une fois son groupe propulseur amélioré, cette fourgonnette peut enfin briller davantage et être appréciée pour son confort, sa polyvalence et la possibilité qu'elle fournit d'effectuer de longs trajets sans trop de fatigue. Il ne faut pas oublier non plus que la carrosserie en matière plastique est un élément qui n'est pas à négliger compte tenu de nos routes et de nos hivers. Quant au comportement routier de cette fourgonnette, il s'apparente davantage à celui d'une familiale dont le centre de gravité serait plus élevé. Malheureusement, la carrosserie avec son nez démesurément long rend la conduite urbaine désagréable alors qu'il faut évaluer la présence du pare-chocs avant avec justesse dans les manœuvres serrées. Heureusement qu'on parvient à s'habituer assez facilement à la position de conduite très en recul par rapport au pare-brise.

Le point fort de l'APV et de la Trans Sport

consiste en ses banquettes arrière qui peuvent être disposées de multiples façons en raison de points d'ancrage installés dans le plancher. Enfin, pour

1993, ces deux modèles sont équipés d'une portière latérale à commande électrique. Il suffit d'appuyer sur la commande une fois le levier de vitesses à

«Park» et la porte s'ouvre d'elle-même. Toutefois, par mesure de sécurité, elle cesse sa progression et se rétracte lorsqu'elle rencontre la moindre résistance. Parmi les autres améliorations, il faut noter une console centrale et l'utilisation d'un liquide réfrigérant écologiquement acceptable pour le climatiseur.

En attendant, ces deux fourgonnettes se démarquent par leur confort et leur résistance à la corrosion. Il s'agit d'un bon choix si on opte pour le V6 3,8 litres et la boîte automatique à quatre rapports.

CE QU'IL FAUT SAVOIR

APV

	Pauvre	Passable	Bon	Très bon	Excellent
• Comportement routier			•		
• Freinage			•		
• Sécurité passive			•		
• Visibilité		•			
• Confort				•	
• Volume de chargement				•	

POUR

V6 3 800
Confort pour de longues
   randonnées
Résistance à la corrosion
Polyvalence des sièges
Boîte auto. 4 rapports

CONTRE

Moteur V6 3,1 litres
Boîte auto. 3 rapports
Pédale frein de stationnement
   trop haute
Hayon lourd
Dégagement pour la tête

Quoi de neuf?

Moteur V6 3,8 amélioré
Porte coulissante automatique

ASPECT TECHNIQUE

Groupe propulseur:	traction
Empattement:	279,4 cm
Longueur:	494 cm
Poids:	1 590 kg
Coefficient aérodynamique:	0,33
Moteurs:	V6 3,1 litres, 120 ch. - V6 3,8 litres, 170 ch.
Transmission:	
standard:	boîte automatique 3 rapports
option:	boîte automatique 4 rapports
Suspension avant:	indépendante
arrière:	indépendante
Direction:	à crémaillère
Freins: avant:	disques ABS
arrière:	tambours ABS
Pneus:	P205/70R15

ASPECT PRATIQUE

Carrosserie:	fourgonnette
Nombre de places:	5-7
Valeur de revente:	bonne
Indice de fiabilité:	8,0
Coussin gonflable:	non
Réservoir de carburant:	75 litres
Capacité du coffre:	18,4 pi^3
Performances:	0-100 km/h: 10,3 s
vitesse max:	180 km/h
consommation:	12,3 litres/100 km
Échelle de prix:	19 000 $ à 24 000 $

S-10/GMC Sonoma

Le groupe propulseur se raffine

L'arrivée en 1993 d'une Ford Ranger toute pimpante avec sa nouvelle carrosserie et les succès de plus en plus importants des Dodge Dakota vont certainement pousser General Motors à réviser, au moins visuellement, sa gamme de camions S-10/Sonoma. En attendant, on nous propose un groupe propulseur plus raffiné.

Sur le plan mécanique, la grande nouvelle dans le camp des camionnettes S-10/Sonoma est l'arrivée du moteur V6 Vortec qui bénéficie cette année d'un arbre d'équilibrage afin d'assurer une plus grande douceur et un niveau sonore moins élevé. Ce moteur convient très bien à la vocation de ces camionnettes qui sont utilisées pour la promenade et non à des fins commerciales. Avec ses 165 chevaux, il permet de tracter des remorques ou de transporter de lourdes charges, et il assure une conduite plus sportive, ce que

plusieurs apprécient dans leur utilisation quotidienne. Les autres moteurs disponibles sont le quatre cylindres 2,5 litres et le V6 2,8 litres. Cependant, le Vortec, avec ses 165 chevaux, demeure le choix le plus intéressant. Également nouvelle cette année, la boîte automatique à quatre rapports à commande électronique. D'autre part, tous ces modèles peuvent être commandés avec une boîte manuelle à cinq rapports. Sur le plan de la conduite, la camionnette S-10/Sonoma est passablement confortable et permet d'effectuer des

trajets de moyenne distance sans éprouver de fatigue indue. La suspension n'est pas démesurément ferme, bien qu'elle soit plus efficace et plus confortable lorsque l'essieu arrière supporte une charge. Bien entendu, la version à cabine allongée ajoute à ce confort tout en permettant de transporter certains effets personnels, ce qui est virtuellement impossible avec une camionnette à cabine conventionnelle. Celle-ci est d'ailleurs particulièrement exiguë dans la série compacte de GM et les espaces de rangement sont pratiquement inexistants à bord. Le tableau de bord propose toujours ses cadrans futuristes, qui ne sont pas nécessairement au goût de tout le monde mais offrent tout de même un affichage relativement clair. On doit toutefois par moment chercher leurs aiguilles rouges qui sont un peu trop minces. Les commandes de climatisation sont toujours disposées à la verticale, du côté droit du volant. Certains apprécient peu cette présentation, d'autres l'aiment bien. Ces deux camionnettes conservent toujours une allure relativement moderne, surtout que leur silhouette n'a pas été modifiée de façon profonde depuis leurs débuts, il y a déjà dix ans. L'arrivée de la nouvelle livrée de la Ford Ranger fait effectivement paraître la série S-10/ Sonoma un peu plus vieillotte, alors que c'était exactement le contraire lorsque ses deux séries ont fait leurs débuts. Les camionnettes compactes de GM ont certainement un retard à rattraper à ce chapitre, aussi bien sur les Ranger que sur les meilleures camionnettes japonaises, Toyota en tête. Cela, aussi bien pour leur silhouette que pour le dessin de l'intérieur. C'est un des nombreux défis que doit relever Wayne Cherry, le nouveau directeur du style chez GM, qui a dirigé le renouveau esthétique impressionnant de la gamme GM en Europe tout récemment. Pour le reste, cette série propose une polyvalence de bon aloi et une conduite presque calquée sur celle des voitures de tourisme. Ce duo n'est donc pas à négliger, malgré quelques rides. Quant à sa version quatre roues motrices, elle dispose depuis l'an dernier d'une commande électrique actionnée par un bouton monté au tableau de bord. Bien entendu, le crabotage des roues avant se fait automatiquement sur la version 4x4.

CE QU'IL FAUT SAVOIR

S-10/GMC Sonoma

	Pauvre	Passable	Bon	Très bon	Excellent
• Comportement routier			•		
• Freinage			•		
• Sécurité passive	•				
• Visibilité				•	
• Confort				•	
• Volume de chargement					•

POUR

Moteur V6
Tenue de route stable
Finition sérieuse
Caisse rigide
Moteur quatre cylindres robuste

CONTRE

Silhouette confuse
Tableau de bord terne
Sous-virage à haute vitesse

Quoi de neuf?

Nouvelle boîte automatique à commande électronique
Arbre d'équilibrage sur V6 4,3 litres

ASPECT TECHNIQUE

Groupe propulseur:	propulsion - 4x4
Empattement:	275 cm - 299 cm (allongé) - 312 cm (MaxiCab)
Longueur:	452 cm - 493 cm (allongé) - 489 cm (MaxiCab)
Poids:	1 160 kg - 1 236 kg (MaxiCab)
Coefficient aérodynamique:	0,47
Moteurs:	4L 2,5 litres 105 ch. - V6 2,8 litres, 125 ch. - V6 4,3 litres 165 ch.
Transmission:	
standard:	boîte manuelle 5 rapports
option:	boîte automatique 4 rapports
Suspension avant:	indépendante
arrière:	essieu rigide
Direction:	à billes
Freins: avant:	disques
arrière:	tambours ABS
Pneus:	P195/75R14

ASPECT PRATIQUE

Carrosserie:	camionnette
Nombre de places:	2
Valeur de revente:	moyenne
Indice de fiabilité:	7,5
Coussin gonflable:	non
Réservoir de carburant:	75 litres
Capacité du coffre:	plate-forme: 1m82 - 2m23
Performances:	0-100 km/h: 11,2 s (V6, 165 ch.)
vitesse max:	170 km/h (V6, 165 ch.)
consommation:	12,9 litres/100 km (V6, 165 ch.)
Échelle de prix:	11 000 $ à 24 000 $

CHRYSLER

Concorde/Intrepid/Vision

Un trio explosif!

Au cours des trois dernières années, on a parlé souvent des problèmes financiers de Chrysler, mais on a parlé davantage des nouvelles berlines LH. Ces trois modèles sont non seulement uniques sous plusieurs aspects, mais ils doivent également ramener la compagnie sur le chemin de la rentabilité.

La Concorde, l'Intrepid et la Vision constituent la première authentique nouveauté de la part de Chrysler depuis la fourgonnette Autobeaucoup. Et ces nouvelles venues ont toute une mission à remplir: connaître une popularité suffisante pour remettre la compagnie sur la voie du rendement.

Pour lutter à armes égales sur un marché orienté plus que jamais sur la qualité et la performance, Chrysler ne pouvait se permettre de nous proposer un produit dont la mise au point aurait été bâclée. D'ailleurs, on le sait pertinemment bien chez ce manufacturier et on ne voulait pas seulement une voiture qui surpasse les standards de qualité nord-américains mais également ceux de l'Europe et du Japon. Comme on se plaît à le répéter à Detroit, on a voulu réaliser une voiture de classe mondiale.

UN CONCEPT UNIQUE

La première chose qui frappe lorsqu'on examine ces nouvelles venues de près, c'est que leur silhouette ne ressemble d'aucune façon à toutes les berlines proposées jusqu'à présent par Chrysler dont les formes équarries étaient de plus en plus dépassées. Avec ce trio de nouvelles venues, on a vraiment réussi à produire des voitures élégantes qui se distinguent les unes des autres par des détails de présentation. Mais il y a plus encore, ces trois produits innovent en matière de design.

Toutes trois partagent une silhouette générale que l'on appelle «cabine avancée» préconisant une cabine très généreuse, un capot avant incliné qui se prolonge jusqu'au dessus des roues avant et un empattement très long. Cela a permis aux concepteurs de réaliser une voiture de catégorie intermédiaire dont l'habitabilité est supérieure à la concurrence. Ainsi, l'index de l'EPA pour la capacité de la cabine place ces voitures en tête de la catégorie avec un résultat de 121, ce qui est supérieur à celui de la Taurus (118), de la Toyota Camry (112) et l'Acura Legend (110). De plus, le dégagement pour les épaules est de 150 cm. Encore là, ce chiffre est nettement supérieur à la moyenne. De plus, les passagers des places arrière ont tout l'espace nécessaire pour les jambes. Par exemple, un des ingénieurs chez Chrysler mesure plus de 2,10 m et il est capable de trouver une position confortable pour ses jambes aux places arrière !

Chez Chrysler, on est très fier d'avoir pu réaliser ce type de carrosserie à «cabine avancée» qui permet d'offrir une habitabilité similaire à celle des mastodontes des années 50. Selon plusieurs, cette approche sera imitée par les autres compagnies et procure pour l'instant un avantage à Chrysler.

Il est intéressant de souligner que c'est le président de Chrysler, Bob Lutz, qui a incité ses stylistes à s'inspirer de la Lamborghini Portofino pour réaliser le concept de «cabine avancée» propre aux Intrepid, Concorde et Vision. La Portofino est un prototype qui a été réalisé conjointement par Chrysler et Lamborghini.

RAFFINEMENTS MÉCANIQUES

Pendant des années, la compagnie Chrysler avait la réputation de produire des moteurs se distinguant sur le plan des performances et de la fiabilité. Par exemple, le légendaire moteur 426 pouces cubes à culasse hémisphérique fait maintenant partie de la légende

de la performance automobile. On espère bien que le lancement de ce nouveau moteur V6 sera en mesure de restaurer ce prestige d'antan.

Ce tout nouveau moteur V6 3,5 litres 24 soupapes développant 214 chevaux est monté longitudinalement. Il possède un arbre à cames en tête par rangée de cylindres et est relié à une boîte automatique à quatre rapports. Cette boîte, appelée 42LE, est la seconde génération de boîte automatique à commande électronique produite par Chrysler. Le convertisseur de couple a été spécialement développé afin de pouvoir accepter le passage des vitesses à plus de 6 300 tr/min. De plus, les éléments de cette boîte ont été renforcés dans le but d'accepter la puissance du nouveau V6 3,5 litres.

Ce moteur dont les rangées de cylindres sont à un angle de 60 degrés a été spécialement étudié non seulement pour être installé sans problème sous le capot plongeant de ces voitures mais pour être très silencieux. D'ailleurs, les couvercles de soupapes sont réalisés d'un sandwich métal-composite dans le but d'atténuer le bruit. Les ingénieurs ont également conçu ce moteur pour que sa robustesse ne soit jamais mise en doute.

Ces voitures LH de Chrysler proposent aussi un autre moteur V6 qui est en fait le moteur standard offert sur les versions de base. Il s'agit d'une version sérieusement modifiée du 3,3 litres déjà utilisé sur plusieurs autres produits Chrysler. Ce moteur à soupapes en tête développe 153 chevaux et est lui aussi monté en position longitudinale. Comme il est monté transversalement dans les autres modèles, inutile de préciser que les changements apportés sont quand même assez importants.

À part ces deux groupes propulseurs, ces nouvelles Chrysler se distinguent par leur suspension arrière indépendante, une autre première pour une voiture fabriquée par la compagnie. Les ingénieurs utilisent

une jambe de force Chapman tandis que des bras multiples relient les éléments de la suspension qui est à la fois simple et robuste. Il est intéressant de souligner que cette voiture possède une voie passablement large de 158 cm tandis que l'empattement est de 287 cm. Ce qui procure à ces voitures une empreinte fort imposante qui n'est pas sans avoir une influence sur le comportement routier très positif de ce châssis. Enfin, soulignons un raffinement technique additionnel avec les ailes avant en matière plastique. Chrysler n'a pas insisté sur ce fait, ce qui est plutôt cocasse

compte tenu du fait que l'utilisation de ce matériau pour les ailes n'est pas encore une pratique très répandue. On a peut-être craint que certains clients soient intimidés par toute cette sophistication.

SPACIEUX ET RAFFINÉ

Ces nouvelles voitures ne se distinguent pas uniquement par leur silhouette futuriste et leur fiche technique particulièrement jazzée. L'habitacle est également de qualité supérieure. Par le passé, les stylistes de la maison Chrysler nous avaient habitués à des habitacles un peu trop garnis et à des planches de bord très carrées dont la présentation d'ensemble ne convenait pas aux normes en vigueur sur le plan esthétique. Cette fois-ci, on a complètement abandonné les présentations d'une autre époque pour nous offrir des planches de bord élégantes, modernes et très fonctionnelles. Tout est en rondeurs alors que les instruments sont regroupés sous un surplomb aux formes arrondies. Les buses de ventilation sont cylindriques et très efficaces. Il existe des variantes de présentation sur chaque modèle. Chez Chrysler, on ne se cache pas pour affirmer que chaque élément de la cabine devait tenter de surpasser ce qui avait été considéré comme étant le meilleur dans l'industrie. Par exemple, pour la climatisation, le standard à atteindre et même à dépasser était le système de la BMW 535. Incidemment, il est impossible de savoir si on a dépassé BMW, mais il est certain que le système proposé sur ces Chrysler et Eagle est drôlement efficace. Lors de la présentation de ces modèles à la presse, nous sommes allés nous balader dans le désert californien alors que la température dépassait les 45° Celsius et la climatisation s'en est tirée avec les grands honneurs.

Il faut aussi accorder de bonnes notes aux commandes du système de climatisation automatique dont les boutons rotatifs devraient être imités par la plupart des autres compagnies. Ainsi, au lieu de «pitonner» pour régler la température vers le haut ou le bas, il suffit de tourner le bouton. C'est drôlement plus efficace et plus facile. Par contre, le coffre à gants n'est pas tellement grand mais les ingénieurs ont une excuse puisque le coussin de sécurité gonflable du côté du passager est standard. C'est tout de même mieux que ce que proposent plusieurs compagnies japonaises bien cotées qui n'ont pas été capables de placer coussin et coffre à gants sur certains modèles de luxe. En guise de compensation, on a installé dans la console un vide-poches aux dimensions très généreuses.

Quant aux sièges avant, ils sont confortables dans l'ensemble et offrent un support latéral adéquat. Toutefois, dans les versions de base essayées, le dossier est plutôt mou et pourrait offrir un meilleur support. Les places arrière sont plus que généreuses. Toutefois, le dossier ne se rabat pas pour permettre le transport d'objets encombrants.

Ces trois berlines proposent un des meilleurs habitacles de l'industrie que ce soit au chapitre de la présentation, de l'ergonomie ou de l'habitabilité. Après Ford et la Taurus, les modèles «LH» nous démontrent que les Américains peuvent faire autre chose que des grosses berlines cossues.

TOUTE UNE ROUTIÈRE

Une chose est évidente après quelques kilomètres au volant d'une de ces voitures: la tenue de route est de catégorie supérieure. Et cela n'est pas obtenu au détriment du confort, bien au contraire. Grâce à leur voie large et à leurs pneus aux dimensions assez généreuses, ces trois voitures nous ont épatés. Que l'on circule sur l'autoroute ou que l'on conduise agressivement sur une route de montagne sinueuse, elles se distinguent par leur tenue en virage, leur stabilité directionnelle et la facilité de les conduire de façon sportive. Et il faut ajouter que la direction est relativement précise et l'assistance assez bien dosée pour une voiture nord-américaine. À ce chapitre, Chrysler se hisse sans difficulté au niveau des normes mondiales et les surpasse même.

Le tout nouveau moteur V6 3,5 litres a répondu à nos attentes et s'est révélé silencieux, performant et souple. Quant à la transmission automatique, elle ne chasse pas indûment et le passage des vitesses s'effectue avec autorité même si on ne retrouve pas l'absence totale de secousses rencontrée sur certaines unités proposées par la concurrence.

CE QU'IL FAUT SAVOIR

CHRYSLER CONCORDE

	Pauvre	Passable	Bon	Très bon	Excellent
• Comportement routier				●	
• Freinage				●	
• Sécurité passive					●
• Visibilité				●	
• Confort				●	
• Volume de chargement					●

POUR

Moteur V6 3,5 litres
Tenue de route superbe
Tableau de bord élégant et pratique
Habitabilité supérieure
Finition soignée

CONTRE

Image à refaire
Sièges standards un peu mous
Coffre à gants moyen
Moteur 3,3 bruyant en accélération

Quoi de neuf?

Tout nouveau modèle
Moteur V6 3,5 litres 24 soupapes
Nouvelle boîte automatique

ASPECT TECHNIQUE

Groupe propulseur:	traction
Empattement:	287 cm
Longueur:	515,1 cm
Poids:	1 510 kg
Coefficient aérodynamique:	0,31
Moteurs:	V6 3,3 litres 153 ch. - V6 DACT 3,5 litres 214 ch.
Transmission:	
standard:	boîte automatique 4 rapports
option:	aucune
Suspension avant:	indépendante
arrière:	indépendante
Direction:	à crémaillère
Freins: avant:	disques ABS
arrière:	disques ABS
Pneus:	P205/70R15

ASPECT PRATIQUE

Carrosserie:	berline
Nombre de places:	5
Valeur de revente:	nouveau modèle
Indice de fiabilité:	nouveau modèle
Coussins gonflables:	conducteur - passager
Réservoir de carburant:	70 litres
Capacité du coffre:	16,7 pi^3
Performances:	0-100 km/h: 9,2 s (3,5 l) - 11,3 s (3,3 l)
vitesse max:	195 km/h
consommation:	9,8 litres/100 km (3,3 litres)
Échelle de prix:	18 500 $ à 25 000 $

Daytona

Vestige des années sombres

Au premier coup d'œil, la Chrysler Daytona a fière allure même s'il est relativement facile de déceler des origines un peu lointaines malgré le face-lift *effectué l'an dernier. Toutefois, cette voiture déçoit à plus d'un point de vue et nous fait reculer plusieurs années en arrière.*

Si vous voulez savoir pourquoi l'industrie nord-américaine a connu une baisse de ses ventes, vous n'avez qu'à conduire la Chrysler Daytona. Rarement avons-nous eu l'occasion au cours des cinq dernières années de conduire une voiture dont l'assemblage et la rigidité de la caisse laissaient autant à désirer. Pourtant, ce type de voiture était la norme à Detroit au début des années 80. La Daytona est un vestige de ces «belles années» avec sa caisse assemblée à la hâte et sa cabine dont la conception générale est plus ou moins

emballante. Pourtant, cette voiture a été revue l'an dernier et on a également retouché les lignes de sa carrosserie.

Toutefois, si ces éléments ne vous découragent pas, il faut ajouter que la tenue de cette voiture n'est pas à dédaigner. Malgré une plate-forme beaucoup trop souple, la tenue en virage est loin d'être mauvaise. Quant aux performances, elles peuvent être vraiment spectaculaires si vous optez pour le moteur turbocompressé de plus de 224 chevaux. Les accélérations sont foudroyantes et le com-

portement nettement sportif. Vous devrez également être confronté à un embrayage tellement dur que votre jambe gauche va certainement se développer sur le plan musculaire.

Il est certain que le moteur le mieux adapté est le V6 3,0 litres qui est suffisamment puissant avec ses 141 chevaux et est plus agréable en conduite quotidienne. Toutefois, pourquoi se contenter d'une voiture dont la caisse est plus ou moins intègre quand on peut se procurer la Laser ou la Talon à des prix similaires?

Pour que la Daytona puisse se tailler une place enviable sur le marché actuel, il est impérieux de la doter d'une plate-forme plus rigide et de s'assurer que sa finition soit plus sérieuse. À ce moment, ses qualités routières de même que sa silhouette tout de même sympathique pourraient être appréciées.

Chez Chrysler, on parle de la compagnie de demain et de ses réalisations anticipées. Cette Daytona fait certainement partie des vieux meubles et on la traite comme telle. Il est certain que ses jours sont comptés chez Chrysler. Mais si on se fie à ce que Chrysler a réalisé au cours des trois dernières années, il y a de fortes chances pour que la prochaine Daytona soit intéressante. En attendant, mieux vaut se tourner vers la Laser.

CE QU'IL FAUT SAVOIR

DAYTONA

	Pauvre	Passable	Bon	Très bon	Excellent
• Comportement routier				•	
• Freinage				•	
• Sécurité passive			•		
• Visibilité		•			
• Confort		•			
• Volume de chargement		•			

POUR

Moteur turbo puissant
Tenue de route sportive IROC
Choix de moteurs
Instrumentation complète
Prix intéressant

CONTRE

Finition bâclée
Plate-forme dépassée
Confort inexistant
Effet de couple (Turbo)
Embrayage ferme

Quoi de neuf?

Freins ABS sur version de base
Convertisseur de couple modifié avec moteur
  2,5 litres

ASPECT TECHNIQUE

Groupe propulseur:	traction
Empattement:	246,9 cm
Longueur:	456,7 cm
Poids:	1 265 kg
Coefficient aérodynamique:	n.d.
Moteurs:	4L 2,5 litres,100 ch. - V6 3,0 litres, 141 ch. - 4L 2,2 litres Turbo, 224 ch.
Transmission:	
standard:	boîte manuelle 5 rapports
option:	boîte automatique 4 rapports
Suspension avant:	indépendante
arrière:	essieu rigide
Direction:	à crémaillère
Freins: avant:	disques (ABS optionnel)
arrière:	tambours (disques ABS R/T)
Pneus:	P185/70R14

ASPECT PRATIQUE

Carrosserie:	coupé
Nombre de places:	2+2
Valeur de revente:	moyenne/faible
Indice de fiabilité:	6,5
Coussin gonflable:	conducteur
Réservoir de carburant:	53 litres
Capacité du coffre:	16,7 pi^3
Performances:	0-100 km/h: 9,6 s (V6)
vitesse max:	195 km/h
consommation:	10 litres/100 km
Échelle de prix:	13 000 $ à 20 000 $

CHRYSLER

Imperial/5th Ave/New Yorker

Le trio rétro

Les critiques ont longtemps reproché à Chrysler de ne pas offrir de voitures modernes à la clientèle, surtout dans la catégorie des berlines de luxe. La relève est en voie de préparation, mais nous devons, pour l'instant, nous contenter d'un trio de berlines dont seul le prix abordable peut être mis de l'avant.

Même si les nouvelles Chrysler Concorde et Intrepid sont les voitures les plus en évidence cette année chez Chrysler et même en Amérique, cette compagnie possède encore dans son catalogue des voitures qui ont été conçues et élaborées sous «l'ancien régime». Elles proposent toutes des formes carrées, une suspension plus ou moins dérivée des modèles K et un habitacle relativement vieillot. Si elles sont toujours au catalogue, c'est qu'elles attirent toujours une certaine clientèle qui apprécie tout le luxe offert compte tenu du prix de vente relativement bas.

Malgré ses qualités, l'Imperial est celle qui jouit de la diffusion la plus restreinte. Il est vrai que son prix est plus élevé, mais son comportement routier décevant et un équipement qui la distingue assez peu de la Fifth Avenue sont les principales raisons de cette faible popularité. La Fifth Avenue possède la même carrosserie et constitue une meilleure valeur même si son moteur standard est le V6 3,3 litres au lieu du 3,8 litres qui est quand même offert en option. Il est vrai que l'Imperial impres-

sionne davantage sur le plan de sa fiche technique, mais en conduite de tous les jours, la Fifth Avenue représente une meilleure valeur. D'autant plus que son comportement routier est plus homogène. Il ne faut toutefois pas s'imaginer que ces deux voitures soient de grandes routières. Elles sont essentiellement développées pour rouler sur les autoroutes. Dès que la chaussée se dégrade et que les courbes sont plus accentuées, la suspension montre rapidement ses limites. Les amortisseurs avant talonnent tandis que la voiture devient nettement trop sous-vireuse. Par contre, si vous aimez une voiture toute garnie pour un prix alléchant et que la présentation un peu rétro de l'habitacle vous plaît, la Fifth Avenue n'est pas dépourvue d'attraits.

Quant à la New Yorker, elle est animée par le même moteur V6 3,3 litres que la Fifth Avenue, mais son empattement et ses dimensions hors tout sont plus modestes, ce qui la rend un peu plus maniable et moins lourde. Elle adopte le même style que les deux autres modèles et son tableau de bord est plus ou moins similaire. Elle représente le meilleur achat des trois.

Sur le plan positif, ce trio propose une intéressante fiabilité et ses prix fort compétitifs sont des arguments puissants aux yeux de plusieurs.

CE QU'IL FAUT SAVOIR

5TH AVENUE

	Pauvre	Passable	Bon	Très bon	Excellent
• Comportement routier		•			
• Freinage		•			
• Sécurité passive			•		
• Visibilité		•			
• Confort				•	
• Volume de chargement				•	

POUR

V6 3,8 litres
Équipement complet
Confort assuré
Silence de roulement
Présentation cossue

CONTRE

Piètre visibilité
Roulis en virage
Tenue de route très moyenne
Pneus étroits
Modèle en sursis

Quoi de neuf?

Lecteur disques compacts
Équipement standard plus complet

ASPECT TECHNIQUE

Groupe propulseur:	traction
Empattement:	278,3 cm - 265 cm (New Yorker)
Longueur:	515,6 cm - 491,7 cm (New Yorker)
Poids:	1 615 kg - 1 555 kg (New Yorker)
Coefficient aérodynamique:	0,41
Moteurs:	V6 3,8 litres, 150 ch. - V6 3,3 litres, 147 ch.
Transmission:	
standard:	boîte automatique 4 rapports
option:	aucune
Suspension avant:	indépendante
arrière:	semi-indépendante
Direction:	à crémaillère
Freins: avant:	disques ABS
arrière:	disques ABS
Pneus:	P195/75R14

ASPECT PRATIQUE

Carrosserie:	berline
Nombre de places:	5
Valeur de revente:	moyenne
Indice de fiabilité:	8
Coussin gonflable:	conducteur
Réservoir de carburant:	60 litres
Capacité du coffre:	16,5 pi^3
Performances:	0-100 km/h: 12,8 s (3,3 litres)
vitesse max:	180 km/h
consommation:	12,9 litres/100 km (3,3 litres)
Échelle de prix:	28 000 $ à 48 000 $

Le Baron Coupe/Cabriolet

Toujours surtout pour la forme

Dès leur lancement en 1987, les coupés et décapotables Le Baron se sont illustrés par leurs silhouettes plutôt jolies et c'est à peu près tout. À leur septième et vraisemblablement dernière année sous cette forme, elles sont toujours aussi banales au chapitre du comportement et de la finition. La beauté suffit-elle?

Depuis 1987, cette série a mené une carrière honorable sur le marché. La décapotable surtout, que son fabricant présente avec orgueil comme la voiture de ce type la mieux vendue sur la planète. Durant toutes ces années, les qualités esthétiques sont demeurées le point fort de cette branche de la trop grande famille des Le Baron. Même à leur septième année, ce sont encore des voitures attrayantes, bien qu'elles commencent évidemment à perdre du terrain sur les plus réussis des modèles récents. Cette année, elles ont

d'ailleurs droit essentiellement à des retouches esthétiques. Les stylistes de Chrysler leur ont simplement poudré le nez en quelque sorte, puisqu'elles ne reçoivent, en substance, qu'une calandre légèrement adoucie et de nouvelles lentilles de feux de position et de clignotants. Côté mécanique, c'est le *statu quo* presque parfait. Leur système d'échappement passe en entier à l'acier inoxydable, le convertisseur de couple de la boîte automatique du moteur de 2,5 litres gagne en robustesse et l'odomètre résistera

désormais à toute manipulation. On a également modifié le dessin de toutes les roues d'alliage offertes, ce qui se range là encore sous la rubrique des soins esthétiques. Les Le Baron ont donc abandonné leurs ambitions sportives dans une large mesure. Chrysler a doté entre autres le coupé GTC de puissants moteurs turbocompressés durant quelques années, mais ils ont été rayés du catalogue en faveur, surtout, du moteur V6 de 3 litres apparu en 1990. C'est ce moteur qui apporta aux Le Baron la part de raffinement qui leur avait manqué cruellement depuis leurs débuts. C'est d'ailleurs la voie que l'on doit suivre avec les voitures de la prochaine génération. Élaborées sur la plate-forme de la nouvelle Mitsubishi Galant, elles devraient être propulsées par un V6 de 2,5 litres à culasses multisoupape. On attend toujours ces nouvelles voitures pour l'année 1994. Il pourrait donc s'agir de modèles 1995. Jusque-là, les Le Baron continueront d'offrir ce qu'elles peuvent: de belles silhouettes et des intérieurs qui sont beaucoup plus ergonomiques et accueillants depuis leur remodelage, il y a trois ans. Leur comportement et leurs performances sont corrects, guère plus. Pour que ces éléments progressent, il faudra attendre les nouvelles, dont la structure sera presque certainement plus rigide.

CE QU'IL FAUT SAVOIR

CHRYSLER LE BARON COUPE

	Pauvre	Passable	Bon	Très bon	Excellent
• Comportement routier				•	
• Freinage				•	
• Sécurité passive				•	
• Visibilité		•			
• Confort			•		
• Volume de chargement			•		

POUR
Comportement honnête
Motorisation variée
Freinage puissant (GTC)
Habitacle pratique (coupé)
Décapotable élégante
Ergonomie correcte

CONTRE
Mauvaise visibilité arrière
Performances en retrait
Carrosserie peu rigide
Banquette arrière étriquée (Cabr.)
Peu de rangements pratiques
Fiabilité et revente aléatoires

Quoi de neuf?

Calandre redessinée
Échappement inoxydable
Convertisseur de couple plus robuste (2,5 litres)

ASPECT TECHNIQUE

Groupe propulseur:	traction
Empattement:	255,3 cm - 255,5 cm (Cabriolet)
Longueur:	469,4 cm
Poids:	1 298,6 kg - 1 365,3 kg (Cabriolet)
Coefficient aérodynamique:	0,35
Moteurs:	4L 2,5 litres, 100 ch. - V6 3,0 litres, 141 ch.
Transmission:	
standard:	boîte automatique 3 rapports
option:	automatique 4 rapports, manuelle 5 rap.
Suspension avant:	indépendante
arrière:	semi-indépendante
Direction:	à crémaillère, assistée
Freins: avant:	disques (ABS optionnel)
arrière:	tambours - disques (GTC) (ABS optionnel)
Pneus:	195/70R14 - 205/60R15 (GTC/LX)

ASPECT PRATIQUE

Carrosserie:	coupé - décapotable
Nombre de places:	5 - 4 (Cabriolet)
Valeur de revente:	moyenne - bonne (Cabriolet)
Indice de fiabilité:	6,5
Coussin gonflable:	conducteur
Réservoir de carburant:	53 litres
Capacité du coffre:	14,4 pi^3 - 10,3 pi^3 (Cabriolet)
Performances:	0-100 km/h: n.d.
vitesse max.:	n.d.
consommation:	10,4 litres/100 km
Échelle de prix:	18 000 $ à 27 000 $

DODGE

Dakota

En avance sur son temps

Il y a maintenant sept ans que Chrysler fabrique cette camionnette de format moyen. Nous l'avions accueillie avec enthousiasme dès 1987, mais elle dut attendre longtemps la même reconnaissance de la part des acheteurs. Depuis, la série Dakota a fait école et affronte cette année ses premières imitatrices.

Chrysler a visé juste du premier coup avec ses camionnettes Dakota. Du moins pour ce qui est de l'architecture et du concept général d'une camionnette de format intermédiaire. Mais de surcroît, les stylistes et ingénieurs de la marque avaient fait de l'excellent travail. Ces nouvelles camionnettes avaient de la gueule, une silhouette à la fois élégante et anguleuse et une carrosserie impeccablement solide. On leur avait également trouvé un nom qui collait parfaitement. Déjà en 1987, les Dakota roulaient avec aplomb, que ce soit sur la route ou en tout terrain. Elles n'étaient alors offertes qu'avec une cabine de camionnette conventionnelle. Le modèle à cabine allongée Club Cab, qui correspond aux besoins d'un grand nombre des acheteurs typiques de ces camionnettes, n'est apparu qu'en 1991. Mais déjà, les Dakota prouvaient le bien-fondé du concept de la camionnette intermédiaire. Elle offrait effectivement plus d'espace intérieur qu'une compacte tout en possédant une plate-forme de chargement de grande capacité, sans l'encombrement important des camionnettes grand format de Ford et GM, qui dominaient et dominent encore le marché nord-américain. Bonne idée ou non, cependant, les Dakota n'étaient certes pas parfaites à leurs débuts. Leur principal défaut se trouvait sous le capot: elles manquaient de muscle. On les avait dotées à l'origine d'un quatre cylindres de 2,2 litres ou d'une première version du V6 de 3,9 litres. Nous avions alors des temps d'environ 18 secondes en accélération de 0 à 100 km/h. Chrysler a mis quelques années à corriger efficacement cette lacune. En

1991, les Dakota recevaient un premier V8 de 5,2 litres qui faisait 165 chevaux. Mais c'est l'an dernier que la cavalerie a fait son entrée en force avec les moteurs de série Magnum. Le V6 de 3,9 litres fait 180 chevaux et le V8 de 5,2 litres un impressionnant 230 chevaux. Offert uniquement avec une boîte automatique à quatre rapports, le V8 permet d'atteindre 100 km/h en moins de 9 secondes, la moitié des temps de 1987! Les Dakota ont donc atteint un niveau certain d'homogénéité mécanique, elles dont le comportement n'a jamais trahi de lacune véritable. Après sept ans, cependant, c'est au tour de leur finition et de leur présentation intérieure de montrer de sérieuses rides. Avec l'arrivée d'une rivale sérieuse, la Toyota T100, il est grand temps que l'on resserre la qualité de finition de ces braves Dakota.

CE QU'IL FAUT SAVOIR

DODGE DAKOTA

	Pauvre	Passable	Bon	Très bon	Excellent
• Comportement routier				•	
• Freinage		•			
• Sécurité passive			•		
• Visibilité					•
• Confort			•		
• Volume de chargement					•

POUR

Moteur V8 souple et performant
Direction rapide et précise
Instrumentation complète
Excellente suspension
Commandes efficaces
Version Club Cab attrayante

CONTRE

Finition intérieure quelconque
Tenue de cap imparfaite
Freinage très moyen
Coffre à gants exigu
Accélérateur hypersensible
Faible maintien latéral des sièges

Quoi de neuf?

Freinage antibloquant optionnel (4 roues)
Échappement inoxydable
Sièges et certaines commandes redessinées

ASPECT TECHNIQUE

Groupe propulseur:	propulsion - 4x4
Empattement:	284,48 cm - 314,9 cm - 332,7 cm (Club Cab)
Longueur:	480 cm - 527 cm - 528,3 cm (Club Cab)
Poids:	1 337 kg - 1 760 kg (Club Cab 4x4)
Moteurs:	4L 2,5 litres, 99 ch. - V6 3,9 litres, 180 ch. - V8 5,2 litres, 230 ch.
Transmission:	
standard:	boîte manuelle 5 rapports
option:	boîte automatique 4 rapports
Suspension avant:	indépendante
arrière:	essieu rigide
Direction:	à crémaillère, assistée - à billes (4x4)
Freins: avant:	disques (ABS optionnel)
arrière:	tambours ABS
Pneus:	195/75R15 - 215/75R15 (optionnel) - 235/75R15 (4x4)

ASPECT PRATIQUE

Carrosserie:	camionnette - cabine allongée
Nombre de places:	3 - 5 (optionnel)
Valeur de revente:	très bonne
Indice de fiabilité:	8
Coussin gonflable:	non
Réservoir de carburant:	56,7 litres - 83,3 litres (optionnel)
Capacité du coffre:	cabine Club Cab: 19,5 pi³
Performances:	0-100 km/h: 8,67 s (Club Cab V8 4x4 autom.)
vitesse max.:	165 km/h.
consommation:	14,9 litres/100 km (V8)
Échelle de prix:	11 000 $ à 18 000 $

DODGE

Ram 50/Power Ram 50

Robuste mais effacée

Même si elle a perdu des plumes l'an dernier au chapitre des groupes propulseurs, cette camionnette Dodge produite au Japon n'en demeure pas moins un des éléments les plus homogènes de cette catégorie. D'ailleurs, les sondages de satisfaction de la clientèle la placent parmi les premières de sa classe.

L'an dernier, Chrysler a émondé sensiblement les modèles de sa gamme Ram 50 et Power Ram 50 et a abandonné le moteur V6 3,0 litres. Cette année encore seul le quatre cylindres de 2,4 litres développant 116 chevaux est offert. Ce quatre cylindres est parmi les plus puissants offerts dans cette catégorie en plus d'être robuste et fiable. Il faut toutefois lui reprocher sa consommation élevée qui est amplifiée lorsqu'on opte pour la version 4x4.

Construite par Mitsubishi à l'usine de Okazaki au Japon, la Ram 50 n'a rien à envier à la concurrence au chapitre de la qualité de la finition et de l'assemblage. La caisse à double paroi est fabriquée de tôles robustes et cela donne le ton à l'ensemble. Toutefois, sa silhouette est passablement ordinaire tandis que la présentation de la cabine est semblable à celle des autres créations japonaises de la catégorie alors que tout est à la bonne place et la finition exemplaire. Le tout manque toutefois de saveur et il s'en dégage toujours une sensation de déjà vu.

Il faut souligner que la banquette standard a certainement été dessinée avec de très courts trajets en vue. Si vous prévoyez rouler beaucoup avec cette camionnette, mieux vaut opter pour les sièges baquets qui font partie d'un groupe d'options destiné à rendre cette Dodge plus confortable et plus engageante au chapitre de la présentation.

Comme peu de camionnettes savent le faire, ces Dodge se débrouillent fort bien en conduite quotidienne alors qu'elles sont silencieuses et dotées de caractéristiques routières de bon aloi. Cette fiche positive en ce qui concerne le comportement routier est ternie par une direction lente qui est de plus affligée d'un rayon de braquage assez important. Ce qui risque de faire de vous le centre d'attraction au moment de certaines manœuvres de stationnement un peu trop serrées.

La version Power Ram 50 est la version 4x4. Sa robustesse ainsi que de très bonnes qualités en conduite tout terrain sont à souligner. Malheureusement, l'essieu arrière rigide fait remarquer sa présence par des ruades parfois sèches sur mauvaise route. Le comportement est plus homogène lorsque la caisse est chargée. Il semble que les ingénieurs ont vraiment conçu ce 4x4 pour une utilisation presque exclusivement commerciale.

CE QU'IL FAUT SAVOIR

DODGE RAM 50

	Pauvre	Passable	Bon	Très bon	Excellent
• Comportement routier				•	
• Freinage				•	
• Sécurité passive			•		
• Visibilité				•	
• Confort			•		
• Volume de chargement					•

POUR

Performances intéressantes
Robustesse assurée
Fiabilité reconnue
Version 4x4
Capacité de chargement

CONTRE

Direction lente
Faible diffusion
Sautillement train arrière
Grand diamètre de braquage
Suspension ferme

Quoi de neuf?

Freins ABS arrière standards
Nouveau choix de couleurs

ASPECT TECHNIQUE

Groupe propulseur:	propulsion - 4x4
Empattement:	267 cm
Longueur:	449,3 cm
Poids:	1 160kg (4 x4) - 1 500 kg (allongée)
Coefficient aérodynamique:	n.d.
Moteur:	2,4 litres, 116 ch.
Transmission:	
standard:	boîte manuelle 5 rapports
option:	boîte automatique 4 rapports
Suspension avant:	indépendante
arrière:	essieu rigide
Direction:	à billes
Freins: avant:	disques
arrière:	tambours
Pneus:	P195/75R14

ASPECT PRATIQUE

Carrosserie:	camionnette
Nombre de places:	2
Valeur de revente:	moyenne
Indice de fiabilité:	9
Coussin gonflable:	non
Réservoir de carburant:	52 litres
Capacité du coffre:	boîte 183 cm
Performances:	0-100 km/h: 12,3 s
vitesse max:	165 km/h
consommation:	10,7 litres /100 km
Échelle de prix:	12 000 $ à 16 000 $

DODGE

Plymouth Colt/Eagle Summit Wagon

Chasseuse de créneau

Chrysler présentait l'an dernier une nouvelle génération de ces petites fourgonnettes conçues par son associée Mitsubishi. Elles viennent se glisser entre les petites familiales compactes et les fourgonnettes de la taille des Caravan et Voyager. Elles sont le type même du véhicule destiné à un public très précis.

Il y a déjà plusieurs années que Chrysler offre chez nous un type de véhicule que l'on a souvent grand mal à caser dans une catégorie précise et bien délimitée. Depuis 1986, en fait, alors qu'elle lançait les premières Colt Vista. Plus petites que les fourgonnettes qui faisaient rage depuis 1984 mais plus hautes et spacieuses que les familiales tirées de voitures compactes, les Vista ont connu une diffusion plus que modeste. Il faut dire que Chrysler n'en avait importé qu'un petit nombre et ne leur avait consacré que de mièvres efforts de promotion. L'an dernier, pourtant, on remettait cela avec une toute nouvelle génération de celles que nous avions finalement baptisées microfourgonnettes. Mitsubishi en a développé deux versions distinctes mais Chrysler Canada n'en importe qu'une. Il s'agit d'un modèle pourvu d'une seule portière coulissante à droite. Déjà, les Dodge et Plymouth Colt et l'Eagle Summit, qui portent toutes trois le suffixe Wagon, se démarquent de leur seule concurrente véritable: l'Axxess de Nissan. Cette dernière est pourvue de por-

tières coulissantes des deux côtés pour les places arrière. Pour le reste, ces deux séries sont à la fois étrangement semblables et différentes l'une de l'autre. Toutes deux offrent par exemple le choix de la traction ou d'un rouage intégral optionnel. Dans les deux gammes, on retrouve un moteur de 2,4 litres dont la puissance est à peu près la même. Il faut noter que celui du trio des Colt et Summit reçoit cette année une culasse 16 soupapes. Ces dernières offrent par contre aussi le choix d'un moteur de plus faible cylindrée pour un prix et une consommation moindres. Pour le reste, les Colt et Summit possèdent l'avantage d'être de conception plus récente. Si certaines des finitions intérieures sont plutôt ternes, le design demeure en général moderne et efficace.

Notons toutefois que les vide-poches situés sur les portières sont à peu près inutilisables et que les sièges ne sont pas des parangons de confort ou de maintien sur les versions plus modestes. Pour tout dire, la grande force des Colt et Summit Wagon est leur excellente maniabilité. Cela est d'autant plus vrai lorsqu'elles sont pourvues du moteur 2,4 litres. Même en version intégrale et avec la boîte automatique, elles sont idéales pour la guérilla du trafic urbain. Leur suspension est aussi superbement efficace et leur carrosserie super robuste, d'autres atouts importants.

CE QU'IL FAUT SAVOIR

DODGE COLT WAGON

	Pauvre	Passable	Bon	Très bon	Excellent
• Comportement routier				•	
• Freinage				•	
• Sécurité passive			•		
• Visibilité				•	
• Confort			•		
• Volume de chargement				•	

POUR

Très bonnes performances (2,4 l)
Comportement routier solide
Suspension très efficace
Grande maniabilité
Freinage sûr
Habitacle pratique

CONTRE

Sièges inconfortables
Certaines finitions ternes
Pas d'appuie-tête à l'arrière
Chauffage moyen
Radio bon marché, trop bas
Quelques bruits agaçants

Quoi de neuf?

Nouveau moteur 2,4 litres à culasse 16 soupapes
Poignée intérieure pour refermer le hayon
Nouvelles couleurs, etc.

ASPECT TECHNIQUE

Groupe propulseur:	traction
Empattement:	251,9 cm
Longueur:	428 cm
Poids:	1 235 kg - 1 350 kg (4x4)
Moteurs:	4L 1,8 litres, 113 ch. - 4L 2,4 litres, 136 ch.
Coefficient aérodynamique:	n.d.
Transmission:	
standard:	boîte manuelle 5 rapports
option:	boîte automatique 4 rapports
Suspension avant:	indépendante
arrière:	indépendante
Direction:	à crémaillère, assistée
Freins: avant:	disques (ABS optionnel)
arrière:	tambours (ABS + disques optionnel)
Pneus:	185/75R14 - 205/70R14 (LX + AWD)

ASPECT PRATIQUE

Carrosserie:	microfourgonnette
Nombre de places:	5
Valeur de revente:	très bonne
Indice de fiabilité:	8,5
Coussin gonflable:	non
Réservoir de carburant:	54,8 litres
Capacité du coffre:	34,6 pi³ - 67,8 pi³ (banquette repliée)
Performances:	0-100 km/h: 11,03 s (4x4 automatique)
vitesse max:	160 km/h
consommation:	10,2 litres/100 km - 12,1 l (intégrale)
Échelle de prix:	17 000 $ à 21 000 $

Colt/Eagle Summit

Une nouvelle allure

Même si le marché des sous-compactes est dominé par des modèles beaucoup plus populaires que les Dodge/Plymouth Colt et les Eagle Summit, ces voitures jouissent d'une popularité sans cesse croissante. Cette année, on bénéficie d'une refonte complète de la gamme et de modifications sur le plan mécanique.

Si la Colt/Summit fait entièrement peau neuve cette année, il ne faut pas s'imaginer que cette sous-compacte a été entièrement revue tant sur le plan esthétique que technique. En fait, il s'agit tout simplement d'un recarrossage agrémenté de quelques modifications au chapitre des groupes propulseurs et de la suspension arrière. Malgré tout, on a plus ou moins conservé la même plate-forme. Ce qui n'est pas mauvais puisque les éléments antérieurs étaient tout de même très intéressants.

Sur le plan esthétique, ces deux nouvelles silhouettes vont certainement faire l'unanimité quant à leur élégance. Les stylistes de Chrysler et de Mitsubishi, les fabricants, ont vraiment eu beaucoup d'inspiration lorsqu'ils ont créé cette berline et ce coupé. Les lignes sont agréables, élégantes et en net accord avec les goûts actuels. Le même succès a été obtenu pour la cabine alors que le tableau de bord est bien disposé et moderne. Cependant, on n'y retrouve pas le même brio et la présentation est un peu terne.

Sur le plan de la mécanique, ce duo pro-pose deux moteurs. Le moteur standard est un quatre cylindres 1,5 litre 12 soupapes développant 92 chevaux. Quant au moteur plus puissant disponible en option, uniquement sur la berline, il s'agit d'un quatre cylindres 1,8 litre 16 soupapes à SACT et d'une puissance de 113 chevaux. La boîte manuelle à cinq rapports est standard avec ces deux moteurs tandis que l'automatique à quatre rapports est offerte seulement avec le deuxième. Une boîte automatique à trois rapports est la seule automatique disponible avec le 1,5 litre.

Toujours sur le plan technique, ces deux nouvelles venues bénéficient d'une suspension indépendante toute nouvelle à bras multiples et ressorts hélicoïdaux.

Sur le plan de la conduite, les prototypes mis à notre disposition n'étaient pas entièrement représentatifs des modèles de production. Toutefois, cela a été plus que suffisant pour nous donner une bonne idée du potentiel de ces voitures. Dans l'ensemble, les performances tout comme la tenue de route sont honnêtes mais la boîte manuelle est dotée d'un levier nettement trop imprécis et flou. Il en est de même de la direction qui aurait avantage à gagner en précision. Bref, ces voitures proposent un comportement routier dans la bonne moyenne qui ne réussit pas à se démarquer et qui déçoit un peu.

CE QU'IL FAUT SAVOIR

DODGE COLT

	Pauvre	Passable	Bon	Très bon	Excellent
• Comportement routier				•	
• Freinage			•		
• Sécurité passive			•		
• Visibilité				•	
• Confort			•		
• Volume de chargement			•		

POUR

Silhouette plaisante
Habitacle spacieux
Choix de moteurs
Suspension arrière indépendant
Prix intéressant

CONTRE

Tableau de bord dépouillé
Finition perfectible
Levier de vitesses imprécis
Direction surassistée
Roulis en virage

Quoi de neuf?

Tout nouveau modèle

ASPECT TECHNIQUE

Groupe propulseur:	traction
Empattement:	244,0 cm - 249,9 cm (berline)
Longueur:	434,5 cm - 441,9 cm (berline)
Poids:	945 kg - 995 kg (berline)
Coefficient aérodynamique:	0,31
Moteurs:	4L 1,5 litre, 92 ch. - 4L 1,8 litre, 113 ch.
Transmission:	
standard:	boîte manuelle 5 rapports
option:	boîte automatique 3 rap. - 4 rap.
Suspension avant:	indépendante
arrière:	indépendante
Direction:	à crémaillère
Freins: avant:	disques
arrière:	tambours
Pneus:	P155/80R13

ASPECT PRATIQUE

Carrosserie:	coupé - berline
Nombre de places:	5
Valeur de revente:	nouveau modèle
Indice de fiabilité:	nouveau modèle
Coussin gonflable:	non
Réservoir de carburant:	50 litres
Capacité du coffre:	10,5 pi^3
Performances:	0-100 km/h: 10,2 s (1,8 litre)
vitesse max:	180 km/h (1,8 litre)
consommation:	8,7 litres/ 100 km
Échelle de prix:	8 500 $ à 14 000 $

DODGE

Stealth

Toujours une allure de championne

La Dodge Stealth a fait beaucoup pour améliorer l'image de la compagnie Chrysler auprès du grand public. Mais ce coupé sport ne se contente pas de nous offrir une allure qui fait tourner les têtes. Il se défend passablement bien sur la route même si son apparence est supérieure à ses performances.

Même si elle en est à sa troisième année sur le marché, la Dodge Stealth n'en continue pas moins de figurer parmi les coupés les plus intéressants sur le plan esthétique. Parce qu'en plus il y en a peu sur nos routes, elle fait encore tourner les têtes. Ce coupé sport dessiné par Chrysler et fabriqué au Japon par Mitsubishi est avant tout une voiture grand-tourisme dotée d'une tenue de route intéressante et offrant un bon choix de modèles aux acheteurs.

Peu importe le modèle choisi, il faut regretter que l'habitacle soit passablement terne et lourd. En plus, la disposition des commandes n'est pas toujours exemplaire tandis que certains cadrans sont difficiles à consulter. De plus, si les places avant sont relativement confortables, le siège arrière est réservé aux enfants et aux personnes du même gabarit.

Le choix ne fait pas défaut en ce qui concerne les modèles proposés et les moteurs disponibles. Le modèle de base est équipé d'un moteur VC6 3,0 litres 12 soupapes qui est assez peu vigoureux et est à éviter.

Quant à la version 24 soupapes de ce moteur, ses 222 chevaux sont amplement suffisants pour profiter de la suspension qui est tout de même très compétente. Enfin, pour les extrémistes, Dodge offre une version à double turbo de ce même V6. La puissance est de 300 chevaux et la traction intégrale.

Il est certain que la lecture de la fiche technique nous porte à croire que la Stealth est une mini-Ferrari alors qu'en réalité il s'agit davantage d'une Porsche 928. On privilégie le confort et le silence de roulement plutôt que des prestations sans compromis. Compte tenu de l'échelle de prix, de la faible disponibilité du modèle R/T Turbo, le choix le mieux équilibré est la version R/T avec le moteur V6 24 soupapes. La puissance est adéquate, le comportement routier sain et la silhouette agréable. Bien sûr que le nombre d'accessoires est moins important, mais la différence n'est pas dramatique.

Somme toute, malgré son apparence plus ou moins spectaculaire, la Stealth est une voiture bien plus docile qu'on serait porté à le croire. En fait, même avec le moteur de 300 chevaux et la traction intégrale, la conduite est assez bourgeoise pour une voiture affichant une telle puissance.

CE QU'IL FAUT SAVOIR

DODGE STEALTH

	Pauvre	Passable	Bon	Très bon	Excellent
• Comportement routier				●	
• Freinage					●
• Sécurité passive				●	
• Visibilité			●		
• Confort			●		
• Volume de chargement		●			

POUR

Silhouette unique
Moteur turbo musclé
Prix intéressant
Version 4x4
Freins puissants

CONTRE

Moteur 12 soupapes décevant
Tableau de bord à revoir
Places arrière minuscules
Louvoiement en accélération
(4x4)

Quoi de neuf?

Vilebrequin forgé sur moteur turbo
Nouveau choix de couleurs

ASPECT TECHNIQUE

Groupe propulseur:	traction - traction intégrale
Empattement:	246 cm
Longueur:	458 cm
Poids:	1 360 kg
Coefficient aérodynamique:	0,33
Moteur:	V6 3,0 l SACT, 164 ch. - V6 3,0 l DACT, 222 ch. - V6 3,0 l DACT, Turbo 300 ch.
Transmission:	
standard:	boîte manuelle 5 rap.
option:	boîte automatique 4 rap.
Suspension avant:	indépendante
arrière:	indépendante
Direction:	à crémaillère
Freins: avant:	disques ABS
arrière:	disques ABS
Pneus:	P205/65HR15

ASPECT PRATIQUE

Carrosserie:	coupé
Nombre de places:	2+2
Valeur de revente:	bonne
Indice de fiabilité:	8,0
Coussin gonflable:	oui
Réservoir de carburant:	45 litres
Capacité du coffre:	6,2 pi^3
Performances:	0-100 km/h: 6,3 a (Turbo)
vitesse max.:	255 km/h (Turbo)
consommation:	13,4 litres/100 km
Échelle de prix:	23 000 $ à 40 000 $

DODGE

Viper

Venin concentré

Le **Guide** de l'auto *fut le* seul média francophone *à participer au lancement mondial du flamboyant «roadster» qu'est la Viper sur les routes californiennes et au circuit de Willow Springs. Nous en sommes revenus impressionnés par la qualité du travail accompli par si peu de gens, en si peu de temps et avec si peu d'argent !*

On a tant parlé de la Viper depuis trois ans qu'il était facile de conclure au ballon publicitaire. Il faut dire que Chrysler en a obtenu pour infiniment plus que les 70 millions de dollars US investis dans ce projet. C'est une somme ridicule pour cette industrie qui jongle avec les milliards. Les berlines LH et les nouvelles Jeep ZJ ont toutes deux coûté largement plus d'un milliard. Avec relativement peu d'argent à dépenser, on pouvait facilement croire que la Viper n'aurait guère plus à offrir que ces nombreux «kit cars» qui tentent d'imiter la légendaire AC Cobra. D'autant plus que Bob Lutz, président de Chrysler, affirmait que la Viper serait une machine plutôt crue et conçue simplement pour le plaisir de conduire. Erreur. La Viper est bien meilleure, et surtout beaucoup plus raffinée que nous l'aurions cru. Nous n'avons pu nous empêcher de penser que Chrysler n'avait pas besoin d'en faire une aussi bonne voiture pour atteindre ou dépasser tous ces objectifs ! Mais c'est là mal comprendre et mal mesurer l'ampleur des changements intervenus depuis quelques années chez Chrysler. Jetez un coup d'œil du côté des berlines LH pour en juger.

UNE VITESSE INCROYABLE

Sur la route et en ville, la Viper est remarquablement civilisée. C'est une grosse voiture, en termes de «roadsters», mais c'est également une très belle voiture sport à en juger par les réactions des passants californiens qui ont déjà tout vu. Nous avons été particulièrement impressionnés par la finition de la carrosserie de plastique. Les sièges offrent un excellent maintien mais la position de conduite est compromise par l'absence d'un repose-pied. La console centrale est effectivement très large puisqu'on a voulu installer le gros V10 de 8 litres le plus loin possible vers l'arrière, question d'équilibrer les masses. Chose certaine, on oublie vite le léger décentrage des pédales sur un circuit. La Viper possède une tenue de route à couper le souffle. L'adhérence est très élevée et la tenue en virage marquée d'abord par une très légère dérive des roues avant. Le cou-ple phénoménal du moteur permet de la transformer à volonté en une impeccable dérive des quatre roues. La Viper est très docile à des vitesses assez ahurissantes sur circuit. Il faut seulement se méfier des virages plus lents où un excès d'enthousiasme du pied droit se transforme presque instantanément en tête-à-queue, ce que nous ont prouvé à quelques reprises des confrères italiens ! Sur la route, la Viper roule paresseusement, quelle que soit la vitesse. En 6e vitesse, à 110 km/h, le moteur tourne à 1 200 tr/min. Au-delà de cette vitesse, le bruit de vent se fait très fort. C'est mieux avec la capote amovible, qui est cependant assez primaire. Le confort de suspension est très bon, soutenu par une carrosserie impeccablement rigide. L'habitacle se réchauffe rapidement dans la circulation: la climatisation ne sera pas un luxe. Nous serons enfin les premiers à vous apprendre que la Viper a même un coffre arrière assez grand pour deux sacs souples, si toutefois vous décidez de laisser la capote souple chez vous. La Viper n'est certes pas la sportive idéale pour un climat comme le nôtre. Mais c'est néanmoins un exploit remarquable pour Chrysler.

CE QU'IL FAUT SAVOIR

DODGE VIPER

	Pauvre	Passable	Bon	Très bon	Excellent
• Comportement routier					•
• Freinage					•
• Sécurité passive			•		
• Visibilité			•		
• Confort				•	
• Volume de chargement		•			

POUR

Tenue de route exceptionnelle
Couple moteur fabuleux
Confort de suspension étonnant
Excellents sièges
Carrosserie très solide
Look d'enfer...

CONTRE

Note d'échappement navrante
Turbulence aérodynamique
Pédale d'embrayage très haute
Coffre minuscule
Chaleur dans l'habitacle
Capote souple peu commode

Quoi de neuf?

Couleurs de carrosserie: jaune, noir, émeraude
Deux nouvelles couleurs habitacle: noir, beige

ASPECT TECHNIQUE

Groupe propulseur:	propulsion
Empattement:	244,3 cm
Longueur:	444,7 cm
Poids:	1 576,7 kg
Coefficient aérodynamique:	n.d.
Moteur:	V10 8,0 litres, 400 ch. à 4 600 tr/min (couple: 450 lb/pi à 3 600 tr/min)
Transmission:	
standard:	boîte manuelle 6 rapports
option:	aucune
Suspension avant:	indépendante
arrière:	indépendante
Direction:	à crémaillère, assistée
Freins: avant:	disques
arrière:	disques
Pneus:	av.: 275/40ZR17 arr.: 335/35ZR17

ASPECT PRATIQUE

Carrosserie:	*roadster*
Nombre de places:	2
Valeur de revente:	exceptionnelle
Indice de fiabilité:	nouveau modèle
Coussin gonflable:	non
Réservoir de carburant:	83,3 litres
Capacité du coffre:	11,8 pi^3
Performances:	0-100 km/h: 5,5 s (chrono manuel)
vitesse max.:	300 km/h
consommation:	n.d.
Échelle de prix:	65 000 $ à 70 000 $

EAGLE

2000 GTX

Des allures de fin de série

Les Eagle 2000GTX sont parmi les berlines compactes les plus intéressantes et homogènes offertes chez nous. Exclusives au marché canadien, ces jumelles de la Mitsubishi Galant n'y ont cependant jamais connu la réussite qu'elles méritaient. Le retrait des versions les plus performantes n'annonce rien qui vaille.

L'aventure a débuté en 1989. Chrysler Canada avait alors eu la bonne idée d'aller puiser elle-même dans le catalogue de modèles de Mitsubishi pour y trouver une berline compacte à son goût. Puisque ce constructeur japonais n'exporte aucune voiture chez nous sous son propre nom, la bande de Windsor put donc à loisir se faire préparer une version de la berline compacte Galant de Mitsubishi. Ce premier essai fut centré sur un modèle que l'on avait choisi de rebaptiser Dodge 2000GTX. Il connut un succès de vente assez moyen

puisque, à vrai dire, personne ne savait vraiment d'où sortait ce modèle! Et cela inclut les concessionnaires auxquels était confiée la mission de vendre ces voitures. Le distributeur canadien ne pouvait non plus se permettre une campagne de publicité monstre pour un seul modèle. L'aventure de la mystérieuse Dodge 2000GTX se poursuivit donc jusqu'en 1991, ces modèles se contentant de n'être rien de moins que les meilleures berlines sinon les meilleures voitures vendues chez Chrysler au pays. Puis, en 1991, elles

changèrent de nom de famille et passèrent à l'enseigne Eagle/Jeep. On n'avait cessé, entre-temps, de mettre à jour leur bagage technique. Depuis 1989, on comptait un modèle à rouage intégral dans la série canadienne. Il ne s'agissait pas, hélas, d'une jumelle de la Galant VR-4 à moteur turbocompressé de 195 chevaux qui était offerte aux acheteurs américains. Néanmoins, pourvue de sa transmission intégrale et propulsée par un quatre cylindres à double arbre à cames de 2 litres qui était un parangon de douceur (avec le double arbre d'équilibrage breveté de Mitsubishi), la 2000GTX DOHC Premium AWD (ouf!) était un des meilleurs achats que l'on pouvait faire au Québec. De cette gamme, il ne reste plus cette année que le modèle de base et la Premium. Les vertus essentielles de la série Galant sont tout à fait présentes dans les 2000GTX qui demeurent. Elles s'expriment simplement de façon plus discrète, dans des voitures dont la vocation est essentiellement familiale et utilitaire. En fait, leur moteur à simple arbre à cames en tête est mieux adapté encore à de telles tâches, puisque son

couple à bas et à moyen régime et sa souplesse d'utilisation sont meilleures. Le moteur DACT Mitsubishi n'a jamais été particulièrement brillant sous ce rapport, en vrai multisoupape. Dans la même veine, les qualités d'habitabilité et de confort des 2000GTX sont intactes. Ce n'est pas tout à fait une intermédiaire, bien entendu, mais elle accueillera confortablement quatre adultes. Notons au passage que la boîte automatique est sans doute un choix sage dans cette série, puisque là encore, il ne faut pas oublier que les boîtes manuelles sont la plus grande faiblesse des produits

Mitsubishi, avec une tringlerie boiteuse et une synchronisation quelconque. Si, donc, vous recherchez une berline offerte à bon prix, solide, fiable, confortable et sûre à conduire, les concessionnaires Eagle ont sans doute une aubaine pour vous cette année, dans l'ombre de leurs belles Eagle Vision de série LH. Cela vaut surtout pour les automobilistes qui conservent leur voiture le plus longtemps possible, puisque la valeur de revente des 2000GTX n'aura rien d'exceptionnel avec le sort qui leur est fait présentement.

CE QU'IL FAUT SAVOIR

EAGLE 2000 GTX

	Pauvre	Passable	Bon	Très bon	Excellent
• Comportement routier					•
• Freinage				•	
• Sécurité passive			•		
• Visibilité					•
• Confort			•		
• Volume de chargement		•			

POUR

Comportement routier équilibré
Confort, douceur de roulement
Intérieur accueillant
Belle finition
Équipement complet
Fiabilité générale

CONTRE

Gamme en contraction
Performances en recul
Intégrale non disponible
Boîte manuelle rugueuse
Silhouette anonyme
Pas de coussin gonflable

Quoi de neuf?

Abandon des modèles à DACT et rouage intégral

ASPECT TECHNIQUE

Groupe propulseur:	traction
Empattement:	260 cm
Longueur:	467 cm
Poids:	1 135 kg
Coeficient aérodynamique:	n.d.
Moteur:	4L 2,0 litres, 102 ch.
Transmission:	
standard:	boîte manuelle 5 rapports
option:	boîte automatique 4 rapports
Suspension avant:	indépendante
arrière:	essieu rigide
Direction:	à crémaillère, assistée
Freins: avant:	disques
arrière:	tambours
Pneus:	195/60HR15

ASPECT PRATIQUE

Carrosserie:	berline
Nombre de places:	5
Valeur de revente:	moyenne
Indice de fiabilité:	8
Coussin gonflable:	non
Réservoir de carburant:	60 litres
Capacité du coffre:	14,1 pi^3
Performances:	0-100 km/h: 11 s
vitesse max.:	190 km/h
consommation:	9,4 litres /100 km
Échelle de prix:	15 000 $ à 19 000 $

Talon/Plymouth Laser

La meilleure de sa classe

La plupart des gens sont portés à oublier les produits Chrysler lorsque vient le temps de choisir un coupé sport. Il faut dire que la Daytona est tellement décevante qu'elle décourage les gens. Toutefois, l'Eagle Talon et la Plymouth Laser sont les meilleures de cette catégorie!

Au cours des dernières années, il semble que la combinaison gagnante en matière de voiture soit un produit dessiné par les stylistes américains, doté d'une mécanique japonaise et assemblé par les Japonais. La plupart des produits issus de cette combinaison sont intéressants tant sur le plan visuel que technique. La Laser comme la Talon sont des coupés sport qui proposent non seulement une silhouette plaisante mais un comportement routier et un agrément de conduite dignes de mention. Il est certain que la version de base avec son

moteur 1,8 litre de 92 chevaux ne fait pas le poids face aux versions dotées de moteurs plus puissants, mais elle est en mesure de tenir la dragée haute à la Toyota Celica de base.

Là où la Laser et la Talon sortent des rangs, c'est lorsqu'on opte pour le moteur 2,0 litres 16 soupapes, que ce soit en version atmosphérique ou turbo. À ce moment, on peut véritablement parler d'un coupé sport. Et mieux encore, la version à traction intégrale est dotée du moteur turbocompressé de 180/195 chevaux.

Toutefois, contrairement à ce qui se passe dans le cas de plusieurs sportives, il est nettement plus agréable de conduire une version à boîte automatique car la boîte manuelle fournie par Mitsubishi sur ces voitures n'est pas tellement agréable. En outre, le levier de vitesses pourrait être nettement plus précis. D'ailleurs, cette année, la Laser 4x4 tout comme la Talon est offerte avec la boîte automatique, une exclusivité Talon jusqu'à tout récemment. Quoi qu'il en soit, autant la Laser que la Talon représentent d'intéressantes valeurs sur le plan du rapport qualité/prix. D'autant plus que ces deux voitures ne sont pas à dédaigner sur le plan de la conduite.

Malheureusement, l'habitacle est assez étroit tandis que les places arrière sont tout au plus symboliques. Enfin, avec la version 4x4, le coffre arrière perd au moins 20 p. 100 de sa capacité en raison de la présence du différentiel arrière. Mais on pardonne vite ce défaut lorsqu'on prend le volant de cette voiture sur une route dont le revêtement offre peu d'adhérence.

Ajoutons en terminant que les amortisseurs de même que le système de freins ont été revus et corrigés sur toutes les versions turbocompressées afin de raffiner cette voiture qui demeure l'une des plus avantageuses compte tenu de son excellent rapport qualité/performances/prix.

CE QU'IL FAUT SAVOIR

EAGLE TALON

	Pauvre	Passable	Bon	Très bon	Excellent
• Comportement routier					●
• Freinage				●	
• Sécurité passive				●	
• Visibilité			●		
• Confort			●		
• Volume de chargement		●			

POUR

Modèles 4x4 drôlement intéressants
Moteur turbo performant
Excellent rapport qualité/prix
Ergonomie soignée
Silhouette agréable

CONTRE

Coffre minuscule (4x4)
Boîte manuelle à revoir
Suspension sèche
Places arrière ultra exiguës

Quoi de neuf?

Freins plus puissants sur modèles turbo
Amortisseurs pneumatiques sur modèles turbo

ASPECT TECHNIQUE

Groupe propulseur:	traction - 4x4
Empattement:	246,9 cm
Longueur:	437,9 cm
Poids:	1 200 kg
Coefficient aérodynamique:	0,33
Moteurs:	4L 1,8 litre, 92 ch. - 4L 2,0 litres,135 ch. - 4L 2,0 litres turbo, 195 ch.
Transmission:	
standard:	boîte manuelle 5 rapports
option:	boîte automatique 4 rapports
Suspension avant:	indépendante
arrière:	essieu rigide (4x4: indépendante)
Direction:	à crémaillère, assistée
Freins: avant:	disques
arrière:	disques
Pneus:	P205/55 H R 16

ASPECT PRATIQUE

Carrosserie:	coupé
Nombre de places:	2+2
Valeur de revente:	bonne
Indice de fiabilité:	8,5
Coussin gonflable:	non
Réservoir de carburant:	60 litres
Capacité du coffre:	10,2 pi³ - 6,9 pi³ (4x4)
Performances:	0-100 km/h: 6,95 s (turbo)
vitesse max.:	220 km/h
consommation:	11,9 litres/100 km (turbo)
Échelle de prix:	16 500 $ à 24 000 $

FERRARI

348Tb/Mondial/512TR

Du panache à revendre

Aucune autre marque n'est aussi liée à la voiture exotique et de rêve que Ferrari. Cette marque légendaire continue de faire rêver tous les amateurs de voitures sport de la planète même si l'écurie de Formule 1 traverse une période creuse présentement. Malgré tout, le cheval cabré est encore magique.

L'an dernier, Ferrari remaniait la Testarossa afin de la rendre plus en mesure de répondre aux attentes du marché des années 90. De plus, ces améliorations avaient pour but de corriger plusieurs lacunes sur le plan de la fiabilité et de la finition. Il en résulte une voiture encore supérieure sur le plan des performances et beaucoup plus civilisée en usage quotidien. Cela devrait permettre à cette Ferrari de faire belle figure sur un marché où les voitures de luxe sont de moins en moins en demande. Par exemple, il y avait une liste d'attente chez les concessionnaires Ferrari, ce qui n'est plus le cas de nos jours.

Même si la 512TR est remaniée, le fait demeure que c'est la 348 qui est le modèle appelé à une plus grande diffusion.

Ayant succédé à la 328 il y a quelques années, cette sportive possède en premier lieu une silhouette fort sympathique qui la rend plus attachante que la version qu'elle remplace. Pourtant, cette voiture avait été la plus populaire dans toute l'histoire de la marque.

Cette nouvelle venue ne se contente pas de proposer une silhouette en partie inspirée par les bouches d'air de la Testarossa, son comportement routier est toujours aussi éloquent tandis que son moteur V8 4,5 litres réalise des performances dignes d'une sportive avec ses 300 chevaux tout en possédant une sonorité qui en fait rêver plus d'un. Mais ce qui caractérise le plus ces voitures c'est leur équilibre entre cette intimité avec la mécanique, le «feeling» de la conduite, la légendaire grille du levier de vitesses et une tenue de route supérieure à la moyenne. Contrairement à ce que plusieurs personnes seraient portées à croire, ces voitures sont passablement faciles à conduire, une fois qu'on a cessé d'être intimidé par tout ce prestige.

Ferrari est le plus important producteur de voitures sport exotiques et sa gamme de modèles est très complète. La 348 est offerte en version coupé et spider tandis que la Mondial est la seule de la famille à proposer un véritable cabriolet et quatre places. Inutile d'insister sur le fait que les places arrière de cette voiture sont passablement exiguës.

Quant à la F40, elle est toujours aussi exotique et fabuleuse, mais elle a perdu de son lustre depuis que Ferrari a décidé d'augmenter la production, au grand désespoir des premiers acheteurs.

CE QU'IL FAUT SAVOIR

FERRARI 348 T

	Pauvre	Passable	Bon	Très bon	Excellent
• Comportement routier					●
• Freinage					●
• Sécurité passive				●	
• Visibilité			●		
• Confort		●			
• Volume de chargement	●				

POUR

Prestige assuré
Moteur raffiné
Tenue de route supérieure
Sensation de conduite unique
Freins puissants

CONTRE

Prix élevé
Valeur de revente à la baisse
Finition moyenne
Habitacle austère
Fiabilité moyenne

Quoi de neuf?

Aucun changement majeur
La Testarossa a été modifiée au cours de 1992

ASPECT TECHNIQUE

Groupe propulseur:	propulsion - moteur central
Empattement:	245 cm
Longueur:	423 cm
Poids:	1 393 kg
Coefficient aérodynamique:	0,35
Moteur:	V8 3,4 litres, 300 ch.
Transmission: standard:	boîte manuelle 5 rapports
option:	aucune
Suspension avant:	indépendante
arrière:	indépendante
Direction:	à crémaillère
Freins: avant:	disques
arrière:	disques
Pneus:	av.: P215/50Z R 17; arr.: 255/45ZR17

ASPECT PRATIQUE

Carrosserie:	coupé - spider
Nombre de places:	2
Valeur de revente:	très bonne
Indice de fiabilité:	7,0
Coussin gonflable:	non
Réservoir de carburant:	90 litres
Capacité du coffre:	17,06 pi³
Performances:	0-100 km/h: 5,6 s
vitesse max.:	275 km/h
consommation:	18,5 litres/100 km
Échelle de prix:	160 000 $ à 270 000 $

Aerostar-Econoline

Le statu quo

Après avoir connu des débuts plus ou moins troublés en raison d'une mécanique capricieuse et d'une popularité passablement décevante, l'Aerostar a finalement atteint sa vitesse de croisière. Cette année, elle se contente d'un confortable statu quo. Quant à l'Econoline, elle demeure inchangée.

La Ford Aerostar n'est pas la plus populaire des fourgonnettes et elle n'est pas la plus complète non plus. Toutefois, son homogénéité est suffisante pour qu'elle puisse rencontrer les besoins de milliers d'acheteurs. En plus d'une silhouette qui est toujours demeurée esthétique, elle propose une motorisation adéquate. Son moteur V6 3,0 litres se tire assez bien d'affaire pour autant que la charge ne soit pas excessive. Quant au V6 4,0 litres disponible en option sur la version deux roues motrices allongée et standard sur la version 4x4, il est intéres-

sant mais relativement gourmand. C'est toutefois le moteur de choix si vous désirez tracter une remorque.

UN HABITACLE CHALEUREUX

Un des points forts de cette Aerostar a toujours été son habitacle et sa présentation générale, surtout en ce qui concerne la version Eddie Bauer. Comme cet habitacle a été considérablement rafraîchi l'an dernier, il demeure inchangé pour 1993 et c'est tant

mieux puisque la présentation était non seulement équilibrée sur le plan esthétique, mais intéressante sur le plan pratique. Toutefois, comme pour toutes les autres fourgonnettes, l'espace de chargement est assez limité dans la version sept places.

Sur le plan de la tenue de route, l'Aerostar ne peut masquer qu'elle est dérivée de la camionnette Ranger. Si elle y gagne en robustesse, son comportement routier n'a pas le raffinement de la nouvelle Villager par exemple. Toutefois, en conduite régulière, le résultat est tout de même acceptable.

Somme toute, l'Aerostar réussit à se maintenir dans la lutte grâce à son équilibre et à ses prix compétitifs.

L'ECONOLINE: DU VOLUME

Complètement transformée l'année dernière pour la première fois en deux décennies, l'Econoline nous propose maintenant une silhouette plus moderne et plus aérodynamique tout en jouissant d'un habitacle moderne et bien agencé.

Ajoutez à cela un choix plus que généreux de moteurs et de transmissions et vous avez une utilitaire des plus polyvalentes. Cependant, ses dimensions la réservent surtout à des usages semi-commerciaux ou commerciaux ainsi que pour les clubs sociaux.

Toutefois, si vous vous déplacez avec beaucoup de bagages ou avez une grosse famille, c'est un véhicule de choix.

CE QU'IL FAUT SAVOIR

AEROSTAR

	Pauvre	Passable	Bon	Très bon	Excellent
• Comportement routier				●	
• Freinage			●		
• Sécurité passive			●		
• Visibilité			●		
• Confort				●	
• Volume de chargement				●	

POUR

Bonne diffusion
Système 4x4 efficace
Bon choix de moteurs
Agrément de conduite

CONTRE

Modèle en fin de carrière
Places arrière peu pratiques
Accès mécanique difficile
Rangement insuffisant
Sensible au vent latéral

Quoi de neuf?

Aucun changement

ASPECT TECHNIQUE

Groupe propulseur:	propulsion
Empattement:	302 cm
Longueur:	444,2 cm-483,4 cm
Poids:	2 410 kg
Coefficient aérodynamique:	0,37
Moteurs:	V6 3,0 litres, 135 ch.
	V6 4,0 litres, 155 ch.
Transmission:	
standard:	boîte manuelle 5 rapports (3,0 litres)
option:	boîte automautomatique 4 rapports (standard avec 4,0 litres)
Suspension avant:	indépendante
arrière:	essieu rigide
Direction:	à crémaillère
Freins: avant:	disques
arrière:	tambours ABS
Pneus:	

ASPECT PRATIQUE

Carrosserie:	fourgonnette
Nombre de places:	2-5-7
Valeur de revente:	bonne
Indice de fiabilité:	8
Coussin gonflable:	conducteur
Réservoir de carburant:	79,5 litres
Capacité du coffre:	140,4 pi^3- 168,4 pi^3 (sans banquettes)
Performances:	0-100 km/h: 11,8 s (4,0 litres)
vitesse max:	175 km/h
consommation:	12,8 litres/100 km
Échelle de prix:	17 000 $ à 24 000 $

Crown Victoria/Mercury Gr. Marquis

De bonnes bourgeoises

Les nouvelles Crown Victoria et Grand Marquis ont deux ans. Sous une robe moins anguleuse mais surtout beaucoup plus aérodynamique, elles ont droit à toutes les composantes modernes qui ne risquent pas d'altérer un caractère et une architecture demeurés très conservateurs. Tradition et public-cible obligent.

On sait très bien, chez Ford, que les grosses berlines Crown Victoria et Grand Marquis sont les piliers d'un conservatisme automobile indéniable et incontournable en Amérique. Bien que la clientèle traditionnelle de ce type de voiture soit en déclin continu, la marque à l'ovale bleu a décidé de bien faire les choses en renouvelant cette série l'an dernier. Elle a décidé, par exemple, que le confort et un comportement routier sain ne devaient pas nécessairement s'exclure mutuellement. C'est ainsi qu'elle a fait des nouvelles

berlines de très honnêtes routières, qui dispensent malgré tout un confort de roulement impeccable. Et la tenue de route grimpe encore de quelques crans si l'on coche l'ensemble «performance et tenue de route» avec lequel une suspension spéciale est offerte accompagnée de roues d'alliage de 16 pouces et de gros pneus 225/60R16. Le problème, c'est que le maintien de la banquette avant ne suit pas cette courbe de progression. Il faut donc se cramponner hardiment au volant parce que la voiture, elle, se cramponne hardi-

ment à la route. Et le même groupe optionnel apporte le freinage antibloquant, l'antipatinage électronique et l'échappement double qui fait grimper la puissance à 210 chevaux. Il faut des sièges offrant un meilleur maintien latéral à cette voiture. Pour l'instant toutefois, la Crown Vic' a plutôt droit à une nouvelle calandre qui la fait ressembler beaucoup plus à sa sœur, la Grand Marquis. Toutes les voitures qui sortent de l'usine ontarienne de Saint-Thomas sont également pourvues de la boîte automatique à quatre rapports pilotée électroniquement. Leur système d'échappement est maintenant tout inoxydable. Mais la grande force de ce duo réside sans doute dans l'abondance d'accessoires essentiels qu'on peut se procurer à prix intéressant. Les voitures qui offrent la possibilité d'obtenir à la fois deux coussins gonflables, le freinage antibloquant et un dispositif antipatinage en plus d'un moteur V8 de plus de 200 chevaux avec arbre à cames en tête sur une propulsion se vendent au bas mot 20 000 $ de plus! C'est une question de goût, évidemment. Les Taurus et Sable offrent les mêmes équipements de sécurité active et passive, mais ce sont des voitures dont l'architecture est entièrement différente. Les Crown Victoria et Grand Marquis se contentent de servir la tradition à la moderne et elles le font impeccablement.

CE QU'IL FAUT SAVOIR

FORD CROWN VICTORIA

	Pauvre	Passable	Bon	Très bon	Excellent
• Comportement routier				•	
• Freinage			•		
• Sécurité passive					•
• Visibilité			•		
• Confort				•	
• Volume de chargement					•

POUR

Excellent confort de suspension
Groupe propulseur impeccable
Comportement routier très sûr
Sécurité passive exceptionnelle
Sono impressionnante
Coffre imposant

CONTRE

Banquette avant flasque
Direction trop légère
Tenue de cap imparfaite
Sensible au vent latéral
Visibilité 3/4 arrière médiocre
Freinage perfectible

Quoi de neuf?

Boîte automatique à pilotage électronique
Échappement inoxydable
Nouvelle calandre (Crown Victoria)

ASPECT TECHNIQUE

Groupe propulseur:	propulsion
Empattement:	290,6 cm
Longueur:	539,5 cm
Poids:	1 712,8 kg - 1 716,4 kg (Grand Marquis)
Coefficient aérodynamique:	0,34 - 0,36 (Grand Marquis)
Moteur:	V8 4,6 litres, 190 ch. (échappement double: 210 ch.)
Transmission:	
standard:	boîte automatique 4 rapports
option:	aucune
Suspension avant:	indépendante
arrière:	essieu rigide
Direction:	à billes, assistée
Freins: avant:	disques (ABS optionnel)
arrière:	disques (ABS optionnel)
Pneus:	215/70R15 - 225/60R16 (optionnel)

ASPECT PRATIQUE

Carrosserie:	berline
Nombre de places:	6
Valeur de revente:	bonne
Indice de fiabilité:	8
Coussins gonflables:	conducteur - passager (optionnel)
Réservoir de carburant:	75,7 litres
Capacité du coffre:	20,6 pi^3
Performances:	0-100 km/h: 9,5 s
consommation:	12,9 litres/100 km
Échelle de prix:	20 000 $ à 27 000 $

Escort/ Mercury Tracer

Une meilleure perception

Lorsque les nouvelles Ford Escort et Mercury Tracer sont apparues en 1991, elles ont été boudées par une certaine partie du public. Depuis, on a toutefois appris à découvrir les qualités de ces deux voitures qui sont passablement homogènes à tous points de vue.

Lorsque ces deux voitures ont été complètement remaniées en 1991, non seulement leur tenue de route était améliorée et leur direction plus précise, mais leur homogénéité était nettement supérieure.

La carrosserie était plus élégante et le choix de modèles plus varié qu'auparavant. Il est en effet possible de choisir une version hatchback et berline sur l'Escort tandis que la Tracer n'est offerte qu'en version berline. Notons que les franchises Ford commercialisent exclusivement la gamme Escort alors que chez Mercury,

le client a le choix entre la Tracer et l'Escort.

AUCUN CHANGEMENT

En 1993, ces deux voitures nous reviennent pratiquement inchangées, si ce n'est la présence d'une barre antiroulis à l'avant pour améliorer le comportement routier. Pour le reste, il s'agit de modifications de détails qui n'ont aucune influence sur le comportement d'ensemble de ces deux voitures.

Le moteur standard est le quatre cylindres 1,9 litre qui n'est pas un foudre de guerre

mais qui convient assez bien à une utilisation quotidienne. Avec son couple passablement généreux à bas régime, ce moteur permet de bien se débrouiller dans la circulation urbaine. Sans être brillant, il s'acquitte assez bien de ses fonctions.

Ce qui est le plus intéressant dans cette voiture, ce n'est pas seulement son prix très compétitif, mais sa tenue de route bien équilibrée. De plus, la direction est précise.

Parmi les points faibles, on dénote une finition parfois inégale, une présentation un peu trop discrète et un certain manque de logique dans le choix des accessoires qui équipent chaque version. De plus, il faut souligner que la berline semble être de plus en plus populaire.

UN MOTEUR PLUS PUISSANT

Pour les acheteurs à la recherche d'une voiture plus puissante, il est possible de commander certaines versions dotées du moteur 1,8 litre à double arbre à cames en tête. Produit par Mazda, ce moteur donne nettement plus de punch aux prestations de la voiture grâce à ses 39 chevaux supplémentaires. Il équipe notamment l'Escort GT qui possède une suspension plus ferme et une présentation distincte. Toutefois, son prix est passablement corsé.

CE QU'IL FAUT SAVOIR

FORD ESCORT

	Pauvre	Passable	Bon	Très bon	Excellent
• Comportement routier				•	
• Freinage					•
• Sécurité passive			•		
• Visibilité				•	
• Confort			•		
• Volume de chargement				•	

POUR

Direction précise
Suspension confortable
Finition en progrès
Tenue de route sûre
Moteurs bien adaptés

CONTRE

Roulis en virage
Faible valeur de revente
Moteur bruyant (1,9 litre)
GT onéreuse
Berline souffre d'une finition
moins raffinée

Quoi de neuf?

Aucun changement majeur
Barre antiroulis à l'avant

ASPECT TECHNIQUE

Groupe propulseur:	traction
Empattement:	249,9 cm
Longueur:	439 cm
Poids:	1 052 kg
Coefficient aérodynamique:	0,34
Moteurs:	4L 1,9 litre, 88 ch. - 4L 1,8 litre, 127 ch.
Transmission:	
standard:	boîte manuelle 5 rapports
option:	boîte automatique 4 rapports
Suspension avant:	indépendante
arrière:	indépendante
Direction:	à crémaillère
Freins: avant:	disques
arrière:	tambours
Pneus:	P175/70R13 (P185/60HR14 sur GT)

ASPECT PRATIQUE

Carrosserie:	hatchback - berline - familiale
Nombre de places:	4
Valeur de revente:	moyenne/
Indice de fiabilité:	8,5
Coussin gonflable:	non
Réservoir de carburant:	45 litres
Capacité du coffre:	12,1 pi^3 (berline)
Performances:	0-100 km/h: 10,1 s (1,9 litre, man.)
vitesse max:	165 km/h
consommation:	7,8 litres/100 km
Échelle de prix:	11 000 $ à 17 000 $

Explorer

Toujours premier de classe

Parions que même chez Ford, on ne s'attendait pas à ce que l'Explorer, malgré ses qualités, connaisse un succès d'une telle envergure. Or, le constructeur de Dearborn en a vendu plus d'un quart de million d'exemplaires l'an dernier et les ventes étaient encore en hausse pour 1992. Cela tient désormais du phénomène.

Malgré la morosité du marché, les ventes de la série Explorer ont continué de progresser au cours de l'année 1992. Après sept mois, on comptait déjà 177 840 unités vendues, soit une augmentation de 22 p. 100 par rapport à l'année précédente. C'est dire à quel point l'Explorer tombait bien en 1991, avec son vaste habitacle, ses grandes portières arrière et sa silhouette à la fois élégante et robuste. Bien sûr, Ford en offre aussi une version deux portières, mais c'est l'Explorer quatre portières qui a frappé dans le mille. Lorsqu'un manufac-

turier connaît un tel succès avec un modèle précis, la tentation est grande de jouer la carte de la prudence extrême, de ne rien changer et de se contenter d'encaisser les profits. Eh bien! c'est ce que Ford a sagement décidé de faire pour 1993, du moins en apparence. L'Explorer n'a besoin d'aucune aide de ce côté-là pour l'instant. On a toutefois eu la sagesse de poursuivre discrètement le raffinement de la présentation, un des points forts de ce modèle. On a ainsi remplacé le matériau des sièges de vinyle et de tissu, le volant, le graphisme

du tableau de bord et la radio. À l'extérieur, on a tout de même modifié le dessin des roues standards et optionnelles et retouché les bas de caisse. Mais le plus important est sans contredit l'adoption du freinage antibloquant aux quatre roues en équipement de série, sur tous les modèles. L'Explorer s'inscrit ainsi dans le courant actuel de cette catégorie pour le freinage. GM et Chrysler équipent certains de leurs quatre roues motrices de tels systèmes depuis quelques années déjà. Il faudra cependant que l'on continue de mettre les bouchées doubles pour rattraper le plus sérieux rival de l'Explorer, le nouveau Jeep Grand Cherokee, sur deux points précis.

Il faudrait d'abord à l'Explorer au moins un coussin gonflable côté conducteur, comme dans le nouveau Jeep. Il faudrait

ensuite que Ford réussisse à y installer un moteur V8 de puissance comparable. Celui des nouveaux Jeep fait la bagatelle de 230 chevaux et augmente considérablement la capacité de remorquage et le pur prestige du véhicule. Pour le reste, l'Explorer est en bonne position de se défendre. Lors de la présentation du Grand Cherokee, nous avons pu le comparer à un Explorer Eddie Bauer dans les pires sentiers. Nous en sommes revenus étonnés de constater à quel point ce dernier est solide dans de telles conditions. Il lui reste de fort belles années.

CE QU'IL FAUT SAVOIR

FORD EXPLORER

	Pauvre	Passable	Bon	Très bon	Excellent
• Comportement routier			•		
• Freinage				•	
• Sécurité passive			•		
• Visibilité				•	
• Confort				•	
• Volume de chargement					•

POUR

Comportement général très sûr
Groupe propulseur impeccable
Silhouette toujours attrayante
Freinage antibloquant de série
Fabrication soignée
Places arrière accueillantes

CONTRE

Consommation assez forte
Pas de coussin gonflable
Direction floue au centre
Hayon plutôt lourd
Sièges standards perfectibles
Toit ouvrant à déconseiller

Quoi de neuf?

**Freinage antiblocage standard sur tous les modèles
Roues d'alliage et bas de caisse redessinés
Retouches au tableau de bord et aux commandes**

ASPECT TECHNIQUE

Groupe propulseur:	propulsion - 4x4
Empattement:	259,3 cm
Longueur:	468,1 cm - 443,2 cm (2 portières)
Poids:	1 813 kg - 1 668,8 kg (2 portières, 4x2)
Coefficient aérodynamique:	0,43
Moteur:	V6 4,0 litres, 145 ch. (manuelle) - 160 ch. (automatique)
Transmission:	
standard:	boîte manuelle 5 rapports
option:	boîte automatique 4 rapports
Suspension avant:	indépendante
arrière:	essieu rigide
Direction:	à billes, assistée
Freins: avant:	disques ABS
arrière:	tambours ABS
Pneus:	225/70R15

ASPECT PRATIQUE

Carrosserie:	utilitaire sportif 4 portières - 2 portières
Nombre de places:	5
Valeur de revente:	très bonne
Indice de fiabilité:	8
Coussin gonflable:	non
Réservoir de carburant:	73 litres
Capacité du coffre:	81,6 pi^3 (banq. repliée) - 69,4 pi^3 (2 p.)
Performances:	0-100 km/h: 12,4 s (4x4, 4 portières, automatique)
vitesse max.:	175 km/h
consommation:	13,6 litres/100 km
Échelle de prix:	19 000 $ à 31 000 $

MUSTANG

En attendant la relève

La présente Mustang est l'une des patriarches de nos routes puisque ce modèle a été dévoilé en 1979. Ce qui ne l'empêche pas de continuer de nous proposer une très bonne aubaine compte tenu du prix demandé. Économe ou sportive à gros muscles, la Mustang est tout cela selon le jeu des options.

Si les rumeurs qui circulent à Detroit sont véridiques, la nouvelle Mustang devrait être dévoilée pour 1994. En attendant, concentrons-nous sur la version actuelle qui ne subit pratiquement aucune transformation cette année. En fait, le *statu quo* est tel par rapport à 1992 que seule la radio a subi des transformations.

LA PETITE ÉCONOMIQUE

Un des attraits de la Mustang pour plusieurs acheteurs est le fait que sa sil-

houette est tout aussi attirante que l'on choisisse le modèle de base ou la version plus musclée. Dans la version économique, le moteur quatre cylindres 2,3 litres est loin d'être un foudre de guerre. Toutefois, il est robuste et économique. Ses performances sont adéquates, mais sont bien adaptées à la suspension de base qui se contente d'un comportement honnête sans plus.

Il faut cependant ajouter que l'équipement de base est généreux et que la finition est adéquate, même si certains détails de fini-

tion sont d'une autre époque. Enfin, soulignons que le coffre est assez généreux pour une voiture de cette catégorie.

«CHEAP THRILLS»

Par ailleurs, si on opte pour la version équipée du moteur V8 5,0 litres, la situation change du tout au tout. Les 225 chevaux de ce moteur transforment cette Mustang en un pur-sang plus ou moins rétif qui assure des performances de niveau supérieur et ce à une fraction du coût d'autres sportives offrant des prestations parfois moindres.

Toutefois, il faut avoir la main bien campée sur le volant lorsque cette Mustang V8 s'apprête à rugir et à bondir sur la route.

Elle offre des accélérations initiales inférieures à 7 secondes pour boucler le 0-100 km/h tandis que sa vitesse de pointe est en mesure de vous faire perdre votre permis pour un bon bout de temps. Cependant, il faut éviter de se laisser emporter car cette Mustang V8 est passablement sous-vireuse et il faut adapter son style de pilotage en conséquence.

Toutefois, compte tenu de son prix très intéressant, cette sportive propose un des meilleurs rapports performances/prix de l'industrie.

CE QU'IL FAUT SAVOIR

MUSTANG

	Pauvre	Passable	Bon	Très bon	Excellent
• Comportement routier				•	
• Freinage				•	
• Sécurité passive				•	
• Visibilité		•			
• Confort		•			
• Volume de chargement		•			

POUR

Prix abordable
Performances intéressantes
Équipement complet
Moteur V8 robuste
Tenue de route sportive (V8)

CONTRE

Série en sursis
Train arrière léger
Embrayage dur (GT)
Silhouette vieillotte
Piètre visibilité arrière

Quoi de neuf?

Aucun changement majeur

ASPECT TECHNIQUE

Groupe propulseur:	propulsion
Empattement:	255,5 cm
Longueur:	456,2 cm
Poids:	1 250 kg
Coefficient aérodynamique:	0,40
Moteur:	4L 2,3 litres, 105 ch.
	V8 5,0 litres, 225 ch.
Transmission:	
standard:	boîte manuelle 5 rapports
option:	boîte automatique 4 rapports
Suspension avant:	indépendante
arrière:	essieu rigide
Direction:	à crémaillère
Freins: avant:	disques
arrière:	tambours
Pneus:	P195/75R15

ASPECT PRATIQUE

Carrosserie:	coupé, *hatchback,* cabriolet
Nombre de places:	4
Valeur de revente:	bonne
Indice de fiabilité:	8
Coussin gonflable:	oui
Réservoir de carburant:	65 litres
Capacité du coffre:	10,0 pi^3 (6,6 pi^3 : cabriolet)
Performances:	0-100 km/h: 6,9 s (V8)
vitesse max.:	225 km/h (V8)
consommation:	14,6 litres au 100 km (V8)
Échelle de prix:	12 000 $ à 25 000 $

FORD

Probe/ Mazda Mystère

La seconde génération

Ford et Mazda se sont à nouveau associés pour produire un coupé sport. Cette fois-ci, Ford affirme avoir mis beaucoup plus d' input que dans la version précédente. Reste à voir si le constructeur nord-américain sortira à nouveau gagnant de sa collaboration avec son associé japonais qui fournit la mécanique.

Lorsque la compagnie Ford a lancé la première génération de ses modèles Probe, cette voiture a fait tourner les têtes. Tout d'abord, la silhouette n'était pas désagréable. Elle possédait une allure à part qui la distinguait facilement du lot. Ses lignes se sont peut être affadies rapidement, mais l'effet premier était là. De plus, cette voiture avait une caractéristique unique pour une Ford: elle possédait une mécanique Mazda et elle était même assemblée dans une usine Mazda établie à Flat Rock dans le Michigan. En effet, à la

suite d'une entente conclue entre Ford et Mazda, ce manufacturier japonais se chargeait de la conception de l'ensemble de la mécanique et de l'assemblage tandis que Ford avait pour responsabilité de dessiner la carrosserie de son modèle.

Voilà maintenant que la seconde génération des Probe est enfin disponible. Cette fois encore, la silhouette se veut attrayante et la fiche technique de la voiture est sophistiquée. Reste à voir si ce coupé sport a évolué sur le plan du comportement routier et de l'agrément de conduite.

UN APPORT PLUS MARQUÉ

Lorsque Ford et Mazda ont décidé de réaliser ce projet conjoint il y a maintenant plus de cinq ans, les plans de la voiture étaient pratiquement achevés. C'est à peine si Ford a réussi à modifier la suspension et à fournir un dessin de carrosserie distinct. Malgré tout, la Ford surpassait la Mazda sous presque tous les rapports.

Cette fois, la compagnie américaine a eu plus de temps à sa disposition pour incorporer dans la plate-forme même de la

216

voiture les éléments nécessaires afin d'améliorer son comportement d'ensemble, le freinage et la rigidité de la plateforme. Par la suite, les deux parties impliquées n'avaient qu'à adapter le design général à leurs besoins particuliers.

Curieusement, malgré le concept initial partagé par les deux voitures, les ingénieurs de Ford semblent avoir eu le dessus encore une fois.

Au volant, la Probe offre un comportement routier qui semble mieux assuré et plus précis. De plus, quant à la silhouette, le produit Ford fait autrement tourner les têtes que la Mazda Mystère qui fait nettement rétro; par exemple, la partie arrière de la carrosserie a des relents des années 70. Il faut espérer pour Mazda que cette silhouette pour le moins baroque soit appréciée par la clientèle comme c'est le cas pour la MX-3 Precidia qui jouit d'une belle popularité.

Donc, dans l'ensemble, la Probe semble plus homogène sur le plan technique et visuel. À ce chapitre, ce n'est pas surprenant puisque cette voiture est très étroitement dérivée d'un prototype dessiné en Californie et exhibé dans les principaux salons automobiles avant de passer dans les studios de design de Ford à Dearborn afin d'être transformé en voiture de production.

À en juger par la réaction générale des gens à notre voiture d'essai, les stylistes de Ford ont frappé dans le mille avec la Probe. Mais ce coupé ne se contente pas de faire tourner les têtes par son apparence, il se défend assez bien sur le plan mécanique avec une fiche technique qui n'a rien à envier à personne. Mais avant de nous tourner vers les bielles et les pistons, arrêtons-nous à l'habitacle.

UN DESIGN FORD

Même lorsque l'on sait que c'est Mazda qui assemble cette voiture à son usine de Flat Rock au Michigan, l'habitacle de la Probe ne ment pas: les stylistes de Ford y ont laissé leur empreinte. Le volant de la version GT, notre modèle d'essai, était gainé de cuir et se prenait bien en main. Toutefois, son moyeu est assez volumineux, ce qui s'explique par la présence d'un coussin de sécurité gonflable. Les commandes des essuie-glace sont placées sur le levier droit tandis que les commandes pour les phares et les clignotants sont sur le côté gauche. Dans la plus pure tradition Ford, les commandes du régulateur de vitesses sont placées sur le volant et se sont avérées d'utilisation facile. Soulignons au passage que ce régulateur de vitesses s'est révélé efficace et précis.

Les commandes de la climatisation sont au centre et sont d'utilisation simple et facile avec des boutons rotatifs. Une rangée de boutons permet d'actionner l'essuie-glace, le lave-glace et le désembueur arrière. Enfin, un coffre à gant de bonne dimension vient compléter le tout. Toujours au chapitre des espaces de rangement, on note des vide-poches dans les portières et un accoudoir combinant un porte-gobelet et un réceptacle relativement profond. Malheureusement, les places arrière sont pratiquement dépourvues de dégagement pour les jambes, comme sur la plupart des coupés de cette catégorie. Enfin, si le coffre à bagages est passablement spacieux et profond, son seuil de chargement est élevé. Pour accommoder des colis trop encombrants, les dossiers de la banquette arrière peuvent se rabattre.

Nous n'avons pas été impressionnés par les tissus des sièges. Leur qualité est peut-être excellente, mais leur texture fait bon marché. Il en est de même pour le plastique et plusieurs des commandes. Et que dire de cette barre transversale de couleur contrastante qui peut déranger selon la coordination des coloris à l'intérieur de l'habitacle.

La Mazda Mystère reprend plus ou moins la même présentation sauf que le tableau

cylindre. Naturellement, ces deux moteurs sont couplés à une boîte manuelle à cinq rapports en version standard tandis que l'automatique à quatre rapports est optionnelle.

À première vue, on serait porté à ignorer le quatre cylindres en faveur du moteur V6. Mais il ne faut pas négliger ce groupe propulseur qui offre 49 chevaux de moins que le V6, avec 115 chevaux, mais dont le couple et la puissance sont atteints à plus

ques/tambours. Toutefois, on peut commander les freins aux quatre roues et le système de freins ABS. Quant à la version GT, elle possède sa propre suspension, des roues de 16 pouces en alliage et des pneus P225/50VR16. La Mazda Mystère ne pousse pas le côté sportif à ce point. En fait, cette Mystère est davantage un coupé confortable et agréable à conduire qu'un coupé sport comme l'est la Probe GT.

de bord est plus sage et même plus terne. Donc, à l'intérieur comme à l'extérieur, les stylistes américains semblent avoir eu le coup de crayon plus heureux que leurs homologues japonais.

MULTISOUPAPE INC.

Comme cette Ford a été conçue en collaboration avec un manufacturier japonais, il fallait s'attendre à une pluie de soupapes et d'arbres à cames en tête. En effet, autant le quatre cylindres en ligne de 2,0 litres que le V6 2,5 litres possèdent deux arbres à cames en tête et quatre soupapes par

bas régime, ce qui permet d'obtenir des temps d'accélération quand même intéressants. Cependant, l'économie à l'achat et au chapitre de la consommation de carburant sont les éléments qui vont inciter les gens à opter pour la version du moteur à quatre cylindres. Bien entendu, le V6 24 soupapes est le choix logique pour l'amateur de performances. Toutefois, ce moteur atteint son couple maximum à 4 000 tr/min, ce qui signifie qu'il faut manœuvrer le levier de vitesses pour en obtenir le plein potentiel.

La suspension indépendante aux quatre roues est à jambes de force tandis que le freinage a été confié à la combinaison dis-

PLUS ACCESSIBLE

Dans le cadre du lancement de cette nouvelle génération de Probe, nous avons eu l'occasion de conduire la plupart des versions. De plus, nous avons eu l'opportunité de piloter une Probe GT sur le trajet Montréal-Halifax-Montréal, ce qui nous a permis de parfaire notre évaluation de cette voiture. Il en a été de même avec la Mazda qui nous a conduits de San Francisco à Los Angeles.

Lors de la première prise de contact, nous avons été rapidement impressionnés par la polyvalence de cette voiture. Dans sa version de base, le résultat est nettement plus homogène que précédemment. Le moteur est plus silencieux et plus performant. Quant à la tenue de route, elle est également améliorée même si le roulis en virage est assez prononcé. Bref, cette voiture propose une allure sport sans les désagréments associés aux modèles plus sportifs, plus spécifiquement la suspension ultra-ferme et un moteur plus gourmand. Mais, dès le premier contact, nous avons été obligés de nous adapter à la position passablement basse et près du corps de cette Probe. Et la Mazda Mystère n'échappe pas à cette caractéristique qui peut être désagréable pour un conducteur de grande taille. De plus, la direction pourrait être plus précise. Voici notre principale critique envers cette voiture: son rayon de braquage démesurément long qui rend les manœuvres de stationnement désagréables.

Quant à la version GT, elle nous est apparue beaucoup plus homogène que le modèle qu'elle remplace. Adieu le moteur turbocompressé très pointu et son effet de couple démesuré dans le volant. Le V6 n'a peut être pas le punch voulu à bas régime, mais il se veut un bien meilleur compromis en conduite de tous les jours. Toujours en comparaison avec la Mazda Mystère, la Ford est décidément plus sportive de comportement et plus homogène. La Mazda manque de fermeté et est vraiment plus bourgeoise même si elle possède des organes mécaniques similaires. Quant à la boîte de vitesses, elle est bien étagée et le levier de vitesses est de maniement facile.

Bref, plus forte sur le plan du caractère, la Probe devance encore une fois la MX-6.

CE QU'IL FAUT SAVOIR

FORD PROBE

	Pauvre	Passable	Bon	Très bon	Excellent
• Comportement routier				•	
• Freinage				•	
• Sécurité passive			•		
• Visibilité				•	
• Confort			•		
• Volume de chargement			•		

POUR

Esthétique poussée
Bonne tenue de route
Choix de moteurs
Coffre adéquat
Consommation raisonnable

CONTRE

Volant trop bas
Certains bruits de caisse sur mauvaise route
Seuil du coffre élevé
Places arrière limitées
Tissus des sièges à revoir

Quoi de neuf?

Tout nouveau modèle
Moteur V6 2,5 litres

ASPECT TECHNIQUE

Groupe propulseur:	traction
Empattement:	261,3 cm
Longueur:	454,4 cm
Poids:	1 190 kg
Coefficient aérodynamique:	0,33
Moteurs:	4L 2,0 litres, 115 ch. - V6 2,5 litres, 164 ch.
Transmission:	
standard:	boîte manuelle 5 rapports
option:	boîte automatique 4 rapports
Suspension avant:	indépendante
arrière:	indépendante
Direction:	à crémaillère
Freins: avant:	disques ABS (opt.)
arrière:	tambours ABS (opt.)
Pneus:	P195/65R14

ASPECT PRATIQUE

Carrosserie:	coupé
Nombre de places:	2+2
Valeur de revente:	bonne
Indice de fiabilité:	nouveau modèle
Coussin gonflable:	conducteur
Réservoir de carburant:	58,6 litres
Capacité du coffre:	11,0 pi^3
Performances:	0-100 km/h: 8,2 s (V6)
vitesse max:	220 km/h (GT)
consommation:	10,1 litres/100 km (V6)
Échelle de prix:	15 000 $ à 24 000 $

La Ranger fait peau neuve

Même si la Ford Ranger était l'une des camionnettes les plus robustes et les mieux équilibrées sur le marché, sa silhouette commençait sérieusement à prendre de l'âge. Toutefois, le fait de changer sa carrosserie donne un coup de pouce à cette camionnette qui devient une des plus élégantes sur le marché.

Il faut s'incliner devant les stylistes de Ford qui ont accompli un travail remarquable en dessinant cette nouvelle Ranger. Ils ont réussi à respecter les canons esthétiques en vigueur actuellement tout en conservant une forme que l'on identifie aux produits Ford. Et cette Ranger a fière allure avec ses glaces affleurantes, ses angles arrondis, sa calandre entièrement redessinée. Pour plusieurs, ce sera le coup de foudre. D'autant plus que cette Ranger est offerte dans une palette de coloris des plus modernes et des plus agréables.

Sur le plan esthétique, la version à cabine allongée est drôlement intéressante tout en proposant une bonne habitabilité. Le tableau de bord est assez semblable au précédent mais il a été l'objet de petites retouches qui le rendent plus agréable.

UNE MÉCANIQUE CONNUE

Toutefois, si la Ranger a fait peau neuve, ses organes mécaniques sont sensiblement les mêmes. À une exception près cependant, alors que le moteur V6 3,0 litres remplace le V6 2,9 litres sur le modèle 4x4. Quant au quatre cylindres de 2,3 litres, il demeure au catalogue tout comme le V6 4,0 litres dont la puissance est identique au 3,0 litres mais dont le couple à bas régime est plus élevé. Ce moteur est plus gourmand, mais il permet une accélération initiale plus vive.

Cette camionnette est bâtie pour affronter les travaux les plus ardus et dotée d'une tenue de route qui en surprend plusieurs, surtout en version sport. D'ailleurs, c'est un plaisir que de jouer les trouble-fête sur la piste d'essai de Dearborn en doublant des coupés sport au volant d'une Ranger.

Bref, au fil des améliorations, cette fourgonnette est devenue drôlement homogène. D'autant plus que sa silhouette est désormais fort attrayante.

LA SÉRIE F-150

Année après année, les Ford F-150 sont les camions les plus vendus en Amérique. Leur équilibre, leur robustesse et leur bas prix sont certainement des éléments qui font pencher la balance en leur faveur.

Ayant bénéficié d'une révision esthétique l'an dernier, la F-150 est presque inchangée en 1993. Elle propose un assortiment de moteurs en mesure de répondre à tous les besoins.

CE QU'IL FAUT SAVOIR

RANGER

	Pauvre	Passable	Bon	Très bon	Excellent
• Comportement routier			•		
• Freinage			•		
• Sécurité passive			•		
• Visibilité					•
• Confort			•		
• Volume de chargement					•

POUR

Nouvelle silhouette
Bonne tenue de route
Choix de moteurs
Construction robuste
Cabine silencieuse

CONTRE

Cabine standard exiguë
Freinage perfectible
Sautillement du train arrière sur
  mauvaise route
Choix d'options parfois complexe

Quoi de neuf?

Carrosserie entièrement nouvelle
Voie élargie
Direction révisée

ASPECT TECHNIQUE

Groupe propulseur:	propulsion - 4x4
Empattement:	274,3 cm - 289 cm - 317 cm (Super-Cab)
Longueur:	460 cm - 490 cm - (503 cm (Super-Cab)
Poids:	1 180 kg (modèle de base)
Coefficient aérodynamique:	n.d.
Moteurs:	4L 2,3 L 100 ch. - V6 3,0 L 145 ch. - V6 4,0L 145 ch. (manuelle) / 160 ch. (automatique)
Transmission:	
standard:	boîte manuelle 5 rapports
option:	boîte automatique 4 rapports
Suspension avant:	indépendante
arrière:	essieu rigide
Direction:	à billes
Freins: avant:	disques
arrière:	tambours ABS
Pneus:	P195/70R14

ASPECT PRATIQUE

Carrosserie:	camionnette
Nombre de places:	2-3-5
Valeur de revente:	bonne
Indice de fiabilité:	8,0
Coussin gonflable:	non
Réservoir de carburant:	65 litres (option: 75 litres)
Capacité du coffre:	longueur de caisse: 183 cm
Performances:	0-100 km/h: 11,7 s
vitesse max:	185 km/h
consommation:	11,6 litres /100 km (V6 3,0 litres)
Échelle de prix:	10 500 $ à 20 000 $

FORD

Taurus / Mercury Sable

La sagesse du raffinement

Lorsque les Taurus et Sable sont apparues sur le marché en 1986, elles ont littéralement bouleversé la conception des berlines nord-américaines. Après une refonte intéressante mais jugée trop timide, ces deux berlines aérodynamiques demeurent quasiment intactes en 1993.

Si les Taurus et Sable ont eu droit à une refonte complète l'an dernier, il ne fallait pas s'attendre à des transformations radicales cette année. En fait, il n'y a que la Taurus SHO qui nous apporte du nouveau. Après avoir fait patienter des milliers d'automobilistes attirés par cette sportive mais désireux de conduire un modèle avec une boîte automatique, Ford a finalement acquiescé à leurs demandes cette année. Toutefois, au lieu de proposer un moteur V6 3,0 litres comme c'est le cas avec la version manuelle, la Taurus à boîte automatique a une cylindrée de 3,2 litres. D'ailleurs, en conduite, cette SHO automatique se comporte exactement comme la version manuelle. Sans vouloir choquer les puristes, elle est même quasiment plus agréable à conduire tant la boîte automatique accomplit du bon boulot.

Comme il se doit, la Sable ne propose pas de version sportive; elle se contente de poursuivre sa vocation de voiture familiale plus luxueuse et plus cossue.

DES DÉTAILS

Somme toute, à part la SHO automatique, ces deux voitures ne sont l'objet que de quelques modifications de détail tant au chapitre de la présentation que de l'équipement. Elles conservent donc toutes deux leur grand équilibre tant au chapitre de la tenue de route que du confort. Et s'ils ne sont pas des foudres de guerre, les deux moteurs disponibles s'acquittent bien de leur tâche et ne s'attirent aucune critique particulière.

Parmi les améliorations dignes de mention, il faut souligner la possibilité d'obtenir la direction à assistance variable sur les versions GL tandis que certaines options sont devenues partie intégrante de l'équipement standard. Ajoutons également que les pare-chocs sont dorénavant harmonisés à la couleur de la carrosserie.

TOUJOURS INTÉRESSANTES

Ces deux voitures demeurent toujours parmi les plus homogènes de leur catégorie. De plus, la version familiale est en mesure de marier le côté pratique et l'agrément de conduite.

Toutefois, l'arrivée des nouvelles voitures LH de Chrysler risque de perturber le monopole des Taurus et Sable dans cette catégorie.

CE QU'IL FAUT SAVOIR

TAURUS/SABLE

	Pauvre	Passable	Bon	Très bon	Excellent
• Comportement routier				•	
• Freinage			•		
• Sécurité passive					•
• Visibilité					•
• Confort				•	
• Volume de chargement				•	

POUR

Version SHO automatique
Bon rapport qualité/prix
Comportement routier sain
Bonne habitabilité
Finition en progrès

CONTRE

Bruits aérodynamiques
Ceinture de caisse élevée
Boîte manuelle SHO demeure
imprécise
Silhouette trop peu changée
Suspension ferme (familiale)

Quoi de neuf?

Version automatique de la SHO
Plusieurs améliorations de détail
Aucun changement majeur

ASPECT TECHNIQUE

Groupe propulseur:	traction
Empattement:	269,2 cm
Longueur:	487,6 cm - 490,4 cm (familiale)
Poids:	1 420 kg - 1 495 kg (familiale)
Coefficient aérodynamique:	0,32 - 0,36 familiale
Moteurs:	V6 3,0 litres, 140 ch. - V6 3,8 litres, 140 ch. - V6 3,0 litres DACT, 220 ch. - V6 3,2 litres DACT, 220 ch. (automatique)
Transmission: standard:	boîte automatique 4 rapports
option:	boîte manuelle 5 rapports (SHO)
Suspension avant:	indépendante
arrière:	indépendante
Direction:	à crémaillère
Freins: avant:	disques
arrière:	tambours (disques SHO)
Pneus:	P205I70R14

ASPECT PRATIQUE

Carrosserie:	berline - familiale
Nombre de places:	5
Valeur de revente:	bonne
Indice de fiabilité:	8,5
Coussins gonflables:	conducteur - passager
Réservoir de carburant:	60,6 litres (70,4 litres SHO)
Capacité du coffre:	17,9 pi^3
Performances:	0-100 km/h: 11,6 s
vitesse max:	175 km/h
consommation:	11,8 litres/100 km
Échelle de prix:	18 000 $ à 30 000 $

FORD

Tempo/Mercury Topaz

En attendant la relève

Depuis leur lancement ou presque, les Ford Tempo et Mercury Topaz ont toujours été considérées comme de paisibles voitures à vocation familiale. L'an dernier, l'arrivée d'un moteur V6 a donné plus de mordant à ces deux voitures; pourtant, leur réputation n'a pas changé.

Il faudra probablement attendre l'arrivée des nouvelles versions prévues pour 1994 pour que ces deux compactes perdent leur réputation de timides voitures économiques mais assez peu intéressantes sur le plan de la conduite.

Pourtant, le moteur V6 3,0 litres donne beaucoup plus de mordant à ces deux voitures et il convient très bien au coupé, surtout avec la boîte manuelle. Avec ce groupe propulseur, les performances sont intéressantes et la tenue de route n'est pas à dédaigner non plus en raison d'une suspension adaptée à ces chevaux additionnels.

Mais il ne faut pas se méprendre sur la vocation de ces voitures au moteur V6. Leurs accélérations sont plus véloces, mais c'est surtout en douceur et en agrément de conduite qu'on y gagne. Quant au quatre cylindres de 2,3 litres, il se débrouille assez bien avec la boîte manuelle, mais la version automatique manque de souffle, surtout en raison de cette vétuste boîte automatique à trois rapports. Par contre, en usage quotidien et pour circuler en ville, les performances sont honnêtes.

UN HABITACLE CONTROVERSÉ

Pour plusieurs personnes, les Tempo/Topaz sont des voitures honnêtes avec un bon rapport qualité prix. Toutefois, plusieurs leur reprochent leur silhouette vétuste et leur habitacle plutôt terne. S'il est vrai que la caisse prend de l'âge et qu'une refonte s'impose, l'habitacle est tout de même adéquat, tout particulièrement le tableau de bord qui s'inspire de ce que les constructeurs japonais nous offrent depuis plusieurs années.

Malheureusement, le dessin des sièges, la conception de certains accessoires et un manque d'éclairage dans l'habitacle associé à une ceinture de caisse haute sont les principaux ennemis des Tempo/Topaz. Mais, il ne faut pas oublier d'ajouter qu'il y a bien pire chez les nord-américains. Heureusement que la relève en est vue. Tout porte à croire que les nouvelles versions seront lancées en 1994.

En attendant, ces deux voitures comptent sur leur équilibre tout de même intéressant, sur leurs prix de vente plus que compétitifs et sur la douceur du moteur V6 pour lutter contre la concurrence qui propose des versions plus modernes et plus attirantes sur le plan du design.

Malgré tout, les Tempo/Topaz représentent une aubaine toujours valable compte tenu de leur rapport qualité/prix.

CE QU'IL FAUT SAVOIR

TEMPO/ TOPAZ

	Pauvre	Passable	Bon	Très bon	Excellent
• Comportement routier				•	
• Freinage		•			
• Sécurité passive			•		
• Visibilité				•	
• Confort			•		
• Volume de chargement		•			

POUR

Bon rapport qualité/prix
Moteur V6
Coffre spacieux
Tableau de bord complet
Bonne habitabilité

CONTRE

Silhouette dépassée
Boîte automatique 3 vitesses
Ceinture de caisse élevée
Performances moyennes avec 4 cyl.

Quoi de neuf?

Aucun changement majeur
Nouveau porte-gobelet!

ASPECT TECHNIQUE

Groupe propulseur:	traction
Empattement:	254 cm
Longueur:	450 cm
Poids:	1 180 kg
Coefficient aérodynamique:	0,36
Moteurs:	2,3 litres, 96 ch.
	V6 - 3,0 litres, 130 ch.
Transmission:	
standard:	boîte manuelle 5 rapports
option:	boîte automatique 3 rapports
Suspension avant:	indépendante
arrière:	indépendante
Direction:	à crémaillère
Freins: avant:	disques
arrière:	tambours
Pneus:	P185/70R14

ASPECT PRATIQUE

Carrosserie:	berline - coupé
Nombre de places:	4
Valeur de revente:	faible
Indice de fiabilité:	7,5
Coussin gonflable:	non
Réservoir de carburant:	55 litres
Capacité du coffre:	13,2 pi³
Performances:	0-100 km/h: 10,1 s
vitesse max:	185 km/h
consommation:	8,4 litres/100 km
Échelle de prix:	12 400 $ à 18 500 $

Thunderbird / Mercury Cougar

Un gabarit imposant, un bon confort

Lorsque ces deux voitures sont apparues sur le marché en 1989, elles ont plu grâce à leur silhouette élégante. Toutefois, leur gabarit était vraiment trop imposant pour la catégorie. Malgré tout, ces deux grand-tourismes connaissent une intéressante carrière. Elles nous reviennent inchangées pour 1993.

Il est intéressant de constater que les meilleures intentions du monde peuvent parfois donner des résultats surprenants. Ainsi, l'équipe de développement des voitures Cougar et Thunderbird voulait faire beaucoup mieux que les modèles précédents qui avaient pourtant été accueillis avec moult louanges. Toutefois, cet ambitieux projet nous a donné des voitures élégantes certes, mais combien lourdes et pataudes. Heureusement que leur plate-forme est bonne, faute de quoi la tenue de route serait beaucoup moins

intéressante qu'elle ne l'est présentement. De tout le lot, c'est incontestablement la Thunderbird Super Coupe qui est la plus sportive avec son moteur V6 3,8 litres à compresseur développant 210 chevaux et équipé d'une suspension spéciale. Optez pour la boîte manuelle et la Super Coupe n'a rien à envier à plusieurs sportives, si ce n'est une taille un peu plus petite.

Toutefois, ce moteur compressé ne convient pas à tous les goûts car il est linéaire mais nécessite plus d'attention de la part du conducteur. Il faut également souligner

que ce moteur avec compresseur est une exclusivité de la Thunderbird. Cependant, les deux voitures peuvent être équipées du V8 5,0 litres. Ce V8 avec son couple à bas régime et ses 200 chevaux permet de réaliser une voiture sportive de comportement mais docile de tempérament.

Autant la Cougar que la Thunderbird sont affligées d'un tableau de bord nettement moins réussi que la silhouette extérieure. De plus, malgré leurs dimensions généreuses, l'habitabilité est moyenne et le dégagement pour la tête aux places arrière est minimaliste. Et si l'accès aux places avant et arrière est assez bon en raison de portières surdimensionnées, celles-ci sont toutefois très lourdes et difficiles à fermer et à ouvrir. Bref, ces deux voitures ont une belle allure et sont intéressantes à conduire, mais elles auraient besoin d'une cure.

Il faut ajouter que la Mercury Cougar possède la même plate-forme que la Thunderbird, mais que sa vocation est plus luxueuse. De sorte que la liste d'équipement standard est plus généreuse et la présentation plus cossue. Toutefois, pour lui donner une image plus agressive pour 1993, la Cougar devient la XR-7, du nom de son modèle le plus sportif dont elle conserve la plupart des caractéristiques.

CE QU'IL FAUT SAVOIR

THUNDERBIRD/COUGAR

	Pauvre	Passable	Bon	Très bon	Excellent
• Comportement routier				•	
• Freinage					•
• Sécurité passive				•	
• Visibilité		•			
• Confort				•	
• Volume de chargement			•		

POUR

Comportement routier exemplaire
Moteur V8 bien adapté
Moteur V6 à compresseur toujours disponible (T-Bird)
Freins puissants

CONTRE

Tableau de bord lourd
Faible dégagement pour la tête
V8 gourmand
Portières lourdes
Piètre visibilité

Quoi de neuf?

- Aucun changement majeur
- Deux versions disponibles au lieu de quatre

ASPECT TECHNIQUE

Groupe propulseur:	propulsion
Empattement:	267 cm
Longueur:	504,7 cm
Poids:	1 750 kg
Coefficient aérodynamique:	0,31
Moteurs:	V6 3,8 litres, 140 ch. - V6 3,8 litres Compresseur, 210 ch. - V8 5 litres, 200 ch.
Transmission: standard:	boîte manuelle 5 rapports
option:	boîte automatique 4 rapports
Suspension avant:	indépendante
arrière:	indépendante
Direction:	à crémaillère
Freins: avant:	disques
arrière:	tambours (SC: disques)
Pneus:	P205/70R15

ASPECT PRATIQUE

Carrosserie:	coupé
Nombre de places:	4
Valeur de revente:	moyenne
Indice de fiabilité:	7,5
Coussin gonflable:	conducteur
Réservoir de carburant:	68 litres
Capacité du coffre:	14,7 pi^3
Performances:	0-100 km/h: 9,2 s (V8)
vitesse max:	220 km/h
consommation:	13,5 litres/100 km (V8)
Échelle de prix:	19 000 $ à 28 000 $

Storm/Asüna Sunfire

Drôles et espiègles

Les coupés Geo Storm sont arrivés chez les concessionnaires Chevrolet Oldsmobile l'an dernier. Cette année, leurs collègues du réseau Pontiac Buick accueillent les Sunfire, un des modèles de la nouvelle marque Asüna. Ce sont des voitures quasi identiques, fabriquées à Fujisawa au Japon par Isuzu.

Les coupés Isuzu auront eu une courte carrière chez nous sous leur nom véritable, mais ils persistent joyeusement sous deux noms d'emprunt. Pour offrir un produit qui lui permette de concurrencer de façon plus complète les marques importées, surtout nipponnes, GM du Canada est allée se pourvoir dans l'arsenal d'Isuzu. C'est une firme dont elle possède d'ailleurs la moitié des actifs. Elle en a tiré deux coupés dérivés des modèles Impulse ou Gemini OZ d'Isuzu. Selon son habitude, GM a dicté l'architecture mécanique et surtout

les détails de la présentation intérieure et extérieure de ces voitures. C'est ainsi, hélas, que l'on se retrouve avec de plus grandes surfaces encore de ce plastique gris sans texture et sans attrait que l'on retrouve dans beaucoup trop de modèles GM encore aujourd'hui. Isuzu est cependant la seule à blâmer pour les commandes beaucoup trop fragmentées des phares et des essuie-glace. De part et d'autre de la nacelle des instruments, on a effectivement disposé une série de gros commutateurs de plastique au lieu de

regrouper le tout sur un levier unique pour ces deux accessoires essentiels. On s'y fait à la longue, en grommelant, mais c'est contraire aux principes d'ergonomie les plus élémentaires. Côté mécanique, la liste est simple. La Storm est disponible en version de base, propulsée par un quatre cylindres de 1,6 litre. Un deuxième moteur de 1,8 litre à double arbre à cames en tête est réservé à la Storm GSi et à toutes les Asüna Sunfire. Ses 140 chevaux procurent des performances très honnêtes à ces deux modèles, mais c'est surtout un moteur très vivant, enjoué qui rend la conduite de ces voitures réjouissante. Cela compense largement pour un niveau de vibration et de bruit assez élevé en accélération. Les Storm et Sunfire sont par contre des routières étonnantes. À vitesse soutenue, elles sont très silencieuses et assez confortables pour des coupés sport. On déplore surtout l'assise basse des sièges et l'aspect massif du tableau de bord qui donnent une impression d'enfermement. Dans la même veine, elles offrent un confort de suspension d'excellent niveau. Il faut dire qu'Isuzu a eu recours au spécialiste Lotus pour y arriver. Cela se sent. La tenue de route est à l'avenant. Il faut toutefois se faire aux réactions très vives de la direction en amorce de virage. Le modèle de base de la Storm est évidemment beaucoup plus timide.

CE QU'IL FAUT SAVOIR

GEO STORM

	Pauvre	Passable	Bon	Très bon	Excellent
• Comportement routier				●	
• Freinage				●	
• Sécurité passive				●	
• Visibilité			●		
• Confort			●		
• Volume de chargement		●			

POUR

Amusante à conduire (GSi)
Moteur performant (GSi)
Suspension impeccable
Bons sièges
Instrumentation complète
Silence de roulement étonnant

CONTRE

Moteur bruyant à haut régime
Accélérateur peu progressif
Assise des sièges trop basse
Commandes complexes
Pas de toile pour les bagages
Portières encombrantes

Quoi de neuf?

Moteur de base plus puissant et souple
Nouveau modèle Asüna Sunfire

ASPECT TECHNIQUE

Groupe propulseur:	traction
Empattement:	245,1 cm
Longueur:	416,5 cm
Poids:	1 039,6 kg
Coefficient aérodynamique:	0,33
Moteurs:	4L 1,6 litre, 95 ch. - 4L 1,8 litre DACT, 140 ch.
Transmission:	
standard:	boîte manuelle 5 rapports
option:	boîte automatique 3 rapports (GSi: 4 rap.)
Suspension avant:	indépendante
arrière:	indépendante
Direction:	à crémaillère, assistée
Freins: avant:	disques
arrière:	tambours
Pneus:	185/60HR14

ASPECT PRATIQUE

Carrosserie:	coupé
Nombre de places:	2+2
Valeur de revente:	bonne
Indice de fiabilité:	8
Coussin gonflable:	conducteur
Réservoir de carburant:	46,9 litres
Capacité du coffre:	11 pi^3
Performances:	0-100 km/h: 8,17 s (GSi manuelle)
consommation:	9,9 litres/100 km
vitesse max.:	195 km/h (GSi)
Échelle de prix:	12 000 $ à 18 000 $

Tracker/Asüna Sunrunner/Suzuki Sidekick

Une allure qui plaît

Ce trio d'utilitaires est dérivé d'une source commune et se partage plus ou moins les mêmes éléments mécaniques. En effet, même si les noms et les bannières diffèrent, il s'agit essentiellement de modèles Suzuki modifiés. Toutefois, Suzuki se réserve l'exclusivité d'une version 4 portes.

Issue de la collaboration entre General Motors et Suzuki, cette utilitaire 4x4 est offerte sous les bannières Geo, Asüna et Suzuki. Dès son lancement, elle a connu un bon succès de ventes. Les gens, la clientèle féminine surtout, ont apprécié sa silhouette sympathique, son prix compétitif et son comportement routier très potable pour un tout-terrain. De nos jours, ces qualités sont toujours présentes tandis que le nombre de modèles est plus nombreux que jamais.

Bien que dotée d'un empattement relativement court, cette utilitaire propose une suspension qui peut être qualifiée de «confortable» en comparaison de plusieurs autres véhicules de ce genre. Toutefois, elle est rigide par rapport aux automobiles et pourra en surprendre plusieurs attirés par la silhouette sympathique des membres de ce trio. En effet, si le style fait dans le «BCBG», les concepteurs n'ont pas oublié qu'il s'agissait avant tout d'un tout-terrain et on a conçu la suspension en conséquence. Il faut également ajouter que le châssis est de type échelle pour assurer robustesse et rigidité.

Quant au moteur 1,6 litre utilisé sur les Tracker et Sunrunner, il développe 80 chevaux, ce qui est adéquat compte tenu du poids relativement modeste du véhicule. Dans sa version de base, il est couplé à une boîte manuelle à cinq rapports qui est bonne sauf que le levier est raide. De plus, tous les modèles peuvent être commandés avec la boîte automatique à trois rapports.

Offertes en version «hardtop» et cabriolet, les Tracker et Sunrunner proposent un habitacle invitant qui a été sérieusement revu l'an dernier. Et la présentation n'est pas trop dépouillée pour une utilitaire. En fait, le tableau de bord est d'un joli design.

Quant à la conduite sur route, elle est passablement agréable compte tenu de l'empattement plutôt court des véhicules

tandis que le moteur est bien adapté même s'il manque de souffle sur l'autoroute.

Quant à Suzuki, le partenaire de GM dans cette aventure, il propose la Sidekick qui n'est ni plus ni moins qu'une autre version de la Tracker. Les deux modèles sont assemblés à l'usine CAMI d'Ingersoll en Ontario. Toutefois, il propose en exclusivité une version quatre portes dotée d'un moteur 1,6 litre développant 95 chevaux. On y gagne en confort, en agrément de conduite et en habitabilité.

CE QU'IL FAUT SAVOIR

GEO TRACKER

	Pauvre	Passable	Bon	Très bon	Excellent
• Comportement routier			•		
• Freinage			•		
• Sécurité passive			•		
• Visibilité		•			
• Confort		•			
• Volume de chargement		•			

POUR

Agrément de conduite
Silhouette sympathique
Ergonomie en progrès
Moteur nerveux
Silhouette sympathique

CONTRE

Bruits éoliens
Direction lourde
Suspension ferme
Faible habitabilité
    (version 2 portes)

Quoi de neuf?

Aucun changement majeur

ASPECT TECHNIQUE

Groupe propulseur:	propulsion - 4x4
Empattement:	220 cm
Longueur:	362 cm
Poids:	1 015 kg
Coefficient aérodynamique:	n.d.
Moteurs:	4L 1,6 litre, 80 ch. - 1,6 litre 16 soupapes, 95 ch. (Sidekick 4 p.)
Transmission:	
standard:	boîte manuelle 5 rapports
option:	boîte automatique 3 rapports
Suspension avant:	indépendante
arrière:	essieu rigide
Direction:	à billes
Freins: avant:	disques
arrière:	tambours ABS
Pneus:	P195/75R15 - P205/75R15 (4x4)

ASPECT PRATIQUE

Carrosserie:	utilitaire sportif
Nombre de places:	4
Valeur de revente:	bonne
Indice de fiabilité:	8
Coussin gonflable:	non
Réservoir de carburant:	42 litres
Capacité du coffre:	8,9 pi^3
Performances:	0-100 km/ h: 14,2 s
vitesse max.:	155 km/h
consommation:	8,9 litres/100 km
Échelle de prix:	11 500 $ à 16 000 $

HONDA

Accord

En attendant la relève

Aux États-Unis, la Honda Accord fait la lutte à la Ford Taurus pour le titre de voiture la plus vendue même si ses ventes ont baissé. Ici, ce modèle est pratiquement devenu l'étalon de comparaison. Toutefois, Honda devra renouveler son best-seller en 1994 car il est de moins en moins compétitif.

Curieusement, on peut pratiquement établir un parallèle entre la perte de personnalité sportive de cette voiture et son succès sur les palmarès de vente nord-américains. Devenue en quelques années l'une des voitures les plus appréciées des acheteurs américains, la Honda Accord s'est transformée en une berline un peu comme les autres affichant une suspension plutôt guimauve, un silence de roulement calqué sur les nord-américaines de catégorie supérieure et un équipement passablement bourgeois. En parallèle,

l'agrément de conduite s'est désintégré au fil de cet embourgeoisement.

Mais il ne s'agit pas d'un manque de compétence de la part des ingénieurs de la marque. Bien au contraire, ce changement de personnalité survenu au cours des cinq dernières années est prémédité, planifié. Au lieu de produire une petite berline sympathique et sportive, on a préféré une approche plus en mesure de gagner le plus grand nombre d'acheteurs. Et le défi a été relevé comme l'indiquent les chiffres de vente. Mais, si on a adopté une

approche pour le moins évolutive pour les deux derniers modèles, la prochaine génération devra se démarquer davantage. En effet, pendant que l'Accord grimpait au palmarès, plusieurs nouveaux modèles ont été lancés par les concurrents et plusieurs offrent désormais un moteur V6 plus puissant et plus doux que le quatre cylindres 2,2 litres de l'Accord. Si c'est pratiquement le *statu quo* en 1993, on peut s'attendre à bien des changements en 1994 alors qu'on prévoit qu'une nouvelle version sera présentée.

En attendant, cette berline continue de proposer une tenue de route supérieure à la moyenne et un moteur tout de même intéressant bien que plus bruyant et moins puissant que le V6 de la Toyota Camry par exemple. De plus, au chapitre de la tenue de route, la direction est trop assistée tandis que la voiture devient survireuse en virage après avoir été initialement sousvireuse. Trait de caractère qui peut surprendre le conducteur qui n'est pas sur ses gardes.

Quant à la familiale, sa silhouette est plaisante mais elle n'arrive pas à se démarquer face à une concurrence qui, à prix égal et même inférieur, propose une plus grande capacité de chargement et un moteur V6. Cette voiture n'est pas mauvaise en soi, mais elle pourrait offrir un peu plus d'espace pour les bagages.

CE QU'IL FAUT SAVOIR

HONDA ACCORD

	Pauvre	Passable	Bon	Très bon	Excellent
• Comportement routier				●	
• Freinage				●	
• Sécurité passive			●		
• Visibilité				●	
• Confort			●		
• Volume de chargement			●		

POUR

Prestations intéressantes
Tenue de route valable
Équilibre d'ensemble
Fiabilité prouvée
Ergonomie raffinée

CONTRE

Sièges peu confortables
Familiale décevante
Motorisation limitée
Direction surassistée
Manque de caractère

Quoi de neuf?

Aucun changement majeur

ASPECT TECHNIQUE

Groupe propulseur:	traction
Empattement:	272,0 cm
Longueur:	469,0 cm
Poids:	1 316 kg
Coefficient aérodynamique:	0,33
Moteur:	4L 2,2 litres, 125 - 130 - 140 ch.
Transmission:	
standard:	boîte manuelle 5 rapports
option:	boîte automatique 4 rapports
Suspension avant:	indépendante
arrière:	indépendante
Direction:	à crémaillère, assistée
Freins avant:	disques (option: ABS)
arrière:	tambours (option: disques ABS)
Pneus:	P195/60R15

ASPECT PRATIQUE

Carrosserie:	berline
Nombre de places:	5
Valeur de revente:	très bonne
Indice de fiabilité:	8,5
Coussin gonflable:	conducteur
Réservoir de carburant:	65 litres
Capacité du coffre:	15,6 pi^3
Performances:	0-100 km/h: 9,5 s
vitesse max.:	195 km/h
consommation:	9,9 litres/100 km
Échelle de prix:	17 500 $ à 25 000 $

HONDA

Civic/del Sol

Un coupé à découvrir

Honda a renouvelé en entier sa série-fétiche l'an dernier. Nous avons eu droit à une berline plus confortable et jolie et à un hatchback fidèle à la réputation du plus indépendant des contructeurs japonais. Il remet ça cette année avec la del Sol, remplaçante inédite et pour le moins inattendue du magnifique coupé CRX.

Honda a toujours bravé les conventions que ce soit celles de son pays ou celles du marché. Son fondateur a d'ailleurs toujours accordé la plus grande place et la plus grande importance à la jeunesse, à l'invention et à l'audace. Soichiro Honda aurait sans doute approuvé le travail de ses descendants spirituels sur la nouvelle série Civic, apparue au début de l'année dernière. Et pourtant, ce sont des voitures dont certaines caractéristiques ont suscité leur part de controverse, même au sein de l'équipe du *Guide de l'auto*! Elles n'ont pas

non plus connu un succès monstre sur le marché, bien qu'un grand nombre de facteurs aient certes pu intervenir dans ce fléchissement. Les premiers modèles qu'a lancés Honda pour l'année 1992 étaient la berline et le *hatchback.* On a longtemps laissé planer le doute et circuler les rumeurs quant au modèle qui allait succéder au petit coupé CRX. Le mystère ne fut élucidé qu'après plusieurs mois, avec le lancement de la del Sol, une voiture entièrement nouvelle qui n'a jamais eu son pareil dans la gamme Honda ou même

chez tout autre constructeur japonais. Par sa taille et son panneau de toit amovible, la del Sol rappelle toutefois étrangement la Fiat X1/9, lancée vers la fin des années 70. C'était toutefois une voiture à moteur central. Le premier coupé CRX était apparu lors de la refonte complète de 1984. Honda avait alors affirmé avoir voulu créer une petite voiture deux places, ultra-économique, destinée à la circulation urbaine ou plus précisément à la routine auto-boulot-dodo. En renouvelant la série Civic pour l'année 1988, Honda avait exprimé des ambitions plus grandes pour la petite CRX. Tout en lui offrant un profil encore plus fuselé, elle avait préparé une version plus performante du coupé: la Si. Alors que la première CRX s'était débrouillée durant quatre ans avec les 83 chevaux de son quatre cylindres de 1,5 litre, la nouvelle Si avait droit à un moteur de 1,6 litre de 105 chevaux. Cette nouvelle version se rallia un tout nouveau public d'inconditionnels. Le minuscule coupé méritait pleinement une telle ferveur de la part de ces amateurs de petites sportives avec une tenue de route exceptionnelle et une solidité mécanique que ne laissait pas soupçonner une silhouette presque gracile.

CHANGEMENT DE CAP

Voilà pourquoi la décision de délaisser cette formule avait de quoi surprendre. La del Sol, s'il faut la décrire, est un coupé transformable. Sa caractéristique la plus marquante est d'offrir la possibilité d'enlever le panneau de son toit et d'abaisser les glaces latérales et la petite

lunette arrière (grâce à un troisième bouton de lève-glace posé sur la portière du conducteur) pour se retrouver avec une voiture qui offre sensiblement la même exposition aux éléments qu'une décapotable. Il reste alors, derrière les deux passagers, un arceau plat et fixe, dont les pieds tiennent également lieu de montants arrière pour le pavillon. Honda affirme qu'il possède la solidité nécessaire pour jouer le rôle d'arceau de sécurité («roll bar»), sans jamais employer cette expression. Honda a aussi élargi les bas de caisse et

le «tunnel central» en plus de renforcer les traverses du châssis, le tablier qui sépare le compartiment-moteur de l'habitacle et la cloison arrière angles morts. La del Sol est par conséquent plus lourde qu'une Civic *hatchback,* d'un peu moins de 60 kilos.

SIMPLE ET INGÉNIEUX

Sur le marché japonais, Honda commercialise une version spéciale de la del Sol, baptisée Transtop. Sur ce modèle, une série de leviers et de moteurs effectuent automatiquement l'opération qui consiste à enlever le panneau du toit et à le ranger dans le coffre. Cela rappelle le dispositif fabuleux qui permettait de faire disparaître le toit d'une Thunderbird dans son coffre arrière au début des années 60! Mais la Transtop ne nous est pas offerte. Le mécanisme est complexe, coûteux et occupe près de la moitié du coffre. Il ajoute aussi quelques dizaines de kilos au poids de la voiture. La solution actuelle nous convient parfaitement. L'opération est d'une facilité incroyable et se complète en une minute environ. Il s'agit simplement d'actionner deux leviers de verrouillage, placés de part et d'autre du panneau. On prend ensuite le panneau d'aluminium et on vient le déposer dans le coffre, sur une armature. On referme deux autres leviers et le tour est joué. Un homme de taille normale y arrive assez facilement tout seul, de l'extérieur de l'habitacle. Une femme de taille plus menue n'y arrive pas à bout de bras malgré la légèreté relative (12 kilos) du panneau. Nous avons vérifié. Le système est conçu pour permettre l'accès complet au coffre même lorsque le panneau du toit s'y trouve, puisque l'armature est montée sur charnières. Le tout est d'une simplicité remarquable et l'exécution digne du meilleur Honda. Notons enfin que la del Sol offre un coffre de volume plus qu'honnête pour une voiture de sa taille, même lorsque le panneau s'y trouve. Il faut toutefois dire que le seuil de chargement est assez haut. Nous nous expliquons mal que Honda ait omis d'équiper la del Sol d'une télécommande pour le coffre. Il est cependant vrai que sur

berline EX-V, d'une cylindrée de 1,6 litre. Ce dernier est pourvu du dispositif VTEC qui fait varier le calage des deux arbres à cames. Les deux moteurs peuvent être couplés soit à une boîte automatique à quatre rapports ou à une manuelle qui en compte cinq. La course du levier est délicieusement courte et précise, rappelant celle de la Mazda Miata. Le passage de la 4e à la 5e vitesse demande cependant un geste plus délibéré. L'engagement de

incisif et son freinage pas assez puissant pour cela, entre autres. Il accuse un roulis moyen en virage et préfère en fait le rythme de la promenade, en accord avec la vocation à laquelle on l'a destiné. La chose est doublement vraie lorsqu'on retire le panneau du toit. Quoi qu'en disent les concepteurs, sa rigidité n'est alors pas meilleure que celle d'un cabriolet, malgré les efforts déployés pour qu'il en soit autrement. C'est mieux lorsque le panneau est en place, mais ce dernier émet lui aussi sa part de craquements en virage sur certaines des voitures essayées. Le bruit du vent, quant à lui, est très présent aux glaces latérales dès 100 km/h.

Le style et l'aménagement de l'intérieur sont d'autre part très réussis. Les sièges sont moulés d'une pièce. Le confort et le maintien qu'ils dispensent sont d'un très bon niveau même si le support lombaire pourrait s'étendre plus bas. Le tableau de bord est aussi original qu'efficace. La nacelle est en forme de croissant arrondi et l'ensemble s'inspire de ce que l'on peut trouver sur une motocyclette. Sur la console centrale, la radio est toutefois implantée trop bas, surtout qu'on a décidé de la camoufler derrière un panneau escamotable, comme sur la Subaru SVX. Sa position enfoncée rend les réglages difficiles, surtout si le levier de vitesses est poussé vers l'avant. Juste au-dessus, les commandes de climatisation sont par contre accessibles et efficaces mais le débit du système d'aération est plutôt faible et l'air n'y est pas très frais sans l'aide du climatiseur et du ventilateur. Chose bizarre, par ailleurs, on a remplacé les pare-soleils conventionnels par de petits pare-soleils de plastique dur, qui ne pivotent pas vers le côté pour couvrir la glace latérale. C'est un détail, mais qui peut devenir insupportable à la longue. Il n'y a finalement presque aucun petit rangement pour les passagers, aucun vide-poches aux portières et le coffre à gants est très petit. On retrouve toutefois deux coffrets verrouillables de bonne

une voiture qu'on va sans doute garer découverte, il n'est pas prudent d'offrir à quiconque la possibilité d'ouvrir le coffre en un tournemain. Il aurait fallu une télécommande verrouillable ou alors placée dans un coffre à gants qui le soit.

SURTOUT POUR LA PROMENADE

Même si les silhouettes des deux voitures ne se ressemblent guère, la del Sol est dérivée de la Civic *hatchback*. La S est propulsée par un moteur de 1,5 litre et 102 chevaux tandis que la Si a droit au moteur de 125 chevaux du *hatchback* Si ou de la

l'embrayage à commande hydraulique est cependant trop sec, un défaut hélas très répandu chez Honda et les constructeurs japonais en général. Toutes les nouvelles Civic profitent de suspensions dont on a allongé le débattement au profit d'un plus grand confort. La del Sol ne fait pas exception. Ces nouvelles suspensions apportent beaucoup à la berline et rendent le *hatchback* plus agréable à vivre. En conduite normale, la del Sol semble plutôt pataude. À vrai dire, même en version Si, ce petit «faux cabriolet» révèle bien certaines qualités sportives lorsqu'on insiste, mais il n'affectionne pas vraiment être poussé à ses limites. Son train avant n'est pas assez

taille derrière les sièges, façon RX-7. La del Sol vient certainement enrichir de façon inattendue la série Civic. Elle a beaucoup d'attraits face à la Miata, meneuse au chapitre des ventes de petites sportives en Amérique. Elle est surtout compétitive en matière de prix face à cette dernière. Chose certaine, ce qu'elle rend à la Miata en termes de tenue de route, elle le reprend largement en polyvalence, en volume de chargement et en performance. Quant à savoir si elle sera l'objet d'une rage d'égale force, on peut en douter. Quant aux autres modèles de la série Civic, ils ne sont l'objet d'aucune modification importante, après seulement une année sur le marché. Il faut toutefois noter le dévoilement d'une version coupé de la Civic à deux portières. Honda ne veut négliger aucun créneau.

CE QU'IL FAUT SAVOIR

HONDA CIVIC / DEL SOL

	Pauvre	Passable	Bon	Très bon	Excellent
• Comportement routier				•	
• Freinage			•		
• Sécurité passive				•	
• Visibilité				•	
• Confort			•		
• Volume de chargement			•		

POUR

Moteur nerveux (Si/EX-V)
Série très complète
Confort de suspension
Boîte manuelle superbe (dS)
Toit ingénieux (dS)
Intérieur très réussi (dS)

CONTRE

Angles morts arrière (dS)
Flexion sans le toit (dS)
Embrayage trop sec
Bruits de caisse *(hatchback)*
Peu de rangement
Finition inégale *(hatchback)*

Quoi de neuf?

Version del Sol entièrement nouvelle
Nouveau modèle Civic coupé

ASPECT TECHNIQUE

Groupe propulseur: traction
Empattement: 257 cm - 260 cm (berline) - 237 cm (dS)
Longueur: 407 cm - 439,5 cm (berline) - 399,5 cm (dS)
Poids: 974 kg - 1 046 kg (berline) - 1 033 kg (dS)
Coefficient aérodynamique: n.d.
Moteurs: 4L 1,5 litre, 92 ch. - 4L 1,5 litre, 102 ch. 1,6 litre DACT, 125 ch. (EV-X/Si/dS Si)

Transmission:
    standard: boîte manuelle 5 rapports
    option: boîte automatique 4 rapports
Suspension avant: indépendante
    arrière: indépendante
Direction: à crémaillère (optionnel: assistée)
Freins: avant: disques (ABS optionnel)
    arrière: tambours - disques + ABS (EV-X/Si)
Pneus: 175/70R13 - 185/60R14 (Si)

ASPECT PRATIQUE

Carrosserie: berline - coupé - *hatchback* - faux cabriolet
Nombre de places: 4 (dS: 2)
Valeur de revente: très bonne (dS: nouveau modèle)
Indice de fiabilité: 8,5 (dS: nouveau modèle)
Coussin gonflable: conducteur (certains modèles)
Réservoir de carburant: 45 litres
Capacité du coffre: 10,5 pi^3 -10,5 pi^3 (dS)
Performances: 0-100 km/h: 8,6 s (EX) - 7,5 s (Si) - 9 s (VX)
    vitesse max.: 210 km/h (EV-X/Si)
    consommation: 6,9 litres/100km - 8,3 (dS Si)
Échelle de prix: 10 000 $ à 22 000 $

Prelude

Un curieux mélange

Lors de son lancement l'an dernier, la nouvelle Prelude n'a pas manqué de soulever bien des débats. En effet, sa silhouette était radicalement différente par rapport à ce que toute la gamme Honda peut proposer. De plus, son tableau de bord semblait inspiré d'une berline nord-américaine. Un curieux mélange!

L'avant-dernière édition de la Prelude pouvait être accusée d'immobilisme tant elle ressemblait à celle qui l'avait précédée. Heureusement, on ne peut reprocher à l'édition actuelle d'être un modèle légèrement retouché du précédent. Bien au contraire, on a fait table rase et cette version n'a pas craint d'innover sur le plan visuel. Les angles pour le moins radicaux, les feux arrière de grande dimension, le capot très plongeant, voilà autant d'éléments qui confèrent du caractère à cette voiture. Détail intéressant, les gens rencontrés lors

de notre essai de deux modèles différents se sont retournés au passage de la version de couleur grise mais ont totalement ignoré la version blanche essayée un peu plus tard.

Mais il est un point sur lequel tout le monde est d'accord: le tableau de bord est passablement déroutant avec sa bande horizontale qui semble empruntée à une Buick dans tout ce qu'il y a de plus rétrotechno. Et que dire de l'absence de coffre à gants qui est remplacé par un coffre de rangement placé entre les sièges arrière

qui oblige les occupants avant à se contorsionner de toutes les manières pour en atteindre le contenu? Quant aux places arrière, elles sont symboliques, un point c'est tout!

Mais passons à la mécanique. Ce coupé est un peu décevant sur le plan des émotions de conduite tant son silence de roulement est bon et son habitacle isolé de l'extérieur. Toutefois, une suspension sèche et un moteur passablement nerveux dans la version 160 chevaux nous rappellent que nous avons affaire à une sportive.

De plus, en virage, cette voiture est très facile à guider et son adhérence est nettement supérieure à la moyenne. Toutefois, comme sur la version prédécente, on doit supporter une indésirable perte de motricité dans les virages à court rayon. Bref, la motorisation et une tenue de route intéressante viennent compenser pour la suspension sèche, le tableau de bord décevant et les places arrière exiguës.

En terminant, il faut souligner que les formes particulières de cette voiture associées à des glaces latérales arrière passablement petites rendent les manœuvres de stationnement particulièrement pénibles; il faut compter sur un certain temps pour s'acclimater. Heureusement que la version à quatre roues directrices facilite les choses et procure un rayon de braquage plus court.

CE QU'IL FAUT SAVOIR

HONDA PRELUDE

	Pauvre	Passable	Bon	Très bon	Excellent
• Comportement routier				•	
• Freinage				•	
• Sécurité passive			•		
• Visibilité			•		
• Confort			•		
• Volume de chargement			•		

POUR

Choix de moteurs
Tenue de route
Version 4WS
Bonne habitabilité
Silhouette moderne

CONTRE

Places arrière pour lutins
Pas de coffre à gants
Direction floue
Intérieur sombre
Suspension ferme

Quoi de neuf?

Aucun changement majeur
Moteur optionnel plus puissant

ASPECT TECHNIQUE

Groupe propulseur:	traction
Empattement:	255 cm
Longueur:	444 cm
Poids:	1 255 kg - 1 350 kg (4WS)
Coefficient aérodynamique:	0,33
Moteurs:	4L 2,2 litres SACT, 135 ch.- 4L 2,3 litres, 160 ch.
Transmission:	
standard:	boîte manuelle 5 rapports
option:	boîte automatique 4 rapports
Suspension avant:	indépendante
arrière:	indépendante
Direction:	à crémaillère, assistée
Freins: avant:	disques ABS
arrière:	disques ABS
Pneus:	P185/70VR14 - P205/55R15 (SR/WS)

ASPECT PRATIQUE

Carrosserie:	coupé
Nombre de places:	2+2
Valeur de revente:	bonne
Indice de fiabilité:	8,5
Coussin gonflable:	conducteur
Réservoir de carburant:	60 litres
Capacité du coffre:	7,9 pi³
Performances:	0-100 km/h: 9,5 s - 7,8 s (160 ch.)
vitesse max.:	196 km/h - 210 km/h (160 ch.)
consommation:	9,2 litres/100 km (2,2 litres)
Échelle de prix:	20 500 $ à 27 000 $

HYUNDAI

Elantra

Plus puissante et plus homogène

Cette jolie petite berline coréenne n'en est qu'à sa deuxième année que déjà on se mêle de modifier sa fiche technique? Tant mieux. Le nouveau moteur de 1,8 litre de l'Elantra transforme de façon étonnante son comportement et son caractère. Elle est maintenant en mesure d'affronter les meilleures de sa catégorie.

Dès son arrivée, l'an dernier, la berline Elantra s'imposa d'emblée comme la plus moderne, la plus jolie et la plus homogène des Hyundai. Mais le constructeur avait encore une carte dans sa manche. Pour 1993, l'Elantra a droit à un moteur de plus forte cylindrée, plus puissant et plus raffiné aussi. Il s'agit d'un quatre cylindres de 1,8 litre, coiffé d'une culasse à 16 soupapes et d'une paire d'arbres à cames en tête. Sa puissance est de 124 chevaux, ce qui place l'Elantra en concurrence directe avec des voitures comme la Saturn SL2, la

Ford Escort LX-E et la Honda Civic EX-V, dont la puissance est à peu de chose près la même. Avec ce gain de puissance, l'Elantra ne perdra certainement pas la face dans une telle confrontation, puisque son comportement routier nous est apparu à la hauteur d'un tel défi. Elle se met encore à «flotter» légèrement sur ses roues à plus haute vitesse, ce que nous avions déjà constaté l'an dernier, mais en toute autre circonstance, l'Elantra nous a étonnés par son aplomb, son agilité et l'agrément de conduite qu'elle procure avec ce nouveau

moteur. Il est à noter qu'il s'agit une fois encore d'un groupe qui a été conçu par Mitsubishi. Le moteur Alpha, conçu par Hyundai elle-même, est réservé pour l'instant à la série Scoupe. Le nouveau moteur de l'Elantra, quant à lui, est doté d'une paire de balanciers antivibration, une des grandes spécialités des motoristes chez Mitsubishi. L'Elantra GL demeure disponible avec le moteur de 1,6 litre, mais seulement lorsqu'il est couplé à la boîte manuelle. C'est ce dernier qui équipait tous les modèles de l'Elantra l'an dernier. Il développe tout de même un respectable 113 chevaux, mais sans balanciers antivibration, il est assez bruyant en accélération. Ce moteur profite lui aussi d'une culasse multisoupape et d'un duo d'arbres à cames en tête. Mais c'est le 1,8 litre qui apporte à l'Elantra le mordant qu'il lui manquait, dans une catégorie où la concurrence est de plus en plus vive. Il est de plus très souple, ce qui sourit à la boîte automatique à quatre rapports. À l'intérieur, peu de changement. Les places avant sont toujours très accueillantes, la banquette arrière un peu moins, avec un coussin trop plat, dur et court. Il y a enfin trop peu d'espace pour les pieds sous les sièges avant. Hyundai n'avait pas l'intention de créer une berline sportive mais elle y est arrivée, à toutes fins utiles, avec la jolie Elantra. Et discrète avec ça...

CE QU'IL FAUT SAVOIR

HYUNDAI ELANTRA

	Pauvre	Passable	Bon	Très bon	Excellent
• Comportement routier				•	
• Freinage			•		
• Sécurité passive			•		
• Visibilité				•	
• Confort			•		
• Volume de chargement			•		

POUR

Moteur 1,8 litre souple, vif, doux
Silhouette très réussie
Tenue de route étonnante (GLS)
Agréable à conduire (GLS)
Très bonne sono
Carrosserie solide

CONTRE

Places arrière moyennes
Ouverture du coffre trop courte
Climatiseur bruyant
Boutons radio trop petits
Vide-poches peu profonds
Pas de repose-pied (conducteur)

Quoi de neuf?

Nouveau moteur 1,8 litre DACT
Calandre et enjoliveurs de roues redessinés
Nouveau volant à trois branches (GLS)

ASPECT TECHNIQUE

Groupe propulseur: traction
Empattement: 250 cm
Longueur: 435,8 cm
Poids: 1 122 kg - 1 186 kg (GLS automatique)
Coefficient aérodynamique: 0,34
Moteurs: 4L 1,6 litre, 113 ch. - 4L 1,8 litre, 124 ch.
Transmission:
    standard: boîte manuelle 5 rapports
    option: boîte automatique 4 rapports
Suspension avant: indépendante
    arrière: indépendante
Direction: à crémaillère
Freins: avant: disques
    arrière: tambours
Pneus: 175/60R14 - 185/60HR14 (GLS)

ASPECT PRATIQUE

Carrosserie: berline
Nombre de places: 5
Valeur de revente: bonne
Indice de fiabilité: 7,5
Coussin gonflable: non
Réservoir de carburant: 52 litres
Capacité du coffre: 11,8 pi^3
Performances: 0-100 km/h: 12,2 s (1,6 litre)
    vitesse max.: 185 km/h (1,6 litre)
    consommation: 8,4 litres/100 km (1,6 litre)
Échelle de prix: 10 000 $ à 15 000 $

HYUNDAI

Scoupe

Enfin du muscle

Jusqu'à présent, la Scoupe possédait les lignes d'un coupé sport, mais ce n'était qu'un déguisement. Cette fois, avec l'arrivée sous le capot d'un moteur facultatif développant 115 chevaux, les prestations ressemblent davantage à celles d'une sportive. Une chose n'a pas changé cependant: le prix compétitif.

La Scoupe est toujours l'une des voitures les plus élégantes sur le marché. Toutefois, cette belle élégance ne peut pas toujours cacher certains traits de caractère qui ne font pas l'unanimité. Ainsi, une finition parfois capricieuse et un moteur standard manquant de nerf, voilà des attributs qui ne conviennent pas nécessairement à une sportive.

Chez Hyundai, on semble reconnaître le problème puisqu'on a mis l'accent sur une qualité de construction nettement supérieure à ce qui a été offert jusqu'à présent. Il faut espérer que les conflits de travail en Corée sont choses du passé et que les ouvriers ont davantage le cœur à l'ouvrage. Quant au groupe propulseur, on conserve toujours le quatre cylindres 1,5 litre 12 soupapes. Ce moteur est bien adapté à la version régulière et allie robustesse et économie. Toutefois, les performances ne sont pas tellement en accord avec la silhouette plutôt racée de la carrosserie.

Pour les conducteurs recherchant une voiture offrant des performances plus en accord avec la catégorie, Hyundai offre cette année une version turbocompressée de ce moteur. Ses 115 chevaux n'en font pas un bolide ultrasportif, mais permettent de donner un peu plus de mordant aux accélérations et reprises. Toutefois, on note une certaine nervosité de la direction en version turbo.

Il faut ajouter que ce moteur 1,5 litre alpha est entièrement dessiné et conçu par les ingénieurs de Hyundai. Cette compagnie entend d'ailleurs offrir des moteurs entièrement de son cru d'ici 1996.

Toujours en ce qui concerne les modifications, la Scoupe propose également plusieurs retouches, tant au niveau de la carrosserie que de l'habitacle. Les sièges sont redessinés, le pommeau du levier de vitesse gainé de cuir et plusieurs autres petits luxes du genre.

La Scoupe propose dorénavant deux versions plus équilibrées permettant d'intéresser un plus grand nombre d'acheteurs. Les ventes devraient augmenter. Et il faut ajouter que la compagnie a mis sur pied un programme d'amélioration de la qualité d'assemblage et de la finition pour le marché nord-américain. Ainsi, on résoudra le principal problème de ce coupé sport, soit une finition inégale et une caisse pas toujours solide. Il faut espérer que ces progrès soient permanents.

CE QU'IL FAUT SAVOIR

HYUNDAI SCOUPE

	Pauvre	Passable	Bon	Très bon	Excellent
• Comportement routier			•		
• Freinage			•		
• Sécurité passive			•		
• Visibilité				•	
• Confort			•		
• Volume de chargement		•			

POUR

Moteur turbo
Esthétique flatteuse
Prix alléchant
Habitacle confortable

CONTRE

Performances moyennes
  (version atmosphérique)
Finition inégale
Faible valeur de revente
Pneumatiques moyens

Quoi de neuf?

Moteur 1,5 litre turbocompressé
Carrosserie retouchée, version turbo

ASPECT TECHNIQUE

Groupe propulseur:	traction
Empattement:	283,3 cm
Longueur:	421,3 cm
Poids:	990 kg
Coefficient aérodynamique:	0,31
Moteurs:	4L 1,5 litre, 82 ch. - 4L 1,5 litre Turbo 115 ch.
Transmission:	
standard:	boîte manuelle 5 rapports
option:	boîte automatique 4 rapports
Suspension avant:	indépendante
arrière:	indépendante
Direction:	à crémaillère, assistée
Freins: avant:	disques
arrière:	tambours
Pneus:	P185/60R14

ASPECT PRATIQUE

Carrosserie:	coupé
Nombre de places:	2+2
Valeur de revente:	faible/moyenne
Indice de fiabilité:	7,5
Coussin gonflable:	non
Réservoir de carburant:	45 litres
Capacité du coffre:	9 pi^3
Performances:	0-100 km/h: 9,95 s (Turbo)
vitesse max.:	190 km/h
consommation:	8,7 litres/100 km
Échelle de prix:	11 500 $ à 15 000 $

HYUNDAI
Sonata

Rendue à maturité

Son entrée en scène fut pour le moins spectaculaire. Cette berline fabriquée au Québec se trouvait en plein sous les feux de la rampe. Malheureusement, cet enthousiasme initial a été de courte durée. Mais au fil des années, les améliorations se sont succédé et cette élégante Coréenne est enfin parvenue à maturité.

Un des points forts de la Sonata est son excellente habitabilité en dépit de dimensions extérieures plutôt compactes. À l'avant, les occupants aux gabarits imposants ne se sentent nullement à l'étroit aussi bien au niveau des hanches que de la tête. Et les places arrière sont elles aussi très spacieuses. Bref, cette berline a tout ce qu'il faut pour remplir ses fonctions de voiture de famille. Et il faut également ajouter que le tableau de bord est moderne, bien disposé et facile à consulter. Sur le plan négatif, il faut déplorer la texture du plastique employé qui fait bon marché. Il en est de même pour le tissu qui recouvre les sièges. Mais, compte tenu du prix demandé pour une version de base, il ne faut pas trop insister sur ces éléments.

L'an dernier, Hyundai remplaçait le moteur de base 2,4 litres par un autre quatre cylindres, un 2 litres cette fois. Au premier coup d'œil, on est porté à croire qu'on rétrogradait en optant pour la plus petite cylindrée, mais ce n'est pas le cas. Ce moteur 2,0 litres 16 soupapes à deux arbres à cames en tête est nerveux, plus souple et surtout plus économique que le moteur qu'il a remplacé. Il a grandement aidé à revaloriser la version de base. Quant au V6 3,0 litres développant 142 chevaux, il mérite lui aussi des commentaires élogieux autant pour sa souplesse que pour ses reprises. Il ne faut pas s'en étonner car il est dérivé du V6 3,0 litres de Mitsubishi qui jouit lui aussi d'une fort enviable réputation.

Cette motorisation fait de la Sonata une honnête berline familiale qui propose un comportement routier adéquat et honnête à un prix tout de même intéressant. Si on pouvait maintenant régler le sous-virage assez prononcé et le roulis exagéré en virage, on aurait une voiture encore plus homogène.

Mais en dépit de toutes ces qualités, la Sonata se vend plus ou moins bien. Des pièces de qualité inégale, une fiabilité plus ou moins convaincante, un réseau de concessionnaires parfois désintéressés ont miné l'enthousiasme du public envers cette voiture qui est pourtant d'une qualité d'assemblage supérieure à la moyenne. Hyundai aura réalisé un pas en avant lorsque toutes ces incertitudes de la part du public seront choses du passé. En attendant, cette berline a suffisamment d'éléments pour intéresser, mais sans se démarquer des Japonaises.

CE QU'IL FAUT SAVOIR

HYUNDAI SONATA

	Pauvre	Passable	Bon	Très bon	Excellent
• Comportement routier			•		
• Freinage			•		
• Sécurité passive			•		
• Visibilité				•	
• Confort			•		
• Volume de chargement				•	

POUR

Bon choix de moteurs
Habitabilité surprenante
Équipement complet
Prix attrayant
Fiabilité en progrès

CONTRE

Intérieurs ternes
Bruits éoliens
Sièges durs
Silhouette banale
Roulis prononcé en virage

Quoi de neuf?

Aucun changement majeur

ASPECT TECHNIQUE

Groupe propulseur:	traction
Empattement:	265 cm
Longueur:	468 cm
Poids:	1 400 kg
Coefficient aérodynamique:	0,30
Moteurs:	4L 2,0 litres, 128 ch.- V6 3,0 litres, 142 ch.
Transmission:	
standard:	boîte manuelle 5 rapports
option:	boîte automatique 4 rapports
Suspension avant:	indépendante
arrière:	essieu rigide
Direction:	à crémaillère, assistée
Freins: avant:	disques (ABS optionnel)
arrière:	tambours - disques; ABS optionnel (V6)
Pneus:	P205/60R15

ASPECT PRATIQUE

Carrosserie:	berline
Nombre de places:	5
Valeur de revente:	moyenne
Indice de fiabilité:	7,5
Coussin gonflable:	non
Réservoir de carburant:	65 litres
Capacité du coffre:	13,4 pi^3
Performances:	0-100 km/h: 9,4 s
vitesse max.:	185 km/h
consommation:	11,9 litres/100 km
Échelle de prix:	14 500 $ à 19 000 $

G20

Vive la différence

Lorsque Infiniti a fignolé une berline de tempérament sportif pour seconder la grande Q45, elle l'a voulue compacte, relativement abordable et aussi différente de ses rivales que sa grande sœur. Voilà pourquoi la G20 possède un bouillant quatre cylindres au lieu d'un V6 et flaire bon l'Europe plutôt que la Californie.

Il est certain qu'Infiniti n'a jamais entretenu l'illusion de vendre un nombre record de sa berline G20. Elle s'est plutôt souciée de trouver la meilleure équipière possible pour la Q45. Est-il besoin de souligner que l'approche d'Infiniti sera toujours différente de celle des concurrents chez Lexus? La grande diffusion, c'est l'affaire de la nouvelle J30, maintenant placée au cœur de la gamme. Avec son style unique mais son approche plus traditionnelle du luxe automobile, elle a mis peu de temps à devenir le best-seller de la marque. La mission et

le caractère de la G20 sont tout à fait différents. Le modèle actuel s'adressera toujours à un public bien précis, qui sait apprécier le tempérament le plus européen de toutes les voitures japonaises que l'on ait vues chez nous. Il est d'ailleurs amusant de retrouver des commentaires très semblables lorsque la presse britannique, par exemple, examine la Nissan Primera, la presque jumelle de la G20. Le caractère très typé de ces deux voitures émane à la fois du rendement de leur moteur et de leur comportement routier. Elles ont aussi

une silhouette qui se fond remarquablement au parc automobile européen alors que certaines voitures japonaises jurent fabuleusement sur des routes allemandes, françaises ou italiennes. Il est d'ailleurs intéressant de noter que M. Tsuda, l'ingénieur qui a dirigé le développement de ces deux modèles, a fait de longues études en Europe et parle un excellent français. Cela pourrait expliquer l'influence que la Peugeot 405 a pu avoir sur la G20. C'est assurément une référence de premier ordre en matière de berline sport à traction avant. Pour atteindre ses objectifs de tenue de route, Infiniti a doté la G20 d'une suspension avant à bras multiples. Elle profite aussi d'une motricité impeccable, grâce au différentiel autobloquant à viscocoupleur dont elle fut l'une des pionnières. Ses qualités dynamiques sont complétées de belle façon par des sièges de cuir offrant un excellent maintien, un tableau de bord lisible et des contrôles efficaces. Avec sa suspension relativement sèche et son moteur plutôt bruyant en accélération, la G20 n'est évidemment pas pour tout le monde. Elle peut cependant se défendre plus qu'honorablement face à une rivale comme la BMW 318i par exemple. Et les deux coussins gonflables standards dont elle sera dotée en cours d'année seront aussi de solides arguments en sa faveur.

CE QÙ'IL FAUT SAVOIR

INFINITI G20

	Pauvre	Passable	Bon	Très bon	Excellent
• Comportement routier					●
• Freinage				●	
• Sécurité passive					●
• Visibilité				●	
• Confort				●	
• Volume de chargement			●		

POUR

Tenue de route superbe
Moteur vif et souple
Siège multiréglable fantastique
Très spacieuse pour son gabarit
Finition et fiabilité impeccables
Coussins gonflables (1993 1/2)

CONTRE

Moteur bruyant à moyen régime
Suspension sèche
Coffre à gants ridicule
Silhouette effacée
Calandre anonyme

Quoi de neuf?

Deux coussins gonflables de série en cours d'année
Nouvelles couleurs de carrosserie

ASPECT TECHNIQUE

Groupe propulseur:	traction
Empattement:	255 cm
Longueur:	444,5 cm
Poids:	1 245 kg
Coefficient aérodynamique:	0,30
Moteur:	4L 2,0 litres, 140 ch.
Transmission:	
standard:	boîte manuelle 5 rapports
option:	boîte automatique 4 rapports
Suspension avant:	indépendante
arrière:	indépendante
Direction:	à crémaillère, assistée
Freins: avant:	disques ABS
arrière:	disques ABS
Pneus:	195/60HR14

ASPECT PRATIQUE

Carrosserie:	berline
Nombre de places:	5
Valeur de revente:	bonne
Indice de fiabilité:	9
Coussins gonflables:	conducteur - passager (1993 1/2)
Réservoir de carburant:	62,8 litres
Capacité du coffre:	20,5 pi³
Performances:	0-100 km/h: 8,5 s
vitesse max.:	210 km/h
consommation:	10 litres/100 km
Échelle de prix:	25 000 $ à 27 000 $

INFINITI

J30/J30t

Jamais deux sans trois

En allant toujours son propre chemin, Infiniti s'est peu à peu imposée parmi les marchands de luxe et de prestige automobile. Au cours de la dernière année, sa gamme s'est enrichie d'un troisième modèle. Il s'agit d'une berline de taille moyenne dont la silhouette ne risque surtout pas de laisser indifférent.

La division de prestige de Nissan n'a cessé de progresser depuis son lancement canadien il y a deux ans. Il lui tardait toutefois de compléter sa gamme de berlines pour passer, semble-t-il, à d'autres types de voitures. Voici donc la série J30, qui vient se glisser entre les modèles Q45 et G20. La «stratégie des trois berlines» dont parle Infiniti depuis sa création est maintenant complétée. Sous le capot d'aluminium de la J30 (le reste de la carrosserie est toutefois en acier) ronronne un V6 de 3 litres à double arbre à cames qui développe 210

chevaux. La J30 l'a emprunté à la version atmosphérique de la Nissan 300ZX. Les deux n'ont essentiellement que leurs roues arrière motrices en commun. Ce V6 est doux et d'une sonorité agréable. Il procure à la J30 des performances correctes pour la catégorie. Sa boîte automatique à quatre rapports est par ailleurs d'une douceur irréprochable. Il s'agit d'une transmission de modèle DUET-EA, à contrôle informatisé, qui fonctionne de pair avec l'ordinateur de gestion du moteur. La série J30 est offerte en deux versions. La deuxième se

nomme simplement J30t (pour Touring) et se distingue visuellement de la première par un petit aileron arrière, des jantes d'alliage et des pneus différents. Mécaniquement, la J30t reçoit des ressorts plus fermes, des barres antiroulis plus minces de 1mm et le dispositif Super-HICAS, hérité de la 300ZX Turbo. Celui-ci rend les roues arrière directrices pour améliorer la stabilité et la sécurité en virage et en changement de cap. La J30t affiche un petit aileron arrière et des jantes d'alliage qui l'avantagent nettement en matière d'esthétique. Il faut dire que la version de base est pourvue de roues d'alliage au dessin très quelconque. Tom Stemple, qui est responsable du style de la J30, affirme que ces jantes ne correspondent pas à ce qu'il avait dessiné pour la nouvelle berline Infiniti. Nous le croyons sans peine. La décision de l'équiper de telles jantes a été prise au Japon, pour des raisons de coût, semble-t-il. Le prix de la J30 est pourtant de 39 500 $ tandis que la version «t» est vendue à 42 500 $.

UNE SILHOUETTE OBLONGUE

Les marques européennes de voitures de luxe possèdent le secret de donner un air de famille intemporel à leurs créations. La très jeune marque Infiniti a choisi, elle, de foncer dans la direction opposée. Elle a sciemment offert à ses trois berlines des silhouettes entièrement différentes l'une de l'autre. Et les Q45 et J30 sont également différentes de ce qu'offre la concurrence dans leurs catégories respectives. Pourtant, cette dernière ressemble de façon déconcertante à la Mazda 929 Serenia, apparue quelques mois seulement plus tôt.

De quoi donner des cauchemars aux stylistes des deux camps. De toute manière, les deux ont été comparées immédiatement aux berlines Jaguar des années 60, alors... C'est avec les années que nous verrons si l'approche de cette marque nipponne peut avoir l'effet espéré sur la valeur de revente de ces voitures. L'exemple européen nous porte à en douter très sérieusement. Mais les marques japonaises possèdent d'autres atouts. En premier lieu, des notes exceptionnelles aux sondages de qualité, de fiabilité et de satisfaction d'acheteurs parmi les plus sérieux. Voilà qui vaut aussi son pesant d'or. Il reste à voir si la J30 sera dès le départ de la même trempe que les Q45 et G20 sous ce rapport. En quête d'élégance classique et d'originalité, les stylistes de San Diego ont sacrifié la ligne de coffre haute et les glaces affleurantes qui sont devenues des «musts» en matière

d'efficacité aérodynamique. Et pourtant, la J30 inscrit un coefficient de traînée très honnête (Cx) de 0,35 (0,34 pour la J30t qui profite d'un petit aileron arrière). De plus, elle est d'un silence aérodynamique assez remarquable, même à plus de 200 km/h (au compteur) sur les virages relevés de la piste d'essai japonaise de Nissan à Tochigi. En fait, c'est le coffre qui a le plus souffert du traitement. Il est bien fini et de forme régulière, mais son volume est de seulement 227 litres (10 pi³). À titre de comparaison, la nouvelle Audi 90, une voiture dont la devancière fut largement critiquée pour son coffre exigu, propose maintenant une soute dont le volume est de 430 litres, soit 89 p. 100 de plus que la J30. Sa malle est profonde mais courte, rappelant étrangement les Jaguar auxquelles on la compare inévitablement. Son seuil de chargement est élevé pour couronner le tout. Il faut souffrir (ou faire souffrir?) pour être belle, paraît-il.

L'intérieur est l'œuvre d'une jeune équipe japonaise dirigée par le designer Yasuo Yokozeki. C'est une réussite indéniable, étonnante de goût et de maturité pour un projet réalisé au Japon. Les stylistes de ce pays ont souvent commis les pires excès dans ce domaine. Ce n'est pas le cas pour l'équipe qui a conçu l'habitacle de la J30. Il faut dire que leurs «associés» américains ont eu leur mot à dire durant le projet. Par exemple sur le choix très judicieux des cuirs Seton. Dans la J30, c'est avant tout le mariage des couleurs et des textures qui impressionne, grâce en bonne partie à la qualité des matériaux et de la finition. Les sièges avant sont confortables et offrent un maintien de bon niveau. Leurs boutons de réglage sont simples, précis et accessibles sur les côtés. La position de conduite est bonne mais le volant de la J30 est trop éloigné lorsque les pédales sont à leur meilleur réglage

commandes sont douces, précises, et l'équipement complet. On doit cependant regretter l'absence de sièges chauffants, de support lombaire réglable ou d'un dispositif de mise en mémoire des réglages. Infiniti voulait que sa J30 offre une ambiance chaleureuse et accueillante et elle a réussi. C'est une cellule de confort douillette qui flaire bon le cuir et où l'on est transporté en douceur et en silence, à l'abri des éléments.

roulis que la J30 en virage et amortit nettement mieux bosses et ondulations. Le train arrière des deux modèles demeure rivé au bitume dans les deux cas et leur différentiel autobloquant à viscocoupleur, standard, rend leur conduite étonnamment sûre quand la chaussée devient glissante. En définitive, la J30 est légèrement plus silencieuse et confortable en conduite douce, pour ceux qui recherchent avant tout luxe, calme et volupté. Elle privilégie le confort, tandis que la version «t» offre un contrôle qui correspond mieux aux normes et aux goûts européens. La direction à servo variable de la J30 semble plutôt lente et à la fois trop légère et peu sensible en position centrale. Elle est tout de même d'une belle précision et offre de belles transitions. La J30 trahit également une tenue de cap légèrement imparfaite. Quant à la J30t, dont les roues arrière sont directrices, l'influence du dispositif Super-HICAS est plutôt transparente et donc difficilement perceptible mais elle n'en affiche pas moins un aplomb nettement supérieur en virage. Sa direction est également plus agréable, moins artificielle que celle de la J30 «régulière». Elle accuse une certaine sensibilité au vent latéral sur autoroute, mais seulement à vitesse plutôt élevée. C'est d'ailleurs une voiture dont il faut se méfier puisqu'elle ne donne jamais l'impression de rouler vite. Son freinage, par ailleurs, n'a certes pas la puissance des meilleurs systèmes européens, malgré l'influence du dispositif antiblocage évidemment monté de série. La J30t dont nous avons mesuré le freinage s'en est cependant tirée mieux que sa sœur. Cette dernière a trahi une tendance plus grande au *fading* et sa performance en arrêts d'urgence successifs ne s'est pas avérée linéaire. Infiniti a par contre soigné méticuleusement la sécurité passive de ses nouvelles berlines. Elles sont ainsi toutes équipées de ceintures à «tension positive» et surtout de coussins gonflables pour les deux passagers avant, ce qui les place aux

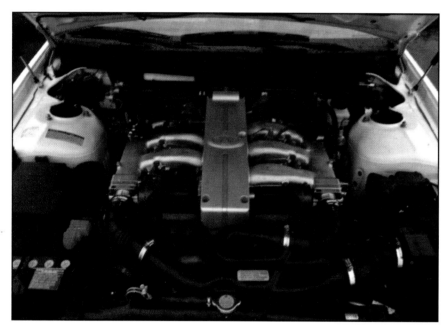

pour un conducteur moyen. Et le volant n'est pas télescopique comme sur sa grande sœur, la Q45. Les places arrière accueilleront deux adultes de taille normale mais la garde au toit est juste pour les grandes tailles et l'accès n'est pas idéal, à cause de portières relativement étroites et du cadre arrondi qu'impose le dessin du pavillon. L'espace pour les pieds y est également un peu juste. Quant à la place centrale, elle est inconfortable pour un adulte de taille moyenne, qui n'y trouve même pas le minimum de garde au toit. L'instrumentation de la J30 est également très classique avec ses cadrans clairs et lisibles, en blanc sur noir. Les

TENUE ET RETENUE

La J30 ne correspond pas vraiment à la définition de la berline sportive. Elle penche plutôt vers le luxe, mais n'en offre pas moins un bel équilibre entre tenue de route et confort. Cela lui vient d'abord de sa carrosserie d'une solidité exceptionnelle, mais aussi d'une suspension arrière indépendante à bras multiples, une technique dont Mercedes-Benz se fit la pionnière en 1984 sur sa série 190. Il faut toutefois souligner que le modèle J30t (pour «touring») ajoute une mesure additionnelle d'agilité et d'aplomb à cet amalgame. Il accuse entre autres moins de

avant-postes de leur catégorie en cette matière. Cela ne les empêche pas d'offrir un coffre à gants convenable. Aux amateurs de berlines plus performantes, on pourrait conseiller d'attendre encore un peu. La rumeur annonce toujours l'apparition, dans la gamme Infiniti, d'une version américanisée de la jumelle nipponne de la J30, baptisée Leopard J. Ferie (ou «Jour férié», sans blague). Elle pourrait s'appeler P41, puisqu'elle est propulsée par un V8 de 4,1 litres à double arbre à cames en tête de 260 chevaux. Celle-là est considérée assez puissante pour requérir l'antipati-nage. Un tel modèle, offert à environ 50 000 $, ne serait pas un luxe face à la nouvelle Cadillac STS, par exemple, dont le moteur Northstar développe 295 chevaux. Quoi qu'il en soit, les berlines J30 et J30t sont de belles additions à la gamme Infiniti. Elles sont d'un raffinement impressionnant face à leurs rivales japonaises mais plusieurs berlines américaines ou européennes offrent plus d'espace intérieur, un niveau de sécurité passive au moins égal et des performances et un freinage nettement supérieurs aux siens. Seules les Lexus et dans une certaine mesure les Acura peuvent toutefois aligner des cotes comparables en matière de qualité, de fiabilité et de service. Ce sont des atouts appréciables. Espérons tout de même la venue d'une version «t» dotée du V8 mentionné plus haut et de freins plus puissants et résistants, qui soit encore offerte à un prix compétitif pour cette catégorie en pleine ébullition.

CE QU'IL FAUT SAVOIR

INFINITI J30

	Pauvre	Passable	Bon	Très bon	Excellent
• Comportement routier					•
• Freinage			•		
• Sécurité passive					•
• Visibilité				•	
• Confort				•	
• Volume de chargement		•			

POUR

Comportement routier très sûr
Carrosserie ultrasolide
Douceur et silence de roulement
Habitacle cossu, chaleureux
Deux coussins gonflables
Silhouette originale

CONTRE

Performances moyennes
Direction floue au centre (J30)
Places arrière limitées
Coffre étriqué; seuil trop haut
Affichage climatiseur peu visible
Rétroviseurs trop petits

Quoi de neuf?

Modèles entièrement nouveaux

ASPECT TECHNIQUE

Groupe propulseur:	propulsion
Empattement:	276 cm
Longueur:	486 cm
Poids:	1 615 kg
Coefficient aérodynamique:	0,3
Moteur:	V6 3,0 litres, 210 ch. à 6 400 tr/min
	193 lb/pi à 4 800 tr/min
Transmission:	
standard:	boîte automatique 4 rapports
option:	aucune
Suspension avant:	indépendante
arrière:	indépendante
Direction:	à crémaillère, assistée
Freins: avant:	disques ABS
arrière:	disques ABS
Pneus:	215/60HR15

ASPECT PRATIQUE

Carrosserie:	berline
Nombre de places:	5
Valeur de revente:	nouveau modèle
Indice de fiabilité:	nouveau modèle
Coussins gonflables:	conducteur - passager
Réservoir de carburant:	72 litres
Capacité du coffre:	10 pi^3
Performances:	0-100 km/h: 9,5 s - 8,68 s (J30t)
vitesse max.:	220 km/h
consommation:	12,8 litres/100 km
Échelle de prix:	39 500 $ à 42 500 $

Q45

La sagesse de la stabilité

Il faut souligner la force de caractère des planificateurs de produits chez Infiniti. En effet, les débuts de la Q45 sur le marché ont été plus modestes que ceux de la Lexus LS400 mais ils ont refusé de paniquer et de se tourner vers des changements précipités, souvent inutiles. Cette voiture a tout pour convaincre.

Il est tout de même curieux de constater que la Q45 d'Infiniti ne connaisse pas la même popularité que sa grande rivale nippone, la Lexus LS400. Pourtant, cette Infiniti possède un groupe propulseur ayant plus de mordant que celui de la Lexus, et en plus sa personnalité d'ensemble est supérieure à cette dernière. En effet, la Q45 est une bonne routière proposant d'intéressantes prestations, du moins jusqu'à des vitesses moyennes-élevées; par la suite, cette grosse berline perd de son assurance alors que la direction

devient moins précise et qu'on dénote un certain flottement au niveau de la suspension. Mais il s'agit vraiment de nuances puisque cette voiture est fort compétente au chapitre du comportement de la mécanique et de la tenue de route en général.

Si la Q45 jouit d'une diffusion relativement limitée, c'est en partie en raison d'un réseau de concessionnaires qui a été pratiquement squelettique jusqu'à tout récemment. De plus, il semble que Nissan n'ait pas eu les arguments de vente nécessaires

pour convaincre les acheteurs qu'elle pouvait rivaliser avec Lexus et même surpasser cette dernière. Il faut également ajouter que les premières campagnes publicitaires de cette marque ont été faites sous le signe du loufoque et du mystère.

La silhouette de cette excellente routière semble ne pas faire l'unanimité. Pourtant, elle est sobre et élégante. Toutefois, la décision d'utiliser des poignées de portières chromées et de faire appel à un écusson émaillé disproportionné à l'avant a été à la source de bien des discussions.

Pourtant, ce n'est pas pire que la Lexus LS400 avec sa silhouette plutôt lourde et sa calandre avant d'une autre époque.

La Q45 est d'une finition irréprochable et la qualité des matériaux utilisés est nettement supérieure à la moyenne. Malgré tout, la présentation intérieure est relativement terne et certaines commandes auraient avantage à être revues. Il en est de même des sièges dont le support latéral est plus ou moins valable.

Pour 1993, la plus huppée des Infiniti demeure pratiquement inchangée. Les roues en alliage BBS montées en usine et le dispositif antipatinage devenu standard sont à peu près les deux seules modifications. On peut ajouter de nouvelles coordinations de couleurs pour l'habitacle et la boîte automatique.

CE QU'IL FAUT SAVOIR

INFINITI Q45

	Pauvre	Passable	Bon	Très bon	Excellent
• Comportement routier					•
• Freinage				•	
• Sécurité passive				•	
• Visibilité				•	
• Confort				•	
• Volume de chargement			•		

POUR

Moteur fougueux
Tenue de route sûre
Caisse élégante
Finition irréprochable
Chaîne stéréo de catégorie
 supérieure

CONTRE

Places arrière moyennes
Écusson de calandre discutable
Direction surassistée
Réglage des sièges peu pratique
Clé de contact difficile d'accès

Quoi de neuf?

Aucun changement majeur

ASPECT TECHNIQUE

Groupe propulseur:	propulsion
Empattement:	287,5 cm
Longueur:	507,5 cm
Poids:	1 750 kg
Coefficient aérodynamique:	0,30
Moteur:	V8 4,5 litres, 278 ch.
Transmission: standard:	boîte automatique 4 rapports
option:	aucune
Suspension avant:	indépendante
arrière:	indépendante
Direction:	à crémaillère, assistée
Freins: avant:	disques ABS
arrière:	disques ABS
Pneus:	P215/65R15

ASPECT PRATIQUE

Carrosserie:	berline
Nombre de places:	5
Valeur de revente:	bonne
Indice de fiabilité:	9
Coussin gonflable:	conducteur
Réservoir de carburant:	85 litres
Capacité du coffre:	15 pi^3
Performances:	0-100 km/h: 7,4 s
vitesse max.:	220 km/h
consommation:	14,6 litres/100 km
Échelle de prix:	54 500 $ à 57 000 $

Rodeo/camionnettes

Des utilitaires à découvrir

Il est certain que la réorganisation de l'ancienne division Passeport n'a pas été sans créer une certaine confusion aux yeux du public. Mais si la Saturn a profité de ce remaniement, les utilitaires et camionnettes Isuzu se sont un peu perdus dans le décor. Pourtant, ils méritent mieux, beaucoup mieux.

L'Isuzu Rodeo souffre d'une diffusion limitée. Pourtant, ce tout-terrain mérite un bien meilleur sort. En effet, non seulement sa silhouette est moderne et sportive, mais son habitacle est confortable et bien présenté. Quand on veut désigner un véhicule comme étant un utilitaire sport, l'Isuzu Rodeo peut fort bien servir d'exemple. Malheureusement, certaines commandes sont inutilement compliquées et leur positionnement pourrait être revu.

Mais ce véhicule ne se contente pas de proposer une silhouette intéressante. Son comportement routier est fort honnête en dépit d'un centre de gravité passablement haut comme celui de toutes les utilitaires de cette catégorie. De plus, les deux moteurs disponibles, soit le quatre cylindres de 2,6 litres et le V6 3,1 litres, offrent de bonnes performances. Le moteur V6 est plus doux que le quatre cylindres en ligne, mais il ne faut pas ignorer ce gros quatre qui se débrouille également fort bien dans presque toutes les situations. Toutefois, son niveau sonore est particulièrement élevé.

Le côté utilitaire de la Rodeo est trahi par la boîte de vitesses manuelle dont les rapports sont passablement longs. De plus, la course du levier pourrait être plus courte, ce qui pourra en inciter plusieurs à opter pour la boîte automatique. Cette dernière est dotée d'un mode «hiver» qui a été apprécié lors d'une tempête de neige humide. Quant à la direction, elle souffre d'un flou fort désagréable au centre.

Malgré tout, cette Isuzu est très agréable à conduire et bien équilibrée dans son ensemble. Malheureusement, sa diffusion n'est pas à la hauteur.

LES CAMIONNETTES

Les camionnettes Isuzu souffrent elles aussi de la même ignorance de la part du public. En effet, ces camionnettes offrent un heureux mélange de robustesse et de confort, et même leur présentation est intéressante. En plus de posséder une silhouette agréable sans être vraiment distincte, cette camionnette Isuzu propose un habitacle confortable. Le tableau de bord commence à montrer des signes de vieillissement, mais il est toujours agréable et bien disposé. De plus, la cabine est lumineuse grâce à une surface vitrée relativement généreuse. Et il faut accorder une bonne note aux sièges qui sont confortables. Finalement, la version à cabine allongée est non seulement de belle apparence, mais elle est également très pratique car elle procure une habitabilité supplémentaire qui est la bienvenue.

Quand on la conduit, la première chose qui nous frappe est la douceur de la suspension. Ces camionnettes sont confortables, qualité qui sera appréciée des gens qui songent à les utiliser comme véhicule personnel. Toutefois, la direction pourrait être plus précise et la course du levier de vitesses plus courte.

Malgré tout, ces camionnettes méritent une considération sérieuse si c'est le type de véhicule que l'on recherche.

CE QU'IL FAUT SAVOIR

ISUZU RODEO

	Pauvre	Passable	Bon	Très bon	Excellent
• Comportement routier				•	
• Freinage		•			
• Sécurité passive			•		
• Visibilité			•		
• Confort				•	
• Volume de chargement				•	

POUR

Silhouette agréable
Habitacle accueillant
Moteur V6
Instrumentation complète
Agréable à conduire

CONTRE

Direction floue
Freinage perfectible
Rapports longs (manuelle)
Certains commandes complexes
Faible diffusion

Quoi de neuf?

Aucun changement majeur

ASPECT TECHNIQUE

Groupe propulseur:	propulsion - 4x4
Empattement:	276 cm
Longueur:	448 cm
Poids:	1 585 kg
Coefficient aérodynamique:	n.d.
Moteurs:	4L 2,6 litres, 120 ch.- V6 3,1 litres, 120 ch.
Transmission:	
standard:	boîte manuelle 5 rapports
option:	boîte automatique 4 rapports
Suspension avant:	indépendante
arrière:	essieu rigide
Direction:	à billes, assistée
Freins: avant:	disques
arrière:	tambours ABS
Pneus:	P255/75R15

ASPECT PRATIQUE

Carrosserie:	utilitaire - 4x4
Nombre de places:	5
Valeur de revente:	moyenne
Indice de fiabilité:	8,5
Coussin gonfable:	non
Réservoir de carburant:	83 litres
Capacité du coffre:	35 pi^3 - 75 pi^3 (banquette repliée)
Performances:	0-100 km/h: 14,1 s
vitesse max.:	165 km/h
consommation:	14,6 litres/100 km
Échelle de prix:	22 500 $ à 27 000 $

Le grand luxe pour la toundra

Le Trooper a toujours eu la cote dans le Guide de l'auto depuis ses débuts québécois, en 1987. Cela demeure vrai pour la plus récente édition. En ne reniant aucune des qualités qui ont fait l'attrait des modèles précédents, Isuzu a poussé son raffinement de façon appréciable et vise maintenant plus haut sur le marché.

Le premier Trooper avait mis peu de temps à nous convaincre de ses qualités. En 1987, il était l'un des deux seuls 4x4 à quatre portières disponibles sur le marché. Bien qu'il n'eût alors rien d'un véhicule luxueux, le Trooper marquait des points avec son habitacle spacieux et grâce à l'attention au détail dont avaient fait preuve ses concepteurs. Nous avons aimé, par exemple, ses portières arrière asymétriques. Bien sûr, sa silhouette anguleuse lui donnait l'air d'un frigo sur roues et son profil haut le rendait exceptionnellement sensible au vent latéral. Et malgré sa douceur et sa souplesse, son quatre cylindres n'en faisait pas non plus un foudre de guerre. Mais c'était un 4x4 éminemment sympathique et agréable à vivre. Avec cette nouvelle génération de Trooper, Isuzu affiche de plus grandes ambitions. Elle a même développé deux versions distinctes d'un nouveau V6 tout aluminium de 3,2 litres pour les propulser. Le premier est réservé à la gamme XS et emploie une distribution à simple arbre à cames en tête malgré ses culasses à qua-tre soupapes par cylindre. Le deuxième, qui équipe les versions LS, a droit à une paire d'arbres à cames en tête par culasse. Les puissances respectives de ces deux moteurs sont de 175 et 190 chevaux. Les séries XS et LS se distinguent ensuite surtout par leur équipement. Les deux profitent par exemple de quatre freins à disques mais seul le LS peut recevoir un dispositif antiblocage aux quatre roues d'ailleurs remarquablement efficace pour un véhicule de ce type et de ce gabarit. Le XS a quand même droit à l'antiblocage aux roues arrière. Pour le reste, le LS joue à fond la carte du grand luxe puisque la liste d'équipement des XS est déjà très impressionnante (climatiseur, régulateur de vitesse, glaces, rétroviseurs et verrouillage électriques, etc.). Sur la LS, cela va jusqu'aux sièges chauffants, à l'antivol et au différentiel autobloquant. Un tel équipement, ajouté à la douceur et à la souplesse assez irréprochables du V6 et de la boîte automatique, fait du Trooper LS une véritable limousine haut perchée. Il affiche un aplomb étonnant en virage mais son essieu arrière rigide l'emmène parfois danser sur chaussée bosselée. Chose certaine, le Trooper tient les Explorer et Grand Cherokee solidement dans sa mire. En fait, nous ne pouvons nous empêcher de le voir comme un Range Rover à la moitié du prix et... en plus spacieux.

CE QU'IL FAUT SAVOIR

ISUZU TROOPER

	Pauvre	Passable	Bon	Très bon	Excellent
• Comportement routier				•	
• Freinage				•	
• Sécurité passive			•		
• Visibilité					•
• Confort			•		
• Volume de chargement					•

POUR

Comportement routier solide
Groupe propulseur impeccable
Silence de roulement
Double porte arrière ingénieuse
Équipement exceptionnel (LS)
Excellente visibilité

CONTRE

Très sensible au vent latéral
Direction floue au centre
Sautillements sur pavé raboteux
Commandes radio confuses
Silhouette massive
Certains intérieurs fades

Quoi de neuf ?

Modèle entièrement remanié

ASPECT TECHNIQUE

Groupe propulseur:	4x4
Empattement:	276 cm
Longueur:	454,4 cm
Poids:	1 884 kg - 1 943,6 kg (DACT autom.)
Coefficient aérodynamique:	n.d.
Moteurs:	V6 3,2 litres DACT, 190 ch. - V6 3,2 litres SACT, 175 ch.
Transmission:	
standard:	boîte manuelle 5 rapports
option:	boîte automatique 4 rapports
Suspension avant:	indépendante
arrière:	essieu rigide
Direction:	à billes, assistée
Freins: avant:	disques (ABS optionnel)
arrière:	disques ABS
Pneus:	245/70R16

ASPECT PRATIQUE

Carrosserie:	utilitaire sportif
Nombre de places:	5
Valeur de revente:	nouveau modèle
Indice de fiabilité:	nouveau modèle
Coussin gonflable:	conducteur
Réservoir de carburant:	85 litres
Capacité du coffre:	47,3 pi^3 - 90 pi^3 (banquette repliée)
Performances:	0-100 km/h: 11,4 s (DACT automatique)
vitesse max.:	185 km/h
consommation:	13,6 litres/100 km
Échelle de prix:	25 000 $ à 32 000 $

JAGUAR

XJ-6/ XJS

Des félins plus fiables

Les voitures Jaguar ont pratiquement toujours été handicapées par une réputation de fiabilité douteuse. On avait réussi à améliorer les choses au début des années 80, mais le problème s'était manifesté à nouveau. Heureusement, une nouvelle direction semble avoir réglé ces problèmes pour de bon.

L'année dernière, Jaguar révisait le coupé/cabriolet XJS en le dotant d'une carrosserie partiellement modifiée sur le plan esthétique mais fortement transformée au chapitre de la fabrication. Dorénavant, cette belle Britannique compte sur une caisse plus rigide et nettement mieux assemblée. Il est bien entendu possible de commander le moteur V12 5,3 litres, qui assure non seulement des prestations intéressantes mais également une grande douceur. Dans le cadre de cette cure de rajeunissement, Jaguar offrait également une version ani-

mée par le moteur six cylindres 4,0 litres développant 223 chevaux. Il s'agit du même moteur que celui disponible sur la berline. Doux et performant, il allège la XJS et rend la conduite plus agréable car la voiture est plus maniable. Et il ne faut pas oublier qu'une boîte manuelle à cinq rapports est disponible sur cette voiture. Avec la boîte manuelle et le six cylindres, l'agrément de conduite est plus élevé que tout autre modèle de la gamme XJS.

En conduite, ce coupé est plus bourgeois que sportif et se prête bien aux

grandes randonnées. Et le tableau de bord a été revu l'an dernier. Carrément plus moderne, il est facile à consulter. Malheureusement, la console centrale est toujours beaucoup trop large.

LA XJ-6

La berline nous revient pratiquement intacte cette année. À une exception près puisque l'ancienne carrosserie et le moteur V12 ne sont plus offerts. Chez

Jaguar, on a travaillé au raffinement mécanique de cette voiture et à assurer une fiabilité accrue. D'ailleurs, ces efforts ont porté fruit puisque cette voiture a accompli un bond prodigieux au palmarès de la fiabilité et de la satisfaction de la clientèle dans les sondages J.D. Power.

Malgré tout, cette berline nous propose toujours le luxe à l'anglaise avec ses sièges en cuir Connolly, ses appliques en bois exotiques et une silhouette classique qui sait si bien se moquer du passage des ans. Au fil des années, cette voiture réussit à proposer une tenue de route supérieure à la moyenne tout en assurant un grand silence de roulement et un confort d'une autre époque.

CE QU'IL FAUT SAVOIR

JAGUAR XJ-6

	Pauvre	Passable	Bon	Très bon	Excellent
• Comportement routier					●
• Freinage					●
• Sécurité passive				●	
• Visibilité			●		
• Confort					●
• Volume de chargement			●		

POUR

Confort remarquable
Silence de roulement
Fiabilité en progrès
Tenue de route impeccable
Freins puissants

CONTRE

Habitabilité moyenne
Moteur V12 gourmand (XJS)
Maniabilité moyenne
Places arrière exiguës (XJS)
Silhouette rétro

Quoi de neuf?

Aucun changement majeur

ASPECT TECHNIQUE

Groupe propulseur:	propulsion
Empattement:	287 cm
Longueur:	498,8 cm
Poids:	1 780 kg
Coefficient aérodynamique:	0,37
Moteurs:	6L 4,0 litres, 223 ch. - V12 5,3 litres, 262 ch. (XJS)
Transmission:	
standard:	boîte manuelle 5 rapports
option:	boîte automatique 4 rapports
Suspension avant:	indépendante
arrière:	indépendante
Direction:	à crémaillère
Freins: avant:	disques ABS
arrière:	disques ABS
Pneus:	P225/65VR15

ASPECT PRATIQUE

Carrosserie:	berline (cabriolet, coupé: XJS)
Nombre de places:	5 (2+2)
Valeur de revente:	moyenne
Indice de fiabilité:	7,5
Coussin gonflable:	non - conducteur (XJS)
Réservoir de carburant:	89 litres
Capacité du coffre:	12,5 pi^3
Performances:	0-100 km/h: 9,5 s
vitesse max.:	220 km/h
consommation:	14,8 litres/100 km
Échelle de prix:	63 500 $ à 90 000 $

JEEP

YJ

Fidèle à ses origines

Conçue pendant le second conflit mondial comme véhicule passe-partout, la Jeep nous est proposée dans sa version YJ destinée à affronter les pires conditions de terrain et à subir les pires abus. Même si on tente d'en faire un véhicule de tourisme, sa vocation première demeure.

Le monde des utilitaires quatre roues motrices ne cesse de croître, mais aucun modèle ne peut contrer la Jeep YJ. Ce tout-terrain est l'héritier des célèbres Jeep militaires popularisées pendant le second conflit mondial. Même si la YJ a connu plusieurs améliorations et transformations depuis ce temps, sa robustesse originale et son habitacle spartiate n'ont pas tellement changé. Le tableau de bord est toujours austère même s'il a été revu l'an dernier. Quant aux sièges et à la présentation d'ensemble, on a ignoré le superflu et

les fla-fla pour nous présenter un véhicule capable d'affronter les pires conditions et de recevoir passagers et conducteurs portant de lourdes bottes boueuses pour être ensuite lavé presque au boyau d'arrosage. C'est donc en conduite hors route et en usage industriel que cette utilitaire brille. Son comportement plus ou moins rudimentaire sur la route, la sécheresse de sa suspension et les nombreux bruits éoliens sont vite oubliés devant sa manœuvrabilité sur les terrains les plus intimidants. Depuis les deux dernières

années, le moteur six cylindres en ligne 4,0 litres est disponible en option et permet à cette YJ de se montrer encore plus agressive grâce à ce surplus de puissance. Tout spécialiste en tout-terrain peut accomplir des exploits assez spectaculaires au volant d'un tel modèle, particulièrement ceux dotés de la boîte manuelle à cinq rapports. Toutefois, si vous aimez pratiquer le tout-terrain avec un minimum de confort, il est toujours possible de commander la boîte automatique à trois rapports.

Le moteur standard demeure le quatre cylindres 2,5 litres de 126 chevaux qui est tout de même adéquat et moins gourmand que le six cylindres. Malheureusement, ce moteur est plus ou moins bien adapté au cinquième rapport de la boîte manuelle et il faut pratiquement rouler à une vitesse supérieure à la limite légale pour que le régime du moteur soit adéquat.

Robuste, dépouillée, brillante en conduite hors route, la YJ peut être équipée de presque toutes les options possibles et imaginables grâce à un catalogue qui s'est étoffé au fil des années. De plus, différentes présentations permettent de regrouper les options les plus en demande. Mais malgré tout, il ne faut pas oublier que ce véhicule est à vocation essentiellement utilitaire.

CE QU'IL FAUT SAVOIR

JEEP YJ

	Pauvre	Passable	Bon	Très bon	Excellent
• Comportement routier		•			
• Freinage			•		
• Sécurité passive		•			
• Visibilité				•	
• Confort	•				
• Volume de chargement	•				

POUR

Maniabilité
Visibilité impeccable
Imbattable en hors route
Choix d'options
Moteur six cylindres

CONTRE

Habitacle dépouillé
Peu d'espace de chargement
Bruits éoliens
Supension sèche
Finition inégale

Quoi de neuf?

Freins ABS disponibles avec moteur 4,0 litres
Aucun changement majeur

ASPECT TECHNIQUE

Groupe propulseur:	4x4
Empattement:	237,3 cm
Longueur:	386,2 cm
Poids:	1 325 kg
Coefficient aérodynamique:	n.d.
Moteurs:	4L 2,5 litres, 125 ch.- 6L 4,0 litres, 180 ch.
Transmission:	
standard:	boîte manuelle 5 rapports
option:	boîte automatique 3 rapports
Suspension avant:	essieu rigide
arrière:	essieu rigide
Direction:	à billes
Freins: avant:	disques
arrière:	tambours
Pneus:	P215/75 R 15

ASPECT PRATIQUE

Carrosserie:	utilitaire
Nombre de places:	4
Valeur de revente:	très bonne
Indice de fiabilité:	7,5
Coussin gonflable:	non
Réservoir de carburant:	40 litres
Capacité du coffre:	12,5 pi³
Performances:	0-100 km/h: 8,9 s (4,0 litres)
vitesse max.:	150 km/h
consommation:	13,0 litres/100 km (4,0 litres)
Échelle de prix:	13 500 $ à 22 000 $

JEEP

Grand Cherokee/Wagoneer

Rois de la ville et rois des champs

Jeep a lancé la deuxième génération de ses 4x4 compacts au cours de l'année dernière. La série ZJ a connu un succès immédiat et elle s'enrichit déjà cette année d'un moteur V8 optionnel de 220 chevaux et d'un tout nouveau Grand Wagoneer. À leurs côtés, les Cherokee jouent solidement leur rôle de soutien.

Chez Jeep, les travaux de développement d'une nouvelle génération de 4x4 compacts à quatre portières, baptisée ZJ, avaient débuté dès 1986. Lorsque Chrysler fit l'acquisition d'American Motors l'année suivante, on repoussa leur lancement pour compléter le plus rapidement possible de nouvelles fourgonnettes. Durant les 18 mois additionnels qui lui furent accordés, l'équipe de développement décida d'équiper les ZJ d'un moteur V8 et d'un coussin gonflable en plus de freins antiblocage, ce qui ne s'était jamais vu sur

un 4x4. Ces installations n'avaient pas été prévues et demandèrent un sérieux travail d'adaptation. Chrysler construisit entre-temps une usine toute neuve pour les nouveaux ZJ, sur l'emplacement d'une ancienne, sur Jefferson Avenue à Detroit. Elle a coûté un milliard de dollars US et peut construire 170 000 ZJ annuellement. Le changement le plus évident, par rapport à la série XJ, est certes le dessin de la carrosserie des ZJ, bien que la ressemblance soit indiscutable. On a toutefois adouci cette silhouette anguleuse et familière,

ramenant du coup le coefficient de traînée aérodynamique de 0,52 à 0,44. Le Grand Cherokee est offert en trois niveaux de présentation: base, Laredo et Limited, en ordre de luxe ascendant. Le Grand Wagoneer vient quant à lui reprendre sa place au sommet de la pyramide des modèles chez Jeep. Il n'est disponible qu'avec le nouveau V8 Magnum, lui-même offert seulement avec une boîte automatique à quatre rapports. La seule option que l'on puisse cocher, quant à la configuration mécanique, est le rouage intégral Quadra

Trac. Jeep devrait cependant se débarrasser des phares d'appoint disgracieux dont sont affligés les modèles Limited et Grand Wagoneer en équipement de série. Petits et rectangulaires, il viennent se percher au-dessus du pare-chocs avant comme des accessoires de qualité douteuse.

UNE CONQUÊTE RELATIVE DE L'ESPACE

Les ZJ poursuivent par ailleurs la tradition de la caisse autoporteuse, rare sur un 4x4 mais utilisée sur l'immense majorité des voitures. La carrosserie des ZJ leur permet de combiner une grande solidité et une caisse de hauteur raisonnable. Cela rend l'accès aux sièges plus facile, un des attraits de cette série. La marche est nettement plus haute sur l'Explorer, par exemple. Celui-ci conserve toutefois l'avantage en volume cargo, grâce à son pneu de rechange fixé sous la partie arrière. Jeep installe le sien à l'intérieur, entre autres à cause du profil plus bas de la carrosserie. On tient également à conserver des porte-à-faux courts pour profiter du meilleur angle d'attaque possible sur les pires dénivelés. On croit aussi que le propriétaire

d'un ZJ appréciera son pneu de rechange pleine grandeur et impeccablement propre s'il a le malheur de crever un pneu en plein bois. Touché! Le concept originel de l'intérieur, exécuté avant l'acquisition de 1987, fut raffiné chez Chrysler par l'équipe de Trevor Creed, qui avait auparavant accompli un boulot impressionnant pour les nouvelles minifourgonnettes de la marque. Mais il ne pouvait non plus faire des miracles pour des formes qui dataient déjà un brin. L'ergonomie générale des commandes est cependant excellente. Les ZJ ont

droit à un jeu d'instruments complet et leurs rétroviseurs extérieurs téléréglables sont grands et impeccablement clairs. Leur habitacle est également plus spacieux, plus lumineux et nettement plus moderne que celui des XJ. On a aussi investi beaucoup d'efforts pour faciliter l'accès aux places arrière et cela se sent.

Les sièges avant, d'autre part, sont d'un confort très honnête, mais le support lombaire est faible sur les sièges de tissu des modèles les plus abordables. Les sièges de cuir des Limited et Grand Wagoneer sont mieux réussis, surtout qu'ils offrent des réglages électriques efficaces et accessibles. Les modèles haut de gamme possèdent par ailleurs la présentation intérieure la mieux réussie, comme dans la série XJ. Le tableau de bord des Grand Cherokee de base et Laredo est en effet exécuté dans des matériaux moins riches, qui lui donnent un aspect plutôt bon marché. Dommage que Jeep n'ait pas jugé important de doter les places arrière des ZJ d'appui-tête (de l'aveu même de l'ingénieur-chef Bernard Robertson). Voilà donc au moins un domaine où Jeep est en retard flagrant sur certaines de ses rivales.

MUTATIONS MÉCANIQUES

Si la silhouette du Grand Cherokee est familière, plusieurs de ses autres composantes ont changé ou ont connu des modifications importantes. Le moteur de base de la série ZJ est cependant toujours le six cylindres en ligne de 4 litres et 190 chevaux. Il sera cette année offert entre autres avec une nouvelle boîte automatique à quatre rapports, commandée par microprocesseur. Les Grand

Cherokee sont offerts en trois niveaux de présentation: modèle de base, Laredo et Limited. On offre également, selon le modèle, le choix entre trois rouages quatre roues motrices différents. Le Command Trac permet de passer en mode 4x4 seulement au besoin et sur terrain meuble ou difficile. Le SelecTrac permet quant à lui de choisir entre la propulsion et les quatre roues motrices, quelle que soit la surface. Le Quadra Trac, enfin, est un pur rouage

intégral qui permet de rouler en quatre roues motrices en tout temps et sur toutes les surfaces. Ces rouages peuvent être combinés à une boîte manuelle à cinq rapports ou une automatique à quatre rapports si la puissance est fournie par le six cylindres Jeep de 4 litres.

À plusieurs égards, l'équipe de développement des ZJ a propulsé ces véhicules à l'avant du peloton. C'était sa ferme intention dès le départ: on voulait mener la course, avec la plus grande avance possible de surcroît. Les Grand Cherokee sont ainsi devenus les premiers et demeurent cette année les seuls 4x4 à offrir un coussin gonflable, et en équipement standard de surcroît. Avec en plus le freinage antibloquant, également monté de série sur tous les modèles, les ZJ prennent déjà une sérieuse longueur d'avance sur leurs rivaux. Si le trajet se déroule en tout terrain, elle sera augmentée d'autant. Jeep a investi énormément de temps et d'efforts à faire des ZJ des 4x4 qui offrent un comportement exceptionnel, quelle que soit la nature ou la forme du tracé. La compagnie s'est également mis en tête d'atteindre à nouveau un tel objectif en conservant les essieux rigides avant et arrière sur lesquels ont toujours roulé les Jeep. Et ces diables d'hommes y sont arrivés. Il faut dire que le projet ZJ fonctionne lui aussi en équipe légère, en accord avec la révolution douce qui suit son cours chez Chrysler. On a donc tout bonnement confié l'aspect comportement en général et le développement des suspensions à une équipe de jeunes ingénieurs hautement motivés et qualifiés. Tous trois ont d'ailleurs une solide expérience en sport automobile: Stephen Lyman a couru en Formule 5000, Ian Sharp a œuvré en Formule Un, Formule 3 et Formule Indy, entre autres chez Lotus, et

Gene Lukianov est versé dans l'art du gymkhana et du slalom. À force de travail acharné, à la manière d'une écurie de course, ils ont réussi à faire des ZJ à la fois des 4x4 qui se conduisent et tiennent vraiment la route comme de très bonnes berlines et des tout-terrain de grand calibre. Même avec la suspension de base et des pneus quatre saisons, un Grand Cherokee est l'égal d'un Ford Explorer haut de gamme sur une piste défoncée parcourue à fond de train où un sentier très boueux. L'un des secrets d'un comportement aussi solide est sans contredit le recours à un essieu arrière dont le débattement est contrôlé par une série de bras articulés, un peu comme le fait Mercedes-Benz sur ses voitures depuis 1984. Jeep a baptisé cet essieu Quadra-link. Nous avons pu mesurer de première main toute son efficacité lors de l'avant-première des ZJ, tenue en plein déluge, sur un immense ranch texan. Le nouveau Jeep y a pris l'avantage sur son rival direct grâce en plus à son diamètre de braquage inférieur, utile lorsqu'il fallait parcourir un tracé sinueux.

QUELQUES BONDS EN AVANT

Par ailleurs, lorsqu'il s'agit de prendre les commandes d'un Jeep ZJ équipé de l'ensemble optionnel «Up Country», les comparaisons s'arrêtent net. Grâce entre autres à un jeu complet d'amortisseurs pressurisés, à des ressorts différents et à des pneus plus mordants (taille 235/75R15), le Jeep ZJ devient tout bonnement intouchable dans cette catégorie, quel que soit le terrain. Il est sans l'ombre d'un doute le meilleur de la catégorie, par une marge impressionnante, jusqu'à preuve du contraire. Le défi est lancé! Les différences de vitesse de passage, de contrôle et de confort étaient effectivement inouïes, dans les sentiers où nous avons pu effectuer une comparaison directe avec d'autres 4x4, y compris les autres versions du ZJ. L'ensemble Up Country comprend aussi des boucliers de protection et des crochets de remorquage. Il fait grimper un ZJ de quelque 2,5 cm en hauteur mais le plus étonnant est de constater que le confort de roulement est absolument intact sur la route. Voilà sans doute pourquoi Jeep offre cette année également l'ensemble Up Country sur les luxueux Limited et Grand Wagoneer. Il s'agit d'une option que nous conseillons vivement à un acheteur québécois, quand même ce ne serait que pour le sentiment de sécurité que cette version inspire au conducteur du ZJ. Il faut enfin souligner l'excellent rendement du freinage antibloquant intégral dont sont pourvues tous les ZJ. Ce système, qui fonctionne en tout temps et sur toute surface, est désormais fabriqué par Teves. Il transmet tout juste ce qu'il faut de pulsation à la pédale lorsque le circuit antiblocage se met en action sur une surface glissante, quel que soit le mode d'entraînement sélectionné. Notons pour terminer que la venue des ZJ a stimulé l'an dernier les ventes du modèle précédent, avec toute la publicité qui a entouré le lancememt. Les Cherokee sont toujours offerts en trois niveaux de présentation et auront eux aussi droit à la boîte automatique à contrôle électronique en cours d'année. Quel que soit le pedigree de son rival, Jeep est armée comme nulle autre avec l'éventail de modèles dont elle dispose avec à la fois la nouvelle série ZJ et la famille des Cherokee XJ. Leur force est de tout procéder du même esprit et de la même tradition qui a fait la réputation blindée et la renommée incomparable du nom Jeep. Chrysler prend bon soin du joyau qu'elle est allée chercher en faisant l'acquisition d'American Motors.

CE QU'IL FAUT SAVOIR

JEEP GRAND CHEROKEE

	Pauvre	Passable	Bon	Très bon	Excellent
• Comportement routier					•
• Freinage				•	
• Sécurité passive			•		
• Visibilité					•
• Confort				•	
• Volume de chargement				•	

POUR

Tenue de route surprenante
Intouchables en tout terrain
Moteur V8 tout en muscle
Coussin gonflable exclusif
Intérieur luxueux (GW)
Freinage antibloquant solide

CONTRE

Pneu de rechange encombrant
Pas d'appui-tête à l'arrière
Pas de repose-pied
Ventilateur moteur bruyant (V8)
Faux bois extérieur raté (GW)
Petit coffre à gants

Quoi de neuf?

Modèle Grand Wagoneer
Moteur V8 5,2 litres optionnel
Modèle deux roues motrices (1993 1/2)

ASPECT TECHNIQUE

Groupe propulseur: 4 roues motrices - intégrale - propulsion
Empattement: 268,9 cm - 257,5 cm (Cherokee)
Longueur: 448,8 cm - 428,7 cm (Cherokee)
Poids: 1 621 kg - 1 354 kg (Cherokee)
Coefficient aérodynamique: 0,44
Moteurs: 6L 4,0 litres, 190 ch. - V8 5,2 litres, 220 ch. (Cherokee base: 4L 2,5 litres, 130 ch.)
Transmission:
standard: boîte manuelle 5 rapports (base & Laredo)
option: boîte automatique 4 rapports (std. V8)
Suspension avant: essieu rigide
arrière: essieu rigide
Direction: à billes, assistée
Freins: avant: disques ABS - ABS optionnel (Cherokee)
arrière: tambours ABS - ABS optionnel (Cherokee)
Pneus: 215/75R15 - 225/75R15 (Grand Wagon)

ASPECT PRATIQUE

Carrosserie: utilitaire sportif
Nombre de places: 5
Valeur de revente: nouveau modèle
Indice de fiabilité: nouveau modèle
Coussin gonflable: conducteur (Cherokee: non)
Réservoir de carburant: 87 litres
Capacité du coffre: 40,1 pi^3 - 79,6 pi^3 (banquette repliée)
Performances: 0-100 km/h: 9,9 s
vitesse max.: 190 km/h
consommation: n.d.
Échelle de prix: 20 000 $ à 30 000 $

Diablo

À couper le souffle

La fabuleuse Countach n'est plus, mais sa succession est encore plus intéressante puisque la Diablo réalise des performances supérieures et a une carrosserie dont les lignes sont en mesure d'exciter le plus blasé des tifosi. Et, bonne nouvelle, la qualité d'assemblage et la fiabilité sont en progrès.

Le monde des voitures exotiques est le reflet de la situation économique mondiale. Alors que les finances de la planète périclitent, les carnets de commandes des constructeurs d'exotiques sont de plus en plus minces. Lamborghini n'échappe pas à cette situation et la production a dû être réduite à cause d'une demande moindre en 1992. Heureusement pour ce petit constructeur, Chrysler, son propriétaire à part entière, est encore en mesure de le soutenir financièrement. Ce qui assure la conti-

nuité de la production ainsi que le développement de nouveaux modèles.

L'arrivée d'une version de prix moindre et aux performances un peu moins ronflantes que celles de la Diablo semble avoir été retardée. Le seul modèle disponible demeure la Diablo, qui est une bête de route aux prestations extraordinaires. Et c'est facile à comprendre lorsqu'on installe un moteur de près de 492 chevaux dans une carrosserie de 1 650 kg. Les performances sont à couper le souffle alors que le 0-100 km/h est bouclé en moins de cinq

secondes. Mais ce ne sont pas les accélérations initiales qui sont les plus spectaculaires, mais bien la vitesse de pointe qui est de 325 km/h!

Mais, au-delà des chiffres, la conduite de la Diablo est une expérience sensorielle à nulle autre pareille. Sur le plan visuel, les formes spectaculaires de la carrosserie sont assurées de faire tourner les têtes, toutes les têtes. Et à l'arrêt, cette voiture a même une allure audacieuse avec ses portes en ailes de mouettes associées à la Countach, qui ont été conservées sur la Diablo. Cette caisse est aussi impressionnante par sa largeur et plusieurs automobilistes qui ont été confrontés avec cette voiture sur la route ont été fortement impressionnés.

L'habitacle est mieux disposé, mieux fini et plus confortable que celui de la précédente Countach. Les sièges assurent un support latéral presque équivalent à celui des voitures de course. D'ailleurs, les performances de cette voiture, son incroyable adhérence en virage de même que la sonorité de la mécanique nous rapprochent beaucoup de la voiture de course. D'ailleurs, plusieurs éléments

mécaniques, le châssis tubulaire et la fermeté de l'embrayage sont des caractéristiques associées à ce type de voiture.

Les rares personnes qui ont eu la chance de prendre le volant de cette voiture vont sans doute s'en souvenir toute leur vie si cette randonnée était une randonnée d'essai. Il est difficile d'imaginer les forces brutales en présence alors que les accélérations sont foudroyantes et les reprises à couper le souffle. Et ce qui impressionne encore plus, c'est que cette voiture ne semble jamais perdre de son assurance. Toutefois, une randonnée avec

un pilote d'essai de l'usine nous a permis de constater que même avec des pneus aussi larges et à profil aussi bas, il est possible de partir en dérapage des quatre roues. Cependant, compte tenu du prix de vente de cette voiture, il est préférable de laisser les employés de la maison se livrer à de telles audaces. En fait, pour le propriétaire d'une Diablo, le plus grand problème est de pouvoir exploiter les capacités de cette voiture.

Tous ces éléments se conjuguent pour faire de la Diablo l'une des rares supervoitures disponibles de nos jours.

CE QU'IL FAUT SAVOIR

LAMBORGHINI DIABLO

	Pauvre	Passable	Bon	Très bon	Excellent
• Comportement routier					•
• Freinage					•
• Sécurité passive			•		
• Visibilité		•			
• Confort		•			
• Volume de chargement	•				

POUR

Moteur fabuleux
Accélérations brutales
Silhouette unique
Fiabilité en progrès
Comportement de voiture de course

CONTRE

Visibilité problématique
Usage sporadique
Finition moyenne
Embrayage délicat
Prix astronomique

Quoi de neuf?

Aucun changement majeur
Version à traction intégrale en voie de production

ASPECT TECHNIQUE

Groupe propulseur:	propulsion
Empattement:	265 cm
Longueur:	446 cm
Poids:	1 650 kg
Coefficient aérodynamique:	0,31
Moteur:	V12 5,7 litres, 492 ch. (approx.)
Transmission:	
standard:	boîte manuelle 5 rapports
option:	aucune
Suspension avant:	indépendante
arrière:	indépendante
Direction:	à crémaillère
Freins: avant:	disques
arrière:	disques
Pneus:	av.: P245/40ZR17 - arr.: 335/35ZR17

ASPECT PRATIQUE

Carrosserie:	berlinette
Nombre de places:	2
Valeur de revente:	très élevée
Indice de fiabilité:	7,0
Coussin gonflable:	non
Réservoir de carburant:	100 litres
Capacité du coffre:	5,54 pi^3
Performances:	0-100 km/h: 4,1 s
vitesse max.:	325 km/h
consommation:	21 litres/100 km
Échelle de prix:	245 000 $

LEXUS

ES300

Une valeur intéressante

Mine de rien, la division Lexus continue d'étoffer sa gamme et de corriger ses erreurs. La ES250 a connu un cuisant échec tant en ce qui concerne le prestige que les ventes. Sa remplaçante a beaucoup plus à proposer même si elle est dérivée de la Camry. En fait, la seule ombre au tableau est la Camry.

Si la ES250 était une voiture dérivée d'une plate-forme existante chez Toyota, sa remplaçante emprunte une voie similaire en partageant sa plate-forme et sa mécanique avec la Camry. Cependant, la Lexus est une version dotée de portières sans cadre qui donnent l'apparence d'un toit rigide ou «hardtop» tandis que la Camry est une berline conventionnelle. Compte tenu de cet élément, la Lexus possède certaines différences dans sa structure afin de compenser pour la perte de rigidité qu'apporte cette configuration. De plus, l'empattement

est très légèrement différent tandis que les réglages de la suspension ne sont pas identiques.

La ES300 l'emporte facilement au chapitre de l'esthétique: la partie avant est nettement plus jolie, en grande partie en raison de ses phares à blocs optiques circulaires qui contribuent à lui donner un petit air à part. De plus, sa silhouette générale est plus sobre et élégante. Malgré tout, on ne peut s'empêcher de pousser la comparaison jusqu'à l'habitacle. Là encore, la Lexus propose un ensemble plus cohérent et

agréable à l'œil. La garniture de bois de la planche de bord rehausse la qualité de l'intérieur et souligne bien le caractère luxueux de cette voiture. Toujours du côté de l'habitacle, il faut mentionner le confort des sièges, les places arrière spacieuses et une finition impeccable.

Ce qui frappe le plus lorsqu'on conduit cette Lexus pour la première fois, c'est le silence de son moteur, ses prestations bien équilibrées et le bon réglage de la suspension. En effet, le moteur est doux, sa puissance passablement linéaire et bien adaptée à cette voiture. Nous avons eu la chance de conduire une version à boîte manuelle et une autre avec l'automatique.

La boîte manuelle n'a pas cette précision qu'on serait en droit de s'attendre sur une voiture de cette catégorie.

L'étagement n'est pas parfait et la course du levier parfois vague. La boîte automatique sera plus en demande, car elle est plus homogène que la boîte manuelle. Le passage des vitesses est doux, l'étagement sans faute et la perte de performances assez peu marquée. De plus, cette boîte convient au tempérament bourgeois de cette voiture.

En conclusion, la ES300 est une berline très homogène qui se distingue surtout par son moteur doux, une tenue de route prévisible et une finition impeccable.

CE QU'IL FAUT SAVOIR

LEXUS ES 300

	Pauvre	Passable	Bon	Très bon	Excellent
• Comportement routier				•	
• Freinage				•	
• Sécurité passive				•	
• Visibilité				•	
• Confort			•		
• Volume de chargement				•	

POUR

V6 intéressant
Finition impeccable
Équipement complet
Tenue de route sûre
Silhouette intéressante

CONTRE

Roulis en virage
Sautillement sur mauvaise route
Boîte manuelle moyenne
Position de conduite perfectible
Faible dégagement pour la tête
    avec toit ouvrant

Quoi de neuf?

Aucun changement majeur

ASPECT TECHNIQUE

Groupe propulseur:	traction
Empattement:	262,0 cm
Longueur:	477,0 cm
Poids:	1 540 kg
Coefficient aérodynamique:	0,32
Moteur:	V6 3,0 litres 185 ch.

Transmission:		
	standard:	boîte manuelle 5 rapports
	option:	boîte automatique 4 rapports
Suspension	**avant:**	indépendante
	arrière:	indépendante
Direction:		à crémaillère, assistée
Freins:	**avant:**	disques ABS
	arrière:	disques ABS
Pneus:		P205/65R15

ASPECT PRATIQUE

Carrosserie:	berline
Nombre de places:	5
Valeur de revente:	très bonne
Indice de fiabilité:	8,5
Coussin gonflable:	conducteur
Réservoir de carburant:	70 litres
Capacité du coffre:	14,3 pi^3
Performances:	0-100 km/h: 8,0 s
vitesse max.:	217 km/h
consommation:	11,6 litres/100 km
Échelle de prix:	33 500 $ à 37 000 $

LEXUS

LS400/SC400

La famille impériale

Il aura fallu fort peu de temps à Lexus pour s'imposer comme marque de prestige. Sa pièce maîtresse, dans cette aventure, a été la grande berline LS400 qui a établi de nouvelles marques en matière de qualité et de fiabilité. Elle fut rejointe l'an dernier par le SC400, un coupé taillé dans la même étoffe.

La grande berline Lexus a prouvé de façon éclatante que les constructeurs japonais étaient parfaitement en mesure de concevoir et de fabriquer des voitures de luxe de grand calibre. Malgré son architecture et sa silhouette parfaitement conventionnelles, la LS400 aura donc été une voiture révolutionnaire d'une certaine manière. Elle est devenue, à tout le moins, une voiture importante dans l'histoire de l'automobile. Elle entame cette année sa quatrième année sur le marché américain, sa troisième chez nous. Selon toute vraisem-

blance, la LS400 ne sera remplacée par un modèle entièrement nouveau que pour l'année-modèle 1996. Cette année, cependant, Lexus lui fait tout de même un brin de toilette qui prend également l'allure d'une mise à jour technique significative. On s'attendait par exemple à ce qu'elle soit enfin dotée d'un deuxième coussin gonflable destiné au passager avant, et c'est chose faite. Le coupé SC400, de conception plus récente, a également droit à ce deuxième coussin. C'est toutefois la seule modification importante dont il soit l'objet

pour 1993. La liste est plus longue pour la berline. Dans son cas, les changements se feront également plus apparents. La carrosserie de la LS400 a effectivement droit à une calandre redessinée, à des bas de caisse latéraux plus sculptés et plus importants de même qu'à un pare-chocs arrière dont la partie inférieure est désormais de couleur assortie. Le dessin des roues d'alliage est également différent mais leurs dimensions aussi. Elles sont maintenant d'un diamètre de 16 pouces et chaussées de pneus Goodyear plus larges qui doivent contribuer à rendre la tenue de route et les réflexes de la grande Lexus un peu plus vifs. En parfait accord avec la philosophie de raffinement continuel de la marque, on a également effectué une série de petites modifications dans l'habitacle.

On a par exemple renforcé la base des sièges et offert le réglage électrique du maintien lombaire et de l'assise au passager avant. De plus, les ceintures sont maintenant pourvues d'un dispositif de tension positive en cas de collision. Le coupé SC400, de son côté, a prouvé qu'il était digne de son patronyme en se hissant parmi le peloton de tête en matière de fiabilité. Il est cependant encore à quelques positions de la championne, la LS400. Le grand coupé offre toujours un mélange unique de luxe, de performance et de qualité en plus de véritables places arrière.

CE QU'IL FAUT SAVOIR

LEXUS LS400

	Pauvre	Passable	Bon	Très bon	Excellent
• Comportement routier					•
• Freinage				•	
• Sécurité passive					•
• Visibilité				•	
• Confort					•
• Volume de chargement			•		

POUR

Groupe propulseur exemplaire
Excellent comportement routier
Coupé très performant
Fiabilité, qualité incomparables
Deux coussins gonflables
Prestige en hausse constante

CONTRE

Rangement insuffisant
Plongée en freinage brusque (LS)
Suspension ferme (SC)
Seuil de coffre très haut (SC)
Intérieurs sans charme
Silhouettes sans panache

Quoi de neuf?

Plusieurs retouches intérieures et extérieures (LS)
Pneus et roues plus grands (LS)
Coussin gonflable de série côté passager

ASPECT TECHNIQUE

Groupe propulseur:	propulsion
Empattement:	281,4 cm - 269 cm (SC)
Longueur:	499,6 cm - 486 cm (SC)
Poids:	1 703 kg - 1 635 kg (SC)
Coefficient aérodynamique:	0,29 - 0,31 (SC)
Moteur:	V8 4,0 litres, 250 ch. à 5 600 tr/min - 260 lb/pi à 4 400 tr/min
Transmission:	
standard:	boîte automatique 4 rapports
option:	aucune
Suspension avant:	indépendante
arrière:	indépendante
Direction:	à crémaillère, assistée
Freins: avant:	disques ABS
arrière:	disques ABS
Pneus:	225/60R16

ASPECT PRATIQUE

Carrosserie:	berline - coupé
Nombre de places:	5 - 4
Valeur de revente:	excellente
Indice de fiabilité:	9,5
Coussins gonflables:	conducteur - passager
Réservoir de carburant:	85 litres - 78 litres (SC)
Capacité du coffre:	14,2 pi^3
Performances:	0-100 km/h: 8,3 s - 7,3 s (SC)
vitesse max.:	240 km/h
consommation:	13,2 litres/100 km
Échelle de prix:	55 000 $ à 62 000 $

Continental

En vieillissement rapide

Cette série porte un des noms les plus célèbres de l'histoire de l'automobile américaine mais elle est en train de connaître un triste sort. Après une entrée en scène spectaculaire en 1988, elle connut de graves problèmes de fiabilité. C'est maintenant sa piètre finition qui désole. Et la prochaine n'arrive qu'en 1995 au plus tôt.

Lancée en 1988, la première Continental à traction avant possédait tous les atouts pour réussir. Élaborée sur une version modifiée et allongée de la plate-forme Taurus, elle fut effectivement fort bien accueillie. On lui découvrit hélas peu après une série de défectuosités de toutes sortes. Les problèmes rencontrés plus tôt avec les Taurus et Sable, des voitures entièrement nouvelles, avaient pu être maîtrisés avec une facilité relative, mais la Continental faisait appel à des systèmes et composantes nettement plus complexes.

On peut songer par exemple à la suspension pneumatique autonivelante. On dut donc déployer énormément d'efforts pour amener ces voitures au plus vite à un niveau de fiabilité acceptable. Mais une partie de la clientèle avait eu amplement le temps de passer à une autre marque. Telle est la loi du marché actuel. Lincoln a continué de vendre quelques dizaines de milliers de Continental, mais la voiture n'est plus dans la course aux grands honneurs malgré le fait qu'elle ait été par exemple la première de sa catégorie à offrir des

coussins gonflables en équipement standard aux deux passagers avant. Or, reléguée à l'arrière-plan par une troïka de brillantes nouvelles Japonaises (Acura, Infiniti, Lexus), la Continental glissa encore de quelques encâblures avec le lancement des nouvelles Seville par Cadillac, la grande rivale de toujours. Cela est doublement vrai cette année alors que la STS reçoit à la fois une suspension autoréglable et surtout le V8 Northstar dont les 295 chevaux passent tous par les roues avant. Et que dire de la superbe

Chrysler New Yorker, élaborée sur la plate-forme LH, qui sera lancée au printemps 1993? Mais quel que soit le retard de la Continental en matière de technique pure ou de puissance, c'est au chapitre de la finition intérieure qu'elle trahit le plus cruellement son âge. La voiture offerte aux journalistes lors de l'avant-première des modèles 1993 présentait effectivement des lacunes de finition inacceptables: plastiques glauques, moulures de faux chrome trop mince, fautes d'assemblage, etc. Triste sort en effet pour celle qui fut, l'espace de quelques saisons, la meilleure ou du moins la plus prometteuse des voitures de luxe américaines. Vivement le modèle 1995, entièrement nouveau et qui sera propulsé, semble-t-il, par un V8 de 300 chevaux. N'est-ce pas précisément ce que nous lui souhaitions déjà l'an dernier ?

CE QU'IL FAUT SAVOIR

LINCOLN CONTINENTAL

	Pauvre	Passable	Bon	Très bon	Excellent
• Comportement routier				•	
• Freinage		•			
• Sécurité passive					•
• Visibilité			•		
• Confort					•
• Volume de chargement			•		

POUR

Très spacieuse
Comportement sans surprise
Deux coussins gonflables
Sièges confortables
Fiabilité en hausse
Moteur doux et souple

CONTRE

Tableau de bord désolant
Performances désuètes
Moteur plutôt archaïque
Plongée au freinage
Silhouette lourde
Valeur de revente aléatoire

Quoi de neuf?

Verrouillage par télécommande de série
Roues d'alliage standard sur «Executive Series»

ASPECT TECHNIQUE

Groupe propulseur:	traction
Empattement:	276,8 cm
Longueur:	520,9 cm
Poids:	1 645,6 kg
Coefficient aérodynamique:	0,34
Moteurs:	V6 3,8 litres, 160 ch. à 4 400 tr/min
	225 lb/pi à 3 000 tr/min
Transmission:	
standard:	boîte automatique 4 rapports
option:	aucune
Suspension avant:	indépendante
arrière:	indépendante
Direction:	à crémaillère, assistée
Freins: avant:	disques ABS
arrière:	disques ABS
Pneus:	205/70R15

ASPECT PRATIQUE

Carrosserie:	berline
Nombre de places:	6
Valeur de revente:	moyenne
Indice de fiabilité:	6,5
Coussins gonflables:	conducteur - passager
Réservoir de carburant:	69,6 litres
Capacité du coffre:	19,1 pi^3
Performances:	0-100 km/h: 10,5 s
vitesse max.:	180 km/h
consommation:	13,5 litres/100 km
Échelle de prix:	41 000 $ à 45 000 $

LINCOLN

Mark VIII

Une mécanique sophistiquée

Longtemps attendue, la nouvelle Lincoln Mark VIII sera certainement une des voitures vedettes de l'année. Sa sophistication ne se limite pas à sa carrosserie épurée: elle s'étend aussi à sa mécanique. Comme les modèles antérieurs, cette Lincoln se pique d'innover sur le plan technique.

À plusieurs égards, le coupé de luxe Mark VII a joué le rôle d'un véritable pionnier lors de son lancement, en 1984. À sa deuxième année, il devenait par exemple le premier modèle américain à offrir un système de freinage antiblocage. Il se démarqua également par sa suspension pneumatique, une technique conservée sur le nouveau modèle. Le Mark VII, en fait, demeura durant plusieurs années le seul coupé de luxe américain offrant un comportement routier respectable. Cela était surtout

vrai pour la version LSC (Luxury Sport Coupe). Malgré tout, le Mark VII marquait le pas depuis quelques années et prenait un solide coup de vieux aux côtés de voitures comme les nouvelles Lexus SC400, Acura Legend Coupé et Cadillac Eldorado. Quand on connaît la rivalité intense qui existe depuis plus d'un demi-siècle entre Lincoln et Cadillac, on comprend que son renouvellement devenait d'autant plus pressant avec le dévoilement d'un coupé Eldorado propulsé par le nouveau V8

Northstar de 295 chevaux. Malgré cela, les stylistes et ingénieurs de la marque Lincoln ont soigné le développement de leur nouvelle pièce maîtresse à tout point de vue. Il est d'ailleurs à noter que Lincoln a utilisé, comme point de départ et fondation de son nouveau coupé, la plate-forme des Thunderbird et Cougar, remodelées entièrement pour 1989. Le résultat final est toutefois très différent, comme on peut s'en douter. Pour assurer une plus grande rigidité du train avant, on a par exemple fait appel à un mini-châssis qui accueille le groupe propulseur et la suspension avant. Cette disposition permet également de mieux filtrer les bruits et les vibrations de la route.

L'ART ET LA MANIÈRE

Le défi des stylistes, sous la direction de Jack Telnack, était une fois encore de doter le nouveau Mark VIII d'une carrosserie moderne et aérodynamique, tout en conservant certains des traits caractéristiques de cette série. Bien que le nouveau modèle ne partage pas la moindre parcelle de métal avec l'ancien, son lignage est parfaitement clair. Le dessin de sa calandre a par exemple été épuré, mais ses «fanons» verticaux évoquent la Mark précédente. Mais c'est surtout par sa silhouette générale et ses proportions qu'on sait immédiatement qu'il s'agit d'un coupé Lincoln. On a malgré tout conservé le renflement du coffre arrière qui est devenu le trait distinctif des coupés Lincoln. On peut toutefois se demander si cet artifice de style était nécessaire. Malgré tout, la silhouette de cette Lincoln est vraiment allégée et le pilier «C» a subi une cure d'amaigrissement qui assurera une bien meilleure visibilité trois-quart arrière. À l'intérieur, on s'est lancé beaucoup plus librement à la recherche d'un style tout à fait nouveau. Il faut dire que le Mk VII était particulièrement vétuste sous ce rapport. Le résultat est déroutant. Le tableau de bord décrit un arc fuyant sur toute la largeur de la voiture et vient se fondre aux moulages des portières. Son aspect n'est pas sans rappeler le tableau de bord très controversé du coupé Honda Prelude. Tous les contrôles majeurs de la Mark VIII sont toutefois orientés vers le conducteur. En fait, la surface verticale de la console centrale est tournée de façon très nette vers ce dernier. De façon générale, on a voulu enserrer les occupants dans un habitacle cossu et chaleureux. En matière de sécurité, la Mark VIII offre évidemment aussi deux coussins gonflables, une autre technique dont cette série fut l'une des pionnières nord-américaines.

MÉCANIQUE DE POINTE

En plus de sa nouvelle silhouette profilée et d'un design intérieur recherché, l'élément le plus spectaculaire dans

275

cette nouvelle Lincoln est incontestablement son groupe motopropulseur ultra-sophistiqué. Il est d'abord composé du deuxième rejeton de la nouvelle famille de moteurs «modulaires» de Ford, désigné par le nom «Romeo» à Dearborn. Ces moteurs sont en effet assemblés dans une usine située dans la ville de Romeo, au nord de Détroit. Le premier de ces moteurs est apparu sous le capot des Lincoln Town Car, Ford Crown Victoria et Mercury Grand Marquis ces deux dernières années. Il s'agit d'un V8 de 4,6 litres à simple arbre à cames en tête. Le moteur de la Mark VIII reprend la même disposition de cylindres et affiche une cylindrée identique, mais possède des culasses à quatre soupapes par cylindre, coiffées chacune par un double arbre à cames en tête. Bien comptées, on y retrouve donc 32 soupapes, tout comme sur les V8 des grandes Infiniti et Lexus ou le nouveau V8 Northstar de Cadillac. La puissance de ce nouveau groupe propulseur est de 280 chevaux, livrés à 5 500 tours/minute. C'est donc nettement plus que les 210 chevaux que produit le moteur SACT en version double échappement. Le couple du moteur de la luxueuse

Mark VIII est également de 33 % supérieur. Il génère effectivement une force de torsion maximale de 285 lb/pi à 4 500 tours/minute. Le nouveau V8 Ford se distingue, on s'en doute, par un raffinement technique très poussé. Il s'agit d'abord d'un moteur tout aluminium, alors que le premier V8 «Romeo» utilisait à la fois l'aluminium et l'acier. Le V8 de la Mark VIII se distingue également par ses bielles forgées et possède en plus 16 tubulures d'admission indivi-duelles qui lui donnent une allure vraiment à part.

L'ÉLECTRONIQUE OMNIPRÉSENTE

Mais il y a plus qu'un nouveau moteur, tout sophistiqué soit-il. On note en plus une nouvelle boîte automatique à quatre rapports à commande électronique spécialement dessinée pour maîtriser la puissance et le couple de ce moteur. Au chapitre de la conduite, ce coupé compte sur les prestations de son moteur et sur sa suspension sophistiquée pour proposer un bel équilibre entre le confort et la tenue de route. Il est intéressant de noter également que le Mark VIII a été pourvu d'une servodirection avec variation d'assistance. Avec tous ces nouveaux atouts, le coupé Mark VIII sera sans nul doute en mesure d'affronter à nouveau ses concurrents les plus sérieux. D'un côté, il trouvera certainement sur son chemin les Eldorado, avec leurs puissants nouveaux V8 et un comportement routier rehaussé lui aussi par les bienfaits d'une suspension à pilotage électronique. De l'autre, il y a aussi les coupés japonais (Lexus, Acura, Subaru SVX) qui profitent d'une excellente qua-lité de construction et de vertus de fiabi-lité indéniables. Le coupé Mark VIII marque un progrès très net pour cette série. Mais la barre est maintenant beaucoup plus haute dans cette catégorie très sélecte. Tout risque donc de se jouer sur le style auprès du public cible.

CE QU'IL FAUT SAVOIR

LINCOLN MARK VIII

	Pauvre	Passable	Bon	Très bon	Excellent
• Comportement routier				●	
• Freinage				●	
• Sécurité passive				●	
• Visibilité			●		
• Confort				●	
• Volume de chargement			●		

POUR

Moteur V8 puissant
Silhouette raffinée
Silence de roulement
Comportement routier
Équipement complet

CONTRE

Coffre arrière rétro
Image à refaire
Tableau de bord volumineux
Places arrière moyennes

Quoi de neuf?

Tout nouveau modèle
Moteur V8 4,6 litres DACT 32 soupapes

ASPECT TECHNIQUE

Groupe propulseur:	propulsion
Empattement:	287,0 cm
Longueur:	523,2 cm
Poids:	1 700 kg
Coefficient aérodynamique:	n.d.
Moteur:	V8 4,6 litres, 280 ch. à 5 500 tr/min
Transmission:	
standard:	boîte automatique 4 rapports
option:	aucune
Suspension avant:	indépendante
arrière:	indépendante
Direction:	à crémaillère, assistée
Freins avant:	disques ABS
arrière:	disques ABS
Pneus:	P225/60 VR 16

ASPECT PRATIQUE

Carrosserie:	coupé
Nombre de places:	2+2
Valeur de revente:	nouveau modèle
Indice de fiabilité:	nouveau modèle
Coussins gonflables:	conducteur - passager
Réservoir de carburant:	70 litres
Capacité du coffre:	14,2 pi^3
Performances:	0-100 km/h: 7,2 s (estimé)
vitesse max.:	220 km/h (estimé)
consommation:	14,5 litres/100 km (estimé)
Échelle de prix:	43 500 $ à 50 000 $

Town Car

Confort en gros format

Chez nos voisins du Sud, meilleur est souvent associé à plus gros et plus grand. Cette philosophie se retrouve bien sûr dans le secteur de l'automobile et la Town Car est l'une des voitures qui symbolisent le mieux cette approche. Toutefois, l'agrément de conduite est souvent escamoté. C'est le cas de la TC.

Si vous appréciez les voitures de gabarit imposant, cette Lincoln vous conviendra. En effet, ses dimensions sont d'une autre époque. Pour vous donner une idée de ces proportions, qu'il suffise de préciser qu'une Ford Taurus est plus courte de 60 cm. Bien entendu, de telles dimensions assurent un habitacle spacieux offrant un dégagement plus que généreux dans toutes les dimensions. Malheureusement, la présentation est aussi généreuse par... son mauvais goût. Le tableau de bord est un amon-cellement de chromes et de bois plasti-fié qui donne un effet plus ou moins valable. De plus, l'ergonomie est à revoir sur cette grosse berline qui brille par une liste d'accessoires fort imposante. Si cette approche néo-classico-baroque tellement chère à Detroit s'adresse aux amateurs de ces grosses propulsions à la suspension guimauve, force est d'admettre que cette grosse berline est animée par l'un des moteurs les plus modernes à provenir de Detroit. En effet, ce moteur brille par sa présence sous le capot de la Town Car depuis 1991 et il y accomplit de l'excel-lent boulot. Avec ses 210 chevaux, ce V8 4,6 litres réussit à déplacer de façon assez véloce les 1 850 kg de cette Town Car. En fait, il faut un peu plus de 10 secondes pour boucler le 0-100 km/h. Ce moteur est non seule-ment performant, mais il se défend passablement bien au chapitre de la consommation alors que la moyenne enregistrée a été de 14,2 litres/100 km. De plus, ce moteur s'est révélé souple et bien adapté à la boîte de vitesses à quatre rapports. Toujours sur le plan technique, cette Lincoln est dotée de la suspension pneumatique inaugurée il y a plusieurs années sur la Mark VII. C'est un système qui a fait ses preuves dans la grande famille Ford. C'est une caractéristique qui devient doublement utile sur une voiture de ce gabarit, qui offre également un des coffres les plus imposants que l'on puisse trouver sur le marché, toutes catégories confondues. On imagine facilement que la Town Car est une des grandes préférées de ceux que les Floridiens de souche nomment les *Snowbirds*, tous ces habitants des contrées nordiques qui migrent à chaque hiver chez eux avec tout le nécessaire pour un hiver complet dans le sud. Or, en pleine charge, elle conserve une assiette impeccable sur la route, ce qui préserve à la fois le confort et la sécurité de conduite. Cela vaut encore pour les voyageurs qui tractent une remorque ou une roulotte. Avec le couple de son V8 et son châssis séparé, la Town Car affiche une des meilleures capacités de traction que l'on puisse trouver. Silencieuse, confortable et luxueuse, la Town Car se prête évidemment mal à la conduite sportive. En virage, la caisse penche énormément et la direction est rapide mais surassistée et plus ou moins précise. Cette berline convient éminemment mieux à une conduite en douceur sur la grande route. Mais, son comportement routier global est honnête, dans la tradition des grosses berlines de luxe américaines. Mais s'il est un domaine où la Town Car est à peu près inattaquable, c'est par la qualité de son acoustique et de sa chaîne stéréo JBL. Ainsi équipée, elle se transforme en une incroyable salle de concert sur roues, que l'on soit amateur de Verdi ou des «Flying Thunderbirds».

CE QU'IL FAUT SAVOIR

TOWN CAR

	Pauvre	Passable	Bon	Très bon	Excellent
• Comportement routier			•		
• Freinage			•		
• Sécurité passive		•			
• Visibilité				•	
• Confort					•
• Volume de chargement		•			

POUR

Chaîne stéréo super
Sellerie de cuir grand luxe
Moteur bien adapté
Tenue de route adéquate
Habitabilité assurée

CONTRE

Tableau de bord baroque
Roulis prononcé
Tangue au freinage
Piètre visibilité 3/4 arrière
Peu d'espaces de rangement

Quoi de neuf?

Quelques retouches esthétiques

ASPECT TECHNIQUE

Groupe propulseur: propulsion
Empattement: 298,2 cm
Longueur: 555,7 cm
Poids: 1 840 kg
Coefficient aérodynamique: 0,36
Moteur: V8 4,6 litres, 210 ch.

Transmission:
    standard: boîte automatique 4 rapports
    option: aucune
Suspension avant: indépendante
    arrière: indépendante
Direction: à billes, assistance variable
Freins: avant: disques, ABS
    arrière: disques, ABS
Pneus: P215/70R15

ASPECT PRATIQUE

Carrosserie: berline
Nombre de places: 6/5
Valeur de revente: très bonne
Indice de fiabilité: 7,0
Coussin gonflable: conducteur
Réservoir de carburant: 75,6 litres
Capacité du coffre: 22,3 pi^3
Performances: 0-100 km/h: 10,7 s
    vitesse max: 190 km/h
    consommation: 14,2 litres/100 km
Échelle de prix: 44 000 $ à 52 000 $

MAZDA

B2200/B2600

La fin d'une époque

Les camionnettes Mazda en sont à leur dixième année sous leur forme actuelle. Depuis 1984, elles sont demeurées fidèles au moteur quatre cylindres et leur silhouette s'est modifiée très peu. Pas étonnant qu'elles aient démontré aussi une fiabilité record. La prochaine année marquera le début d'une nouvelle ère.

Depuis plusieurs années, les camionnettes Mazda ont cessé à toutes fins utiles d'évoluer. Au lieu d'imiter ses rivales japonaises, de les équiper de moteurs V6, de leur donner une silhouette plus accrocheuse et de percher les versions 4x4 sur les plus gros pneus possibles, Mazda a misé sur la plus grande fiabilité. Elle s'est donc appliquée à fabriquer ses camionnettes avec minutie. La réputation de la gamme et des prix compétitifs ont fait le reste. À telle enseigne que l'an dernier, chez les Américains, les camion-

nettes Mazda se sont classées sixièmes derrière les Dodge Dakota mais devant les Mitsubishi et Isuzu, des gammes qui ont été modifiées beaucoup plus qu'elles au cours de cette décennie. Mais l'explication la plus plausible de ce conservatisme est plutôt l'investissement massif qu'a nécessité le développement du barrage de modèles qu'a lancés la marque d'Hiroshima ces dernières années. Pour le marché américain, Mazda a conclu il y a deux ans une entente avec Ford, son partenaire privilégié (et actionnaire à 25 p. 100) pour la

commercialisation de sa propre version de l'Explorer deux portières. Or, elle adoptera vraisemblablement la même stratégie pour le remplacement de sa gamme de camionnettes. On s'attend effectivement au dévoilement imminent de toutes nouvelles camionnettes Mazda qui seront dérivées des Ford Ranger, les best-sellers américains de cette catégorie depuis belle lurette. Mazda aura évidemment son mot à dire dans la mise au point fine de ces nouvelles camionnettes et il semble que leur silhouette se démarquera assez nettement de celle de leurs futures cousines américaines. Nous ne savons pas encore si Mazda a choisi ou obtenu d'offrir le même éventail de modèles que Ford mais c'est évidemment à souhaiter. Il semble assuré, toutefois, que les Mazda auront droit à trois moteurs différents: des V6 de 3 et 4 litres et le quatre cylindres de 2,3 litres. Cela augure donc très bien pour l'étendue de la gamme. Dernière année donc pour le modèle actuel qui demeure, malgré son âge, un choix parfaitement valable. Mazda fut certainement le premier constructeur japonais à offrir une camionnette qui dispense un confort et une douceur de roulement qui se rapprochent de ceux d'une automobile. Et malgré une silhouette très sage, la version 4x4 nous avait prouvé son assez extraordinaire robustesse il y a quelques années dans le désert californien.

CE QU'IL FAUT SAVOIR

MAZDA B2200

	Pauvre	Passable	Bon	Très bon	Excellent
• Comportement routier			•		
• Freinage			•		
• Sécurité passive			•		
• Visibilité					•
• Confort				•	
• Volume de chargement					•

POUR
Grande fiabilité
Cabine allongée confortable
Moteur de 2,6 litres performant
Roulement souple
Comportement routier sûr (4x2)
Version 4x4 très robuste

CONTRE
Pas de V6
Moteur 2,6 litres assoiffé
Braquage très long (4x4)
Rangement presque nul
Sous-virage prononcé (4x4)
Silhouette anonyme

Quoi de neuf?

Cab Plus: ceintures à baudrier à l'arrière
Montre numérique sur modèle DX

ASPECT TECHNIQUE

Groupe propulseur:	propulsion - 4x4
Empattement:	276 / 277,6 cm - 298,5 / 299,9 (Cab Plus)
Longueur:	451,1 cm - 492 cm (Cab Plus)
Poids:	1 207 kg - 1 503 kg (Cab Plus 4x4)
Coefficient aérodynamique:	n.d.
Moteurs:	4L 2,2 litres, 91 ch. - 4L 2,6 litres, 121 ch.
Transmission: standard:	boîte manuelle 5 rapports
option:	boîte automatique 4 rapports
Suspension avant:	indépendante
arrière:	essieu rigide
Direction:	à billes (assistée en option)
Freins: avant:	disques
arrière:	tambours ABS
Pneus:	205/75R14 - 215/75R15 (4x4) - 235/75R15 (Sport)

ASPECT PRATIQUE

Carrosserie:	camionnette
Nombre de places:	2-2+2
Valeur de revente:	très bonne
Indice de fiabilité:	8,5
Coussin gonflable:	non
Réservoir de carburant:	56 litres - 66 litres (plate-forme longue)
Performances:	0-100 km/h: 14,2 s (2,6 litres)
vitesse max.:	160 km/h
consommation:	12,4 litres/100 km
Échelle de prix:	10 000 $ à 17 000 $

MAZDA

MPV

Un design stable et équilibré

Même si elle est parmi nous depuis quelques années maintenant, la Mazda MPV est demeurée virtuellement inchangée, un atout que plusieurs apprécient. Cela nous permet d'accorder plus de crédibilité à notre essai à long terme paraissant dans la première partie de cet ouvrage.

Comme Mazda se plaît si souvent à le répéter, la MPV est la fourgonnette importée la plus populaire au Canada. Et cela n'est pas le fruit du hasard, loin de là! Dans un premier temps, cette fourgonnette propose depuis son lancement une silhouette agréable et bien équilibrée. Et elle possède ce petit air costaud qui inspire confiance à bien des acheteurs. L'habitacle n'est pas vilain non plus alors que la présentation est élégante et soignée et n'est pas sans ressembler à celle d'une automobile. De plus, le tableau de bord est bien dégagé, facile à consulter tandis que la plupart des commandes sont à portée de la main. On peut parier que ce dernier élément en a convaincu plus d'un dans la salle de montre. Toujours du côté de la présentation, il faut s'interroger sur la pertinence de la portière latérale qui n'est pas coulissante. Cette approche plaira à certains et en découragera plusieurs.

Cette année encore, deux moteurs sont proposés. Le moteur standard est un quatre cylindres 2,6 litres développant 121 chevaux. Sa cylindrée imposante devrait être un gage de solidité. Mais ce moteur est passablement gourmand et il est préférable dans la majorité des cas d'opter tout de go pour le V6 3,0 litres et ses 150 chevaux. Avec ce moteur, cette propulsion est en mesure de tracter des remorques sans trop de problèmes tandis qu'on y gagne en douceur et même en économie de carburant.

Cette Mazda se conduit comme une automobile ou presque. Il est vrai qu'on détecte le côté «camion» de ce véhicule en conduite urbaine mais il est également agile et confortable, et il permet de rouler sans fatigue sur de longues distances. Il faut cependant se souvenir que le centre de gravité est passablement élevé et en tenir compte dans les courbes. Et ce centre de gravité est encore plus élevé avec la version 4x4, ce qui rend la conduite encore plus délicate dans certaines circonstances. À propos de la version 4x4, il s'agit d'un système à temps partiel dont l'efficacité à ce chapitre est très moyenne. Et comme les pneumatiques d'origine sont plus ou moins bons, les prestations sont décevantes.

Comme le démontre le texte traitant de notre essai prolongé dans la première partie de cet ouvrage, la fiabilité ne semble pas être le point fort de cette Mazda. Pourtant, en général, sa réputation est bonne.

CE QU'IL FAUT SAVOIR

MAZDA MPV

	Pauvre	Passable	Bon	Très bon	Excellent
• Comportement routier				•	
• Freinage			•		
• Sécurité passive			•		
• Visibilité				•	
• Confort					•
• Volume de chargement			•		

POUR

Esthétique plaisante
Moteur V6
Tableau de bord complet
Confort
Tenue de route rassurante

CONTRE

Fiabilité décevante (voir texte)
Moteur 4 cyl. gourmand
Version 4x4 peu efficace
Pneumatiques décevants
Centre de gravité élevé

Quoi de neuf?

Aucun changement majeur
Édition 25ᵉ anniversaire
Coussin gonflable côté conducteur (mi-1993)

ASPECT TECHNIQUE

Groupe propulseur:	propulsion - 4x4
Empattement:	280,5 cm
Longueur:	446,5cm
Poids:	1575 kg - 1790 kg (4x4)
Coefficient aérodynamique:	0,36
Moteurs:	4L 2,6 litres, 121 ch. - V6 3,0 litres, 150 ch.
Transmission:	
standard:	boîte manuelle 5 rapports
option:	boîte automatique 4 rapports
Suspension avant:	indépendante
arrière:	essieu rigide
Direction:	à crémaillère, assistée
Freins: avant:	disques
arrière:	tambours ABS
Pneus:	P 205/75 R 14

ASPECT PRATIQUE

Carrosserie:	fourgonnette
Nombre de places:	5-7
Valeur de revente:	très bonne
Indice de fiabilité:	7,5 - 8,0
Coussin gonflable:	conducteur (mi-1993)
Réservoir de carburant:	60 litres -74 litres (V6)
Capacité du coffre:	41,3 pi³
Performances:	0-100 km/h: 13,0 s (V6 auto.)
vitesse max:	180 km/h
consommation:	12,3 litres/100 km
Échelle de prix:	19 500 $ à 27 000 $

MAZDA

323/Protegé

Elles méritent d'être connues

Même si la compagnie Mazda a complètement transformé la quasi-totalité de sa gamme, ses sous-compactes sont pratiquement inchangées pour 1993. Ces modèles seront vraisemblablement modifiés l'an prochain. Pour l'instant, ils sont en mesure de tenir tête à bien des concurrents au look plus moderne.

De toutes les voitures sous-compactes présentement offertes sur le marché, la plus sous-évaluée est indubitablement la Mazda 323. Ce *hatchback* cache bien son jeu avec sa silhouette trapue et costaude qui ne soulève pas les passions. Pourtant, cette voiture est d'une rare compétence. Mais ce qui la distingue le plus, c'est sa silhouette terne et controversée à la fois. Elle est terne en raison de son apparence générale qui semble posséder tout ce qu'il faut pour passer incognito dans la circulation. Elle est en même temps controversée

en raison de son hayon lourd et de son épais pilier «C».

L'habitacle est discret lui aussi, mais il propose un bon équilibre avec une habitabilité intéressante, un tableau de bord sobre mais efficace et des sièges tout de même accueillants. Mais ce qui démarque le plus cette voiture, c'est son comportement routier dans l'ensemble. La suspension est confortable en raison d'un grand débattement. Quant à la tenue de route, elle est supérieure à la moyenne de cette catégorie et permet d'aborder les courbes avec

assurance et aplomb. La 323 n'est pas une grande sportive, mais elle fait drôlement bien son travail. Le moteur 1,8 litre de 103 chevaux est bien adapté à cette voiture. Quant au moteur 1,6 litre de 82 chevaux qui équipe les versions plus économiques, ses performances sont un peu émoussées et il intéressera ceux qui recherchent un groupe propulseur économique à l'achat et en consommation. Quant au moteur 1,8 litre à double arbre à cames en tête, il n'est disponible que sur la Protegé.

Cette berline est sans aucun doute la

vedette de la gamme des sous-compactes chez Mazda. Contrairement à la 323, la Protegé possède une silhouette plus en accord avec les canons esthétiques de la catégorie. Élégante, cette berline propose une habitabilité suffisante tandis que son coffre à bagages est de bonnes dimensions. Comme pour la 323, l'habitacle est passablement terne, mais le confort est bon. En conduite, la Protegé est agréable en raison de sa direction précise, du débattement de sa suspension et des performances du moteur.

Et l'agrément monte d'un cran lorsqu'on fait appel au moteur 1,8 litre à double arbre à cames en tête et 125 chevaux. Dans de telles conditions, cette berline devient l'une des plus homogènes de sa catégorie.

CE QU'IL FAUT SAVOIR

MAZDA PROTEGÉ

	Pauvre	Passable	Bon	Très bon	Excellent
• Comportement routier				•	
• Freinage				•	
• Sécurité passive			•		
• Visibilité				•	
• Confort			•		
• Volume de chargement			•		

POUR

Suspension confortable
Bonne habitabilité
Choix de moteurs
Finition soignée
Sièges adéquats

CONTRE

Tableau de bord terne
Silhouette controversée (323)
Pneus étroits (323)
Moteur 1,6 litre timide

Quoi de neuf?

Aucun changement majeur
Nouveaux coloris disponibles
323 DX abandonnée

ASPECT TECHNIQUE

Groupe propulseur:	traction
Empattement:	245 cm - 250 cm
Longueur:	415,5 cm - 435,5 cm
Poids:	995 kg -1 055 kg
Coefficient aérodynamique:	0,35 - 0,36
Moteurs:	4L 1,6 litre, 92 ch. - 1,8 litre, 103 ch. - 1,8 litre DACT, 125 ch.
Transmission:	
standard:	boîte manuelle 5 rapports
option:	boîte automatique 4 rapports
Suspension avant:	indépendante
arrière:	indépendante
Direction:	à crémaillère, assistée
Freins: avant:	disques
arrière:	tambours
Pneus:	P155/65SR13 - P175/70SR13

ASPECT PRATIQUE

Carrosserie:	*hatchback* - berline
Nombre de places:	5
Valeur de revente:	bonne
Indice de fiabilité:	8,5
Coussin gonflable:	non
Réservoir de carburant:	50 litres - 55 litres
Capacité du coffre:	15,7 pi^3 - 12,8 pi^3
Performances:	0-100 km/h: 10,9 s (1,8 l SACT)
vitesse max.:	180 km/h
consommation:	8,5 litres/100 km
Échelle de prix:	9 500 $ à 16 000 $

MAZDA

Precidia

Un V6 de 1,8 litre

Même si ses formes ne font pas l'unanimité, la MX-3 Precidia connaît beaucoup de popularité auprès du grand public. Il semble que sa silhouette à part et la possibilité de commander un moteur V6 soient des arguments de poids. Il n'est pas surprenant de constater que ce coupé nous revient pratiquement inchangé.

Bien que sa silhouette soit vraiment peu harmonieuse, la MX-3 Precidia a connu un franc succès auprès des acheteurs jeunes et intéressés par cette allure originale à défaut d'être élégante. Mais ce qui fait la force de ce coupé, c'est son équilibre tant au chapitre de la présentation que des performances. Même si les personnes de grande taille ont de la difficulté à prendre place à bord, l'habitacle est assez spacieux et les places avant sont confortables. Malheureusement, à l'arrière, c'est beaucoup plus restreint. Quant au coffre à

bagages, sa capacité est intéressante, mais le seuil est démesurément haut. Ajoutez une présentation austère et un tableau de bord sobre et vous conviendrez que cette petite sportive ne se vend pas pour son intérieur.

Ce qui fait sa force, c'est sa tenue de route équilibrée et son choix de groupes propulseurs. Le quatre cylindres 1,5 litre est souvent négligé, mais c'est dommage puisque ses performances ne sont pas négligeables. Il possède également un grondement musclé de bon augure.

Toutefois, il doit souvent céder le pas au V6 1,8 litre. Ce moteur est le plus petit V6 en production actuellement. S'il se distingue par cette caractéristique, son couple à bas régime est pratiquement nul et il faut constamment solliciter le levier de vitesses. De plus, à cylindrée égale, il se fait damer le pion par bien des 4 cylindres avec ses 130 chevaux.

Peu importe le moteur choisi, la Precidia se démarque par une tenue de route sûre ainsi que par une direction qui n'est pas trop légère. Enfin, sa suspension possède un débattement suffisant pour s'accommoder sans trop de peine des routes bosselées du Québec. Dans sa catégorie, la Precidia sait regrouper suffisamment d'éléments intéressants pour faire la nique aux autres modèles qui sont souvent supérieurs dans l'ensemble, mais qui ne savent pas intéresser le client. Mazda a une fois de plus trouvé la recette du succès.

Mieux encore, l'arrivée d'un moteur V6 dans une voiture de cette taille et de cette catégorie va certainement inciter les concurrents à tenter de faire de même. Pour l'instant, Volkswagen propose un V6 dans sa Corrado et cette voiture a changé du tout au tout. Cette Allemande au moteur V6 musclé se vend plus cher que la Precidia, mais elle domine la Japonaise à tous les chapitres.

CE QU'IL FAUT SAVOIR

MAZDA MX-3 Precidia

	Pauvre	Passable	Bon	Très bon	Excellent
• Comportement routier				•	
• Freinage			•		
• Sécurité passive			•		
• Visibilité			•		
• Confort				•	
• Volume de chargement		•			

POUR

Moteur V6 unique
Tenue de route stable
Finition sérieuse
Caisse rigide
Moteur quatre cylindres robuste

CONTRE

Silhouette confuse
Tableau de bord terne
Sous-virage à haute vitesse
Seuil de coffre élevé
Places arrière étriquées

Quoi de neuf?

Aucun changement majeur

ASPECT TECHNIQUE

Groupe propulseur:	traction
Empattement:	245,5 cm
Longueur:	420,8 cm
Poids:	1 075 kg
Coefficient aérodynamique:	0,31
Moteurs:	V6 1,8 litre, 130 ch. - 4L 1,6 litre, 88 ch.
Transmission:	
standard:	boîte manuelle 5 rapports
option:	boîte automatique 4 rapports
Suspension avant:	indépendante
arrière:	indépendante
Direction:	à crémaillère, assistée
Freins: avant:	disques
arrière:	disques (V6)
Pneus:	P205/55R15 (V6)

ASPECT PRATIQUE

Carrosserie:	coupé
Nombre de places:	2+2
Valeur de revente:	très bonne
Indice de fiabilité:	8,0
Coussin gonflable:	non
Réservoir de carburant:	50 litres
Capacité du coffre:	8,44 pi^3
Performances:	0-100 km/h: 6,95 s
vitesse max.:	210 km/h
consommation:	7,5 litres/100 km
Échelle de prix:	13 500 $ à 17 000 $

MAZDA

626 Cronos

La plus douée de la famille

Depuis des années, la 626 représente un élément vital de la prospérité de Mazda sur la plupart des marchés. Même si de nos jours ce manufacturier propose une gamme de modèles plus diversifiée et sophistiquée que jamais, cette berline continue de conserver son importance sur le marché.

Au cours des derniers mois, Mazda a lancé un éventail de voitures fort impressionnant. En effet, en moins de 24 mois, Mazda a lancé les modèles MX-3, 929 et RX-7 pour ensuite poursuivre ses efforts en dévoilant les 626 Cronos et MX-6 Mystère. Si tous les autres modèles lancés par cette compagnie au cours des derniers mois étaient dans des catégories spécialisées, l'arrivée de la 626 Cronos est relativement plus importante puisque ce modèle est un des plus vendus chez Mazda. Si cette nouvelle venue ne se vend pas, les conséquences

peuvent s'avérer fâcheuses à long terme. Voyons donc ce que cette nouvelle venue nous propose. Mais avant, il faut souligner que Mazda a décidé d'imiter les Nord-Américains en dotant la voiture d'un nom plutôt que d'un seul chiffre d'identification.

ON RENIE LE PASSÉ

Chez Mazda, jusqu'à tout récemment, on a pratiquement toujours eu un faible pour les voitures désignées par un chiffre. Par

exemple, la première voiture à moteur rotatif produite par Mazda était appelée la R100. Au fil des années, les modèles 323, 626 et RX-7 sont devenus très populaires partout dans le monde. Et sous d'autres cieux, la 121 jouit également d'une fort intéressante popularité.

Mais voilà que cette compagnie entend délaisser les chiffres pour s'en tenir aux appellations conventionnelles, comme c'est la coutume chez la plupart des autres manufacturiers. Le tout a débuté lorsque la MX-5 a été lancée sous le nom de Miata avec le succès qu'on connaît. Il n'en fallait pas plus pour que la berline 323 devienne la Protegé, accent manquant inclus.

La série s'est poursuivie lorsqu'on a décidé de baptiser également les MX-3 et 929. La première est devenue la Precidia tandis que la grosse berline qu'est la 929 est également identifiée sous le nom de Serenia. Dans le premier cas, on veut souligner que la MX-3 précède la concurrence tandis que la 929 est d'une sérénité telle qu'il faut l'appeler Serenia !

Dans une effervescence créatrice presque inégalée, les responsables du marketing ont remis ça avec la MX-6 et la 626. La première s'appelle dorénavant MX-6 Mystère tandis que la 626 est la Cronos. Dans le premier cas, on veut établir une association avec les avions de chasse français Mystère, tandis que la Cronos utilise la même désignation qu'au Japon. C'est aussi simple que cela.

Chez Mazda, on se fie aux résultats encourageants qu'on a connus avec les Protegé, Miata et autres pour abandonner progressivement la désignation chiffrée au profit d'un simple nom évocateur. Selon les recherches du département de marketing, les acheteurs soutiennent qu'il est plus facile de retenir un nom qu'un chiffre. Cette explication pourra paraître tirée par les cheveux, mais c'est celle de Mazda.

UNE ALLURE QUI PLAÎT

Sur le plan visuel, la 626 semble être une version réduite de la 929. Cette berline possède des formes équilibrées, arrondies mais élégantes. De plus, bien que privilégiant la forme avant l'efficacité, la 626 est également pratique puisque la capacité de son coffre à bagages est supérieure à celle de sa grande sœur la 929, qui est déficiente à ce chapitre. D'ailleurs, la 626 nous surprend par son habitabilité avec des places avant spacieuses et une banquette arrière capable d'accueillir deux adultes dans un confort acceptable.

Au premier coup d'œil, on se demande si on a affaire à une Serenia ou à une Cronos tant la similitude des lignes est évidente. Toutefois, un second regard nous permet de reconnaître la 626 Cronos qui est de format beaucoup plus compact. En fait, cette forme très arrondie semble un peu trop trapue compte tenu des dimensions de la voiture. Cependant, cette Mazda demeure l'une des

plus élégantes de sa catégorie et de toute la gamme de ce ma-nufacturier.

UNE MÉCANIQUE SOPHISTIQUÉE

La Cronos utilise les mêmes organes mécaniques que la MX-6 Mystère. Ces deux nouvelles venues se partagent des

groupes propulseurs identiques aussi bien au chapitre des moteurs que des boîtes de vitesses. Le moteur de base est un quatre cylindres de 2,0 litres à double arbre à cames en tête et 16 soupapes développant 118 chevaux. Ce nouveau moteur dont la partie inférieure est en alliage léger ne fait pas appel à des arbres d'équilibrage pour diminuer les vibrations. On obtient le même résultat en utilisant un bloc spécialement renforcé et un vilebrequin très rigide. Ce moteur est plus léger de 16 kg que le quatre cylindres de 2,2 litres de la version précédente, qui ne développait que 110 chevaux.

Même si ce nouveau moteur quatre cylindres est plus moderne, plus écologique, plus léger et performant que le précédent, il est certain que la majorité des acheteurs vont davantage s'intéresser au moteur V6 2,5 litres de série K. Ce tout nouveau moteur à double arbre à cames et à 24 soupapes développe 164 chevaux, soit 19 de plus que le quatre cylindres turbo disponible antérieurement. Comme pour le

nouveau quatre cylindres, plusieurs efforts ont permis de produire un moteur compact, efficient sur le plan de la consommation de carburant tout en étant très doux.

Deux groupes propulseurs peuvent être associés à une boîte manuelle à cinq rapports qui a été passablement révisée ou à une toute nouvelle boîte automatique. Cette dernière a été conçue dans le but d'améliorer l'efficacité du transfert de puissance en minimisant la friction et en

favorisant le passage des vitesses en douceur. Cette boîte à commande électronique propose trois modes d'opération: régulier, puissance et «hold». Ce dernier mode permet de maintenir la boîte à un rapport déterminé afin d'affronter certaines situations particulières. Par exemple, on peut utiliser le mode «hold» pour démarrer en seconde vitesse sur une route enneigée.

Il faut également préciser que si ces deux voitures partagent la même mécanique et la même plate-forme, la suspension de chaque modèle est calibrée de façon différente afin de mieux adapter chaque voiture à son usage anticipé. Ainsi, la MX-

6 est pourvue d'amortisseurs à la course plus réduite que ceux de la 626. De plus, les ressorts sont plus fermes afin de contribuer au caractère plus sportif de la voiture.

SOBRE MAIS ADÉQUAT

Si vous aimez les tableaux de bord surchargés ou les angles aigus, cette Mazda risque de vous décevoir. Dans un premier temps, la présentation est sobre alors que les lignes fuyantes dominent. Quant aux sièges, leur présentation est pour le moins discrète tandis que le tissu employé est relativement terne. Mais c'est une nette amélioration par rapport au velours de couleur douteuse privilégié auparavant. Les sièges avec sellerie en cuir ont non seulement meilleure allure, mais leur confort et leur support sont supérieurs.

Du côté des tableaux de bord, la 626 nous offre une présentation inspirée de la 929 alors que les instruments sont regroupés dans une section rectangulaire aux extrémités arrondies et surmontée d'une

visière. Le tout est assez réussi. Quant aux autres commandes, elles sont disposées sur un étage inférieur et on adopte à nouveau la présentation linéaire. Plusieurs buses de ventilation sont réparties sur le même niveau. Enfin, contrairement à la 929, la 626 est dotée d'un coffre à gants.

Enfin, le volant est assez haut tandis que son angle de présentation nous a semblé peu orthodoxe malgré la présence d'un mécanisme d'ajustement. Heureusement, on s'y habitue à la longue.

UN TEMPÉRAMENT EFFACÉ

Il suffit de rouler quelques mètres avec cette voiture pour constater que Mazda a enfin corrigé l'affreux effet de couple qui affligeait les versions précédentes. De plus, les deux moteurs sont nettement plus silencieux et doux qu'auparavant. Et, en règle générale, le comportement routier est très homogène. La voiture adhère bien en virage à haute vitesse et le sous-virage initial est à peine perceptible. Ce comportement routier plus équilibré est probablement obtenu en raison d'une meilleure répartition du poids et d'une caisse plus rigide.

Tout n'est pas parfait cependant; le moteur quatre cylindres n'est pas tellement fort et il est surtout intéressant avec la boîte manuelle. Quant au moteur V6, il est passablement brillant avec la boîte manuelle et assez bien adapté à la boîte automatique. Avec cette dernière boîte, la voiture est plus paresseuse et plus bourgeoise. Enfin, la direction nous isole un peu trop de la chaussée tandis que son assistance variable artificiellement créée manque un peu de naturel. Bref, cette berline aux allures avant-gardistes isole un peu trop le conducteur de la mécanique et de la route. Ce qui déplaira à ceux qui apprécient l'agrément de conduite et ravira les amateurs de mini-limousines bien que la 626 soit tout de même passablement équilibrée par rapport aux suspensions guimauves de certains autres modèles.

Toutefois, cette voiture propose un bel équilibre sur le plan de la tenue de route, de l'habitabilité, des performances et de l'esthétique. C'est définitivement ce que Mazda a de mieux à nous offrir compte tenu du prix demandé et il s'agit d'une amélioration marquée par rapport à la version précédente. Malheureusement, sa suspension est vraiment trop souple lorsque la voiture est chargée. Mais il s'agit là d'un détail relativement facile à corriger. De plus, ce côté bourgeois de la voiture sera grandement apprécié par certaines personnes. Cependant, la qualité de l'assemblage aurait intérêt à être améliorée car plusieurs bruits de caisse se sont fait entendre lors de notre essai.

CE QU'IL FAUT SAVOIR

MAZDA 626 CRONOS

	Pauvre	Passable	Bon	Très bon	Excellent
• Comportement routier				•	
• Freinage			•		
• Sécurité passive			•		
• Visibilité				•	
• Confort				•	
• Volume de chargement				•	

POUR

Silhouette réussie
Bon comportement routier
Douceur de roulement
Équipement complet
Choix de moteurs

CONTRE

Position du volant à revoir
Moteur 4 cyl. peu nerveux
Direction trop isolée
Suspension trop souple

Quoi de neuf?

Tout nouveau modèle
Moteur V6 de 2,5 litres

ASPECT TECHNIQUE

Groupe propulseur:	traction
Empattement:	261,0 cm
Longueur:	468,5 cm
Poids:	1 250 kg
Coefficient aérodynamique:	0,32
Moteurs:	V6 2,5 litres, 164 ch. - 4L 2,0 litre, 118 ch.
Transmission:	
standard:	boîte manuelle 5 rapports
option:	boîte automatique 4 rapports
Suspension avant:	indépendante
arrière:	indépendante
Direction:	à crémaillère, assistée
Freins **avant:**	disques
arrière:	disques
Pneus:	P195/65 R 14

ASPECT PRATIQUE

Carrosserie:	berline
Nombre de places:	5
Valeur de revente:	nouveau modèle
Indice de fiabilité:	nouveau modèle
Coussin gonflable:	conducteur
Réservoir de carburant:	60 litres
Capacité du coffre:	13,8 pi^3
Performances:	0-100 km/h: 7,6 s
vitesse max.:	218 km/h
consommation:	10,4 litres/100 km (V6)
Échelle de prix:	17 500 $ à 23 000 $

MAZDA

929 Serenia

Toujours décevante

Mazda a dépensé une fortune en publicité pour tenter de convaincre le public que sa berline transformée l'an dernier était ce qui se faisait de mieux dans la catégorie. Toutefois, les ventes ne sont pas à la hauteur des attentes. Encore une fois, le public a su découvrir les failles dans un nouveau produit.

Indubitablement, sur le plan esthétique, la 929 Serenia est l'une des voitures les plus intéressantes à circuler sur nos routes. Les lignes courbes sont harmonieuses et le dessin général mérite d'excellentes notes. Toutefois, cette excellence sur le plan visuel n'est pas soutenue sur le plan de la mécanique et du comportement routier. En effet, cette berline est bien assemblée et propose une fiche technique intéressante, mais les résultats pratiques ne sont pas là. La première déception survient dans l'habitacle. La présence d'un coussin de sécurité gonflable du côté du passager a bouffé le coffre à gants. On s'est rabattu sur un énorme vide-poches qui est plus ou moins pratique. De plus, toujours en raison de la présence d'un coussin gonflable dans le moyeu du volant, le volant n'est pas réglable. Et le tableau de bord n'est pas vilain au premier coup d'œil, mais plusieurs éléments sont plus ou moins homogènes sur le plan esthétique. Heureusement, la consultation de ces cadrans de même que la disposition générale des commandes est bonne. Toutefois, l'habitabilité n'est pas le point fort de cette voiture. Le dégagement pour la tête est très moyen tandis que les places arrière sont exiguës. Heureusement, les sièges baquets avant sont confortables et assez spacieux. Certaines personnes auront toutefois de la difficulté à trouver une bonne position de conduite parce que le volant n'est pas réglable et est assez près du corps. Enfin, pour compléter le tableau, il faut une fois de plus regretter la forme du coffre à bagages qui est ridiculement petit pour une voiture de ce gabarit. Une bonne partie de l'espace est réservée à des éléments du système de son. Mais, ironiquement, ce système propose une sonorité bien moyenne compte tenu de son encombrement.

Mais, au moins, si cette voiture nous proposait un comportement routier supérieur à la moyenne, on serait en mesure de lui pardonner son habitacle relativement étroit. Mais elle ne brille pas particulièrement à ce chapitre. Cette propulsion nous assure tout au plus un comportement moyen handicapé par une caisse dont la rigidité laisse à désirer. Le moteur V6 mérite une plate-forme plus élaborée. Malgré tout, cette voiture se révèle souple et agile dans la circulation et à basse vitesse. Ce qui laisse aux gens le temps de contempler sa silhouette réussie.

CE QU'IL FAUT SAVOIR

MAZDA 929 SERENIA

	Pauvre	Passable	Bon	Très bon	Excellent
• Comportement routier			•		
• Freinage				•	
• Sécurité passive					•
• Visibilité				•	
• Confort				•	
• Volume de chargement		•			

POUR

Silence de roulement
Bel exercice de style
Finition impeccable
Deux coussins de sécurité
Équipement complet

CONTRE

Habitabilité moyenne
Absence de coffre à gants
Suspension talonne sur mauvaise route
Coffre minuscule
Caisse moyennement rigide

Quoi de neuf?

Aucun changement majeur
Système d'accélérateur révisé
Nouvelles jantes en alliage

ASPECT TECHNIQUE

Groupe propulseur:	propulsion
Empattement:	235 cm
Longueur:	492 cm
Poids:	1 630 kg
Coefficient aérodynamique:	0,32
Moteur:	V6, 3,0 litres, 195 ch.
Transmission:	
standard:	boîte automatique 4 rapports
option:	aucune
Suspension avant:	indépendante
arrière:	indépendante
Direction:	à crémaillère, assistée
Freins: avant:	disques ABS
arrière:	disques ABS
Pneus:	P205/65 R 15

ASPECT PRATIQUE

Carrosserie:	berline
Nombre de places:	5
Valeur de revente:	faible
Indice de fiabilité:	7,5
Coussins gonflables:	conducteur - passager
Réservoir de carburant:	70 litres
Capacité du coffre:	12,4 pi^3
Performances:	0-100 km/h: 9,5 s
vitesse max:	210 km/h
consommation:	13,5 litres/100 km
Échelle de prix:	36 500 $ à 40 000 $

MAZDA

MX-5 Miata

L'état de grâce

En quatre ans, la Miata est devenue une des voitures les plus populaires et les mieux connues de la planète. Sa silhouette n'a pas changé d'un iota et elle est toujours aussi sublimement jolie. Son profil mécanique n'a pas changé non plus, hélas, mais l'injection de puissance que nous souhaitons depuis longtemps est imminente.

Mazda a réussi un coup extraordinaire avec la MX-5 Miata. Ce petit cabriolet a été reconnu et salué partout au monde. En Suisse, tout récemment, on l'a même inclus dans une exposition qui rassemblait, selon ses organisateurs, les voitures les plus célèbres de l'histoire de l'automobile. Depuis 1989, Mazda a choisi de ne modifier aucune des composantes essentielles de la Miata de peur de briser le charme ou la magie qui entoure ce modèle. Cela se comprend, évidemment, mais nous restons néan-

moins sur notre faim depuis belle lurette avec la Miata. Malgré ses remarquables qualités de comportement et le plaisir immense que l'on prend immanquablement à la conduire, nous n'avons cessé d'espérer qu'elle ait droit à une augmentation de puissance et de couple. La prestation de son quatre cylindres de 1,6 litre, un moteur dérivé de celui de la série 323, est correcte, sans plus. Le comble, toutefois, est de constater que sa puissance glisse de 116 à 105 chevaux lorsqu'il est couplé à la boîte automatique.

Surtout que le couple maximal est alors livré à 5 500 tr/min au lieu de 4 000 tr/min. Or, on nous dit chez Mazda Canada que la Miata aura droit incessamment au surcroît de puissance longtemps espéré. Le tout est maintenant de savoir si on choisira de demeurer fidèle au quatre cylindres ou si cette Miata plus performante aura droit comme les MX-3 Precidia à un petit V6. Mazda a jonglé avec les deux possibilités. Sa nouvelle division M2 construira par exemple la M2 1001, une Miata modifiée propulsée par une version plus puissante

(130 chevaux) du moteur de 1,6 litre. Les ingénieurs ont également installé un V6 de 3 litres, rien de moins, dans une carrosserie de Miata. On s'est mis aussitôt à voir dans une telle voiture une espèce de mini-Cobra. Nous croyons quant à nous que Mazda devrait tout faire pour préserver la pureté du concept que représente la Miata. Dès le premier jour, ses concepteurs avaient cherché à reproduire l'essence même du *sports car* britannique classique, sans la moindre prétention. Et ils y ont réussi au-delà de leurs propres espérances sans doute. Que l'on prépare une super-Miata toute en muscles, soit. Mais on devrait poursuivre la fabrication de l'original en se contentant de lui donner cette portion de muscle additionnel qui lui fait défaut depuis le premier jour. La Miata, après tout, est tout sauf un *muscle car*.

CE QU'IL FAUT SAVOIR

MAZDA MX-5 MIATA

	Pauvre	Passable	Bon	Très bon	Excellent
• Comportement routier					●
• Freinage				●	
• Sécurité passive			●		
• Visibilité			●		
• Confort			●		
• Volume de chargement	●				

POUR

Agrément de conduite unique
Tenue de route impeccable
Fiabilité sans reproche
Freinage ABS maintenant offert
Coussin gonflable de série
Capote ultrasimple à manipuler

CONTRE

Motorisation trop modeste
Volant fixe et trop bas
Coffre minuscule
Puissance de freinage limitée
Version automatique poussive

Quoi de neuf?

Coussin gonflable de série côté conducteur
Freins antiblocage en option
Couleur noir et intérieur cuir

ASPECT TECHNIQUE

Groupe propulseur:	propulsion
Empattement:	226,6 cm
Longueur:	394,8 cm
Poids:	964 kg - 1 002 kg (automatique)
Coefficient aérodynamique:	0,38 - 0,44 (capote repliée)
Moteur:	4L 1,6 litre, 116 ch. à 6 500 tr/min - 105 ch à 6 000 tr/min (automatique)
Transmission:	
standard:	boîte manuelle 5 rapports
option:	boîte automatique 4 rapports
Suspension avant:	indépendante
arrière:	indépendante
Direction:	à crémaillère (assistée en option)
Freins: avant:	disques (ABS optionnel)
arrière:	disques (ABS optionnel)
Pneus:	185/60R14

ASPECT PRATIQUE

Carrosserie:	voiture sport décapotable
Nombre de places:	2
Valeur de revente:	très bonne
Indice de fiabilité:	9
Coussin gonflable:	conducteur
Réservoir de carburant:	45 litres
Capacité du coffre:	3,6 pi^3
Performances:	0-100 km/h: 9,3 s
vitesse max.:	188 km/h
consommation:	9,7 litres/100 km - 10,2 (automatique)
Échelle de prix:	18 000 $ à 24 000 $

MAZDA

RX-7

Pur samouraï

La troisième génération de la RX-7 a fait ses débuts au cours de l'année dernière. Mieux que toute autre Mazda, elle symbolise à la fois l'esprit qui anime ce constructeur et sa tradition. Et la seule sportive à moteur rotatif est sans doute aussi la plus pure et efficace du moment. Certainement la plus incisive.

Ils furent nombreux à comprendre les qualités du moteur rotatif, mais Mazda est la seule qui ait persévéré et rendu viable l'invention de Felix Wankel. Depuis le premier coupé Cosmo Sport 110S, lancé en 1967, Mazda n'a effectivement jamais cessé de raffiner ce moteur. Mazda a aussi écrit une page d'histoire il y a quelques mois en remportant les 24 Heures du Mans avec sa 787 à quatre rotors. C'était une première pour ce type de moteur, évidemment, mais aussi pour un constructeur nippon. Le moment était donc rêvé

pour dévoiler la troisième génération de sa RX-7 bien-aimée, ce qu'elle fit au Salon de Tokyo. La passion indéfectible de Mazda pour le rotatif a failli entraîner sa ruine au milieu des années 70, mais elle lui offrit aussi son premier triomphe en 1978: la première RX-7. Comme la Miata onze ans plus tard, elle était jolie, maniable et amusante à conduire mais également pratique, fiable et accessible. En 1986 une nouvelle RX-7 apparut, suivie de la Turbo. Huit ans plus tard, le temps était venu pour Mazda de relancer sa sportive la plus sérieuse.

Pour cette troisième génération de la RX-7, elle a heureusement choisi de trouver son inspiration dans les principes et les émotions fondamentales qui ont présidé, de tout temps, à la création des meilleures voitures sport. Pour la RX-7, il s'agissait d'un retour aux sources. Lorsque Mazda créa la première, elle le fit en partant de zéro et en poursuivant une idée et des objectifs précis dont la deuxième n'était, dans une large mesure, que le prolongement. Plus grosse et plus puissante, elle trahissait des influences certaines, la plus forte étant bien entendu celle des Porsche à moteur avant. Il en est autrement cette fois-ci. La Miata est sans doute l'une des principales causes de ce retour de Mazda à ses propres valeurs, à ses racines. Son succès a prouvé à la direction qu'elle peut donner entière liberté à ses créateurs et déboucher sur de grands coups d'éclat.

L'ATTRAIT IRRÉSISTIBLE DE LA LÉGÈRETÉ

Face à l'escalade de puissance et de complexité des dernières années, Mazda a joué à fond la carte de la plus grande agilité possible. L'ingénieur-chef Takaharu Kobayakawa et son équipe en ont fait leur objectif premier. La nouvelle RX-7 est plus puissante et plus raffinée mais surtout plus légère que sa devancière. Le modèle de base pèse 100 kilos de moins que l'ancien et pourtant sa carrosserie est de 30 p. 100 plus rigide. La NSX de Honda/Acura accuse quant à elle 95 kilos de plus, malgré sa carrosserie et de nombreuses autres composantes d'aluminium. Soulignons que la RX-7 a emprunté à la Miata son «power plant frame», une longue poutrelle ajourée qui réunit la boîte

de vitesses et le différentiel. Le moteur de la RX-7 ayant gagné 22 p. 100 en puissance et en force de couple, son rapport poids/puissance s'est amélioré de 25 p. 100. Pour y arriver, l'équipe de conception est retournée explorer les principes fondamentaux de la tenue de route et de la performance. L'ingénieur-chef a même assis chacun dans un kart et une Formule Russell (propulsée par un rotatif) pour illustrer les vertus primordiales de la légereté et d'un centre de gravité aussi bas que possible pour une sportive. On a ensuite poursuivi durant cinq ans la fusion la plus harmonieuse des qualités que l'on avait identifiées. À l'avant-première, on nous souligna qu'il aurait été impossible de concevoir et de construire une voiture comme la RX-7 sans les deux super-ordinateurs Cray que possède Mazda. Ils ont permis d'éliminer toute masse superflue et de développer un

grand nombre d'éléments, dont une suspension entièrement indépendante à double bras d'aluminium triangulé. L'ordinateur a permis également de peaufiner l'aérodynamique de la RX-7 pour obtenir à la fin un excellent coefficient de traînée de 0,29. Si moderne soit-elle, la silhouette de

la RX-7 est celle d'une sportive classique. On ne peut s'empêcher d'y reconnaître les rondeurs de la première Lotus Elite, certes, mais aussi la ligne des premiers coupés Cosmo de Mazda. Certains ont trouvé à son museau une ressemblance avec celui de la nouvelle Viper. Quoi qu'il en soit, la RX-7 est dans son ensemble très dépouillée face à des rivales qui donnent sans remords dans le spectaculaire. Or, ce minimalisme est un reflet très juste des objectifs que s'était fixés l'équipe. Sa silhouette n'a donc rien d'un feu d'artifice. La RX-7 a de bonnes chances de vieillir avec élégance. Nous n'avons de réserves sérieuses que pour le panneau de plastique opaque que l'on a cru bon d'ajouter à l'arrière pour faire la jonction entre les feux arrière tout en intégrant le feu central. La RX-7 n'avait justement nul besoin de cette touche baroque. Le choix d'une carrosserie de couleur foncée est cependant un correctif sans douleur à cet impair pour celles ou ceux qu'il peut aussi irriter.

TAILLÉ JUSTE

Le dessin de l'intérieur, d'autre part, est à la fois original, attrayant et fonctionnel, bien que les rangements y soient rares et l'espace très mesuré. On a fait un travail impressionnant côté ergonomie et porté une grande attention aux détails. Les pédales de frein et d'embrayage, par exemple, sont faites d'aluminium ajouré: impeccable pour le «pointe-talon». La

jante du volant gainé de cuir offre une prise parfaite. Mazda a choisi ce volant entre les 300 qu'elle avait préparés. Il loge d'ailleurs un coussin gonflable sans perdre toute élégance. Quelles que soient ses qualités, il n'est cependant pas réglable et on le trouve trop bas au premier contact. Les sièges, quant à eux, sont à l'abri de toute critique. Ils ont demandé quatre années de raffinement. L'instrumentation est extrêmement complète et disposée admirablement, avec un gros compte-tours en position centrale. Les anneaux chromés qui entourent les cadrans sont cependant superflus dans une sportive moderne. Les commandes et contrôles,

enfin, sont au-dessus de tout reproche. Le contrôle de la climatisation, par exemple, est assuré par trois mollettes de tailles différentes, parfaitement claires, visibles et accessibles. On ne fait simplement pas mieux. La soute à bagages est enfin assez exiguë et très peu profonde. Elle le devient d'autant moins lorsque la RX-7 est pourvue de la chaîne audio optionnelle que Bose a taillée sur mesure pour elle. Quelque 46 trajets É.-U.-Japon ont effec-tivememt débouché sur l'installation d'un immense serpent de plastique noir creux dans la soute arrière. Destiné à offrir des basses sans distorsion, il bloque également l'accès au pneu de rechange. Eh oui ! Il faut démonter en partie le système de son pour réparer une crevaison.

LE CŒUR ET LES JAMBES

La RX-7 n'est désormais offerte qu'avec un moteur turbo. Il s'agit d'une version encore plus évoluée du birotor 13B qui équipait la version précédente. On a étudié plusieurs types et configurations, y com-pris un trois rotors, mais l'équipe en est venue à la conclusion que le birotor turbo-compressé était le meilleur moteur possible pour une voiture sport. La légèreté, la compacité et les 255 chevaux de la nouvelle version sont des arguments irréfutables. Cette puissance, phénoménale pour une cylindrée de 1,3 litre, a été obtenue entre autres grâce à une paire de turbo-compresseurs Hitachi fonctionnant en tandem. Le premier, plus petit, est toujours en prise. Le second, plus gros, intervient en accélération intense. C'est une technique encore très peu répandue, que Porsche a toutefois employée avec beaucoup de succès sur sa fabuleuse 959.

Grâce à sa nouvelle suspension, la RX-7 est à la fois plus confortable et plus silencieuse que l'ancienne. Sa tenue de route est aussi nettement meilleure. Elle démontre un aplomb et un équilibre exceptionnels. Son adhérence très élevée et sa direction ultrarapide rendent cependant sa conduite délicate à la toute limite, une pratique dont on devrait s'abstenir loin des circuits avec la RX-7. La RX-7 possède toutefois un différentiel autobloquant Torsen (pour Torque Sensing ou sensible au couple) qui lui confère une excellente motricité. Son freinage antibloquant est certainement au-dessus de tout soupçon: il nous a permis d'enregistrer les distances de freinage les plus courtes à ce jour avec une puissance et une endurance assez extraordinaires. Là aussi, la recherche de légèreté a été payante. Le levier de la boîte de vitesses manuelle est d'une précision et d'une rapidité réjouissantes, rappelant celui de la Miata. Les rapports sont longs, par ailleurs, même si le moteur fournit 85 p. 100 de son couple dès 2000 tours, selon Mazda. Il s'anime en fait sérieusement à 3000 tours et le limiteur de régime intervient à environ 7 600 tours, dans la zone rouge, après un «bip» d'avertissement. La RX-7 est offerte avec une boîte automatique à quatre rapports, même si Mazda s'attend à ce que

95 p. 100 des RX-7 soient achetées avec boîte manuelle. Malgré ses qualités, par ailleurs, le moteur rotatif n'offre pas une prise de régime instantanée. Il n'a pas non plus la même affection pour les hauts régimes que le V6 de la NSX ou même le «boxer» de la Porsche 911. Il faudra également se tourner vers ces deux-là pour le ravissement de l'oreille. Le crépitement syncopé du rotatif n'arrive pas à la cheville du feulement sublime des deux autres. Une seule option: le groupe «Touring», qui comprend toit ouvrant, lave-phares, essuie/lave-glace arrière, phares antibrouillard et chaîne stéréo Bose. La version de base est moins insonorisée mais surtout plus légère d'une trentaine de kilos et semble toujours plus mordante, mieux équilibrée et un soupçon plus agile que l'autre.

CE QU'IL FAUT SAVOIR

MAZDA RX-7

	Pauvre	Passable	Bon	Très bon	Excellent
• Comportement routier					●
• Freinage					●
• Sécurité passive				●	
• Visibilité			●		
• Confort			●		
• Volume de chargement	●				

POUR
Tenue impressionnante
Freinage remarquable
Performances très élevées
Position de conduite
Excellente instrumentation
Ergonomie générale

CONTRE
À-coups à basse vitesse
Rangement, coffre ridicules
Faible agrément moteur
Rapports longs (manuelle)
Rétroviseurs petits
Angle mort de 3/4 arrière

Quoi de neuf?

Modèle entièrement nouveau

ASPECT TECHNIQUE

Groupe propulseur:	propulsion
Empattement:	242,5 cm
Longueur:	428 cm
Poids:	1 269 kg (Touring automatique: 1 340 kg)
Coefficient aérodynamique:	0,29
Moteur:	birotor Wankel 1,3 litre, turbo, 255 ch. à 6 500 tr/min, 217 lb/pi à 5 000 tr/min
Transmission:	
standard:	boîte manuelle 5 rapports
option:	boîte automatique 4 rapports
Suspension avant:	indépendante
arrière:	indépendante
Direction:	à crémaillère, assistée
Freins: avant:	disques ABS
arrière:	disques ABS
Pneus:	225/50R16

ASPECT PRATIQUE

Carrosserie:	coupé
Nombre de places:	2
Valeur de revente:	nouveau modèle
Indice de fiabilité:	nouveau modèle
Coussin gonflable:	conducteur
Réservoir de carburant:	76 litres
Capacité du coffre:	6,0 pi^3
Performances:	0-100 km/h: 5,3 s - 7,2 s (automatique)
vitesse max.:	250 km/h
consommation:	14,0 litres/100 km - 13,9 (automatique)
Échelle de prix:	45 000 $ à 50 000 $

MERCEDES

190 2.3/2.6

Toujours parmi les meilleures

Chez Mercedes, on aime bien vendre des voitures et en plus grande quantité possible. Toutefois, on n'est pas prêt à sacrifier la qualité, la sécurité et les performances pour vendre quelques unités de plus. La plus petite des Mercedes n'a donc rien à envier à ses grandes sœurs.

Plus ça change, plus c'est pareil. Année après année, cette «baby Mercedes» continue d'être une des voitures de luxe les mieux équipées et les plus homogènes de la catégorie des berlines de luxe de niveau «premier achat dans la catégorie». Année après année, elle est assiégée de toutes parts par de nouveaux modèles proposés par la concurrence. Malgré tout, cette voiture possède toujours les éléments nécessaires pour satisfaire une clientèle pourtant très exigeante. On peut donc parler d'équipement complet, d'une conception très saine dès ses débuts, il y a près de dix ans, d'une mise à jour constante et d'un comportement routier sûr. Mais peu importe les arguments, la 190 est toujours dans le coup. D'ailleurs, quelle autre voiture lancée il y a dix ans est en mesure d'affronter avec autant d'aplomb des modèles dévoilés il y a quelques mois à peine? Répondre à cette question, c'est décliner tous les credo de la maison Mercedes-Benz en matière de design, de style et de longévité. Ce sont des voitures qui sont conçues avec le plus grand sérieux et pour offrir une valeur et une longévité exceptionnelles. Pas surprenant que leur valeur de revente soit toujours aussi intéressante. Et cette voiture est toujours dans le coup sur le plan technique puisque sa suspension arrière à bras multiples est aujourd'hui utilisée sur presque toutes les berlines de la compagnie, même les plus luxueuses! Sans compter que cette technique a eu un impact important sur l'industrie en général et qu'on l'a copieusement imitée depuis. La plus petite des Mercedes-Benz n'a cependant pas que des qualités, tout de même.

Son moteur de base, par exemple, toujours un quatre cylindres de 2,3 litres, n'a certes pas le même mordant que certains groupes propulseurs proposés par ses rivales les plus sérieuses. La boîte de vitesses manuelle semble aussi avoir été empruntée à une utilitaire tandis que les places arrière sont toujours exiguës.

QUALITÉS FONDAMENTALES

Mais tout cela est compensé par une carrosserie ultrarigide, une tenue de route homogène et neutre, un confort de roulement impressionnant et un sérieux de fabrication impeccable. Et les performances sont nettement plus brillantes lorsqu'on choisit le moteur six cylindres 2,6 litres dont les 158 chevaux font vite sentir leur présence sans la moindre équivoque. Et si vous avez choisi un modèle «Speedline» avec ses accessoires sport, l'agrément de conduite est nettement plus intéressant. L'utilisation d'un volant de plus petit diamètre associé à un rapport de direction plus serré rend cette voiture plus nerveuse. Et la tenue en virage est améliorée en raison de pneus et de jantes plus larges. Comme vous pouvez le constater, la 190 est toujours dans la course. De plus, elle sera encore cette année abordable comme jamais. L'importateur a connu beaucoup de succès l'an dernier avec un modèle baptisé «190 2.3 Special Edition». Il s'agit d'une 190 à moteur quatre cylindres dont l'équipement est plus modeste (ex.: sièges de tissu) mais qui offre les qualités essentielles de cette série, à 31 000 $ seulement.

CE QU'IL FAUT SAVOIR

MERCEDES-BENZ 190

	Pauvre	Passable	Bon	Très bon	Excellent
• Comportement routier					●
• Freinage				●	
• Sécurité passive				●	
• Visibilité				●	
• Confort				●	
• Volume de chargement			●		

POUR

Dimensions intéressantes
Bonne valeur de revente
Tenue de route sûre
Freins puissants
Caisse rigide

CONTRE

Sièges fermes
Places arrière restreintes
Boîte manuelle à rapports
 espacés
Cadrans mal éclairés

Quoi de neuf?

Aucun changement majeur

ASPECT TECHNIQUE

Groupe propulseur:	propulsion
Empattement:	266,5 cm
Longueur:	444,8 cm
Poids:	1 315 kg
Coefficient aérodynamique:	0,32
Moteurs:	4L 2,3 litres, 130 ch. - 6L 2,6 litres, 158 ch.
Transmission:	
standard:	boîte manuelle 5 rapports
option:	boîte automatique 4 rapports
Suspension avant:	indépendante
arrière:	indépendante
Direction:	à billes, assistée
Freins: avant:	disques ABS
arrière:	disques ABS
Pneus:	P185/65R15

ASPECT PRATIQUE

Carrosserie:	berline
Nombre de places:	5
Valeur de revente:	excellente
Indice de fiabilité:	8,5
Coussin gonflable:	conducteur
Réservoir de carburant:	55 litres
Capacité du coffre:	14,5 pi^3
Performances:	0-100 km/h: 9,5 s
vitesse max.:	195 km/h
consommation:	8,6 litres/100 km
Échelle de prix:	39 000 $ à 44 000 $

MERCEDES-BENZ

250D/300E/400E/500E

Polymorphe

La série W124 est placée au cœur de la gamme du grand constructeur allemand. La 300E, qu'on a souvent présentée comme la meilleure voiture au monde, entame sa huitième année sous sa forme actuelle, grosso modo. Elle est toutefois le pivot d'une série étonnamment variée et complète. Mais la note est très salée.

Comme plusieurs des voitures que lance le doyen des constructeurs germaniques, la 300E de Mercedes-Benz a marqué son époque. De gabarit moyen, elle est vite devenue la référence en matière de berline de luxe au milieu de la dernière décennie. Mais les choses ont évolué rapidement par la suite. Les grandes berlines Infiniti et Lexus sont venues, proposant une nouvelle définition du luxe, de la qualité et de la fiabilité, mais surtout de nouveaux repères quant au rapport qualité/prix. Mercedes-Benz , commes les autres marques de luxe

et de prestige, a observé le phénomène avec l'intérêt que l'on devine. Or, le succès des Japonaises, surtout celui de la Lexus LS400, a certes forcé cette réflexion. Il faudra sans doute attendre encore quelque temps la prochaine génération des Mercedes-Benz de taille moyenne. Pour l'instant, ce constructeur s'affaire surtout à rendre attrayants et à mettre constamment à jour les modèles existants. Stuttgart se permet aussi quelques coups d'éclat de temps à autre. À preuve, évidemment, la berline 500E, apparue l'an dernier. Ce

modèle de diffusion très limitée est propulsé par le V8 de 5 litres et 322 chevaux qui anime le cabriolet 500SL. Le développement de la voiture a été mené de concert avec les voisins de Zuffenhausen et l'assemblage des voitures est assuré dans l'usine Porsche même. Mais ce n'est certes pas grâce à ce modèle exceptionnel que les concessionnaires de la marque arrivent à mettre du beurre (ou du caviar) sur leurs craquelins. Ce rôle reviendra sans doute cettre année à un modèle en particulier. Il s'agit d'une variation sur le thème de la 300E. On a tenté l'an dernier l'expérience d'offrir une 190 plus modestement équipée, à prix fort attrayant. Ce fut un grand succès. On tente le même coup avec la 300E pour 1993. Mais le reste de la série W124 demeure. On peut ainsi opter pour une autre variante propulsée par un V8: la 400E. Lancée l'année dernière, elle est dotée du V8 de la grande berline 400SE, qui développe la bagatelle de 268 chevaux sous son capot. La 400E offre des performances exceptionnelles alliées à la discrétion totale que procure maintenant la silhouette parfaitement intacte d'une 300E. La 500E est plus racée mais beaucoup plus repérable, avec ses renflements d'ailes et ses larges pneus. On peut enfin toujours lorgner du côté de la familiale la plus chère au pays: la 300TE, plus encore en version intégrale 4Matic.

CE QU'IL FAUT SAVOIR

MERCEDES-BENZ 300E

	Pauvre	Passable	Bon	Très bon	Excellent
• Comportement routier					•
• Freinage					•
• Sécurité passive					•
• Visibilité				•	
• Confort				•	
• Volume de chargement				•	

POUR

Version 500E fabuleuse
Grande qualité de fabrication
Sécurité exemplaire
Comportement routier sûr
Excellent freinage
Série très variée

CONTRE

Prix exorbitant
Entretien coûteux
Agrément de conduite mitigé
Série en vieillissement rapide
Silhouette conservatrice
Pas de coffre à gants (400E)

Quoi de neuf?

Version «économique» de la 300E

ASPECT TECHNIQUE

Groupe propulseur:	propulsion - rouage intégral (optionnel)
Empattement:	280 cm - 271,5 cm (CE)
Longueur:	475,5 cm - 467 cm (CE) - 478 cm (TE)
Poids:	1 660 kg - 1 748,6 kg (500E)
Coefficient aérodynamique:	0,31
Moteurs:	6L 3,0 litres, 177 ch. - 5L turbodiesel 2,5 litres, 121 ch. - V8 4,2 litres, 268 ch. - V8 5 litres, 322 ch. à 5 700 tr/min
Transmission: standard:	boîte automatique 4 rapports
Suspension avant:	indépendante
arrière:	indépendante
Direction:	à billes, assistée
Freins: avant:	disques ABS
arrière:	disques ABS
Pneus:	195/65VR15 - 225/55ZR16 (500E)

ASPECT PRATIQUE

Carrosserie:	berline - coupé - familiale
Nombre de places:	5 - 7 (300TE optionnel)
Valeur de revente:	très bonne
Indice de fiabilité:	8
Coussins gonflables:	conducteur (passager: opt./std : 500E)
Réservoir de carburant:	70 litres - 90 litres (500E)
Capacité du coffre:	14,6 pi³ - 13,8 (500E) - 42,3 (300TE)
Performances:	0-100 km/h: 7,3 s - 6,3 s (500E)
vitesse max.:	250 km/h (500E)
consommation:	13,2 litres/100 km - 15,9 (TE)
Échelle de prix:	50 000 $ à 108 000 $

MERCEDES

300SL/500SL/600SL

Toujours aussi désirables

Le prestige de toute marque d'automobile repose sur ses modèles haut de gamme. Avec les modèles 300SL, 500SL et l'addition d'une 600SL cette année, la réputation de Mercedes ne pourra que continuer à grandir. En effet, ces cabriolets étaient dans une classe à part l'an dernier et le demeurent en 1993.

Si vous prenez un châssis ultrarigide et que vous y placez une carrosserie dont l'élégance est quasiment à nulle autre pareille, vous avez de très bonnes chances d'avoir une voiture à succès. Mais si vous y ajoutez une foule de raffinements techniques, un puissant moteur multisoupape et placez l'étoile argentée sur la calandre, vous êtes en présence du meilleur cabriolet au monde: les Mercedes SL.

Ces voitures sont les descendantes des légendaires cabriolets de la marque qui ont toujours été des figures de proue dans l'his-

toire de l'automobile. Comme d'habitude, les ingénieurs de Mercedes n'ont pas lésiné sur la sophistication lorsque le temps est venu de dessiner un nouveau châssis. Ce dernier est ultrarigide et la caisse est solide comme le roc. À ces éléments, on a ajouté une suspension qui allie une tenue de route exemplaire à un confort non négligeable.

Cette année, trois moteurs sont proposés: un six cylindres 3,0 litres de 228 chevaux, un V8 5,0 litres de 322 chevaux et finalement le V12 6,0 litres. À première vue, on peut s'interroger sur la pertinence d'un

moteur six cylindres en ligne sur une telle voiture. Pourtant, à l'usage, ce moteur se défend fort bien et il est possible de le coupler à une boîte manuelle à cinq rapports. Cette boîte pourrait être plus précise, mais elle ajoute à l'agrément de conduite. Quant au moteur V8, il est suffisamment musclé pour placer la 500SL au rang des sportives racées. Quant à la 600SL, contentons-nous de souligner que ses performances et son prix la réservent à quelques privilégiés.

Malgré son caractère sportif, la conduite de ce cabriolet n'est pas tellement compliquée: il s'agit de tourner le volant et la voiture se charge de vous garder sur la bonne voie. Et si jamais vous dépassez vos limites, la puissance des freins stoppe cette voiture sur une distance record.

L'habitacle est relativement spacieux tandis que le tableau de bord est typiquement Mercedes. Au chapitre des espaces de rangement, on perd la boîte à gants qui est remplacée par un coussin de sécurité gonflable du côté du passager. Cependant, de nombreux espaces de rangement disséminés dans la cabine compensent facilement. Enfin, les sièges avec ceinture de sécurité intégrale sont très confortables.

Pour terminer, ce cabriolet est doté d'un toit souple à remisage automatique ultra-sophistiqué.

CE QU'IL FAUT SAVOIR

MERCEDES 500SL

	Pauvre	Passable	Bon	Très bon	Excellent
• Comportement routier					●
• Freinage					●
• Sécurité passive					●
• Visibilité			●		
• Confort				●	
• Volume de chargement				●	

POUR

V12 6,0 litres
Apparence incomparable
Tenue de route impressionnante
Performances sportives
Confort d'une berline
Freins puissants

CONTRE

Prix élevé
Mécanique complexe
Faible visibilité avec toit souple
Entretien onéreux

Quoi de neuf?

Version 600SL avec moteur V12 6,0 litres

ASPECT TECHNIQUE

Groupe propulseur:	propulsion
Empattement:	251,5 cm
Longueur:	447 cm
Poids:	1 890 kg
Coefficient aérodynamique:	0,36
Moteurs:	6L 3,0 litres, 228 ch. - V8 5,0 litres, 322 ch. - V12 6,0 litres, 408 ch.
Transmission:	
standard:	boîte manuelle 5 rapports
option:	boîte automatique 4 rapports
Suspension avant:	indépendante
arrière:	indépendante
Direction:	à crémaillère, assistée
Freins: avant:	disques ABS
arrière:	disques ABS
Pneus:	P225/55ZR16

ASPECT PRATIQUE

Carrosserie:	cabriolet
Nombre de places:	2
Valeur de revente:	excellente
Indice de fiabilité:	9,5
Coussins gonflables:	conducteur - passager
Réservoir de carburant:	80 litres
Capacité du coffre:	8,44 pi³
Performances:	0-100 km/h: 5,9 s (V12)
vitesse max.:	250 km/h
consommation:	18,2 litres/100 km (V12)
Échelle de prix:	118 000 $ à 170 000 $

MERCEDES

Classe «S»

En tête de peloton

La nomenclature des voitures de la Classe «S» est en même temps le palmarès des meilleures voitures sur le marché. Qu'il s'agisse des modèles 300SD et 300SE avec la caisse plus compacte ou des 400SEL, 500SEL et 600 SEL avec la caisse allongée, toutes ces voitures sont des chefs de file.

Curieusement, plusieurs personnes se plaisent à répéter à tout venant que les nouvelles Mercedes de la classe «S» sont trop onéreuses et qu'on a dépassé les bornes du raisonnable. Pourtant, pourquoi ne pas considérer que ces voitures sont tellement sophistiquées que leur prix est relativement bas par rapport à ce qu'elles offrent? La 600SEL par exemple est vendue à prix d'or, mais elle éclipse très facilement des berlines de très grand luxe vendues deux fois plus cher, soit la Rolls-Royce pour ne pas la nommer.

En fait, cette nouvelle catégorie de Mercedes, la classe la plus huppée de ce constructeur, renferme tellement d'innovations technologiques qu'il faudrait un chapitre de ce livre à lui seul pour pouvoir en parler. Contentons-nous de souligner les suspensions anti-plongée et anti-cabrage, le système électronique «intelligent» de gestion du moteur, le sonar de détection d'objets, les sièges à assises mobiles, les vitres doubles et les multiples télécommandes; la liste est pratiquement interminable. Et contrairement à certaines

autres marques, tous ces éléments ne sont pas des gadgets attrape-nigauds mais des éléments qui contribuent au confort et à la sécurité de la voiture.

Toutefois, il ne faut pas s'imaginer que la Série «S» ne comporte que la 600SEL. Ce dernier est la version plus luxueuse; la douceur de son moteur V12 de même que ses accélérations dignes d'une berline sport sont appréciées mais il ne faut pas négliger les autres modèles. La 500SEL avec son moteur V8 5,0 litres propose un meilleur équilibre aussi bien au chapitre du prix que du comportement routier. Cette berline semble plus agile, plus légère tout en étant plus économique que la version V12. Et si vous croyez que la 300SEL avec son moteur six cylindres de 228 chevaux est une entité négligeable, détrompez vous. Ses performances sont intéressantes, son prix relativement abordable compte tenu de la qualité de la voiture et sa tenue de route est agréable. Cette version est également la plus agile de toutes. Enfin, si l'économie de carburant vous intéresse et que vous désiriez quand même rouler en classe «S», la 300SD Turbodiesel a tous les atouts pour vous intéresser. Les ingénieurs ont réussi à rendre ce moteur diesel suffisamment performant et silencieux pour que cette voiture soit de niveau acceptable.

CE QU'IL FAUT SAVOIR

MERCEDES 600SEL

	Pauvre	Passable	Bon	Très bon	Excellent
• Comportement routier					•
• Freinage					•
• Sécurité passive					•
• Visibilité				•	
• Confort					•
• Volume de chargement					•

POUR

Sophistication assurée
Douceur de roulement
Tenue de route impeccable
Freins puissants
Finition sans faille

CONTRE

Prix restrictif
Moteur V12 gourmand
Dimensions encombrantes
Entretien onéreux

Quoi de neuf?

Aucun changement majeur
Modèle 400SE devient 400SEL
Système ASC standard sur la plupart des modèles

ASPECT TECHNIQUE

Groupe propulseur:	propulsion
Empattement:	316 cm
Longueur:	521,3 cm
Poids:	2 190 kg
Coefficient aérodynamique:	0,31
Moteurs:	6L 3,0 litres, 228 ch. - V8 4 litres, 282 ch. -V8 5,0 litres, 322 ch. - 3,0 litres turbo-diesel, 148 ch.
Transmission:	
standard:	boîte automatique 4 rapports
option:	aucune
Suspension avant:	indépendante
arrière:	indépendante
Direction:	à billes, assistée
Freins: avant:	disques ABS
arrière:	disques ABS
Pneus:	P235/60ZR16

ASPECT PRATIQUE

Carrosserie:	berline
Nombre de places:	5
Valeur de revente:	très bonne
Indice de fiabilité:	9,0
Coussins gonflables:	conducteur - passager
Réservoir de carburant:	100 litres
Capacité du coffre:	18,4 pi³
Performances:	0-100 km/h: 6,1s
vitesse max.:	250 km/h
consommation:	18,6 litres/100 km
Échelle de prix:	95 000 $ à 175 000 $

MERCURY

Villager/Nissan Quest

Pratiques, confortables et chères

Ford et Nissan étaient toutes deux à la recherche d'une fourgonnette à traction avant. Elles ont finalement trouvé leur intérêt commun à développer une telle série en association. Dans ce projet américano-nippon inédit, les rôles furent toutefois délimités avec le plus grand soin. Le produit final est plutôt réussi.

Le plan était simple. Nissan allait se charger de la conception et du développement de ces nouvelle fourgonnettes et Ford les fabriquer. L'élaboration de la mécanique a débuté chez Nissan au Japon et fut complétée par Nissan R&D au Michigan. Les travaux de design intérieur et extérieur ont été partagés entre les studios californiens et japonais de Nissan. L'usine Ford d'Avon Lake en Ohio fut ensuite entièrement réoutillée pour lui permettre de produire 135 000 fourgonnettes annuellement, dont 85 000 porteront le nom de Mercury

Villager. Ces chiffres ne menacent en rien l'hégémonie de Chrysler, mais ce n'était pas non plus le but de cette association. C'est la première fois qu'un constructeur américain assure la construction de véhicules conçus et développés par une marque japonaise. Or, la finition et la qualité générale des matériaux sont impeccables. Surtout le tableau de bord, qui se fond harmonieusement à la partie avant des portières. Les Quest et Villager que nous avons mises à l'essai sur les routes du Québec émettaient cependant leur part

de couics et de grincements de bancs, ce qui indique un besoin de peaufinage qui rappelle les premiers jours des fourgonnettes Chrysler. Les Quest et Villager sont propulsées exclusivement par un V6 transversal de 3 litres, d'une puissance de 151 chevaux. Il n'est disponible qu'avec une boîte automatique électronique à quatre rapports. Il s'agit, à toutes fin utiles, du rouage de la berline Maxima de Nissan. Les deux manufacturiers ont conservé la mainmise sur la composition de l'équipement et la mise en marché de leur propre fourgonnette. La Quest, par exemple, est mieux équipée dans sa version de base que la Villager mais toutes les Villager possèdent d'autre part le freinage antibloquant de série. Il est présentement impossible, par ailleurs, de trouver meilleur programme de garantie que le fameux Engagement Satisfaction de Nissan. Le reste tient du détail et mécaniquement, ce sont à toutes fins utiles des véhicules identiques. Ils ne diffèrent que sur les tarages des suspensions et les choix de pneus, ce qui explique de menues différences de comportement entre les deux.

UNE IDÉE LUMINEUSE

Il est heureux, par contre, que les deux modèles partagent leur banquette arrière. Elle constitue en effet la pièce principale d'un système inédit, merveilleusement ingénieux et efficace. C'est une trouvaille que Nissan s'est d'ailleurs empressée de breveter, avec raison. On a eu l'idée simple mais plutôt géniale de monter la banquette arrière sur des rails. On peut la fixer à quatre positions différentes, sur presque toute la longueur du compartiment arrière. Elle

peut être verrouillée en place à environ 30 cm du hayon arrière ou repliée et ramenée complètement à l'avant pour s'adosser au siège du conducteur. Elle dégage alors une immense soute de chargement. Deux autres positions intermédiaires sont offertes dont une seule permet l'utilisation des places assises. La banquette se manœuvre grâce à deux leviers. L'un sert à replier le coussin, l'autre à libérer la banquette pour l'installer à l'une des quatre positions. On ne peut déployer le coussin à la position médiane puisqu'il est impossible d'y

boucler les ceintures. Le seul inconvénient de ce système est le poids des sièges ou de la banquette centrale, selon l'option choisie. Pour déplacer la banquette, il faut effectivement les enlever. Or, les baquets pèsent tout près de 30 kilos et la banquette environ 45 kg. Il vaut mieux, même pour un costaud, renoncer à enlever la ban-

quette seul, avec les contorsions que cela exige. Les tubes qui forment l'armature des sièges offrent par ailleurs une bonne prise, mais on a oublié d'installer un loquet qui permette de fixer le dossier en position repliée pour la manipulation. La tentation est donc grande de laisser les sièges à la maison et de ne conserver que la banquette mobile. Celle-ci permet de rouler en plein confort à quatre passagers et d'en accueillir un cinquième sans mal. Cela va au-delà des besoins d'un grand nombre de gens. Toutes les places ont par ailleurs droit à un appuie-tête et à une ceinture à baudrier, sauf la place centrale des banquettes. Les dossiers des sièges et banquettes se replient aussi complètement, ce qui permet de profiter de grands plateaux et d'une paire de porte-gobelets de plastique moulé. En tout, on peut choisir l'une des 14 dispositions possibles des sièges, banquettes et dossiers.

RETOUR À LA CASE DÉPART

Pour les travaux de design préliminaires, l'équipe américaine de Nissan a pris un grand contre-plaqué auquel trois rangées de sièges ont été fixées. On s'est appliqué ensuite à jongler avec ces éléments pour en venir à une disposition intéressante. La Quest, selon eux, a été conçue «de l'intérieur vers l'extérieur». Les premiers

travaux de design de carrosserie ont été effectués au milieu de 1987. Ni la Mazda MPV, ni la Toyota Previa ni les APV de GM n'avaient été vues à l'époque et le design final a été approuvé avant que ces véhicules n'apparaissent. Hirshberg affirme que son équipe recherchait une formule design intermédiaire qui, sans être le moindrement révolutionnaire, offre un très joli coup d'œil. Ford fut particulièrement heureuse de voir la ligne des glaces

tout s'est ensuite rendu au Japon, dans les studios de Hatsumi qui les a réalisées. C'est par ailleurs dans l'habitacle que l'on retrouve l'aspect le plus perfectible de ces nouvelles fourgonnettes. De part et d'autre du volant, on a effectivement installé des modules couverts de boutons, de touches et de commutateurs plats de toute nature. Ce sont souvent des commandes importantes que l'on devrait pouvoir atteindre directement et instantanément: clignotants

vigueur, mais ne possèdent aucun coussin gonflable. Les officiels de la marque nipponne grincent un peu des dents sur ce sujet mais ceux de Ford fulminent carrément. Nissan a simplement manqué le bateau en sous-estimant la demande exceptionnelle pour les coussins gonflables qui existe depuis deux ans.

Selon Makoto Moriya, directeur du projet Quest/Villager, son équipe n'était pas satisfaite, durant les travaux de développement, de la technologie offerte pour les fourgonnettes en matière de coussin gonflable. Or, elle y travaille fébrilement depuis plus d'un an et des représentants de Ford nous ont par ailleurs confirmé que leur firme était profondément agacée de cette situation. Pionnière de l'installation de coussins gonflables doubles dans ses berlines, Ford aide présentement son associée nipponne à les sortir tous deux de cette situation aussi frustrante qu'embarrassante. Les Quest et Villager devraient recevoir un premier coussin l'an prochain et un deuxième l'année suivante.

OBJECTIF CONFORT

Ce contretemps mis à part, il n'est pas exagéré de dire que Mercury et Nissan ont pleinement atteint leurs objectifs avec ces nouvelles fourgonnettes. Ce sont effectivement des véhicules fort attrayants, doux et raffinés. Ils offrent un très bon confort pour quatre passagers. Ceux de la banquette arrière et l'occupant éventuel de la place centrale des banquettes voyagent cependant plutôt en classe économique. Les premiers auront également de la difficulté à gagner leurs places directement si les sièges sont en place au centre. Ils sont fixes, effectivement, et cela laisse très peu de place pour le passage de pieds et de jambes d'adultes qui n'affichent pas une souplesse digne du Cirque du Soleil. Le confort à l'arrière est tout de même honnête, mais le coussin apparaît un peu court

latérales qui rappelle automatiquement les familiales Taurus et Sable. Les Américains ont évidemment demandé à ce que la Villager se distingue de sa cousine nipponne par le dessin de sa calandre et la présence plus ou moins élégante d'un réflecteur pleine largeur à l'arrière. Ils se sont également réservé les peintures deux tons. L'effet est intéressant mais la couleur aluminium du bas de caisse de certaines versions est trop voyante.

L'intérieur est assez conventionnel, surtout si on le compare à l'habitacle de navette spatiale de la Toyota Previa. Les premières esquisses ont été réalisées chez Nissan Design International à San Diego, mais le

d'urgence, exemple évident, ou essuie-glace/lave-glace arrière. On a même scindé cette dernière commande alors qu'un simple levier aurait fait le travail beaucoup plus efficacement. Or, ces deux modules sont difficiles d'atteinte, bloqués à la fois par le volant et par les deux leviers qui le bordent. Le sélecteur de rapports se trouve à droite et le levier des clignotants et essuie-glace à gauche. Ce dernier est identique à ce que l'on retrouve sur bon nombre de berlines Ford. Il est affligé d'une surenchère de touches plates et indifférenciées. On retrouve le même sur plusieurs produits Ford. Quest et Villager répondent d'autre part aux normes de sécurité en

et le maintien pour les cuisses moyen, puisque l'assise est un peu plus basse. Aux places centrales, on peut contrôler la climatisation et la radio en plus de brancher deux paires d'écouteurs. On a eu l'excellente idée de laisser le dernier mot pour ces deux fonctions aux passagers avant. Par contre, on ne trouve pas de porte-gobelet aux places centrales alors qu'on en compte trois pour les places arrière et au moins autant à l'avant. Sans compter ceux qui se trouvent derrière les dossiers. Chose certaine, les Quest et Villager offrent un agrément de conduite hors pair qui com-

mence avec un volant bien taillé, dont la prise est parfaitement agréable. Les places avant sont facilement accessibles. Contrairement à ce qui est le cas pour certaines rivales, on se glisse sans effort dans les baquets avant. Ces derniers sont par ailleurs très confortables. Ils offrent un support lombaire pneumatique, mais on a eu la mauvaise idée de placer le bouton de réglage au premier rang vers l'avant, sur le côté du siège du conducteur. On se surprend donc constamment à sentir quelque chose se gonfler dans son dos alors que l'idée était simplement de reculer ou

avancer le siège. Les Quest et Villager offrent sans contredit beaucoup de raffinement, mais il faut y mettre le prix pour en profiter. Ford et Nissan ne plaisantaient pas lorsqu'ils parlaient de fourgonnettes de haut de gamme. Par l'ensemble de leurs qualités de comportement, par leur confort, leur fabrication généralement soignée et leur fantastique banquette «modulable», elles possèdent toutefois les atouts pour rencontrer les objectifs de vente de leurs créateurs. Avec des coussins gonflables, on pourrait cependant être encore plus enthousiaste à leur endroit.

CE QU'IL FAUT SAVOIR

MERCURY VILLAGER

	Pauvre	Passable	Bon	Très bon	Excellent
• Comportement routier					•
• Freinage				•	
• Sécurité passive			•		
• Visibilité				•	
• Confort					•
• Volume de chargement					•

POUR

Excellent comportement routier
Banquette «modulable» géniale
Grand confort de roulement
Rouage doux et raffiné
Silhouette très réussie
Sono puissante et très fidèle

CONTRE

Pas de coussin gonflable
Puissance et couple moyens
Commandes peu accessibles
Quelques bruits et grincements
Sièges amovibles trop lourds
Volume cargo moyen (7 passag.)

Quoi de neuf?

Modèles entièrement nouveaux

ASPECT TECHNIQUE

Groupe propulseur:	traction
Empattement:	284,9 cm
Longueur:	482,3 cm
Poids:	1 709 kg
Coefficient aérodynamique:	0,36
Moteur:	V6 3,0 litres, 151 ch. à 4 800 tr/min
	174 lb/pi à 4 400 tr/min
Transmission:	
standard:	boîte automatique 4 rapports
option:	aucune
Suspension avant:	indépendante
arrière:	essieu rigide
Direction:	à crémaillère, assistée
Freins: avant:	disques ABS - ABS optionnel (Quest XE)
arrière:	tambours ABS - ABS (Quest XW)
Pneus:	205/75R15 - 215/70R15 (optionnel)

ASPECT PRATIQUE

Carrosserie:	minifourgonnette
Nombre de places:	5 - 7
Valeur de revente:	nouveau modèle
Indice de fiabilité:	nouveau modèle
Coussin gonflable:	non
Réservoir de carburant:	75,7 litres
Capacité du coffre:	14,1 pi^3 (1/2 banq. pliées: 49,4/114,8)
Performances:	0-100 KM/H: 12,38 s
consommation:	13,5 litres/100 km
Échelle de prix:	22 000 $ à 30 000 $

NISSAN

Axxess

Une vocation plus réaliste

Disparue du marché américain en raison d'une trop faible demande, l'Axxess poursuit sa carrière en sol canadien. Toutefois, avec l'arrivée de la Quest, on est beaucoup plus réaliste chez Nissan en ce qui concerne l'Axxess. On la prend enfin pour ce qu'elle est: une familiale aux allures de fourgonnette.

En dépit de l'arrivée de la nouvelle fourgonnette Quest, Nissan continue de nous offrir l'Axxess. Cependant, on a abandonné le modèle sept passagers pour se concentrer sur le modèle cinq places qui est beaucoup plus réaliste. Si elle perd deux places, elle conserve toujours une allure qui est loin d'être désagréable. Son capot avant très plongeant enchaînant avec le pare-brise lui assure un profil distinctif tandis que son pare-chocs enveloppant, ses phares aérodynamiques et le déflecteur intégré permettent d'obtenir un coefficient de traînée de 0,36, une excellente cote pour ce genre de véhicule. Enfin, l'Axxess se caractérise également par ses portes latérales coulissantes de chaque côté qui facilitent l'accès aux places arrière.

À l'intérieur, l'habitacle est accueillant avec sa planche de bord constituée par un surplomb rectangulaire doté à chaque extrémité de boutons de commande. Une «casquette» domine ce rectangle afin d'abriter les cadrans des rayons du soleil et de les empêcher d'être réfléchis sur le pare-brise en conduite nocturne. Toutefois, on pourrait reprocher un certain manque de dynamisme à l'ensemble.

Les ingénieurs de Nissan ont été beaucoup plus sages en ce qui concerne le groupe propulseur puisqu'ils ont choisi le quatre cylindres 2,4 litres à trois soupapes par cylindre d'une puissance de 138 chevaux. Sa puissance est adéquate, mais le moteur grogne lorsqu'il est trop sollicité et affecte le silence de roulement qui est déjà assez peu impressionnant.

Toutefois, la suspension est passablement raffinée; la suspension arrière multibras est dotée d'un système anti-pincement qui permet aux roues arrière de mieux suivre l'arc de la courbe. La traction intégrale permanente aux quatre roues est offerte en option. Ce système est complexe et permet une très bonne stabilité directionnelle sur les routes glacées.

Parmi les points forts de l'Axxess, il faut noter le confort de sa suspension, sa position de conduite agréable et une excellente visibilité. Toutefois, son groupe propulseur manque d'enthousiasme et est bruyant. Ce véhicule est plus une familiale aux allures originales qu'une authentique fourgonnette. Il faut le considérer comme tel lorsqu'on envisage son acquisition.

CE QU'IL FAUT SAVOIR

NISSAN AXXESS

	Pauvre	Passable	Bon	Très bon	Excellent
• Comportement routier				•	
• Freinage			•		
• Sécurité passive			•		
• Visibilité				•	
• Confort			•		
• Volume de chargement			•		

POUR

Esthétique plaisante
Bonne maniabilité
Accès facile
Version 4x4
Mécanique robuste

CONTRE

Moteur bruyant en accélération
Performances moyennes
Bruits éoliens
Boîte manuelle peu précise
Habitabilité moyenne

Quoi de neuf?

Version 5 places seulement
Aucun changement majeur

ASPECT TECHNIQUE

Groupe propulseur:	traction - 4x4
Empattement:	261,1 cm
Longueur:	436,6 cm
Poids:	1 300 kg
Coefficient aérodynamique:	0,36
Moteur:	4L 2,3 litres, 138 ch.
Transmission:	
standard:	boîte manuelle 5 rapports
option:	boîte automatique 4 rapports
Suspension avant:	indépendante
arrière:	indépendante
Direction:	à crémaillère
Freins: avant:	disques
arrière:	tambours
Pneus:	P195/70R14

ASPECT PRATIQUE

Carrosserie:	fourgonnette
Nombre de places:	5
Valeur de revente:	faible/moyenne
Indice de fiabilité:	8,0
Coussin gonflable:	n.d.
Réservoir de carburant:	65 litres
Capacité du coffre:	11,5 pi^3-23,5 pi^3
Performances:	0-100 km/h: 12,3 s
vitesse max:	185 km/h
consommation:	9,8 litres/100 km
Échelle de prix:	17 000 $ à 22 000 $

NISSAN

Pathfinder

Un dernier sprint avant le relais

Le Pathfinder est apparu en 1987, dérivé des nouvelles camionnettes Nissan. La version quatre portières a été lancée en 1990 alors que le marché tout entier basculait de ce côté. Après avoir mené dans cette catégorie, le Pathfinder s'y trouve maintenant en recul sur plusieurs fronts. La relève doit se pointer l'an prochain.

La multiplication des 4x4 ou utilitaires sportifs à quatre portières a percé une véritable brèche dans le marché nord-américain en général. Comment expliquer autrement un engouement qui a porté plus d'un quart de million d'individus à se procurer un Ford Explorer l'an dernier aux États-Unis seulement? Ce chiffre est six fois supérieur à celui des ventes de Pathfinder pour la même année. Et sans vouloir tourner le fer dans la plaie, Ford a vendu 177 840 Explorer durant les sept premiers mois de l'année 1992 au sud de

nos frontières et Nissan 17 223 Pathfinder. Rassurez-vous, les autres 4x4 ont subi un sort comparable aux mains de cet ogre qu'est devenu l'Explorer, à l'exception du tout nouveau Jeep Grand Cherokee, qui est encore en phase d'accélération. Lors de la présentation officielle de ce dernier, qui se déroulait sur les routes du Texas et sur un immense ranch de 43 000 arpents, nous avons eu la possibilité de conduire en succession ces deux véhicules et un Pathfinder. Cette séance comparative, bien qu'elle n'ait aucune valeur absolue, nous a

tout de même permis de mesurer directement l'écart qui sépare présentement le Pathfinder des nouveaux leaders de la catégorie. C'est surtout son aménagement intérieur qui prend un sérieux coup de vieux. Son tableau de bord tout en angles droits et en surfaces planes montrait déjà quelques rides lors du lancement de la version quatre portières il y a deux ans. Elles se sont creusées considérablement depuis. Le Pathfinder nous est également apparu dépassé en comportement général et certainement en volume intérieur utile.

La voie est donc toute tracée pour les ingénieurs et stylistes de Nissan, qui sont sans doute à mettre la dernière main à un nouveau Pathfinder. On l'attend d'ailleurs dès l'an prochain (année-modèle 1994). Il lui faudra un ou même des moteurs nettement plus puissants et surtout plus souples, idéalement un V8 optionnel. Sa carrosserie devra posséder cette élégance empreinte de robustesse qui fait le succès des nouveaux best-sellers. Elle devra aussi comporter des portières arrière qui permettent un accès beaucoup plus facile à des places arrière nettement plus spacieuses que celles du Pathfinder actuel. L'Explorer a été conçu dès le départ comme un quatre portières, tandis que le Pathfinder actuel, comme plusieurs de ses semblables, a été modifié en cours de route. Finalement, le nouveau Pathfinder devrait idéalement correspondre à toutes les normes de sécurité s'adressant aux automobiles. Le marché l'exigera et le Grand Cherokee offre déjà un coussin gonflable côté conducteur. Le Pathfinder gagnerait à en offrir aux deux passagers avant dès le premier jour, tout comme des appuie-tête à toutes les places. Quant aux poutrelles de protection qu'il gagne cette année, elles sont évidemment un pas dans la bonne direction et offrent un indice quant aux intentions de Nissan pour la prochaine génération de cette série. Le tout devrait finalement être complété d'un bon système de freinage antibloquant intégral fonctionnant en permanence. La concurrence l'offre déjà. Le Pathfinder a remporté notre dernier match des 4x4 devant sept concurrents il y a quelques années déjà. Qui sait, le nouveau modèle sera peut-être prêt tout juste à temps pour le prochain?

CE QU'IL FAUT SAVOIR

NISSAN PATHFINDER

	Pauvre	Passable	Bon	Très bon	Excellent
• Comportement routier				•	
• Freinage				•	
• Sécurité passive			•		
• Visibilité			•		
• Confort			•		
• Volume de chargement				•	

POUR

Bon comportement routier
Moteur nerveux
Excellents sièges
Direction rapide et précise
Boîte manuelle agréable
Carrosserie solide

CONTRE

Tableau de bord vieillot
Certaines commandes à revoir
Accès difficile aux places arrière
Étagement perfectible (manuelle)
Braquage trop long
Pas de coussin gonflable

Quoi de neuf?

Poutrelles de renforcement dans les portières
Climatiseur sans CFC
Sellerie cuir en option

ASPECT TECHNIQUE

Groupe propulseur:	4x4 - propulsion
Empattement:	265 cm
Longueur:	436,5 cm
Poids:	1 725 kg - 1 694 kg (propulsion)
Coefficient aérodynamique:	n.d.
Moteur:	V6 3,0 litres, 153 ch.
Transmission: standard:	boîte manuelle 5 rapports
option:	boîte automatique 4 rapports
Suspension avant:	indépendante
arrière:	essieu rigide
Direction:	à billes, assistée
Freins: avant:	disques
arrière:	tambours ABS
Pneus:	235/75R15 - 31x10,5 R15 (optionnel SE)

ASPECT PRATIQUE

Carrosserie:	utilitaire sportif 4 portières - 2 portières
Nombre de places:	5
Valeur de revente:	très bonne
Indice de fiabilité:	7,5
Coussin gonflable:	non
Réservoir de carburant:	80 litres
Capacité du coffre:	31,4 pi^3
Performances:	0-100 km/h: 11,26 s
vitesse max.:	165 km/h
consommation:	15,9 litres/100 km
Échelle de prix:	20 000 $ à 28 000 $

NISSAN

Maxima

Toujours dans la course

L'arrivée de la Camry a en quelque sorte bouleversé les données. Toutefois, malgré les succès éclatants de cette nouvelle venue, la Nissan Maxima continue d'être très compétitive face à cette concurrence de plus en plus corsée. Cette année, on mise encore sur l'excellent rapport qualité/prix.

Chez Nissan, la Maxima possède un statut particulier puisque cette voiture est non seulement la berline la plus luxueuse de la gamme, mais elle jouit d'une intéressante diffusion. Il y a quelques années, Nissan a augmenté le contenu standard de ses voitures en plus de réviser plusieurs de ses prix à la baisse et le public a réagi favorablement. En effet, la Maxima est devenue très populaire auprès des gens d'affaires qui apprécient son prix et son comportement d'ensemble. D'autant plus que cette berline est animée par un moteur

V6. Toutefois, il sera intéressant d'évaluer au fil des mois si la Toyota Camry a su s'accaparer une partie des ventes de cette Nissan dont la présentation et la conception datent quelque peu.

Malgré cela, cette berline propose encore un intéressant équilibre tant sur le plan visuel qu'au chapitre du comportement routier. Ses lignes sont moins fluides par rapport aux nouvelles J30 et Altima, mais la silhouette est toujours contemporaine et il en est de même de la cabine qui est bien disposée. Le tableau de bord est égale-

ment bien équilibré, d'autant plus qu'on a abandonné le désagréable affichage numérique utilisé sur la Brougham pour revenir aux cadrans analogiques.

Il existe deux versions du moteur V6 3,0 litres. Le modèle standard développe 160 chevaux tandis que la version 24 soupapes à haut rendement assure 190 chevaux. Pour la plupart des usagers, les 160 chevaux sont bien adéquats et permettent de compter sur un moteur relativement économique qui réalise des performances égales à celles des autres de cette catégorie. Avec le moteur 190 chevaux, les accélérations et les reprises sont naturellement plus musclées. De plus, la suspension est modifiée, la direction plus précise et les amortisseurs plus fermes. Cette version est nettement plus agréable à conduire puisque le roulis de caisse en virage est beaucoup moins prononcé et le survirage initial grandement atténué. Toutefois, sur les routes bosselées du Québec, cette suspension se révèle passablement ferme. Offerte à un prix intéressant, la Maxima parvient encore cette année à soutenir la comparaison avec la concurrence grâce à son habitabilité, à son choix de moteur V6 et à une silhouette toujours agréable bien que vieillissante. Cela explique ses succès de vente, d'autant plus que la liste d'équipement standard est bien étoffée.

CE QU'IL FAUT SAVOIR

NISSAN MAXIMA

	Pauvre	Passable	Bon	Très bon	Excellent
• Comportement routier			•		
• Freinage				•	
• Sécurité passive				•	
• Visibilité			•		
• Confort					•
• Volume de chargement				•	

POUR

Modèle éprouvé
Bonne habitabilité
Équipement complet
Tableau de bord esthétique
Boîte de vitesses 5 rapports

CONTRE

Suspension avant sèche
Roulis en virage (version de base)
Silhouette vieillissante
Sièges en tissu désagréables

Quoi de neuf?

Aucun changement majeur

ASPECT TECHNIQUE

Groupe propulseur:	traction
Empattement:	265 cm
Longueur:	476,5 cm
Poids:	1 430 kg
Coefficient aérodynamique:	0,32
Moteurs:	V6 3,0 litres, 160 ch.- V6 3,0 litres, 190 ch.
Transmission:	
standard:	boîte manuelle 5 rapports
option:	boîte automatique 4 rapports
Suspension avant:	indépendante
arrière:	indépendante
Direction:	à crémaillère, assistée
Freins: avant:	disques ABS
arrière:	disques ABS
Pneus:	P205/60 R 15

ASPECT PRATIQUE

Carrosserie:	berline
Nombre de places:	5
Valeur de revente:	moyenne
Indice de fiabilité:	8,5
Coussin gonflable:	conducteur
Réservoir de carburant:	70 litres
Capacité du coffre:	12,3 pi³
Performances:	0-100 km/h: 9,8 s
vitesse max.:	196 km/h
consommation:	12,4 litres/100 km
Échelle de prix:	23 000 $ à 30 000 $

NX1600/2000

Du caractère avant tout ou malgré tout

Les coupés NX amorcent leur troisième année avec l'ajout pertinent d'un coussin gonflable pour le conducteur à l'équipement de série. Dans le cas du NX2000, ce statu quo *est acceptable puisqu'il s'agit toujours de l'un des meilleurs coupés sport disponibles. Il faudrait d'ailleurs que le NX1600 lui ressemble encore plus.*

Ces deux coupés NX sont apparus en 1991, prenant le relais des Pulsar au sein de la gamme Nissan. Ce sont des voitures fort différentes, malgré le fait qu'elles partagent la majorité de leurs éléments mécaniques. Or, c'est évidemment le cœur qui fait la plus grande différence dans cette équation. Le coupé NX1600 est propulsé par un quatre cylindres à double arbre à cames en tête dont la cylindrée, vous le devinez, est de 1 600 cm^3. Ce même moteur anime aussi la berline Sentra. Il est d'une nervosité et d'une souplesse plus

qu'honnêtes, grâce entre autres au calage variable de ses arbres à cames. Sa puissance est cotée à 110 chevaux, ce qui le place devant le coupé Toyota Paseo et la Scoupe entre autres. Il tiendra même tête à la nouvelle Scoupe Turbo. Le coupé NX2000, quant à lui, est en mesure d'affronter des rivales beaucoup plus sérieuses au chapitre de la performance. Son moteur est un quatre cylindres à double arbre en tête de 2 litres et 140 chevaux qu'il partage avec l'Infiniti G20. Les deux frères NX se démarquent également l'un

de l'autre par leurs réglages de suspension et leur présentation extérieure. Bien que sa silhouette ne fasse pas l'unanimité, le NX2000 a tout de même une certaine gueule avec son becquet avant pourvu de phares d'appoint et ses bas de caisse accentués. Ce sont d'ailleurs des accessoires qui manquent cruellement au coupé NX1600 dont la silhouette tient carrément de l'étude des mammifères marins. Quelle que soit sa couleur, en somme, le NX1600 a l'air d'une créature marine, le plus souvent d'un marsouin. Nissan persiste malgré tout à l'offrir sous de tels atours, à un public certainement très différent de celui du NX2000. Ce deuxième type d'acheteur ou d'acheteuse s'intéresse plutôt à ses performances et à sa tenue de route incisive, obtenue à la faveur de composantes et de réglages de suspension plus sportifs, de pneus plus mordants et de l'excellent différentiel autobloquant à viscocoupleur dont Nissan possède toujours l'exclusivité. Le coupé 1600 compense quant à lui un roulis plus prononcé en virage par un confort de roulement étonnant. C'est trop souple à notre goût, cependant, pour une sécurité active impeccable. La solution idéale demeure un NX1600 avec le look et le comportement du 2000. Et méfiez-vous à tout prix de son exécrable tableau de bord numérique.

CE QU'IL FAUT SAVOIR

NISSAN NX 1600

	Pauvre	Passable	Bon	Très bon	Excellent
• Comportement routier				●	
• Freinage			●		
• Sécurité passive				●	
• Visibilité			●		
• Confort			●		
• Volume de chargement			●		

POUR

Tenue de route impeccable (2000)
Moteurs performants
Bon confort de suspension
Habitabilité de bonne venue
Coupés maniables et agiles
Carrosserie solide (2000)

CONTRE

Silhouette ovoïde (1600)
Instruments numériques affreux
Moteur bruyant (2000)
Quelques bruits de caisse (1600)
Seuil du coffre très haut
Visibilité moyenne vers l'arrière

Quoi de neuf?

Coussin gonflable côté conducteur

ASPECT TECHNIQUE

Groupe propulseur:	traction
Empattement:	243,1 cm
Longueur:	412,5 cm
Poids:	1 066 kg -1 141 kg (NX 2000)
Coefficient aérodynamique:	0,34 - 0,32 (NX 2000)
Moteurs:	4L 1,6 litre, 110 ch. - 4L 2,0 litres, 140 ch.
Transmission:	
standard:	boîte manuelle 5 rapports
option:	boîte automatique 4 rapports
Suspension avant:	indépendante
arrière:	indépendante
Direction:	à crémaillère, assistée
Freins: avant:	disques - ABS optionnel (NX 2000)
arrière:	tambours - disques/ABS option. (NX 2000)
Pneus:	175/70R13

ASPECT PRATIQUE

Carrosserie:	coupé
Nombre de places:	4
Valeur de revente:	bonne
Indice de fiabilité:	8,5
Coussin gonflable:	conducteur
Réservoir de carburant:	50 litres
Capacité du coffre:	16,4 pi^3
Performances:	0-100 km/h: 9,4 s - 7,9 s (NX 2000)
consommation:	8,4 litres/100 km - 10,3 (NX 2000)
Échelle de prix:	14 000 $ à 22 000 $

NISSAN

Sentra/Sentra Classic

Sobres mais efficaces

Si Nissan a fait preuve d'audace dans la réalisation de voitures à caractère sportif ou à utilisation plus spécifique, ses berlines sont nettement plus conservatrices au chapitre de la présentation. Pourtant, sur le plan de la conduite, elles proposent une belle homogénéité.

Tandis que la plupart des autres voitures de cette catégorie tentent de nous éblouir par des lignes avant-gardistes ou tout au moins tape-à-l'œil, cette Sentra se contente de lignes modernes mais très sobres qui lui permettent de se glisser incognito dans la circulation.

Pourtant, il est difficile de trouver une voiture de cette catégorie proposant un tel équilibre entre l'habitabilité, la capacité du coffre, la visibilité et l'harmonie du tableau de bord. Et ces qualités ne vous sautent pas aux yeux au premier coup d'œil. C'est

à l'usage que cette berline dévoile ses secrets.

Il en est de même pour le groupe propulseur. Ce quatre cylindres 1,6 litres 16 soupapes est non seulement suffisamment puissant avec ses 110 chevaux, mais il ne s'essouffle jamais. La puissance est adéquate à bas régime et les hauts régimes ne l'effraient pas non plus. Mine de rien, ce groupe propulseur se classe parmi les plus intéressants sur le marché. En version régulière, il est couplé à une boîte de vitesses à cinq rapports de maniement

agréable. Quant à l'automatique à quatre rapports, elle est non seulement efficace mais elle est finalement disponible sur tous les modèles Sentra, sauf la Sentra Classic. Possédant une caisse très rigide et un moteur intéressant, la Sentra se défend assez bien au chapitre du comportement routier. On dénote une certain roulis en virage et la direction pourrait être plus ferme, mais c'est très bien dans l'ensemble avec une neutralité de bon aloi dans les virages. Cette berline est donc intéressante à plus d'un point de vue.

La Classic

Lorsque la nouvelle Sentra a été dévoilée, Nissan a décidé de conserver l'ancienne version et de la baptiser Classic. Fabriquée au Mexique, cette berline n'a pas changé depuis ce temps. Sa carrosserie carrée et plus ou moins rigide ainsi que son habitacle passablement terne sont à inscrire dans la colonne des moins. Toutefois, une mécanique robuste, un moteur économique et un prix toujours bas permettent à cette voiture d'être appréciée des acheteurs à la recherche d'un produit simple et robuste. En fait, sa popularité semble intéressante puisque Nissan n'a pas jugé bon d'apporter aucun changement à cette sous-compacte qui est effacée mais qui se défend très bien sur un marché tout de même encombré.

CE QU'IL FAUT SAVOIR

NISSAN SENTRA

	Pauvre	Passable	Bon	Très bon	Excellent
• Comportement routier				•	
• Freinage					•
• Sécurité passive			•		
• Visibilité				•	
• Confort				•	
• Volume de chargement				•	

POUR

Caisse rigide
Comportement routier sain
Moteur performant
Prix alléchant (Classic)
Habitacle agréable

CONTRE

Silhouette vieillotte
Finition sommaire (Classic)
Prix corsés (sauf Classic)
Boîte à gants trop petite

Quoi de neuf?

Coussin gonflable - Sentra

ASPECT TECHNIQUE

Groupe propulseur:	traction
Empattement:	243,1 cm
Longueur:	432,2 cm
Poids:	1 050 kg
Coefficient aérodynamique:	0,35
Moteur:	4L 1,6 litre, 110 ch.-4L 1,6 litre 70 ch
Transmission:	
standard:	boîte manuelle 5 rapports
option:	boîte automatique 4 rapports
Suspension avant:	indépendante
arrière:	indépendante
Direction:	à crémaillère, assistée
Freins: avant:	disques (ABS opt.)
arrière:	tambours (ABS opt.)
Pneus:	P155/75R13 (XE/GXE : 175/75R13)

ASPECT PRATIQUE

Carrosserie:	berline
Nombre de places:	5
Valeur de revente:	bonne
Indice de fiabilité:	8,5
Coussin gonflable:	conducteur (Sentra)
Réservoir de carburant:	50
Capacité du coffre:	11,6 pi^3
Performances:	0-100 km/h: 9,25 s
vitesse max.:	185 km/h
consommation:	8,1 litres/100 km
Échelle de prix:	9 000 $ (Classic) à 16 000 $

NISSAN

Altima

Plaisir de conduire et discrétion totale

Nissan aimerait bien sûr vendre le plus grand nombre possible d'exemplaires de sa nouvelle berline compacte Altima. Celle-ci s'adresse à ceux et celles qui recherchent une voiture pratique, vive, solide et agréable, qui ne fait pas nécessairement tourner les têtes. Nouvelle coqueluche ou pas, c'est du travail bien fait.

Après quelques coups d'éclat chez les sportives, une série de coupés assez réussis et de solides utilitaires, Nissan constructeur a trébuché sur une évidence: ce sont les berlines qui mènent le monde, du moins celui de l'automobile. Et de ce nombre, celles qui sont de taille moyenne ou intermédiaire connaissent depuis quelques années les plus grands succès de vente sur le marché. Nissan a donc décidé d'étoffer sa gamme de berlines. Non pas qu'elle en soit dépourvue. Les Sentra sont parmi les plus intéressantes chez les sous-

compactes et la série Maxima a connu une solide hausse de ventes au cours des deux dernières années. Et le modèle Stanza, auquel succède l'Altima, se débrouillait honnêtement malgré une silhouette de boîte à chaussures. Il générait environ 9 p. 100 des ventes totales de la marque au pays. Nissan espère doubler ce chiffre dès la première année et les doubler une nouvelle fois d'ici deux ou trois ans. L'Altima compterait alors pour le quart de ses ventes totales. Comme sa cousine J30 chez Infiniti, une voiture toute en rondeurs

qui fut dessinée elle aussi au studio californien de Nissan, l'Altima devient ainsi le troisième chapitre d'une trilogie de berlines. Le chapitre du milieu en fait, puisque c'est là qu'elle se retrouve entre Sentra et Maxima. Il faut toutefois comprendre qu'il était impérieux pour Nissan que l'Altima puisse s'insérer dans la gamme des berlines de la marque sans risquer de nuire au rayonnement de la Maxima. Cela eut une grande influence sur l'architecture mécanique de l'Altima. Elle s'est ainsi retrouvée propulsée par un moteur quatre cylindres, à une époque où le V6 fait une percée sous le capot de voitures de plus en plus petites et abordables. Chose certaine, on ne peut nier la réussite de ce type de moteur dans les catégories des berlines intermédiaires. Toyota l'a appris à ses dépens, elle qui n'a pu satisfaire la demande pour le V6 dans sa nouvelle Camry l'an dernier.

PAS DE V6 POUR ELLE

Jamais un V6 ne nichera sous le capot d'une Altima. C'est ce que déclare à tout le moins Koichiro Kawamura, l'ingénieur qui a dirigé les travaux de développement de cette nouvelle voiture. Nissan compte en fait profiter de ce mouvement progressif vers le haut de séries comme la Honda Accord et la Toyota Camry, des voitures qui ont effectivement gagné en taille et en poids à la poursuite du gros lot sur le marché nord-américain. Or, l'Altima veut combler le vide qu'a créé ce mouvement vers le haut des berlines rivales. L'Altima XE se vendra à compter de 16 490 $, le modèle GXE à 18 700 $ et la SE, en sommet de gamme, à 21 200 $. Elles jouiraient d'un avantage de prix de 300 $ à 2 000 $ sur leurs rivales directes et d'un avantage de puissance, puisque leur moteur est le groupe standard le plus puissant de la catégorie. L'Altima est propulsée par un groupe de 2,4 litres dérivé de celui de la sportive 240SX. Il est coiffé d'une culasse seize soupapes à double arbre à cames en tête. Sa puissance est de 150 chevaux à 5 600 tours/minute. L'Altima sera fabriquée à l'usine de Smyrna, dans l'état du Tennessee. On a investi 490 millions $ US pour la moderniser. Parmi ses nouvelles machine: le IBAS (Intelligent Body Assembly System), une machine de 9 millions $ US qui contient à elle seule 51 robots numériques et lasers qui ont permis à Nissan de réduire les tolérances d'assemblage de la carrosserie à un petit millimètre.

DEUX MARCHÉS, UN SEUL VISAGE

Au début du projet Altima/Bluebird, les stylistes du studio NDI à San Diego ont proposé une silhouette très profilée. Peu après, ils ont appris que sa réalisation serait impossible, puisqu'elle supposait l'inclinaison du moteur à 30 degrés vers l'arrière et l'installation du radiateur en position surbaissée. Or cela aurait imposé le développement d'une nouvelle boîte de vitesses au coût de dizaines de millions de dollars. La deuxième version fut également écartée, du moins en partie. Selon le styliste Al Flowers, qui a «signé» à toutes fins utiles l'Altima, la silhouette de la voiture est très fidèle à son esquisse finale, à l'exception de la calandre. Avec les larges fentes horizontales de sa calandre, cette Altima première manière ressemblait étrangement à l'exubérante Chrysler 300, dévoilée en janvier dernier au Salon de Detroit. Mais elle ne devait jamais être construite ainsi. Les instances supérieures chez Nissan ont eu peur, selon Flowers, des réactions du public à un design aussi audacieux. On voulait également que la voiture puisse afficher la même calandre sur les deux marchés. Dommage. L'Altima aurait fait parler d'elle énormément avec un tel masque. Telle qu'elle se présente, l'Altima rappelle à la fois la Ford Tempo et la Suzuki Swift. Espérons que cette calandre banale ne l'empêchera nullement de s'imposer, puisqu'elle a beaucoup à offrir à presque tout autre égard.

DES QUALITÉS INTANGIBLES

Les concepteurs de l'Altima n'hésitent pas à dire qu'ils s'étaient fixé des objectifs très élevés en matière de sécurité active, de comportement routier et d'agrément de conduite. On a visé les normes élevées de

BMW et de Mercedes-Benz dans ces domaines. L'ingénieur Kawamura insiste aussi sur le fait que l'Altima ne devait jamais ennuyer son conducteur, même durant la navette quotidienne. Or, l'Altima est effectivement, avant tout, une voiture agréable à conduire. Son moteur est éton- namment souple, doux et nerveux, capable de la propulser vers 100 km/h en 8 secon- des. L'Altima n'a pas la tenue de route aiguisée d'une berline sport sans compro- mis, bien entendu. Même sur la version SE, dont les ressorts de suspension et les amortisseurs sont légèrement plus fermes, les pneus se mettent facilement à crisser en virage. L'Altima est effectivement trop

souple pour une conduite sportive sans retenue. Son comportement est toutefois impeccable en conduite normale, grâce à une géométrie de suspension et de direc- tion à peu près sans reproche. L'Altima file sur chaussée bosselée avec grâce, sans onduler et sans sautiller. Or, un aplomb et une douceur de roulement tels seraient impossibles si sa carrosserie n'était égale- ment d'une grande solidité. C'est toujours le secret incontournable d'une tenue de

route et d'un confort de grand calibre. Nissan affirme d'ailleurs que la carrosserie de l'Altima est de 40 p. 100 plus rigide que celle de la Stanza. Le seul bruit indésirable qui se soit manifesté fut un léger craque- ment du toit ouvrant sur un modèle SE. Ce dernier est livré avec un dispositif antiblocage de série qui est offert en option sur les GXE. Il s'agit d'un système à quatre canaux, le type le plus performant. Il fonc- tionne impeccablement, avec une pulsa- tion très légère en freinage d'urgence mais la puissance des freins eux-mêmes est moyenne et la pédale trop spongieuse. L'adhérence moyenne des pneus de type tourisme peut sans doute aussi être mise

en cause. Notre premier contact avec une SE manuelle nous avait déçus, à cause d'un levier de vitesses long, flexible et imprécis. De retour au Québec, nous avons mis à l'essai une version de série de ce même modèle dont la boîte de vitesses nous a impressionné de façon opposée. Le levier est toujours long, mais sa course et son guidage précis nous rappelaient plutôt les très bonnes boîtes manuelles des Infiniti G20 et Nissan NX2000. La boîte automatique, de son côté, s'exécute en douceur. Cela n'a rien d'étonnant si l'on considère qu'il s'agit d'une transmission à pilotage électronique de type DUET-EA, très semblable à celle qui équipe l'Infiniti J30. Elle est malgré cela un peu paresseuse et lente à rétrograder en manœuvre de dépassement.

UNE ERGONOMIE SOIGNÉE

En plus de ses qualités mécaniques, l'Altima offre une bonne position de con- duite, un vrai repose-pied et des comman- des d'une ergonomie impeccable. On remarque évidemment celles de la climati- sation, qui sont placées sur la console cen- trale, à quelques centimètres seulement de la main droite du conducteur. La sono est placée dessous, légèrement en retrait mais néanmoins facile à repérer et à manipuler. Il faut souligner la qualité de reproduction qu'offre la chaîne stéréo offerte en option sur le modèle SE. Elle est identique, à toutes fins utiles, à celle qui équipe l'Infiniti J30. Puissance et clarté exceptionnelles; la grande classe pour les audiophiles, qui pourront aussi y écouter leurs cassettes ou disques au laser. Le volant gainé de cuir de la SE est fantastique et celui des XE et GXE très acceptable aussi, puisqu'il est de forme rigoureusement identique. Les sièges de la SE, d'autre part, sont bien sculptés et offrent un maintien correct, mais ils sont un peu trop flasques. Cela nous amène à douter de la qualité de maintien qu'ils offriront après quelques années. Mais c'est pour l'ensemble de ses qualités qu'il faut apprécier l'Altima. Elle n'a ni le look tapageur, ni le bouillant V6 de certaines, mais les voitures de cette catégorie qui offrent une telle solidité, une telle douceur et un tel équilibre de comportement sont très rares. Elle n'est pas parfaite, évidemment. Il serait par exemple intéressant de voir ce que donnerait une SE à suspension moins souple, dont la pédale de frein serait plus ferme, les sièges mieux rembourrés et les pneus plus mordants. Chose certaine, pour l'immense majorité des acheteurs visés, l'Altima est déjà un choix de tout premier ordre au prix demandé. Elle l'est doublement avec la garantie ultracomplète de Nissan, qui commence déjà à être imitée par la concurrence.

CE QU'IL FAUT SAVOIR

NISSAN ALTIMA

	Pauvre	Passable	Bon	Très bon	Excellent
• Comportement routier				•	
• Freinage				•	
• Sécurité passive				•	
• Visibilité				•	
• Confort				•	
• Volume de chargement				•	

POUR

Comportement routier équilibré
Silence et douceur étonnants
Moteur surprenant
Qualité d'assemblage impeccable
Excellente sono optionnelle (SE)
Prix et garantie attrayants

CONTRE

Calandre banale
Suspension un brin souple
Puissance de freinage moyenne
Aileron superflu (SE)
Sièges trop flasques
Banquette arrière non repliable

Quoi de neuf?

Modèle entièrement nouveau

ASPECT TECHNIQUE

Groupe propulseur:	traction
Empattement:	262,5 cm
Longueur:	458,3 cm
Poids:	1 360 kg
Coefficient aérodynamique:	0,35 (0,34 avec aileron)
Moteur:	4L 2,4 litres, 150 chevaux à 5 600 tr/min 154 lb/pi à 4 400 tr/min
Transmission:	
standard:	boîte manuelle 5 rapports
option:	boîte automatique 4 rapports
Suspension avant:	indépendante
arrière:	indépendante
Direction:	à crémaillère, assistée
Freins: avant:	disques ABS (ABS optionnel sur GXE)
arrière:	disques ABS (ABS optionnel sur GXE)
Pneus:	205/60R15

ASPECT PRATIQUE

Carrosserie:	berline
Nombre de places:	5
Valeur de revente:	nouveau modèle
Indice de fiabilité:	nouveau modèle
Coussin gonflable:	conducteur
Réservoir de carburant:	60 litres
Capacité du coffre:	13,8 pi^3
Performances:	0-100 km: 8,25 s - 9,1 s (automatique)
consommation:	9,9 litres/100 km
Échelle de prix:	16 000 $ à 21 000 $

NISSAN

240SX/240SX Cabrio

Sage mais équilibrée

La catégorie des coupés sport n'est pas importante au chapitre des unités vendues, mais elle l'est en ce qui concerne le prestige et l'influence. Mais au lieu de se tourner vers des carrosseries fantaisistes et des solutions techniques inutilement complexes, Nissan a préféré jouer la carte de l'équilibre et de la fiabilité.

Lorsque Nissan a présenté sa nouvelle 240SX à la presse il y a déjà quelques années, la totalité des personnes présentes ont montré leur approbation envers ce coupé sport à propulsion. Cette unanimité s'est faite non seulement sur la présentation générale de cette voiture, mais également quant à son comportement routier. Cet équilibre général est demeuré intact depuis. Ce qui explique pourquoi cette voiture est demeurée plus ou moins inchangée au cours des quatre dernières années. Cependant, il y a deux ans, la puissance du moteur quatre cylindres 2,4

litres était portée à 155 chevaux afin de pouvoir soutenir la comparaison avec la plupart des modèles de cette catégorie. En outre, le système directionnel intégral Super-HICAS est venu s'ajouter.

Si la puissance accrue s'est immédiatement fait sentir, il est plus difficile de se prononcer sur les avantages apportés par le système Super-HICAS. Pour plusieurs, ce système va demeurer un bouton affichant l'emblème au tableau de bord.

Si la puissance de 155 chevaux est adéquate en conduite régulière, les esprits

sportifs vont rapidement en demander davantage puisque le châssis pourrait facilement s'accommoder d'une bonne trentaine de chevaux supplémentaires. Et on peut parier que si un V6 n'a pas encore fait son apparition sous le capot de la 240SX, c'est tout simplement parce que la 300ZX le propose. Donc, la 240SX nous oblige à utiliser le levier de vitesses si on veut jouer les conducteurs sportifs. Heureusement que la boîte est bien étagée et la course du levier courte et précise. Avec la boîte automatique à quatre rapports, les performances sont nettement moins intéressantes et il faut prendre son mal en patience.

Comme ce châssis est en mesure d'accepter une puissance nettement supérieure, son comportement routier est stable et généralement neutre. Toutefois, si on s'emballe trop, un survirage assez prononcé vient refréner nos ardeurs. Et ce coupé est d'autant plus agréable que l'habitacle est spacieux, relativement confortable et le tableau de bord bien disposé. Cette année, Nissan promet que la version cabriolet sera finalement disponible en cours d'année. Ce modèle voit sa carrosserie sérieusement révisée afin d'assurer une rigidité de bon aloi. Si tel est le cas, ce modèle nous arrivera avec plus d'une année de retard, si jamais il se matérialise.

CE QU'IL FAUT SAVOIR

NISSAN 240 SX

	Pauvre	Passable	Bon	Très bon	Excellent
• Comportement routier				•	
• Freinage				•	
• Sécurité passive			•		
• Visibilité			•		
• Confort			•		
• Volume de chargement		•			

POUR

Construction solide
Boîte manuelle intéressante
Tableau de bord lisible
Direction précise
Équipement complet

CONTRE

Performances modestes
Train arrière instable sur
  mauvause route
Silhouette anonyme
Places arrière exiguës

Quoi de neuf?

Version cabriolet disponible après une année de retard

ASPECT TECHNIQUE

Groupe propulseur:	propulsion
Empattement:	247,4 cm
Longueur:	452,1 cm
Poids:	1 205 kg
Coefficient aérodynamique:	0,30
Moteur:	4L 2,4 litres, 155 ch.

Transmission:		
	standard:	boîte manuelle 5 rapports
	option:	boîte automatique 4 rapports
Suspension avant:		indépendante
arrière:		indépendante
Direction:		à crémaillère
Freins:	**avant:**	disques
	arrière:	disques
Pneus:		P195/60R15

ASPECT PRATIQUE

Carrosserie:	coupé - coupé *hatchback* - cabriolet
Nombre de places:	2+2
Valeur de revente:	moyenne
Indice de fiabilité:	8,0
Coussin gonflable:	non
Réservoir de carburant:	60 litres
Capacité du coffre:	n.d.
Performances:	0-100 km/h: 8,6 s
vitesse max.:	210 km/h
consommation:	11,2 litres/100 km
Échelle de prix:	19 500 $ à 25 000 $

NISSAN

300ZX/Turbo

Une sportive complète

À sa quatrième année, la série 300ZX est toujours dans le groupe de tête de sa catégorie. En version Turbo, elle a même causé la surprise de notre match des grandes sportives, publié dans l'édition précédente du Guide. Aucune de ses rivales ne peut prétendre offrir le même amalgame de performance et de civilité.

Nissan a renouvelé entièrement sa série ZX en 1990, lui permettant du coup d'effectuer un énorme bond en avant. D'une boulevardière molle et vaguement obèse, elle avait fait une sportive authentique; racée, performante et sûre. Cette nouvelle 300ZX n'avait plus la moindre ressemblance avec sa devancière immédiate. Elle rappelait cependant immédiatement la toute première de la lignée, la merveilleuse 240Z. Cette dernière avait été, vingt ans plus tôt, la première sportive /GT japonaise de grande série. C'est elle qui, en bonne partie,

sonna le glas des voitures sport britanniques. Elle offrait effectivement des performances dignes d'une Jaguar E-type, une silhouette profilée tout à fait réussie et une fiabilité déjà exceptionnelle pour ce type de voiture, à un prix imbattable. Deux décennies plus tard, elle a changé d'appellation, mais la 300ZX s'amuse encore à jouer les trouble-fête chez les sportives, souvent au nez et à la barbe de voitures beaucoup plus chères. Lors du match des grandes sportives présenté dans l'édition 1992 du *Guide,* c'est la 300ZX qui a causé la ou

plutôt les plus fortes surprises. Grâce entre autres à l'agilité que lui procurent ses roues arrière directrices (grâce au dispositif Super-HICAS), la version Turbo de la 300ZX est venue par exemple ravir le deuxième rang dans l'épreuve de «super-slalom» sur le circuit de Sanair, à quelques dixièmes de seconde de la Corvette ZR-1 mais plus d'une seconde et demie devant l'Acura NSX. Voilà qui allait priver cette dernière de la victoire finale dans ce match. Or, cette épreuve mixte, qui combinait les rigueurs du circuit et les exigences de maniabilité d'une épreuve d'autocross, reflétait fort bien les conditions que doit affronter le plus souvent une voiture de ce type. Or, des cinq voitures inscrites à ce match, la Nissan fut reconnue unanimement comme celle qui était le mieux adap-

tée à la conduite de tous les jours. Elle ne peut évidemment rivaliser avec la version intégrale de la Dodge Stealth ou même avec la Corvette LT1 et son dispositif antipatinage en motricité hivernale. Mais à tout autre égard, la 300ZX est d'un confort et d'une civilité que ne peuvent égaler ses rivales, même à plus du double de son prix. Si l'on recherche encore plus de polyvalence, la version 2+2 mérite un coup d'œil. C'est une bien meilleure grand-tourisme que la Turbo et la puissance plus modeste de son V6 atmosphérique rend la conduite hivernale moins aventureuse.

CE QU'IL FAUT SAVOIR

NISSAN 300ZX

	Pauvre	Passable	Bon	Très bon	Excellent
• Comportement routier					•
• Freinage					•
• Sécurité passive			•		
• Visibilité		•			
• Confort				•	
• Volume de chargement		•			

POUR

Silhouette toujours attrayante
Modèle Turbo très performant
Tenue de route et maniabilité
Confort d'excellent niveau
Équipement complet
Carrosserie très solide

CONTRE

Pas de coussin gonflable
Volant fixe, trop bas
Mauvaise visibilité arrière
Conduite délicate en hiver (Turbo)
Coffre à bagages peu profond
Poids élevé

Quoi de neuf?

Freinage antibloquant de série
Chaîne stéréo Bose maintenant standard

ASPECT TECHNIQUE

Groupe propulseur: propulsion
Empattement: 245 cm - 257 cm (2+2)
Longueur: 430,5 cm - 452 cm (2+2)
Poids: 1 430,5 kg - 1 485 kg (Turbo)
Coefficient aérodynamique: 0,32
Moteur: V6 3,0 litres, 222 ch. - V6 3,0 litres turbo, 300 ch.

Transmission:
   standard: boîte manuelle 5 rapports
   option: boîte automatique 4 rapports
Suspension avant: indépendante
   arrière: indépendante
Direction: à crémaillère, assistée
Freins: avant: disques ABS
   arrière: disques ABS
Pneus: 225/50R16 - 245/45VR16 (arrière Turbo)

ASPECT PRATIQUE

Carrosserie: coupé
Nombre de places: 2 - 2+2
Valeur de revente: très moyenne
Indice de fiabilité: 7,5
Coussin gonflable: non
Réservoir de carburant: 70,8 litres
Capacité du coffre: 23,7 pi^3
Performances: 0-100 km/h: 8,7 s - 6,0 s (Turbo)
   vitesse max.: 250 km/h
   consommation: 12,7 litres/100 km - 13,5 (Turbo)
Échelle de prix: 41 000 $ à 46 000 $

PLYMOUTH

Acclaim/Dodge Spirit

Un bon compromis

La Plymouth Acclaim et la Dodge Spirit font partie de ces voitures à vocation familiale que leur silhouette effacée et leurs performances moyennes confinent à un certain anonymat. Toutefois, elles proposent un bon compromis.

Si vous recherchez une berline proposant une habitabilité fort impressionnante compte tenu des dimensions extérieures ainsi qu'un comportement routier tout de même honnête, votre liste devrait sans doute inclure un des membres de ce duo. Bien que leur silhouette soit plutôt anonyme, ces berlines ont quand même beaucoup à offrir sur le côté pratique. La version équipée du moteur V6 3,0 litres et de la boîte automatique à quatre rapports est fort homogène. Toutefois, toutes les versions souffrent d'une suspension avant

qui est intéressante sur bonne route mais qui est allergique aux trous et aux bosses. Les amortisseurs talonnent et chaque trou et bosse est accueilli par un cognement sec. Heureusement, le comportement en virage est neutre et le sous-virage est à peine perceptible.

Quant aux versions dotées du quatre cylindres 2,5 litres, les performances sont naturellement moindres, mais les résultats sont tout de même acceptables. De plus, même si cette transmission automatique à quatre rapports a connu des débuts pour

le moins controversés, un essai à long terme publié dans le *Guide de l'auto 1992* nous a permis de conclure que les problèmes étaient chose du passé dans la majorité des cas. Cet essai nous avait également permis de découvrir une voiture dont la fiabilité et la solidité étaient certainement dans la bonne moyenne.

Ce qui caractérise le plus ces voitures, c'est leur habitacle passablement spacieux et confortable en mesure d'accueillir dans un confort très honnête des personnes de tous les gabarits. Les sièges sont confortables même s'il faut déplorer leur manque de support latéral. Comme ils s'apparentent beaucoup à des fauteuils de salon, ils sont appréciés lors de longues randonnées sur les autoroutes.

D'ailleurs, c'est là le point fort de ces voitures qui se font apprécier sur de courtes et moyennes distances. Et si vous êtes un tantinet audiophile, vous serez heureux d'apprendre que les systèmes de son proposés par Chrysler font la barbe à bien des systèmes portant des noms ronflants et vendus beaucoup plus cher.

Somme toute, sous leurs allures discrètes, les Spirit et Acclaim sont des voitures balancées qui souffrent surtout d'une suspension avant allergique aux trous et aux bosses.

CE QU'IL FAUT SAVOIR

ACCLAIM/SPIRIT

	Pauvre	Passable	Bon	Très bon	Excellent
• Comportement routier		•			
• Freinage			•		
• Sécurité passive			•		
• Visibilité		•			
• Confort			•		
• Volume de chargement			•		

POUR

Moteur V6 intéressant
Bonne habitabilité
Prix abordable
Équipement complet
Automatique plus fiable

CONTRE

Silhouette dépassée
Suspension avant talonne
Moteur turbo bruyant
Roulis en virage
Modèle en sursis

Quoi de neuf?

Rien de nouveau

ASPECT TECHNIQUE

Groupe propulseur: traction
Empattement: 262,4 cm
Longueur: 460,2 cm
Poids: 1 355 kg
Coefficient aérodynamique: n.d.
Moteurs: 4L 2,5 litres, 100 ch. - 4L 2,5 litres Turbo 1, 152 ch. - V6 3,0 litres, 141 ch.
Transmission:
    standard: boîte manuelle 5 rapports
    option: boîte automatique 4 rapports
Suspension avant: indépendante
    arrière: essieu rigide
Direction: à crémaillère
Freins: avant: disques
    arrière: tambours
Pneus: P185/70R14

ASPECT PRATIQUE

Carrosserie: berline
Nombre de places: 5
Valeur de revente: moyenne
Indice de fiabilité: 8
Coussin gonflable: conducteur
Réservoir de carburant: 61 litres
Capacité du coffre: 14,4 pi³
Performances: 0-100 km/h: 9,8s
    vitesse max: 190 km/h
    consommation: 11,6 litres/100 km (V6)
Échelle de prix: 12 500 $ à 20 500 $

DODGE

Shadow/Plymouth Sundance

Un dernier baroud d'honneur

Si Chrysler respecte son échéancier, et c'est une habitude que cette corporation semble avoir prise, elle dévoilera l'an prochain une toute nouvelle famille de «petites voitures» conçues et construites en Amérique du Nord. Entre-temps, les Sundance et Shadow qu'elles remplaceront se portent plutôt bien.

La série «P» de Chrysler a été lancée en 1987. À l'époque, la bande de Highland Park aurait préféré lancer une vraie petite voiture, une sous-compacte qui eût concurrencé directement les meilleures nipponnes de la catégorie. Mais le projet a pris de l'embonpoint en cours de route et la voiture est devenue trop coûteuse pour s'attaquer aux Japonaises. Mais ça, c'était avec l'ancienne manière. Chrysler nous promet que ses nouvelles PL, qu'elle prévoit lancer l'an prochain, seront les premières petites voitures américaines à être

conçues par une équipe locale qui seront vendues à profit. Nous verrons bien, mais à en juger par le travail accompli sur les berlines LH et la Viper, cela augure plutôt bien. Entre-temps, les Sundance et Shadow font un dernier tour de piste. Et elles le font la tête haute. Leurs ventes ont connu une hausse très honnête durant le premier semestre 1992 sur le marché américain et elles se présentent pour l'année 1993 avec des attraits encore plus convaincants. Elles seront entre autres disponibles avec le freinage antibloquant,

qui s'ajoute à leur coussin gonflable standard. Elles offrent ensuite des moteurs dont la cylindrée est supérieure à ce qu'offre la concurrence, du moins en importation. Les Shadow et Sundance devront lutter ferme une fois de plus contre les Cavalier et Sunbird chez GM de même que le duo Tempo/Topaz chez Ford, des voitures qui les devançaient toutes au chapitre des ventes sur le marché canadien l'an dernier et qui offrent toutes un moteur V6 de cylindrée équivalente à bas prix elles aussi. Quoi qu'il en soit, Chrysler mise encore cette année sur le nom de Duster, ressuscité l'an dernier, pour donner du piquant à la série Sundance. Il s'agit d'un modèle équipé du V6 de 3 litres que fabrique Mitsubishi, de roues d'alliage, d'un becquet à l'avant et d'un aileron arrière. On est loin des fameuses Duster des années 70 à moteur V8 de 275 chevaux. Cette nouvelle interprétation offre néanmoins un comportement et des performances très honnêtes pour le prix. Il convient aussi de noter que les Sundance et Shadow ont devancé leurs rivales américaines et se sont retrouvées quatrièmes, tout juste derrière les meneuses japonaises (Civic, Tercel et Corolla) aux plus récents sondages de «satisfaction de la clientèle» de la firme J.D. Power. Les Sundance et Shadow s'apprêtent donc à réussir leur sortie de scène.

CE QU'IL FAUT SAVOIR

PLYMOUTH SUNDANCE

	Pauvre	Passable	Bon	Très bon	Excellent
• Comportement routier			•		
• Freinage			•		
• Sécurité passive				•	
• Visibilité				•	
• Confort			•		
• Volume de chargement		•			

POUR

Bonne fiabilité
Comportement sans surprise
Rapport qualité/prix
Moteurs optionnels plus musclés
Coussin gonflable standard
ABS disponible

CONTRE

Séries en fin de carrière
Places arrière étroites
Hayon lourd
Seuil de coffre trop haut
Moteur de base poussif
Agrément de conduite mitigé

Quoi de neuf?

Échappement inoxydable
Freins antibloquants offerts sur tous les modèles
Insonorisation améliorée sur tous les modèles

ASPECT TECHNIQUE

Groupe propulseur:	traction
Empattement:	246,8 cm
Longueur:	436,6 cm
Poids:	1 185,2 kg - 1 308,2 kg (5 portières)
Coefficient aérodynamique:	0,41
Moteur:	4L 2,2 litres, 93 ch. - 4L 2,5 litres, 100 ch. - V6 3,0 litres, 141 ch.
Transmission:	
standard:	boîte manuelle 5 rapports
option:	automatique 3 rapports - 4 rapports
Suspension avant:	indépendante
arrière:	essieu rigide
Direction:	à crémaillère, assistée
Freins: avant:	disques (ABS optionnel)
arrière:	tambours (ABS + disques optionnels)
Pneus:	185/70R14 - 205/60R14 (optionnel)

ASPECT PRATIQUE

Carrosserie:	*hatchback* 3 portières - 5 portières
Nombre de places:	5
Valeur de revente:	bonne
Indice de fiabilité:	8
Coussin gonflable:	conducteur
Réservoir de carburant:	53 litres
Capacité du coffre:	13,2 pi^3
Performances:	0-100 km/h: 11,5 s
vitesse max.:	175 km/h
consommation:	8,9 litres/100 km
Échelle de prix:	10 000 $ à 15 000 $

PLYMOUTH

Voyager/Dodge Caravan/Chrysler T&C

Toujours en tête

Le nombre de belligérants dans la catégorie des fourgonnettes compactes ne cesse d'augmenter, mais Chrysler continue d'exercer sa suprématie avec près de 50 p. 100 du marché. Cette année, aussi bien la Dodge Caravan que la Plymouth Voyager et la Chrysler Town & Country ont droit à des retouches.

Comme le démontrent les chiffres de ventes des fourgonnettes Autobeaucoup de Chrysler, aucun autre véhicule de la catégorie ne semble en mesure de concilier les besoins et les goûts des acheteurs comme le fait cette fourgonnette de Chrysler.

Ce qui fait sa force, c'est son équilibre général tant au chapitre du comportement routier, de la présentation esthétique que de l'aménagement intérieur. Ajoutons à cela un choix de moteurs et de transmissions et vous avez un best-seller. Parmi les points forts de cette fourgonnette, il faut

souligner un agrément de conduite qui se rapproche passablement de celui d'une automobile. Et, cette année, il sera possible de commander en option une suspension sport qui ajoute encore à la tenue de route. Il faut également souligner le confort d'ensemble, la polyvalence générale et les sièges intégrés pour enfants qui ont été introduits l'an dernier. Quant à la Town & Country de Chrysler, son équipement standard et la présentation de son habitacle en font la fourgonnette la plus luxueuse sur le marché.

Comme c'était le cas l'an dernier, trois moteurs sont offerts, dont un quatre cylindres de 2,5 litres. Avec une puissance de 100 chevaux, il est réservé à ceux qui n'envisagent pas de transporter de lourdes charges. Par contre, les moteurs V6 3,0 litres et 3,3 litres sont bien adaptés pour être utilisés sur une fourgonnette. Il faut cependant noter que la Town & Country ne propose que le V6 3,3 litres et la traction. Cette année, il n'y a pas de changements majeurs sur ces fourgonnettes. Toutefois, on a procédé à plusieurs améliorations sur le plan esthétique tout en ajoutant des coloris nouveaux au choix de couleurs disponible pour l'habitacle et la carrosserie. Sur le plan mécanique, on note un convertisseur de couple plus performant et un embrayage modulaire sur la version avec moteur 2,5 litres.

Il faut ajouter que le modèle à traction intégrale ne peut être commandé qu'avec le moteur 3,3 litres et la boîte automatique à quatre rapports. D'autre part, pour ceux qui le désirent, la vénérable boîte automatique à trois rapports peut être commandée. Quant à la boîte manuelle, elle n'est livrée qu'avec le quatre cylindres sur les Caravan et Voyager.

CE QU'IL FAUT SAVOIR

PLYMOUTH VOYAGER

	Pauvre	Passable	Bon	Très bon	Excellent
• Comportement routier				●	
• Freinage			●		
• Sécurité passive				●	
• Visibilité				●	
• Confort				●	
• Volume de chargement				●	

POUR

Coussin gonflable
Agrément de conduite
Traction intégrale
Finition sérieuse
Direction précise

CONTRE

Instabilité sur mauvaise route
Silhouette conservatrice
Moteur standard poussif
Boîte 3 rapports brusque

Quoi de neuf?

Aucun changement majeur
Suspension sport optionnelle
Plusieurs améliorations de détail

ASPECT TECHNIQUE

Groupe propulseur:	traction - 4x4
Empattement:	285,2cm - 303 cm (allongée)
Longueur:	446,8 cm - 483,9 cm (allongée)
Poids:	1 406 kg - 1 570 kg (allongée)
Coefficient aérodynamique:	n.d.
Moteurs:	4L 2,5 litres, 100 ch. - V6 3,0 litres, 141 ch. - V6 3,3 litres, 151 ch.
Transmission:	
standard:	boîte manuelle 5 rapports
option:	boîte automatique 3 rapports ou 4 rapports
Suspension avant:	indépendante
arrière:	essieu rigide
Direction:	à crémaillère
Freins: avant:	disques
arrière:	tambours
Pneus:	P195/75R15

ASPECT PRATIQUE

Carrosserie:	fourgonnette
Nombre de places:	5-7
Valeur de revente:	excellente
Indice de fiabilité:	8,5
Coussin gonflable:	conducteur
Réservoir de carburant:	80 litres
Capacité du coffre:	115,9 (sans banquette)
Performances:	0-100 km/h: 11,7 s (V6 3,0 litres)
vitesse max:	190 km/h (V6 3,0 litres)
consommation:	12,4 litres/100 km
Échelle de prix:	18 000 $ à 28 000 $

PONTIAC

Buick Skylark/Grand Am/Oldsmobile Achieva

Un joyeux trio

Ces trois voitures ont changé de robe en 1992 et le public a répondu avec enthousiasme à leur nouvelle image. Elles sont de retour en 1993 avec quelques modifications mineures.

En 1992, General Motors a lancé une volée de nouvelles voitures allant de la berline de luxe avec la Cadillac Seville aux utilitaires de la taille de la GMC Suburban. Dans cette même nichée, on retrouve trois nouveaux modèles qui viennent remplacer trois voitures qui avaient besoin d'une cure de rajeunissement, soit les Pontiac Grand Am, Buick Skylark et Oldsmobile Calais. Ce trio a été entièrement remanié en 1992 et nous revient pratiquement intact en 1993. La remplaçante de l'Oldsmobile Calais, l'Achieva, n'a fait son entrée qu'au tout début du printemps 1992. Elle est à peu près identique aux deux autres modèles, mais son lancement a été retardé en raison de modifications d'ordre esthétique apportées à la carrosserie.

QUAND LE DESIGN RÈGNE

Comme on utilise sensiblement la même plate-forme que sur les modèles antérieurs, on a pu fignoler davantage le style de ces voitures. Et on a certainement réussi à donner à chacune une allure vraiment individuelle. Certains auraient préféré une plate-forme plus sophistiquée; nous croyons que cela n'était pas nécessaire, celle qu'on utilise étant suffisamment raffinée pour les besoins de cette catégorie. Toutefois, si de prime abord la plate-forme paraît adéquate, elle demeure toujours un mystère pour nous en raison de ses grandes variations d'une voiture à l'autre. Certaines profitent d'une plate-forme impeccable, alors que d'autres sont dotées d'une version vraiment en deçà des normes.

Sur le plan esthétique, la Pontiac Grand Am n'est pas vilaine et ressemble d'assez près aux autres Pontiac des catégories intermédiaires tout en conservant une certaine affinité avec le modèle antérieur. On retrouve donc tout l'arsenal visuel des stylistes de Pontiac avec leur calandre à orifices jumelés, la garniture de ceinture de caisse côtelée et les feux arrière à fragmentation multiple. En outre, les parechocs enveloppants avant et arrière montrent eux aussi la signature Pontiac. Si le coup d'œil est agréable, les versions les plus luxueuses ont tendance à être vraiment trop garnies.

Quant à la Buick Skylark, elle se refuse à être un modèle de sagesse sur le plan visuel comme l'était sa devancière. Comme ce fut le cas chez Pontiac, les stylistes de Buick se sont payé du bon temps sur ce modèle. Ainsi, au premier coup d'œil, on ne peut s'empêcher de remarquer la calandre aux allures vraiment uniques avec sa grille bombée tandis que le parechocs est en pointe vers l'avant. Selon les dires des responsables de cette division, la Buick 1939 a servi d'inspiration pour ce modèle. Cette approche pour le moins radicale ne laissera personne indifférent. La

Skylark a au moins le mérite de nous proposer des voitures distinctives en opposition aux Japonaises qui semblent s'ingénier à se copier les unes les autres. Chez Oldsmobile, on n'est pas insensible non plus aux vertus du design. La nouvelle Achieva a vu son lancement retardé pour permettre de fignoler les passages de roues arrière qui avaient été critiqués lors de sessions d'évaluation par le public. Comme c'est souvent le cas chez Oldsmobile, on a adopté la voie du juste milieu sur le plan du style et ce modèle risque de se démoder moins rapidement sur le plan visuel. Mais ce n'est pas un style rétro qu'Oldsmobile nous propose. En fait, l'Achieva est drôlement moderne avec ses grandes surfaces aux courbes progressives.

Enfin, même si ces Américaines se plaisent à jouer les *prima donna* sur le plan visuel, elles ne sont pas dépourvues de qualités aérodynamiques. Ainsi, la berline Buick propose un coefficient de traînée de 0,31 tandis que le coupé Grand Am affiche un Cx de 0,34.

DES HABITACLES DIFFÉRENTS

Ces trois voitures diffèrent énormément au chapitre de la carrosserie et de l'habitacle. La Grand Am y va encore une fois du style futuro-rococo qui semble si apprécié par

cette division. La présentation est visuellement intéressante, mais un peu trop chargée à notre goût. De plus, toutes ces pièces en plastique sont de formes tourmentées et leur ajustement n'est pas toujours parfait. De plus, on a parfois préféré le visuel au pratique.

Chez Buick, on voyait le monde à l'envers quand on a dessiné cet habitacle. Le tableau de bord de même que la plupart des commandes semblent avoir été placés à l'envers. Ce qui donne une curieuse impression mais n'est pas à rejeter d'emblée pour autant. En fait, l'ergonomie de cette voiture n'est pas mauvaise et le tableau de bord en retrait donne une impression d'espace.

Enfin, l'Achieva sera celle qui recevra les meilleures notes de la part des traditionalistes puisque tout y est placé de façon conventionnelle. Toutefois, pour une fois, on a abandonné les cadrans rectangulaires pour nous offrir un essaim de cadrans circulaires de consultation facile. De plus, la partie centrale de la planche de bord est inclinée vers le conducteur pour en faciliter la consultation.

En terminant cette revue de l'habitacle, il faut déplorer, sur ces trois voitures, un choix de plastique qui fait parfois bon marché de par la texture et la présentation. C'est mieux que dans certaines autres voitures nord-américaines, mais il y a place pour de l'amélioration.

DES MOTEURS INTÉRESSANTS

Lors d'un essai approfondi sur les routes du Québec, nous avons été en mesure de parcourir plusieurs centaines de kilo-

mètres au volant d'une Grand Am équipée du «nouveau» moteur 2,3 litres à simple arbre à cames en tête et 12 soupapes. Il s'agit en fait d'une version plus économique du Quad 4 puisque ce moteur ne dispose que d'un seul arbre à cames en tête et ne développe que 115 chevaux. Malgré tout, ce moteur s'est révélé bien adapté à la voiture. Les accélérations ne sont pas foudroyantes, mais acceptables quand même. De plus, cette mécanique nous a donné l'impression d'être joliment costaud. Ce 2,3 litres était associé à une boîte manuelle à cinq rapports dont l'étagement était adéquat. Cette boîte n'offre pas la précision de certaines

européennes ou japonaises, mais aussi bien le guidage que sa course étaient bons.

Toutefois, Pontiac propose un choix passablement vaste aux acheteurs de la Grand Am puis qu'on offre également la version quatre soupapes par cylindre du 2,3 litres dont la puissance annoncée est de 155 chevaux. Il existe également une version haut rendement de ce moteur qui assure de très bonnes accélérations avec ses 175 chevaux. Enfin, le V6 3,3 litres est également au catalogue. Sa puissance est de 160 chevaux.

Quant à la Buick Skylark, le choix est plus simple puisque deux moteurs sont au menu. Comme pour la Grand Am, le moteur standard est le 2,3 litres huit soupapes tandis que le moteur optionnel est le V6 3 300 développant 160 chevaux. Toutefois, la seule boîte automatique disponible est cette sempiternelle trois vitesses qui date. Chez Oldsmobile, on propose plus ou moins les mêmes groupes propulseurs. Ce qui est bien normal puisque ce quatre cylindres 2,3 litres est issu des tables à dessin de ce constructeur. Toutefois, paternité oblige, Oldsmobile s'est réservé une version vraiment plus puissante du

Quad 4 qui développe 185 chevaux, soit 10 de plus que la version originale. Ce moteur est disponible sur l'Achieva SCX qui est la plus sportive de toutes les voitures de cette famille. Curieusement, les puissances affichées cette année ont toutes perdu cinq chevaux par rapport à 1992.

Pour compléter ce tour d'horizon technique, on note sur ces voitures la présence de jambes de forces à l'avant et d'une suspension arrière semi-indépendante avec poutre déformante à l'arrière. Les freins ABS sont standards avec freins à disques à l'avant et à tambours à l'arrière. Comme sur plusieurs autres nouvelles GM, on justifie cette décision d'opter pour des tambours à l'arrière en soulignant que c'est quasiment aussi efficace et plus économique.

UN BEL ÉQUILIBRE ROUTIER

Notre premier contact avec cette nouvelle génération de voitures GM s'est effectué par l'intermédiaire de la Buick Skylark. Même sur des routes tortueuses, cette Buick s'est révélée fort homogène en nous proposant une tenue de route neutre alors qu'il était possible d'aborder les virages sans ralentir et que la voiture conservait un bel équilibre en sortie de virage. Cette tenue de route ne s'effectuait pas au détriment du confort alors que la suspension Dynaride permettait un bel équilibre entre la douceur de roulement et la tenue de route. Le moteur V6 de par sa souplesse permettait des reprises intéressantes et ne souffrait pas trop de sa boîte automatique à trois rapports. Il faut également mentionner le silence de l'habitacle. Toutefois, un autre modèle essayé par la suite est venu détruire cette belle impression alors que la suspension avant talonnait et que la direction était très imprécise. Encore une fois, l'irrégularité de la production vient hanter ces modèles.

Quant à la Grand Am, sa suspension avant nous est parue plus sèche que celle de la Buick et parfois moins précise. Encore une fois, c'est l'Oldsmobile Achieva qui mérite les meilleures notes côté comportement routier. Que ce soit dans la version de base ou la CSX, la voiture est neutre et la plate-forme nous semble plus solide.

Même si ces voitures pouvaient apporter davantage de sophistication en ce qui concerne certains éléments techniques, il n'en demeure pas moins qu'elles offrent un comportement routier sain et un bon choix de moteurs. L'Oldsmobile possède le meilleur équilibre à tous les points de vue.

CE QU'IL FAUT SAVOIR

OLDSMOBILE ACHIEVA

	Pauvre	Passable	Bon	Très bon	Excellent
• Comportement routier			•		
• Freinage			•		
• Sécurité passive			•		
• Visibilité				•	
• Confort			•		
• Volume de chargement			•		

POUR

Choix de moteurs
Présentation originale
Bon rapport qualité/prix
Boîte manuelle 5 rapports
Silence de roulement

CONTRE

Boîte auto. 3 rapports
Finition inégale
Suspension avant talonne
Accélérations bruyantes
Freins à tambours à l'arrière

Quoi de neuf?

Version Quad 4 185 chevaux sur Achieva
Aucun autre changement majeur

ASPECT TECHNIQUE

Groupe propulseur:	traction
Empattement:	262,7 cm
Longueur:	480,5 cm
Poids:	1 250 kg
Coefficient aérodynamique:	0,31
Moteurs:	4L 2,3 litres SACT, 115 ch. - 4L 2,3 litres DACT, 155 ch. - 4L 2,3 litres DACT, 185 ch. - V6 3,3 litres, 160 ch.
Transmission:	
standard:	boîte manuelle 5 rapports
option:	boîte automatique 3 rapports
Suspension avant:	indépendante
arrière:	semi-indépendante
Direction:	à crémaillère
Freins: avant:	disques ABS
arrière:	tambours ABS
Pneus:	P185/70R14

ASPECT PRATIQUE

Carrosserie:	coupé - berline
Nombre de places:	5
Valeur de revente:	moyenne
Indice de fiabilité:	8,0
Coussin gonflable:	non
Réservoir de carburant:	56,2 litres
Capacité du coffre:	14,0 pi^3 (berline)
Performances:	0-100 km/h: 9,6 s (V6)
vitesse max:	195 km/h
consommation:	9,8 litres/100 km (4L 2,3L SACT)
Échelle de prix:	17 000 $ à 23 000 $

PONTIAC

Grand Prix/Oldsmobile Cutlass Supreme

La carte du style

Les Grand Prix et Cutlass Supreme constituent la moitié de la série W ou GM10. Les autres sont les Buick Regal et Chevrolet Lumina. Ces dernières sont mieux vendues mais elles n'ont pas la silhouette racée et l'aménagement intérieur plus harmonieux des berlines et coupés fabriqués chez Oldsmobile et Pontiac.

Des quatre modèles de la série GM10 ou W apparus à la fin des années 80, les Grand Prix et Cutlass Supreme étaient certes les meilleurs en matière de style. Le coupé Pontiac avait une silhouette tout en lignes et en flèches tandis que celui d'Oldsmobile semblait sculpté par le vent avec ses rondeurs doucement profilées. Les deux conservaient l'avantage sur les Regal et Lumina à l'intérieur surtout parce qu'on leur avait épargné l'horrible tableau de bord à «crevasse» de celles-ci. Il est vrai toutefois que Pontiac avait succombé

une fois de plus à la tentation de multiplier les boutons de plastique gris et que le tableau de bord du coupé Oldsmobile jurait par son conservatisme sur les airs de fusée de sa carrosserie. Ces deux séries ont gagné sensiblement en attrait lorsqu'elles ont enfin été offertes en version berline. Ce fut une conversion réussie, bien que ni l'une ni l'autre ne soit devenue une championne d'habitabilité. Là encore, la meilleure carte des Grand Prix et Cutlass Supreme demeurait le style. La silhouette des Grand Prix, par exemple, est la raison

première de l'achat, selon les données obtenues par le manufacturier. Tout cela pour souligner que les Grand Prix et Cutlass Supreme sont à toutes fins utiles des modèles spécialisés. Leurs ventes sont plus modestes que celles des Regal et surtout celles des Lumina et elles n'ont jamais inquiété le duo Taurus et Sable. Or, ces dernières ont été légèrement recarrossées l'an dernier, ce qui semble avoir relancé leur ventes. Mais il faut surtout noter que les Grand Prix et Cutlass Supreme devront affronter un trio d'adversaires redoutables cette année; les berlines LH de Chrysler. Or, elles sont nettement moins spacieuses que ces dernières et moins bien aménagées et finies à l'intérieur. Leur comportement routier est correct, mais il est au moins un cran au-dessous des LH. De plus, les berlines GM n'ont aucun coussin gonflable et le moteur optionnel de leurs rivales fait 14 chevaux de mieux que leur propre V6 de 3,4 litres avec une paire d'arbres à cames en moins. Inutile d'insister: elles prennent un coup de vieux et l'année risque d'être longue. Mais il y a de l'espoir à l'horizon, du moins pour la Cutlass Supreme. Oldsmobile pourrait remplacer ce modèle dès l'an prochain, par une version du prototype Anthem. Or, il s'agit d'une berline de type «habitacle avancé» *(cab forward)* justement comme... les LH.

CE QU'IL FAUT SAVOIR

PONTIAC GRAND PRIX

	Pauvre	Passable	Bon	Très bon	Excellent
• Comportement routier			•		
• Freinage			•		
• Sécurité passive			•		
• Visibilité			•		
• Confort			•		
• Volume de chargement			•		

POUR

Bon comportement routier
Moteur 3,4 litres performant
Carrosserie solide
Silhouettes agréables
Qualité en hausse
Série très complète

CONTRE

Pas de coussin gonflable
Long diamètre de braquage
Coffre moyen (berline GP)
Tableau de bord chargé (GP)
Flexions de caisse (CS décapot.)
Places arrière justes (berline GP)

Quoi de neuf?

Boîte automatique électronique pour le V6 3,1 litres
Moteur 3,4 litres optionnel sur tous les modèles

ASPECT TECHNIQUE

Groupe propulseur:	traction
Empattement:	273 cm
Longueur:	495 cm - 494,7 cm (coupé)
Poids:	1 502,3 kg - 1 446,5 kg (coupé)
Coefficient aérodynamique:	0,29
Moteurs:	V6 3,1 litres, 140 ch. - V6 DACT 3,4 litres, 200 ch.
Transmission:	
standard:	boîte automatique 3 rapports
option:	boîte automatique 4 rap. - manuelle 5 rap.
Suspension avant:	indépendante
arrière:	indépendante
Direction:	crémaillère, assistée
Freins: avant:	disques (ABS optionnel)
arrière:	disques (ABS optionnel)
Pneus:	205/70R14 - 245/50ZR16 (GTP)

ASPECT PRATIQUE

Carrosserie:	berline - coupé
Nombre de places:	4 - 5
Valeur de revente:	bonne
Indice de fiabilité:	8
Coussin gonflable:	non
Réservoir de carburant:	62,4 litres
Capacité du coffre:	15,5 pi^3 - 14,9 pi^3 (coupé)
Performances:	0-100 km/h: 10,7 s
vitesse max.:	190 km/h
consommation:	12,4 litres/100 km
Échelle de prix:	18 000 $ à 28 000 $

PORSCHE

911 Carrera 2/4/Turbo

Intemporelles?

Le série 911 a pleinement réussi sa rentrée il y a cinq ans, avec la Carrera 4. Sa silhouette parfaitement classique dissimulait des composantes parfaitement modernes. Porsche n'a cessé depuis d'en multiplier les variations mécaniques et esthétiques. Pour 1993, nouvelle cure de puissance pour... la 911 Turbo!

Les 911 ne sont certainement pas les plus novatrices des Porsche. Pour plusieurs, leur moteur arrière, refroidi par air et installé en porte-à-faux, est un anachronisme sinon une aberration. Et pourtant, elles offrent toujours un comportement et des performances qui leur permettent de se maintenir dans le peloton de tête des voitures de sport. Elles sont même exceptionnelles sous certains rapports, le freinage par exemple, et carrément intouchables au chapitre du caractère et de l'agrément de conduite. Le six cylindres à

plat atmosphérique des Carrera 2 et Carrera 4, par exemple, offre une souplesse et une nervosité à peu près inégalées dans le monde de l'automobile. En pleine accélération, son hurlement aux profonds accents métalliques est un ravissement. Seules les Ferrari, NSX, ZR-1 et semblables peuvent faire jeu égal dans ce registre. Les Porsche sont cependant parmi les sportives les plus polyvalentes que l'on puisse trouver, à plus forte raison la Carrera 4, avec son rouage intégral. À l'intérieur, toutefois, les choses se gâtent

un brin, malgré la présence d'un duo de coussins gonflables, comme sur toutes les Porsche. Les sièges offrent un excellent maintien et la visibilité est impeccable dans toutes les directions mais le tableau de bord des 911 n'a pas changé depuis plusieurs années. Elles souffrent par conséquent d'un mal semblable à celui qui afflige les 968, avec leur nacelle d'instruments pauvrement éclairés et leurs commandes placées un peu n'importe où. De plus, l'habitacle n'est pas très large et on ne peut placer qu'une quantité infime de bagages dans le coffre qui se trouve sous le capot avant. Les places arrière font donc office de prolongement pour la soute à bagages. Nous avons été déçus de voir une 911 Carrera 2 Targa Tiptronic terminer cinquième au classement de notre match des sportives l'an dernier. Cette boîte, malgré de réelles qualités, réduit les performances et atténue le caractère fauve des 911. Cette année, les Carrera 2 et 4 ne subissent aucun changement d'importance. Il est possible, toutefois, que l'on ait droit plus tard à une Carrera 4 qui afficherait le *look* Turbo et serait propulsée par un six cylindres de 260 chevaux. La Turbo ne sera pas en reste. L'importateur compte offrir cette année une S, propulsée par une version 3,6 litres du même moteur. Puissance de 355 chevaux. Il s'agirait dans les deux cas de modèles 1994.

CE QU'IL FAUT SAVOIR

PORSCHE 911 CARRERA 2

	Pauvre	Passable	Bon	Très bon	Excellent
• Comportement routier					•
• Freinage					•
• Sécurité passive					•
• Visibilité				•	
• Confort			•		
• Volume de chargement	•				

POUR

Silhouette classique
Performances d'exception
Excellents sièges
Robustesse et fiabilité
Freinage fantastique
Série très complète

CONTRE

Prix décourageants
Commandes éparpillées
Suspension ferme
Volume bagages minime
Version Targa décevante
Tenue de cap perfectible

Quoi de neuf?

Version S de la 911 Turbo (en cours d'année)
Carrera 4 «look Turbo» (en cours d'année)

ASPECT TECHNIQUE

Groupe propulseur:	propulsion - intégrale (Carrera 4)
Empattement:	227 cm - 227,3 cm (Turbo)
Longueur:	427,5 cm
Poids:	1 375 kg - 1 485 kg (Turbo)
Coefficient aérodynamique:	0,32 - 0,36 (Turbo)
Moteurs:	P6 3,6 litres, 247 ch. - P6 3,3 litres, turbo, 315 ch.
Transmission:	
standard:	boîte manuelle 5 rapports
option:	boîte automatique 4 rapports (sauf Turbo)
Suspension avant:	indépendante
arrière:	indépendante
Direction:	à crémaillère, assistée
Freins: avant:	disques ABS
arrière:	disques ABS
Pneus:	av.: P205/55ZR16 - arr.:P225/50ZR16

ASPECT PRATIQUE

Carrosserie:	coupé - décapotable - «Targa»
Nombre de places:	2+2
Valeur de revente:	très bonne
Indice de fiabilité:	8,5
Coussins gonflables:	conducteur - passager
Réservoir de carburant:	76,8 litres
Capacité du coffre:	3,5 pi³
Performances:	0-100 km/h: 5,15 s - 4,95 s (Turbo) - 6,45 s (Tiptronic)
vitesse max.:	275 km/h
consommation:	14,9 litres/100 km
Échelle de prix:	85 000 $ à 140 000 $

PORSCHE

928GTS

La quintessence du grand-tourisme

Le spécialiste de Zuffenhausen a fêté dignement les 15 ans de sa 928. Brillante, moderne et novatrice mais boudée par les puristes, elle a influencé profondément le design et la technique automobile depuis 1977. Avec un V8 qui fait 5,4 litres et 350 chevaux, elle est maintenant au sommet de son art.

Il n'existe maintenant qu'un seul modèle de 928: la GTS. Puisque les ingénieurs de Weissach ont finalement harnaché sans ennui de fiabilité le couple assez phénoménal de son moteur, il n'y avait plus de raison de conserver les appellations distinctes S4 et GT pour les versions automatique et manuelle. Elles encaissent maintenant toutes deux les 350 chevaux que développe maintenant son moteur, dont la cylindrée est passée de 5,0 à 5,4 litres. Si la 928 a par ailleurs encore beaucoup de gueule, c'est grâce aux retouches qu'on n'a cessé

d'apporter au design originel d'Anatole (Tony) Lapine. Or, elle a également fait des gains importants en efficacité aérodynamique au cours des années. Son Cx était de 0,45 en 1977 et, malgré ses ailes arrière élargies, la 928GTS affiche aujourd'hui une cote de 0,35. Voilà aussi pourquoi ce requin d'acier continue d'écumer les *autobahn*. D'autant plus qu'il est d'une stabilité phénoménale. Même à plus de 260 km/h au compteur, la GTS demeure rivée au bitume. C'est de loin la meilleure des Porsche actuelles à très haute vitesse. Mais le plus

étonnant est de constater qu'à une allure plus normale, la 928GTS est d'un confort de roulement plus qu'acceptable, malgré ses roues de 17 pouces, ses pneus à taille ultrabasse et surtout sa mauvaise réputation. Avec ses larges pneus, il faut par ailleurs une conduite très énergique et une route très sinueuse pour qu'elle trahisse son poids appréciable et se mette à décrocher sèchement de l'arrière. Jusqu'à cette limite, c'est une pure joie de la conduire, grâce à une direction précise (mais un brin légère), à de bonnes boîtes de vitesses, à des freins irréprochables et surtout à un moteur dont la sonorité, la vivacité et la souplesse sont éblouissantes.

Mais si les qualités de la 928 n'ont jamais été aussi grandes, il faut dire également que certains de ses défauts ont la vie tout aussi dure. Avec un volume de seulement 7 pi^3 (198 litres), le coffre vous forcera par exemple à faire preuve de beaucoup de réserve ou d'imagination dans le choix et la disposition de votre bagage. Nombreuses sont les GT qui font mieux de ce côté. Mais les mordus de la 928 vous diront aussitôt que les sièges arrière sont là pour un tel excédent. Que l'essentiel est cet amalgame unique de performance, de solidité, de sécurité et de caractère qu'offre la 928. Et la nouvelle GTS est incontestablement la meilleure jamais produite.

CE QU'IL FAUT SAVOIR

PORSCHE 928GTS

	Pauvre	Passable	Bon	Très bon	Excellent
• Comportement routier					•
• Freinage					•
• Sécurité passive					•
• Visibilité			•		
• Confort				•	
• Volume de chargement	•				

POUR

Moteur fabuleux
Freinage exceptionnel
Ergonomie exemplaire
Sécurité sans faille
Intérieur cuir «cousu main»
Solidité

CONTRE

Poids élevé
Consommation assez forte
Prix désolant
Soute à bagages lilliputienne
Direction légèrement surassistée
Réglagles de climatisation limités

Quoi de neuf?

Moteur de 5,4 litres et 350 chevaux
Jantes et pneus de 17 pouces
Différentiel autobloquant électronique

ASPECT TECHNIQUE

Groupe propulseur:	propulsion
Empattement:	250 cm
Longueur:	452 cm
Poids:	1 620 kg (automatique: 1 640 kg)
Coefficient aérodynamique:	0,35
Moteur:	V8 5,4 litres, 350 ch. à 5 700 tr/min; 369 lb/pi à 4 250 tr/min
Transmission:	
standard:	boîte manuelle 5 rapports
option:	boîte automatique 4 rapports
Suspension avant:	indépendante
arrière:	indépendante
Direction:	à crémaillère, assistée
Freins: avant:	disques ABS
arrière:	disques ABS
Pneus:	avant: 225/45ZR17 arrière: 255/40ZR17

ASPECT PRATIQUE

Carrosserie:	coupé
Nombre de places:	2+2
Valeur de revente:	bonne
Indice de fiabilité:	8
Coussin gonflable:	conducteur/passager
Réservoir de carburant:	86 litres
Capacité du coffre:	7 pi^3
Performances:	0-100 km/h: 5,7 s
vitesse max.:	275 km/h
consommation:	12 litres/100 km (à 120 km/h)
Échelle de prix:	99 000 $ à 108 000 $

PORSCHE

968

L'incomprise

Une nouvelle Porsche faisait ses débuts l'année dernière. Malgré des qualités dynamiques et techniques irréfutables, les choses ne sont pas faciles pour cette descendante des 924 et 944. Sur un marché morose, elle a peine elle aussi à s'imposer, voire à se maintenir. Elle mérite certainement un meilleur sort.

La grande richesse de Porsche réside sans le moindre doute dans sa tradition technique et sportive, mais tout cela repose sur la créativité et la puissance exceptionnelles des ingénieurs du centre de Weissach. Or, ces derniers n'ont qu'un seul langage: celui des chiffres et de la logique. Lorsqu'ils se sont attelés à la tâche de renouveler les coupés et décapotables de la série 924/944, des voitures qui ont toujours été propulsées par des quatre cylindres, ils ont donc tout naturellement cherché à créer le meilleur moteur possible qui

corresponde à ce signalement. Et ils ont réussi. Le quatre cylindres atmosphérique des 968, avec ses 3,0 litres, ses 236 chevaux et son couple extraordinaire, est d'une efficacité renversante. C'est également le plus gros quatre cylindres à équiper une voiture de série. Cela devrait en faire un effroyable monstre de vibration et pourtant, il n'en est rien. À ce chapitre, les ingénieurs de Weissach rendent à nouveau un hommage implicite à leurs confrères de chez Mitsubishi. Le moteur des 968 est en effet doté d'un double balancier

antivibration dont le principe a été développé par ces derniers (la technique «Silent shaft»). Si aucun autre constructeur ne songe actuellement à un tel moteur, c'est sans doute pour des raisons de marketing plutôt que de technique. La faveur, chez les sportives, va plutôt aux moteurs en V, même sur des modèles aussi peu coûteux que la Mazda MX-3 Precidia. Porsche navigue donc joyeusement à contre-courant avec ce merveilleux «gros quatre», surtout si l'on considère le prix tout de même substantiel de la 968. Et pourtant, elle offre des performances étincelantes et une tenue de route magistrale, dans la meilleure tradition de cette série et de la famille Porsche. Le cabriolet est par ailleurs un des meilleurs du genre. Il n'est affligé des problèmes de flexion qui sont courants sur ce type de voiture. Il est d'une rare élégance. Dans un autre registre, la 968 devrait aussi afficher une endurance mécanique de haut niveau. Les 944S2, équipées de la version précédente du «super quatre» de la 968, le prouvent sans cesse dans les séries nord-américaines d'endurance pour voitures de série. Mais tout cela, l'excellence technique, un comportement d'élite, un cabriolet chic, ne suffit plus. Il faut éblouir, il faut vendre. Espérons que Porsche pourra continuer d'offrir de telles voitures à d'autres que les connaisseurs purs et durs.

CE QU'IL FAUT SAVOIR

PORSCHE 968

	Pauvre	Passable	Bon	Très bon	Excellent
• Comportement routier					●
• Freinage					●
• Sécurité passive					●
• Visibilité				●	
• Confort				●	
• Volume de chargement		●			

POUR

Champion du monde des «4»
Tenue de route magistrale
Direction vive et précise
Excellents sièges
Double coussin gonflable
Carrosserie ultrasolide

CONTRE

Accès laborieux (coupé)
Silhouette banale (coupé)
Coffre étriqué
Commandes éparpillées
Design intérieur vieillot
Pneus bruyants

Quoi de neuf?

Changements mineurs

ASPECT TECHNIQUE

Groupe propulseur:	propulsion
Empattement:	240 cm
Longueur:	432 cm
Poids:	1 400 kg - 1 500 kg (cabriolet autom.)
Coefficient aérodynamique:	0,34 - 0,36 (cabriolet)
Moteur:	4L 3,0 litres, 236 ch.
Transmission: standard:	boîte manuelle 6 rapports
option:	boîte automatique 4 rapports
Suspension avant:	indépendante
arrière:	indépendante
Direction:	à crémaillère, assistée
Freins: avant:	disques ABS
arrière:	disques ABS
Pneus:	av.: 205/50ZR16 arr.: 225/50ZR16
	option: av.: 225/45ZR17 arr.: 255/40ZR17

ASPECT PRATIQUE

Carrosserie:	coupé - décapotable
Nombre de places:	2+2 - 2 (cabriolet)
Valeur de revente:	moyenne
Indice de fiabilité:	8,5
Coussins gonflables:	conducteur - passager
Réservoir de carburant:	74 litres
Capacité du coffre:	n.d.
Performances:	0-100 km/h: 6,5 s
vitesse max.:	250 km/h - 245 km/h (cabriolet)
consommation:	14,6 litres/100 km
Échelle de prix:	60 000 $ à 75 000 $

RANGE ROVER

County/Land Rover Defender 110

Une légende passe-partout

Les utilitaires fabriquées par la compagnie Rover de Grande-Bretagne sont légendaires partout dans le monde. Depuis quelques années, la Range Rover est disponible au Canada et elle voit cette année la Land Rover Defender 100 se joindre à la gamme. Ce tandem se distingue de plus d'une façon.

En cette période troublée sur le plan économique, il peut sembler utopique de vouloir vendre aux Canadiens et aux Québécois des utilitaires de grand luxe. Toutefois c'est le défi qu'a réussi à relever la compagnie Range-Rover Canada. Depuis trois ans maintenant, cette entreprise offre en importation officielle cette prestigieuse utilitaire. Le but de la compagnie a toujours été de combiner le confort et le luxe d'une berline haut de gamme à la robustesse des Land Rover, de présentation beaucoup plus dépouillée.

Il est difficile de réaliser qu'on est au volant d'un tout-terrain capable d'escalader les pentes les plus raides et de franchir les fossés les plus profonds. La sellerie en cuir, les appliques de bois sur le tableau de bord, le niveau d'équipement standard, tout cela place la Range Rover dans une classe à part. Toutefois, la position de conduite très haute, le levier d'engagement de la commande «Lo» sur la boîte de vitesses, les vitres de grande dimension et la traction intégrale nous remémorent qu'on est au volant d'un

véhicule tout terrain aussi robuste que luxueux.

En conduite sur route, il faut s'acclimater au centre de gravité élevé, aux freins qui sont trop surassistés et à un encombrement passablement imposant. De plus, le rayon de braquage assez grand, les rétroviseurs trop petits et la direction plus ou moins précise rendent les manœuvres de stationnement périlleuses. En conduite hors route, seule votre audace ou presque vous limitera puisque cette grosse utilitaire est un véritable passe-partout. Il faut cependant souligner que la finition n'est pas toujours à la hauteur, surtout compte tenu du prix.

La Defender 110

Cette année, Range Rover Canada propose un autre modèle, soit le Land Rover Defender 110. Ce Land Rover emprunte la silhouette qui a rendu la marque si célèbre partout dans le monde. Cette silhouette est impérissable et il est facile de succomber à son charme même si elle date de plus de 40 ans. Comme la Range Rover, le Defender fait appel au moteur V8 3,9 litres développant 178 chevaux. L'habitacle est relativement dépouillé mais tout est là pour répondre aux besoins des explorateurs, qu'ils soient authentiques ou du dimanche. D'une grande polyvalence, cette Defender 110 à caisse en aluminium n'est importée qu'en très petite quantité. Avis aux amateurs d'exotisme !

CE QU'IL FAUT SAVOIR

RANGE ROVER

	Pauvre	Passable	Bon	Très bon	Excellent
• Comportement routier			•		
• Freinage				•	
• Sécurité passive				•	
• Visibilité					•
• Confort				•	
• Volume de chargement					•

POUR

Exceptionnels en hors route
Moteur polyvalent
Roulement doux
Freins puissants
Habitacle confortable

CONTRE

Seuil de gravité élevé
Sensible au vent latéral
Finition perfectible
Direction et rayon de braquage
Pédale de frein trop sensible

Quoi de neuf?

Land Rover Defender 110 disponible
Range Rover LWB (empattement long)

ASPECT TECHNIQUE

Groupe propulseur:	4 X 4
Empattement:	254 cm
Longueur:	444,7 cm
Poids:	1 984 kg
Coefficient aérodynamique:	0,41
Moteur:	V8 3,9 litres, 178 ch. - V8 4,2 litres 200 ch.
Transmission:	
standard:	boîte automatique 4 rapports
option:	aucune
Suspension avant:	essieu rigide
arrière:	essieu rigide
Direction:	à vis et galets, assistée
Freins: avant:	disques ABS
arrière:	disques ABS
Pneus:	P205/SR 16

ASPECT PRATIQUE

Carrosserie:	utilitaire
Nombre de places:	5-9 (Defender)
Valeur de revente:	excellente
Indice de fiabilité:	7,5
Coussin gonflable:	non
Réservoir de carburant:	81,8 litres
Capacité du coffre:	36,2 pi³
Performances:	0-100 km/h: 10,7 s
vitesse max.:	170 km/h
consommation:	15,4 litres/100 km
Échelle de prix:	60 000 $ à 65 000 $

ROLLS-ROYCE

Silver Spirit/Bentley Continental

Le luxe à la britannique

Les conducteurs britanniques ont toujours eu une notion pour le moins particulière du luxe dans leurs voitures. Les silhouettes doivent être traditionnelles, un peu pompeuses tandis que l'habitacle se doit de proposer des sièges recouverts des cuirs les plus fins. Les Rolls et Bentley sont de cette école.

Même si les marques Rolls-Royce et Bentley ont connu une baisse de popularité au cours des deux dernières années, cela n'empêche pas ces deux prestigieuses marques de proposer des voitures dont le luxe et l'exclusivité les placent dans une classe à part. Il faut également ajouter que leurs prix hors catégorie contribuent à les placer hors de portée de la quasi-totalité des automobilistes de la planète.

Chez ce constructeur, les nouveautés sont plutôt rares. Ce qui n'a pas empêché le dévoilement de la Bentley Continental lors du Salon de l'auto de Genève 1991. Ce coupé extra-exclusif est fabriqué en très, très petite série, ce qui n'est pas surprenant compte tenu de son prix prohibitif et de ses lignes discutables. Heureusement que les berlines Mulsanne sont plus en mesure de faire bonne impression sur les riches de ce monde. Ces dernières possèdent une élégance rétro qui a son charme. Mais, mieux encore, leurs performances et leur tenue de route en font des sportives parmi ces berlines bourgeoises. La Mulsanne Turbo R, entres autres, est surprenante à plus d'un égard en raison de ses accélérations inspirées et d'une tenue de route impressionnante pour une voiture de cet encombrement.

Mais les Bentley sont beaucoup moins connues que les Rolls-Royce qui continuent d'être le synonyme du luxe et du confort. Les berlines Silver Spur et Silver Spirit possèdent toujours une allure majestueuse accentuée par la calandre la plus célèbre du monde de l'automobile. Comme il se doit, l'habitacle est garni de cuirs fins et de bois exotiques. Mais malgré cette présentation assez rétro, ces voitures ne manquent de rien sur le plan de l'équipement. La présentation est un peu plus conservatrice, c'est tout.

L'an dernier, les Rolls ont subi une cure de rajeunissement sur le plan mécanique avec l'adoption d'une boîte automatique quatre rapports à commande électrique. De plus, le système de gestion du moteur Motronic a été adapté. Malheureusement pour la marque, il semble que ces améliorations n'ont pas été en mesure de secouer une clientèle déjà perturbée par la crise économique à l'échelle de la planète. C'est cette morosité qui explique les récents déboires de la marque sur le marché mondial.

CE QU'IL FAUT SAVOIR

ROLLS-ROYCE SILVER SPIRIT

	Pauvre	Passable	Bon	Très bon	Excellent
• Comportement routier				●	
• Freinage				●	
• Sécurité passive				●	
• Visibilité			●		
• Confort					●
• Volume de chargement				●	

POUR

Confort assuré
Prestige incommensurable
Équipement complet
Tenue de route surprenante
Finition impeccable

CONTRE

Allure rétro
Consommation élevée
Raffinement technique moyen
Présentation à revoir
 (Continental)

Quoi de neuf?

Nouveau modèle «Brooklands»
Moteur révisé

ASPECT TECHNIQUE

Groupe propulseur:	propulsion
Empattement:	306,1 cm
Longueur:	526,8 cm
Poids:	2 350 kg
Coefficient aérodynamique:	0,31
Moteur:	V8 6,8 litres
Transmission:	
standard:	boîte automatique 4 rapports
option:	aucune
Suspension avant:	indépendante
arrière:	indépendante
Direction:	à crémaillère, assistée
Freins: avant:	disques ABS
arrière:	disques ABS
Pneus:	P235/70 VR 15

ASPECT PRATIQUE

Carrosserie:	berline
Nombre de places:	5
Valeur de revente:	excellente
Indice de fiabilité:	8,5
Coussin gonflable:	conducteur
Réservoir de carburant:	108 litres
Capacité du coffre:	14,5 pi^3
Performances:	0-100 km/h: 10,4 s
vitesse max.:	210 km/h
consommation:	24,3 litres/100 km
Échelle de prix:	200 000 $ à 290 000 $

SAAB

900/9000/Cabrio

Une politique plus raisonnable

Au cours des dernières années, la compagnie Saab semble avoir perdu contact avec ses acheteurs traditionnels. Ceux-ci appréciaient le côté pratique et solide de ses voitures alors que leur constructeur parlait de moteurs turbocompressés et de sièges en cuir. Cette année, on se montre plus pragmatique.

Pour remédier à la perte de popularité au Canada, on a décidé chez Saab d'apporter plus de cohérence à la gamme de modèles et de proposer un équipement plus adapté aux besoins du marché. C'est ainsi qu'il sera possible de commander des versions des modèles 900 et 9000 avec un équipement plus modeste afin d'offrir la même performance tout en profitant d'un prix compétitif.

Mais on ne s'est pas contenté de cette approche pragmatique. Les 9000, 9000S et 9000 Turbo sont dorénavant remplacés par la 9000CS qui bénéficie en premier lieu d'une carrosserie remodelée et d'un châssis révisé. De plus, le modèle animé par le moteur turbocompressé est doté du nouveau système de gestion de moteur Trionic exclusif à Saab. Parmi les autres innovations que propose ce *hatchback,* il faut mentionner un arceau de sécurité intégré derrière les portes arrière, un système d'éclairage plus puissant et un climatiseur sans CFC.

Toutes ces transformations et une recherche pour améliorer l'insonorisation se traduisent par un agrément de conduite relevé, une plus grande stabilité à haute vitesse tout en conservant le même côté pratique puisque le coffre à bagages est de 56 pi³ une fois les sièges arrière rabattus. Quant au système Trionic, il rend le moteur plus écologique puisqu'il pollue moins. Ce nouveau système permet également de régler le problème de gestion du moteur qui affectait plusieurs anciens modèles. Quant à la version berline trois espaces, la 9000CD, elle nous revient pratiquement intacte, mais elle bénéficie elle aussi du système Trionic sur sa version turbo.

Les rumeurs veulent que la nouvelle version de la 900 soit dévoilée 1993, mais tout porte à croire que ce sera pour l'année modèle 1994. En attendant, la gamme 900 offre la version 900S en tant comme modèle de base. Toutefois, cette version coûte le même prix que la 900 qui tire sa révérence. Chez Saab, on veut offrir une grande qualité à un prix plus que compétitif. D'autre part, les conducteurs sportifs seront heureux d'apprendre que la 900 Turbo est de retour pour 1993. Elle est toujours animée par le moteur 2,0 litres turbocompressé développant 160 chevaux. Ce moteur turbo est également offert sur la 900 Turbo Cabriolet. Toutefois, cette décapotable peut aussi être commandée avec la version atmosphérique de ce moteur.

CE QU'IL FAUT SAVOIR

SAAB 9000

	Pauvre	Passable	Bon	Très bon	Excellent
• Comportement routier					●
• Freinage					●
• Sécurité passive				●	
• Visibilité				●	
• Confort				●	
• Volume de chargement					●

POUR

Freinage exemplaire
Habitabilité remarquable
Bonne tenue de route
Moteur turbo en verve
Construction soignée

CONTRE

Levier de vitesses imprécis
Prix élevés
Faible diffusion
Faible support latéral des
  sièges avant
Fiable valeur de revente

Quoi de neuf?

Version **hatchback** *9000 révisée*
Moteur turbo plus sophistiqué

ASPECT TECHNIQUE

Groupe propulseur:	traction
Empattement:	267,2 cm - 251,7 cm (900)
Longueur:	462,0 cm - 468 cm (900)
Poids:	1 406 kg - 1 200 kg (900)
Coefficient aérodynamique:	0,34 (0,37)
Moteurs:	4L 2,3 litres 150 ch. - 4L 2,3 litres turbo, 200 ch.
Transmission:	
standard:	boîte manuelle 5 rapports
option:	boîte automatique 4 rapports
Suspension avant:	indépendante
arrière:	essieu rigide
Direction:	à crémaillère, assistée
Freins: avant:	disques ABS
arrière:	disques ABS
Pneus:	P195/65TR15 - P195/60R15 (900)

ASPECT PRATIQUE

Carrosserie:	berline - hatchback - cabrio (900)
Nombre de places:	5
Valeur de revente:	faible
Indice de fiabilité:	7,5
Coussin gonflable:	conducteur
Réservoir de carburant:	68 litres
Capacité du coffre:	17,8 pi^3 - 14,4 pi^3 (900)
Performances:	0-100 km/h: 9,6 s - 8,7s (900 Turbo)
vitesse max.:	230 km/h
consommation:	12,5 litres/100 km
Échelle de prix:	23 500 $ à 47 000 $

SATURN

SC/SL/SW

Comme un conte de fées ou presque

Ils étaient certes fort nombreux à ne pas donner cher pour la réussite de cette nouvelle marque. Surtout après son départ très lent et les ennuis des tout débuts. Mais la bande de Spring Hill a «confondu les sceptiques». Ses chères Saturn figurent maintenant parmi les voitures les plus convoitées, à juste titre.

General Motors a risqué gros pour lancer l'aventure de la nouvelle marque Saturn. Elle a misé quelques milliards de dollars et un gros morceau de ses derniers espoirs de renouveau sur cette voiture. Or, la grande corporation est en bonne voie de gagner son pari, grâce à ce petit groupe d'irréductibles qui se sont installés dans une toute nouvelle usine de Spring Hill au Tennessee. La marque Saturn amorce sa troisième année sur le marché américain et sa deuxième chez nous. Si la concurrence a souri lorsque Saturn avait grand peine à

respecter ses premiers objectifs de production, ce sourire s'est sans doute transformé en grimace lorsqu'elle apprit que l'usine avait maintenant grand peine à satisfaire la demande. Oui, assurément, Saturn est un succès. Ces voitures sont solides, fiables, pratiques et agréables à conduire. Les modèles performants affichent une tenue de route étonnante et se permettent même des victoires et quelques championnats en compétition. Les Saturn sont les premières petites voitures américaines à être primées et recommandées avec enthousiasme par

les intraitables bonzes de la consommation: les gens de Consumers Union (magazine *Consumer Reports*). De plus, Saturn se glisse dès ses débuts parmi les meneurs aux différents sondages de qualité et de fiabilité de la firme J.D. Power & Associates. À sa première présence au classement de satisfaction de sa clientèle en 1992, Saturn se retrouve troisième, à quelques points de Lexus et Infiniti. Tout cela s'est confirmé au long des milliers de kilomètres d'essais qu'a menés le *Guide* au volant d'un échantillon très complet de la gamme Saturn.

Vous pouvez d'ailleurs en apprendre plus, en première partie, sur un essai prolongé mené au volant d'une berline SL2. Portée par sa réussite, Saturn poursuit à la fois le développement et le raffinement de sa gamme cette année. Tous ses modèles ont ainsi droit au coussin gonflable côté conducteur en équipement de série. On devra cependant supporter encore ces horribles ceintures motorisées américaines. Saturn offre par ailleurs, couplé à l'antiblocage sur les modèles à boîte automatique, un dispositif antipatinage. Mais les grandes nouveautés sont les familiales SW1 et SW2, dérivées des berlines SL1 et SL2. Le nouveau coupé SC1, d'autre part, reprend la mécanique SACT de la SL1 et le museau des berlines, le tout offert à moindre prix. Transformation réussie dans les deux cas.

CE QU'IL FAUT SAVOIR

SATURN SL

	Pauvre	Passable	Bon	Très bon	Excellent
• Comportement routier					●
• Freinage				●	
• Sécurité passive				●	
• Visibilité					●
• Confort			●		
• Volume de chargement			●		

POUR

Excellent comportement routier
Moteur DACT souple et nerveux
Très bonnes routières
Braquage court
Visibilité exceptionnelle
Construction et finition soignées

CONTRE

Suspension un brin sèche
Moteur légèrement rugueux
Ceintures motorisées détestables
Confort moyen à l'arrière
Portières bruyantes (coupés)
Pas de repose-pied

Quoi de neuf?

Nouveaux modèles: familiales SW et coupé SC1
Coussin gonflable de série sur tous les modèles
Dispositif antipatinage optionnel avec automatique

ASPECT TECHNIQUE

Groupe propulseur:	traction
Empattement:	260,1 cm - 251,9 cm (SC)
Longueur:	447,8 cm - 446,5 cm (SC)
Poids:	1 049 kg - 1 076 kg (SC2) - 1 157 kg (SW2)
Coefficient aérodynamique:	0,32 (SL2)
Moteurs:	4L 1,9 litre SACT, 89 ch. à 5 000 tr/min - 4L 1,9 litre DACT, 124 ch. à 5 600 tr/min
Transmission:	
standard:	boîte manuelle 5 rapports
option:	boîte automatique 4 rapports
Suspension avant:	indépendante
arrière:	indépendante
Direction:	à crémaillère (assistée en option)
Freins: avant:	disques (ABS optionnel)
arrière:	tambours (ABS optionnel + disques)
Pneus:	195/60R15 (SL2 - SW2)

ASPECT PRATIQUE

Carrosserie:	berline - coupé - familiale
Nombre de places:	5 - 4 (coupé)
Valeur de revente:	très bonne
Indice de fiabilité:	9
Coussin gonflable:	conducteur
Réservoir de carburant:	48,4 litres
Capacité du coffre:	11,9 pi^3 - 29 pi^3 (SW)
Performances:	0-100 km/h: 9,3 s (SL2 autom.) - 8,5 s (SC2 man.)
consommation:	8,7 litres/100 km
Échelle de prix:	10 000 $ à 18 000 $

SUBARU

Loyale

Bientôt la relève

Après plusieurs années de loyaux services, l'actuelle Loyale sera bientôt remplacée par un modèle qui sera plus raffiné sur le plan esthétique tout en proposant une technologie plus poussée. Mais comme ce nouveau modèle ne sera pas parmi nous avant quelques mois, la présente version est encore offerte.

Même si elle est en fin de carrière et que l'arrivée de sa remplaçante est imminente, la Loyale demeure une voiture intéressante pour qui sait en accepter les limites et apprécier ses points forts. Ses limites sont une carrosserie terne et rétro, un moteur bruyant et peu puissant et un agrément de conduite assez relatif. Par contre, on compense par une fiabilité intéressante, un assemblage soigné, un habitacle confortable et une bonne motricité. Et la voiture devient encore plus intéressante lorsqu'on opte pour la version quatre roues motri-

ces. La faible puissance du moteur et sa souplesse s'allient bien à la traction aux quatre roues et la voiture se moque d'à peu près toutes les conditions routières. Mais contrairement à ce qui est offert sur les modèles Subaru plus huppés, la Loyale se contente de proposer un système 4x4 à temps partiel qui ne peut être enclenché que lorsque la chaussée est mouillée, glacée ou enneigée. Simple et robuste, ce système est impressionnant l'hiver et plusieurs skieurs ont fait de la version familiale 4x4 leur voiture passe-partout.

Incidemment, la version familiale de la Loyale est intéressante à plus d'un point de vue. Non seulement elle offre une bonne capacité de chargement du fait de son type de carrosserie, mais elle est offerte à un prix qui défie toute concurrence pour une familiale 4x4. Par contre, les prestations du moteur horizontal 1,8 litre de 90 chevaux sont assez peu sportives et il faut être patient. Toutefois, lorsque la chaussée n'a pas toute l'adhérence souhaitée, cela devient un avantage. D'autre part, plusieurs personnes ont de la difficulté à s'habituer au bruit particulier de ce moteur qui n'est pas sans s'apparenter à celui de la Coccinelle de Volkswagen qui était animée elle aussi par un moteur à cylindres à plat de type boxer.

Si la voiture n'est pas à vocation sportive, sa suspension en est la preuve. Les amortisseurs sont fermes, mais la tenue en virage est assez aléatoire et il ne faut pas être trop audacieux. D'autant que les pneumatiques de 13 pouces ne sont pas tellement performants.

Berline comme familiale partagent la même apparence effacée et le même habitacle pratique mais dénué de toute inspiration. Par contre, il est important de souligner la qualité générale de la finition et des matériaux choisis pour une voiture de cette catégorie.

CE QU'IL FAUT SAVOIR

SUBARU LOYALE

	Pauvre	Passable	Bon	Très bon	Excellent
• Comportement routier			•		
• Freinage			•		
• Sécurité passive			•		
• Visibilité			•		
• Confort			•		
• Volume de chargement			•		

POUR

Version 4x4
Prix compétitif
Finition sérieuse
Belle fiabilité
Habitacle pratique

CONTRE

Moteur bruyant
Direction floue
Performances timides
Modèle en fin de carrière
Suspension ferme

Quoi de neuf?

Aucun changement prévu sur modèle actuel
Nouveau modèle en cours d'année

ASPECT TECHNIQUE

Groupe propulseur:	traction
Empattement:	247 cm
Longueur:	443,5 cm
Poids:	1 100 kg
Coefficient aérodynamique:	n.d.
Moteur:	4 à plat, 1,8 litre, 90 ch.
Transmission:	
standard:	boîte manuelle 5 rapports
option:	boîte automatique 3 rapports
Suspension avant:	indépendante
arrière:	indépendante
Direction:	à crémaillère
Freins avant:	disques
arrière:	tambours
Pneus:	P175/70SR13

ASPECT PRATIQUE

Carrosserie:	berline - familiale
Nombre de places:	5
Valeur de revente:	faible/moyenne
Indice de fiabilité:	8,0
Coussin gonflable:	non
Réservoir de carburant:	60 litres
Capacité du coffre:	14,2 pi^3
Performances:	0-100 km/h: 15,3 s
vitesse max.:	180 km/h
consommation:	9,4 litres/100 km
Échelle de prix:	13 500 $ à 17 000 $

SVX

La rançon de l'originalité

Le coupé SVX fut sans contredit une des grandes surprises de l'année dernière pour l'équipe du Guide. Réussite technique incontestable, il offre un amalgame absolument unique de sécurité, de performance, de confort et de raffinement. Au prix demandé, il est intouchable. Et pourtant, ce ne sera jamais un best-seller.

Le coupé SVX, orgueil de la gamme Subaru, n'a véritablement aucun rival sérieux sur le marché. Objectivement, il possède tous les éléments pour faire un malheur sur le marché mais cela ne risque guère de se produire. D'abord et avant tout parce que l'envers de cette polyvalence unique du SVX est qu'il est à peu près inclassable. Est-ce un coupé sport, une grand-tourisme, un coupé de luxe? Les gens de Subaru eux-mêmes ne semblent pas le savoir vraiment. Nous le comparions l'an dernier point par point avec le

coupé Lexus SC400, plus spacieux mais nettement plus cher. Et pourtant, assez incroyablement, certaines publications ont inclus le SVX dans des matchs comparatifs de purs coupés sport. C'est tout dire. De toute évidence, Subaru a conçu et développé le SVX comme un pur défi technique. Son pari largement tenu, il ne lui reste maintenant qu'à installer ce coupé dans un créneau existant ou à lui en tailler un tout neuf. La belle affaire. Un constructeur de cette taille peut-il réussir un tel exploit? Et puis il y a aussi la question de

la silhouette du SVX, tracée par le maître italien Giugiaro. Elle est certes assez originale pour n'être pas au goût de la grande majorité des gens. De plus, rien dans ses lignes ne suggère qu'elle appartient à la gamme d'un constructeur connu. Et les fameuses glaces latérales segmentées du SVX, si elles constituent un autre exploit technique et une véritable innovation, n'ont encore été adoptées sur aucune autre voiture de grande série. Cela dit, on ne peut trouver coupé mieux adapté aux conditions de conduite de chez nous, qui sache également accueillir quatre passagers confortablement. Son moteur est souple, nerveux, et il émet une musique fort agréable en accélération. Sa boîte automatique électronique est une des plus douces et précises qui soient et son freinage parmi les plus équilibrés et puissants que nous ayons testés. Les sièges avant offrent un maintien impeccable, mais le tableau de bord est sombre et comprend des éléments indésirables: le mauvais faux bois qu'on y a plaqué, la «trappe» sous laquelle on a enfoui la radio et des commandes de climatisation peu pratiques. Mais ces quelques réserves n'entameront pas notre enthousiasme pour ce coupé unique qui offre, si on y songe, un dernier avantage: la rareté, malgré une homogénéité exceptionnelle et un prix alléchant.

CE QU'IL FAUT SAVOIR

SUBARU SVX

	Pauvre	Passable	Bon	Très bon	Excellent
• Comportement routier					●
• Freinage					●
• Sécurité passive				●	
• Visibilité			●		
• Confort				●	
• Volume de chargement			●		

POUR

Comportement exceptionnel
Groupe propulseur impeccable
Silence de roulement étonnant
Freinage remarquable
Rapport qualité/prix imbattable
Excellents sièges

CONTRE

Ceintures motorisées exécrables
Tableau de bord banal
Boutons de climatisation confus
Visibilité arrière imparfaite
Places arrière justes

Quoi de neuf?

Retouches intérieures en cours d'année

ASPECT TECHNIQUE

Groupe propulseur: intégrale
Empattement: 261,1 cm
Longueur: 462,5 cm
Poids: 1 598,9 kg
Coefficient aérodynamique: 0,29
Moteur: P6 3,3 litres, 230 ch. à 5 400 tr/min
224 lb/pi à 4 400 tr/min

Transmission:
standard: boîte automatique 4 rapports
option: aucune
Suspension avant: indépendante
arrière: indépendante
Direction: à crémaillère, assistée
Freins: avant: disques ABS
arrière: disques ABS
Pneus: 225/50VR16

ASPECT PRATIQUE

Carrosserie: coupé
Nombre de places: 4
Valeur de revente: bonne
Indice de fiabilité: 8
Coussin gonflable: conducteur
Réservoir de carburant: 70 litres
Capacité du coffre: 8 pi³
Performances: 0-100 km/h: 7,6 s
vitesse max.: 230 km/h
consommation: 13,5 litres/100 km
Échelle de prix: 37 000 $ à 39 000 $

SUBARU

Legacy

Toujours fidèle à ses origines

Même si ses modèles actuels sont plus en accord avec les standards acceptés par les autres constructeurs, Subaru continue de se démarquer sur le plan de la mécanique. Ainsi, cette marque a toujours été fidèle au moteur horizontal avec cylindres à plat et la Legacy maintient cette tradition.

Chez Subaru, on demeure toujours fortement attaché à la traction intégrale. Ce qui explique pourquoi la plupart des modèles de la marque sont offerts en version 4x4. La Legacy n'échappe pas à cette règle. D'ailleurs, vous trouverez en première partie de cet ouvrage un essai comparatif à long terme entre une Legacy Turbo à traction intégrale et une Volkswagen Passat Syncro.

Cette année, Subaru élargit le nombre de ses modèles 4x4. En effet, la Legacy familiale est dorénavant disponible avec le moteur turbocompressé et la traction intégrale. Cette combinaison est fort intéressante car on peut plus facilement combiner agrément de conduite, polyvalence et capacité de traction sous toutes les conditions. À l'usage, cette familiale se comporte pratiquement comme une berline sport tout en proposant une habitabilité supérieure tandis que son moteur turbocompressé de 160 chevaux assure des accélérations intéressantes. Bref, cette familiale possède plusieurs éléments susceptibles d'intéresser le conducteur actif et

sportif désireux d'affronter toutes les conditions routières dans la plus grande sécurité.

Comme toutes les Legacy, cette familiale propose une silhouette relativement effacée qui a pris de l'âge rapidement même si ses formes demeurent toujours équilibrées. Il en est de même pour la présentation de l'habitacle qui est bien disposé dans l'ensemble mais qui manque un peu de saveur. Toutefois, la finition est exemplaire et les sièges relativement confortables pour une Japonaise.

En conduite, la Legacy est assez bien équilibrée tandis que les versions turbocompressées sont en mesure d'offrir des prestations passablement nerveuses. Toutefois, la caisse n'a pas toute la rigidité désirée et cela se traduit par de nombreux bruits de caisse à la longue et par une certaine imprécision de conduite sur pavé bosselé. Quant à la version 4x4 Turbo, il ne faut pas accélérer soudainement ou écraser brutalement l'accélérateur au plancher à basse vitesse. Il semble se produire un rapide transfert de la puissance et le train arrière dérape. Toutefois, si on est délicat avec l'accélérateur, ce trait de caractère ne se manifeste pas.

Malgré tout, la Legacy est une voiture offrant un bel équilibre sous une présentation relativement sobre pour ne pas dire terne.

CE QU'IL FAUT SAVOIR

SUBARU LEGACY

	Pauvre	Passable	Bon	Très bon	Excellent
• Comportement routier				•	
• Freinage				•	
• Sécurité passive			•		
• Visibilité					•
• Confort				•	
• Volume de chargement				•	

POUR

Version familiale 4x4 Turbo
Bonne tenue de route
Finition sérieuse
Habitabilité
Gamme complète

CONTRE

Direction légère
Phares peu puissants
Moteur bruyant
Boîte manuelle rétive
Roulis en virage

Quoi de neuf?

Version familiale turbo 4x4 introduite en cours d'année 1992

ASPECT TECHNIQUE

Groupe propulseur:	traction - 4x4 en option
Empattement:	258,1 cm
Longueur:	451,0 cm - 460 cm (familiale)
Poids:	1 205 kg
Coefficient aérodynamique:	0,33
Moteurs:	4P 2,2 litres, 130 ch. - 4 P 2,2 litres Turbo, 160 ch.
Transmission:	
standard:	boîte manuelle 5 rapports
option:	boîte automatique 4 rapports
Suspension avant:	indépendante
arrière:	indépendante
Direction:	à crémaillère, assistée
Freins: avant:	disques
arrière:	disques
Pneus:	P175/70HR14 - 195/60HR15 (Turbo)

ASPECT PRATIQUE

Carrosserie:	berline - familiale
Nombre de places:	5
Valeur de revente:	bonne
Indice de fiabilité:	8,5
Coussin gonflable:	conducteur
Réservoir de carburant:	60 litres
Capacité du coffre:	12,8 pi^3
Performances:	0-100 km/h: 10,8 s - 8,3 s (Turbo)
vitesse max.:	208 km/h
consommation:	11,8 litres/100 km
Échelle de prix:	16 500 $ à 27 000 $

4Runner/camionnettes

Sous le signe de la fiabilité

Les camionnettes et le 4x4 Toyota collectionnent les premières places aux divers sondages de fiabilité et de satisfaction de la clientèle. Les gourous dans ce domaine, la firme J.D. Power, annonçaient récemment que les utilitaires Toyota étaient encore les plus fiables, et par une bonne marge en plus.

C'est avec son sérieux habituel que Toyota aborde les catégories des camionnettes et des 4x4 ou «utilitaires sportifs» si vous préférez. Il n'est pas étonnant, par conséquent, que ces véhicules affichent une qualité de construction et une finition intérieure qui ont de quoi faire rougir plusieurs automobiles. Cette approche a porté fruit. En plus de décrocher les meilleures notes en fiabilité, les Toyota sont aussi allées chercher les honneurs pour la satisfaction de la clientèle. La recette est pourtant simple. Depuis belle

lurette, Toyota va fouiller dans son arsenal de composantes d'automobiles lorsque vient le temps de réaliser ses camionnettes. Notons que cette approche est systématique pour ce constructeur. On trouve, depuis quelques années, les signes tangibles de l'influence qu'a eue le développement de la grande berline Lexus sur celui d'à peu près tous les produits de la marque. Vous souriez peut-être? Allez jeter un coup d'œil sur les Camry, sur les nouvelles Corolla et sur la nouvelle camionnette de format moyen de Toyota.

Les intérieurs de toutes les Toyota gagnent par exemple constamment en raffinement et en qualité de fabrication. Les 4Runner actuels datent de 1990 et les camionnettes datent d'une année plus tôt. Elles marquaient elles-mêmes un immense progrès par rapport au modèle précédent, entre autres par leur silhouette un peu moins anguleuse mais aussi par le dessin harmonieux de leur tableau de bord. Les camionnettes Toyota se sont également distinguées par leur douceur et leur confort de roulement exceptionnels, du moins en version propulsion ou 4x2, pour parler camion. Le 4x4 est plus souple que les tout premiers de la marque mais la suspension de ceux-là était atrocement dure. Il y a donc eu progrès, mais... Quoi qu'il en soit, il faut noter que Toyota est la seule marque importée qui réussisse à faire une concurrence sérieuse aux Américaines dans le segment des camionnettes compactes. Ça promet pour la nouvelle T100 chez les plus grosses. Le 4Runner, de son côté, se comporte honnêtement mais Dieu que la marche est haute! Face à des concurrents aussi solides que les Explorer et Grand Cherokee, il serait grand temps que Toyota le fasse descendre de ses échasses. Pour qu'il demeure le moindrement compétitif, il lui faudra bientôt un moteur plus musclé, au moins un coussin gonflable et le freinage antibloquant intégral.

CE QU'IL FAUT SAVOIR

TOYOTA 4RUNNER

	Pauvre	Passable	Bon	Très bon	Excellent
• Comportement routier			•		
• Freinage			•		
• Sécurité passive			•		
• Visibilité			•		
• Confort			•		
• Volume de chargement				•	

POUR

Moteur V6 doux et puissant
Solides et très fiables
Très bons sièges
Routière étonnante (camionnette)
Présentation moderne
Rouage 4x4 efficace

CONTRE

Performances moyennes (4R)
Porte arrière malcommode (4R)
Véhicule trop haut (4R)
Braquage trop long (camion. 4x4)
Suspension ferme (camion. 4x4)
Pas de freinage antibloquant

Quoi de neuf?

Avertisseur sonore pour phares laissés allumés

ASPECT TECHNIQUE

Groupe propulseur:	propulsion - 4x4
Empattement:	262,5 cm
Longueur:	449 cm
Poids:	1 694 kg - 1 862 kg (4x4, 4 portières)
Coefficient aérodynamique:	n.d.
Moteurs:	4L 2,4 litres, 116 ch. - V6 3,0 litres, 150 ch.
Transmission:	
standard:	boîte manuelle 5 rapports
option:	boîte automatique 4 rapports
Suspension avant:	indépendante
arrière:	essieu rigide
Direction:	à billes, assistée
Freins: **avant:**	disques
arrière:	tambours ABS
Pneus:	225/75R15 - 31x10.5R15 (optionnel)

ASPECT PRATIQUE

Carrosserie:	utilitaire sportif 2 portières - 4 portières
Nombre de places:	5
Valeur de revente:	excellente
Indice de fiabilité:	9
Coussin gonflable:	non
Réservoir de carburant:	65 litres
Capacité du coffre:	43,4 pi^3 (banquette repliée: 78,1 pi^3)
Performances:	0-100 km/h: 13,9 s
vitesse max.:	160 km/h
consommation:	13,8 litres/100 km (16,0 en mode 4x4)
Échelle de prix:	19 000 $ à 29 000 $

TOYOTA

T100

Le cheval de Troie

Après que les constructeurs japonais se sont intéressés à la presque totalité des créneaux du marché nord-américain, voilà enfin que le plus puissant et efficace d'entre eux s'aventure dans la dernière chasse gardée des Américains. Voici donc la première grande camionnette japonaise, une création de Toyota.

C'est avec d'infinies précautions et sans doute beaucoup de palpitations que Toyota lance en 1993 sa première «grande camionnette». Le géant japonais sait fort bien qu'il s'engage sur un terrain miné. Ce marché est le dernier sur lequel les constructeurs américains ont conservé la mainmise absolue. Année après année, les gros *pick-ups* de Ford et GM se disputent le titre de best-seller absolu du marché américain. À elles deux, les gammes F de Ford et C/K de GM totalisent annuellement plus d'un million de ventes. Toyota connaît l'impor-

tance symbolique de ces véhicules pour les Américains. Ce sont effectivement les plus profondément américains des véhicules, avec les motos Harley-Davidson. Mais comment résister à un potentiel de vente aussi fabuleux? C'est pourquoi elle a conçu et développé la T100. Il faut préciser dès le départ qu'il s'agit en fait d'une camionnette de taille légèrement supérieure à celle d'une intermédiaire. Toyota cautionne néanmoins le concept mis de l'avant par Chrysler avec sa camionnette Dakota. Par sa taille, la T100

s'insère vaguement entre compactes et grandes. Elle peut toutefois transporter le fameux contre-plaqué de 4 pieds par 8 (1 m 22 x 2 m 44) qui est devenu la norme minimale officieuse pour la surface de chargement de tout ce qui s'appelle utilitaire sur ce continent. La T100 ne sera disponible à l'origine qu'avec une cabine courte conventionnelle et un moteur V6. Là encore, Toyota sait parfaitement qu'avec un V8, elle se serait retrouvée avec une guerre commerciale sur les bras. Lorsque les Américains auront goûté aux vertus de cette nouveauté, ils en redemanderont probablement. Nous avons pu conduire ces nouvelles camionnettes sur une variété de routes et de sentiers de l'Oregon, en versions propulsion et 4x4, automatique et manuelle. Elles sont solides, dotées d'excellentes suspensions, et leur habitacle est fini aussi soigneusement que celui d'une Corolla. Jamais trois Texans ne s'assoiront cependant en même temps dans une T100, même si l'ingénieur-chef Asai affirme qu'elle a été conçue pour permettre le port du Stetson. En fait, la place centrale est inutilisable pour un adulte, surtout avec la boîte manuelle. Côté moteur, le V6 de 3 litres du 4Runner et des camionnettes suffira au début. Le temps de laisser retomber la poussière. Puis, avec la prochaine génération viendront cabine allongée, V8, etc.

CE QU'IL FAUT SAVOIR

TOYOTA T100

	Pauvre	Passable	Bon	Très bon	Excellent
• Comportement routier				•	
• Freinage				•	
• Sécurité passive			•		
• Visibilité					•
• Confort				•	
• Volume de chargement					•

POUR

Excellents rouages
Suspensions impeccables
Bonne position de conduite
Commandes et contrôles réussis
Belle finition intérieure
Choix d'accessoires complet

CONTRE

Antiblocage arrière seulement
Place centrale impossible (man.)
Silhouette banale (4x2)
Direction floue au centre (4x4)
Polyvalence limitée
Cadrans à barillets bizarres

Quoi de neuf?

Camionnette entièrement nouvelle

ASPECT TECHNIQUE

Groupe propulseur:	propulsion - 4x4
Empattement:	309,5 cm - 308,5 cm (4x4)
Longueur:	531 cm
Poids:	1 519 kg - 1 744 kg (4x4)
Coefficient aérodynamique:	n.d.
Moteur:	V6 3,0 litres, 150 ch. à 4 800 tr/min
	180 lb/pi à 3 400 tr/min
Transmission:	
standard:	boîte manuelle 5 rapports
option:	boîte automatique 4 rapports
Suspension avant:	indépendante
arrière:	essieu rigide
Direction:	crémaillère assistée - à billes assistée (4x4)
Freins: avant:	disques
arrière:	tambours ABS
Pneus:	235/75R15 - 31x10.5R15 (4x4 option.)

ASPECT PRATIQUE

Carrosserie:	camionnette
Nombre de places:	2 + 1
Valeur de revente:	nouveau modèle
Indice de fiabilité:	nouveau modèle
Coussin gonflable:	non
Réservoir de carburant:	91 litres
Performances:	0-100 km/h: 12,4 s (4x2 boîte manuelle)
vitesse max.:	165 km/h
consommation:	14,7 litres/100 km - 16,1 (4x4)
Échelle de prix:	n.d.

Camry

Reine d'une année?

Quel que soit son auteur, le lancement d'un nouveau modèle est toujours un coup de dés. Or, Toyota a joué un coup gagnant avec la nouvelle Camry l'an dernier. Cette série a connu beaucoup de succès chez nous et fut complétée par une nouvelle familiale en fin d'année. Mais la partie sera plus serrée cette année.

Plus spacieuse, plus élégante, plus performante, plus raffinée, la nouvelle Camry n'a pas raté son entrée en 1992. Dans la catégorie des berlines intermédiaires, la plus populaire mais également une des plus compétitives sur ce continent, la Camry a joué à fond ses meilleurs atouts. Cette voiture est par exemple offerte avec un quatre cylindres de 2,2 litres ou un V6 de 3 litres. Le premier est un des plus doux et souples de son espèce, grâce entre autres à des balanciers antivibration, les premiers qu'emploie Toyota. La Camry affronte sans

peine la Honda Accord avec ce moteur. Pourtant, ce fut la rage pour le V6, bien au-delà des projections de Toyota, qui se demande maintenant comment fabriquer ce moteur en nombre suffisant. Il faut dire qu'il est identique à celui que l'on retrouve sous le capot de la Lexus ES300 et que sa puissance est de 185 chevaux... Assez pour faire de la Camry la voiture la plus performante de sa catégorie. Mais elle est également la plus douce et la plus silencieuse des berlines intermédiaires. Les leçons apprises au cours du développe-

ment de la grande berline Lexus portent déjà fruit chez Toyota. Les techniques d'insonorisation en font partie, mais également le matriçage de pièces de carrosseries courbées. Toyota possède le secret de l'assemblage ultraprécis de ces différents panneaux, qui se traduit par des joints étroits et impeccablement droits. Pas étonnant qu'avec sa silhouette plus ronde, la nouvelle Camry soit apparue aux yeux de plusieurs comme la véritable petite Lexus. Chose certaine, elle ressemble plus à la LS400 que la Lexus ES300, qui se donne des airs de coupé. Nombreux sont les gens d'affaires qui en sont venus à cette conclusion, surtout avec l'écart de prix entre les deux (ventes en hausse de 67 p. 100 après huit mois au Québec). Or, la sellerie cuir n'était même pas disponible l'an dernier. Elle le sera pour 1993. On a d'autre part corrigé une omission en dotant tous les modèles de rétroviseurs téléréglables. La série s'enrichit par ailleurs d'une familiale dont la ligne de pavillon ne fera certes pas l'unanimité, c'est le moins que l'on puisse dire. L'option«Sport», qui comprend cette année le freinage antiblo-quant, est à considérer sur la berline LE. Elle resserre un brin une suspension trop souple et surtout une direction surassistée et trop nerveuse. La Camry aura besoin de tous ses moyens pour affronter l'armada des Chrysler LH.

CE QU'IL FAUT SAVOIR

TOYOTA CAMRY

	Pauvre	Passable	Bon	Très bon	Excellent
• Comportement routier				•	
• Freinage				•	
• Sécurité passive				•	
• Visibilité				•	
• Confort				•	
• Volume de chargement				•	

POUR

Excellents moteurs
Performances réjouissantes (V6)
Grand silence de roulement
Très bon volume intérieur
Finition sans reproche
Fiabilité et valeur de revente

CONTRE

Boîte manuelle désagréable
Embrayage sec
Performances moyennes (L4)
Direction légère et nerveuse
Suspension trop souple
Un seul coussin gonflable offert

Quoi de neuf?

Nouvelle familiale
Rétroviseurs électriques sur tous les modèles
Sellerie cuir maintenant disponible

ASPECT TECHNIQUE

Groupe propulseur:	traction
Empattement:	262 cm
Longueur:	477 cm
Poids:	1 335 kg - 1 540 kg (familiale LE autom.)
Coefficient aérodynamique:	0,33
Moteurs:	4L 2,2 litres, 130 ch. - V6 3,0 litres, 185 ch.
Transmission:	
standard:	boîte manuelle 5 rapports
option:	boîte automatique 4 rapports
Suspension avant:	indépendante
arrière:	indépendante
Direction:	à crémaillère, assistée
Freins: avant:	disques (ABS optionnel)
arrière:	tambours (disques + ABS optionnels)
Pneus:	195/70R14 (optionnel: 205/65R15)

ASPECT PRATIQUE

Carrosserie:	berline - familiale
Nombre de places:	5 - 7
Valeur de revente:	très bonne
Indice de fiabilité:	9
Coussin gonflable:	conducteur
Réservoir de carburant:	70 litres
Capacité du coffre:	14,9 pi³
Performances:	0-100 km/h: 10,6 s (auto.) - 7,7 s (V6 man.) - 8,4 s (V6 auto.)
vitesse max.:	195 km/h
consommation:	10,8 litres/100 km - 12,8 ((V6 auto.)
Échelle de prix:	18 000 $ à 28 000 $

TOYOTA

Celica

Une allure à part

L'allure de la Celica de Toyota ne laisse personne indifférent. Ce coupé et ce liftback ont nettement transgressé les normes de l'esthétique automobile et ne font pas l'unanimité. Heureusement pour Toyota, certains modèles sont suffisamment intéressants pour compenser.

De toutes les voitures présentement sur le marché, la Celica coupé est probablement celle qui suscite le plus de controverse. Ses formes vraiment inédites, sa partie arrière protubérante et les larges passages de roues sont loin de faire l'unanimité. Il n'est donc pas surprenant qu'on rencontre de plus en plus de versions *liftback* sur nos routes. Cette dernière possède elle aussi une allure à part, mais est mieux équilibrée et plus intéressante. Une chose est certaine, les stylistes de Toyota n'ont pas craint de faire bande à part avec la Celica.

Heureusement que l'habitacle est mieux réussi. Le tableau de bord est original, mais ne dépasse pas les normes présentement en vigueur. Les sièges sont confortables et assurent un support latéral adéquat. Toutefois, le tissu qui les recouvre a tendance à collectionner très facilement les fibres des vêtements, ce qui devrait nécessiter un nettoyage un peu plus ardu.

DU COTÉ DES MOTEURS

Si l'extérieur suscite la controverse, les groupes propulseurs sont nettement plus sages. Le quatre cylindres 1,6 litre qui équipe le modèle de base est non seulement bruyant mais passablement anémique. Ce qui nous limite pratiquement au 2,2 litres avec ses 140 chevaux car le 2,0 litres turbocompressé n'est disponible que sur le modèle à traction intégrale dont le prix est nettement prohibitif. Le niveau sonore demeure toujours relativement élevé, mais au moins les prestations sont davantage en accord avec un coupé qui se dit sport.

La tenue de route de la Celica varie selon le groupe propulseur choisi. La version turbo 4x4 possède une suspension plus sèche et des pneumatiques plus larges qui assurent une tenue de route relativement sportive, mais au détriment du confort. Quant au modèle ST équipé du moteur 1,6 litre, sa suspension est décevante d'autant plus qu'on doit se contenter de pneus de 14 pouces qui n'assurent pas la même adhérence en virage que les 15 pouces des différentes versions GT, qui représentent à notre avis le meilleur achat de la gamme Celica.

Malgré tout, cette Toyota a de la difficulté à se démarquer de la concurrence qui propose des modèles plus performants à prix moindre.

CE QU'IL FAUT SAVOIR

TOYOTA CELICA

	Pauvre	Passable	Bon	Très bon	Excellent
• Comportement routier				•	
• Freinage				•	
• Sécurité passive				•	
• Visibilité	•				
• Confort				•	
• Volume de chargement		•			

POUR

Bonne boîte automatique
Finition sérieuse
Moteur 2,2 litres
Équipement complet
Version *liftback*

CONTRE

Version turbo onéreuse
Version ST peu intéressante
Faible volume de chargement
Moteurs bruyants
Rapport qualité/prix décevant

Quoi de neuf?

Coussin de sécurité côté conducteur

ASPECT TECHNIQUE

Groupe propulseur:	traction - traction intégrale
Empattement:	252,5 cm
Longueur:	442,0 cm
Poids:	1 200 kg
Coefficient aérodynamique:	n.d.
Moteurs:	4L 1,6 litre, 103 ch.- 4L 2,2 litres, 135 ch.- 4L 2,0 litres Turbo, 200 ch.
Transmission:	
standard:	boîte manuelle 5 rapports
option:	boîte automatique 4 rapports
Suspension avant:	indépendante
arrière:	indépendante
Direction:	à crémaillère, assistée
Freins: avant:	disques
arrière:	disques - tambours (ST)
Pneus:	P205/55R15 (GT)

ASPECT PRATIQUE

Carrosserie:	coupé
Nombre de places:	2+2
Valeur de revente:	moyenne
Indice de fiabilité:	9,0
Coussin gonflable:	conducteur
Réservoir de carburant:	60 litres
Capacité du coffre:	11,3 pi^3
Performances:	0-100 km/h: 9,6 s (2,2 litres)
vitesse max.:	210 km/h
consommation:	10,2 litres/100 km
Échelle de prix:	17 500 $ à 32 500 $

Corolla

La lauréate prend un nouveau départ

Deuxième best-seller de l'histoire de l'automobile (18 millions, dont 472 000 au Canada), la Corolla est vendue dans 130 pays et produite dans 15. Moult fois primée, elle symbolise en quelque sorte la qualité et la fiabilité japonaises. Toyota l'a entièrement renouvelée pour 1993. Premier bilan: opération réussie.

La Corolla en est maintenant à sa 26e année chez nous. Les nouveaux modèles que lance Toyota cette année appartiennent à la septième génération de cette série. La première Corolla fut importée au pays en 1967. C'était un coupé minuscule, sans la moindre prétention mais joliment carrossé, qui était propulsé par un moteur de 1,2 litre. Cette voiture n'avait rien d'exceptionnel si ce n'est que déjà, elle se faisait des amis par sa mécanique parfaitement increvable. Toyota n'a cessé depuis d'améliorer la Corolla. Elle lui a fait prendre

du coffre, a multiplié les modèles et les moteurs, sans jamais perdre de vue l'objectif premier: une fiabilité à toute épreuve, fondation de tout l'édifice. Peu à peu, Toyota fit également profiter les Corolla des progrès qu'elle accomplissait en matière de qualité de fabrication. On en fit des voitures de plus en plus confortables, de plus en plus douces et silencieuses, souvent aussi de plus en plus agréables à l'œil, agiles et performantes. L'approche de Toyota a toujours été conservatrice de façon générale. Mais cela ne

l'empêche pas à l'occasion de faire accomplir à certaines de ses voitures les plus modestes de réels bonds en avant. Rappelez-vous qu'en 1985, la Corolla GTS devint la première voiture compacte de grande série à être propulsée par un authentique moteur à double arbre à cames en tête. Lorsque le premier constructeur japonais est satisfait de la fiabilité d'une technique ou de la durabilité d'une composante, si novatrice soit-elle, il la mettra vraisemblablement au service de l'un de ses modèles, si elle procure à ce véhicule un bienfait réel. Cela caractérise assez bien la nouvelle série Corolla. Cette fois-ci, point de révolution, mais une progression dont les effets sont perceptibles à presque tous les égards.

L'EFFET LEXUS

L'influence de la division de prestige de Toyota se retrouve partout dans la gamme de ce dernier. Les leçons apprises en développant la grande berline LS400 de Lexus et en en faisant la voiture la mieux construite et la plus fiable de l'heure (si l'on en croit du moins les sondages et analyses spécialisées les plus récentes) n'ont certes pas été perdues. Cette influence se perçoit au premier coup d'œil. La berline Corolla rappelle étrangement la Camry qui fut lancée avec grand succès l'an dernier. Cela n'a évidemment rien de fortuit. Il est souhaitable, après tout, que les Toyota rappellent, avec subtilité tout de même, qu'elles sont de la même grande famille que les Lexus. Or, la ressemblance se retrouve aussi dans la qualité d'assemblage de la carrosserie. À notre premier contact avec différentes versions de la

Corolla, elles nous sont apparues solides et exemptes de bruits parasites sur mauvais pavé. C'est un minimum, pour une voiture qui se doit d'assurer de longues années de services sans anicroche, quels que soient les efforts exigés d'elle. Les premiers efforts ont donc été tournés vers l'obtention d'une caisse autoporteuse aussi rigide que possible. Notons que Toyota a construit 1 000 prototypes au cours du développement des Corolla et qu'elle a fait la demande de quelque 100 brevets ensuite. Or les Corolla sont effectivement remarquables pour leur douceur et leur silence de roulement. Surtout qu'une petite voiture est toujours plus difficile à insonoriser qu'une grande, principalement à cause des contraintes de poids. L'ingénieur-chef Teiiji Iida attribue les progrès accomplis sur la Corolla à une série de trucs empruntés aux Lexus et à la Camry. Soulignons au passage que les Corolla ont gagné des centimètres un peu partout. Les gains sont plus précisément de 4,5 cm en longueur, de 3 cm en largeur et d'un peu moins de 3 cm en hauteur. L'empattement s'est allongé de 3,5 cm également. Mais les Corolla demeurent malgré tout de petites

voitures. On leur prête un gain de 3,8 cm en dégagement pour les jambes à l'avant et de 3,5 cm à l'arrière. Un adulte de taille moyenne se trouve en fait tout juste à son aise sur la banquette arrière. L'espace est plus abondant à l'avant, mais nous avons été surpris et navrés du peu de confort qu'y offrent les sièges. Cela est d'autant plus étonnant lorsque l'on connaît l'habituelle maîtrise de Toyota lorsque vient le temps de sculpter un siège qui offre un confort et un maintien général convenable. C'est assurément l'aspect le plus décevant de ces nouvelles Corolla.

EN MOUVEMENT: LA SÉRÉNITÉ

Le comportement général de la Corolla, qu'il s'agisse de la berline ou de la familiale, est en accord avec les objectifs de douceur décrits précédemment. On a ainsi traqué à la fois le bruit et les vibrations lorsque est venu le temps de développer les moteurs, boîtes de vitesses et composantes de suspension. En modèle de base, la Corolla est propulsée par une ver-

sion mise à jour du moteur 4A-FE de 1,6 litre de la génération précédente. On peut cependant opter pour un nouveau moteur de 1,8 litre: le 7A-FE en langage codé Toyota. Il s'agit d'un groupe dérivé du premier, dont on a essentiellement allongé la course des pistons. Mais nous sommes chez Toyota, faut-il le rappeler. Cette transformation s'est donc accompagnée, sur les deux moteurs d'ailleurs, de l'adoption d'un nouveau vilebrequin et de modifica-

boîte manuelle à cinq rappports ou à une automatique à quatre vitesses. La boîte automatique offerte avec le 1,6 litre en compte trois. Il faut noter que Toyota a choisi de poursuivre cette année l'importation de l'ancienne familiale Corolla à quatre roues motrices et que cette dernière doit toujours se contenter d'un moteur de 1,6 litre qui fait 102 chevaux. Pour en revenir aux groupes des nouvelles Corolla, disons qu'ils offrent tous deux beaucoup de

860 km, la préférée des auteurs du *Guide* fut une familiale équipée du moteur de 1,8 litre, d'une boîte manuelle et des roues d'alliage de l'option «tourisme». Malgré tout, elle trahissait comme les autres une sensibilité certaine au vent latéral et sa direction était légèrement floue au centre. Elle n'était pas équipée, par ailleurs, du freinage antiblocant offert en option sur tous les modèles. Au rayon de la sécurité, mentionnons que toutes les Corolla ont droit au coussin gonflable côté conducteur mais qu'on a commis la bourde de ne pas installer d'appuie-tête aux places arrière dans la familiale. Toutes ont par contre droit à des poutrelles de renforcement dans les portières et à des zones compressibles en cas de collision à l'avant ou à l'arrière.

UN CHOIX PRAGMATIQUE

Les Corolla ne sont pas de celles que l'on achète sur un coup de tête. Toyota connaît bien son acheteur-type. Elle sait qu'il s'agit du groupe le plus hétérogène de tous les modèles Toyota. On y a noté la présence d'un nombre croissant de jeunes familles ces dernières années. Tous ces gens ont cependant des choses en commun. Ils recherchent avant tout une valeur exceptionnelle et une voiture durable. Ils veulent aussi conserver leur véhicule beaucoup plus longtemps que la moyenne des automobilistes. Et si tout le monde recherche la fiabilité, les «Corollistes» sont plus sensibles que la moyenne des gens au moindre ennui ou à la moindre panne. Avec de tels clients, pas étonnant que Toyota mette autant d'efforts à fignoler ses Corolla dans le plus menu détail. Cela s'est d'ailleurs traduit par l'obtention à quatre reprises de la «pyramide de fiabilité» du CAA et le maintien d'un niveau de loyauté assez phénoménal de 95 p. 100. D'après ce que nous savons et avons pu observer des nouvelles Corolla, elles ont toutes les qualités nécessaires pour maintenir cette tradi-

tions aux tubulures d'admission et d'échappement ainsi qu'aux mécanismes de commande des soupapes. Est-il besoin de préciser que les deux moteurs sont coiffés de culasses à 16 soupapes, commandées par un double arbre à cames en tête. L'alimentation se fait évidemment par injection électronique. Les moteurs sont également montés sur de nouveaux supports hydrauliques, dans le but d'absorber une part supplémentaire de vibration. L'accroissement assez net de la force de couple se perçoit instantanément sur le moteur de 1,8 litre. Sa puissance est par ailleurs de 115 chevaux soit 10 de plus que le 1,6 litre. Il peut être couplé à une

douceur et de civilité mais que la plus grande souplesse du 1,8 vaut à elle seule largement le supplément exigé. La voiture y gagne nettement en homogénéité et en agrément de conduite. Les Corolla n'ont rien de la berline sport typique, mais leur tenue de route est très saine. Elles affichent même une agilité très honnête sur une route en lacet. Le moteur de 1,8 permet simplement de profiter pleinement de ces qualités, sans compter qu'il réduit appréciablement la distance requise pour doubler et augmente la capacité de chargement. Chose étonnante, des huit Corolla toutes différentes que nous avons conduites en avant-première, sur une distance totale de

tion sinon la faire fructifier. Les Corolla ne sont pas les voitures les plus spectaculaires ou les plus performantes de leur catégorie. C'est au passage des semaines, des mois et des années que l'on se met à apprécier ces montures au tempérament rigoureusement égal. C'est à longue échéance que s'apprécient des qualités comme une rigidité et une solidité de structure sans faille. Nous nous expliquons cependant mal pourquoi les sièges avant sont si inconfortables, dans une voiture aussi soigneusement conçue. Il s'agit cependant d'une lacune facile à corriger. D'autre part, si les amateurs de conduite sportive ont tout intérêt à lorgner d'autres voitures, ceux et celles pour qui l'automobile doit servir avec la plus grande docilité seront sans doute comblés par la nouvelle Corolla.

CE QU'IL FAUT SAVOIR

TOYOTA COROLLA

	Pauvre	Passable	Bon	Très bon	Excellent
• Comportement routier				●	
• Freinage				●	
• Sécurité passive				●	
• Visibilité				●	
• Confort				●	
• Volume de chargement				●	

POUR

Comportement routier très sûr
Moteur 1,8 litre réussi
Très bonne position de conduite
Silence et douceur remarquables
Assemblage, finition impeccables
Jolies silhouettes

CONTRE

Refonte sans audace
Direction floue au centre
Sensibles au vent latéral
Sièges avant inconfortables
Aération très quelconque
Pas d'appuie-tête arrière (famil.)

Quoi de neuf?

Série entièrement renouvelée

ASPECT TECHNIQUE

Groupe propulseur: traction - familiale 4x4
Empattement: 246,5 cm - 243 cm (familiale)
Longueur: 437 cm
Poids: 1 055 kg - 1 100 kg (familiale)
Coefficient aérodynamique: 0,33 - 0,36 (familiale)
Moteurs: 4L 1,6 litre, 105 ch. - 102 ch. (famil. 4x4)
4L 1,8 litre, 115 ch.
Transmission:
standard: boîte manuelle 5 rapports
option: boîte automatique 3 et 4 rapports
Suspension avant: indépendante
arrière: indépendante - essieu rigide (famil. 4x4)
Direction: à crémaillère, assistée
Freins: avant: disques (ABS optionnel)
arrière: tambours (ABS optionnel)
Pneus: 175/65R14 (optionnel: 185/65R14)

ASPECT PRATIQUE

Carrosserie: berline - familiale
Nombre de places: 5
Valeur de revente: nouveau modèle
Indice de fiabilité: nouveau modèle
Coussin gonflable: conducteur (sauf familiale 4x4)
Réservoir de carburant: 50 litres
Capacité du coffre: 12,6 pi^3 - 31,4 pi^3 (familiale)
Performances: 0-100 km/h: 11,3 s
vitesse max.: 180 km/h
consommation: 8,8 litres/100 km - 10,8 (familiale 4x4)
Échelle de prix: 14 000 $ à 19 000 $

TOYOTA

MR2/Turbo

Moins chatouilleuses

Les MR2 de deuxième génération sont très différentes de leurs devancières, malgré le fait qu'il s'agisse toujours de petits coupés à roues arrière motrices et moteur central. Elles se débrouillent depuis leur lancement, mais les ingénieurs se sont néanmoins intéressés à leur tenue de route et à leur freinage cette année.

Lors du lancement des nouvelles MR2, en 1991, les ingénieurs nous affirmaient que les puits de roues de ces voitures n'étaient pas assez grands pour qu'on y loge des roues de plus grand diamètre. Et pourtant, voici ce duo de sportives, deux ans plus tard, exhibant un quatuor de jantes de 15 pouces. Ces roues d'alliage à cinq branches, toutes neuves, donnent plus que jamais aux MR2 des airs de mini-Ferrari. La carrosserie suggère 206 Dino mais les roues font immédiatement songer à la magnifique 348 de Maranello. Ce n'est pas sur un simple caprice que Toyota a effectué cette modification. Il semble que les pilotes des voitures qu'elle avait inscrites au volet américain de la série d'endurance Firehawk se sont plaints aussitôt d'un survirage brusque en appui et d'une puissance de freinage limitée. Nous avions noté cette tendance au survirage sur circuit, mais elle demeurait parfaitement maîtrisable, surtout pour une voiture à moteur central. Elle rendait en fait le pilotage de la MR2 captivant, au sens littéral. Le grand pilote Dan Gurney lui-même avait donné sa bénédiction au modèle précédent, après avoir suggéré quelques menues retouches. Il faut dire que la MR2 Turbo version course disposait de 260 chevaux. Quoi qu'il en soit, Toyota s'est attaquée au problème, résolument fidèle au principe *kaizen* d'amélioration continue qui est la fondation même de sa philosophie. Les MR2 se sont ainsi retrouvées avec une suspension arrière modifiée. On a essentiellement allongé les bras latéraux de quelque 9,8 cm et relevé les points d'ancrage des bras longitudinaux de 3 mm. De concert avec les roues plus grandes et des pneus à taille plus basse, plus large également à l'arrière, les MR2 seraient plus accrocheuses encore en virage. Grâce au plus grand diamètre intérieur des jantes, on a pu augmenter celui des rotors de freins à disques et, du même coup, leur puissance. Il en est ressorti des voitures encore plus stables, dont la tenue de route est marquée par un sous-virage initial sans équivoque. Vous vouliez des MR2 affichant un comportement très sûr, les voilà. Côté mécanique, on a fait très peu de changements, recher-chant avant tout la pertinence. On a ainsi modifié légèrement le mécanisme de sélection de la boîte de vitesses manuelle. On y retrouve maintenant des bagues de synchronisation dites à «cônes multiples» pour les deuxième et troisième rapport. Pour le reste, les MR2 sont demeurées identiques. Bonne nouvelle pour l'amateur de conduite, sportive ou non. La position de conduite est très juste, appuyée litté-ralement sur un excellent repose-pied à gauche, dans la meilleure tradition Toyota. Les sièges de tissu sont convenables, mais on a tout intérêt à opter pour l'intérieur cuir qui transforme la MR2 en véritable mini grand-tourisme. Dommage, cependant, que le coffre soit si exigu. Quant au moteur, la quête de perfor-mances n'appelle qu'un seul choix, mais il en est autrement pour l'acheteur qui recherche d'abord l'agrément de conduite, et la souplesse en conduite surtout cita-dine. Dans ce contexte, le moteur atmo-sphérique de la MR2, avec sa plus forte cylindrée, offre une meilleure prestation à bas régime. Ce modèle est fort bien adapté à une utilisation normale. Cette année, ses manières sont encore plus polies.

CE QU'IL FAUT SAVOIR

TOYOTA MR2

	Pauvre	Passable	Bon	Très bon	Excellent
• Comportement routier					•
• Freinage					•
• Sécurité passive				•	
• Visibilité				•	
• Confort				•	
• Volume de chargement	•				

POUR

Solidement construites
MR2 Turbo très performante
Tenue de route plus sûre
Confort étonnant
Belle homogénéité
Tableau de bord réussi

CONTRE

Direction non assistée lourde
Antibloquant trop sensible
Accélérateur peu progressif
Suspension ferme
Coffre minuscule
Peu de rangement pratique

Quoi de neuf?

Suspension arrière modifiée
Roues de 15 pouces, pneus plus larges à l'arrière
Retouches de carrosserie

ASPECT TECHNIQUE

Groupe propulseur:	propulsion
Empattement:	240 cm
Longueur:	417 cm
Poids:	1 191 kg - 1 282 kg (Turbo)
Coefficient aérodynamique:	0,31
Moteurs:	4L 2,2 litres DACT, 135 ch. à 5 400 tr/min - 4L 2,0 litres DACT turbo, 200 ch. à 6 000
Transmission:	
standard:	boîte manuelle 5 rapports
option:	aucune
Suspension avant:	indépendante
arrière:	indépendante
Direction:	crémaillère
Freins: avant:	disques (ABS optionnel)
arrière:	tambours - disques (Turbo) (ABS option.)
Pneus:	av./arr.: 195/55VR15 - 225/55VR15 (Turbo)

ASPECT PRATIQUE

Carrosserie:	coupé
Nombre de places:	2
Valeur de revente:	bonne
Indice de fiabilité:	8
Coussin gonflable:	conducteur
Réservoir de carburant:	54 litres
Capacité du coffre:	6,49 pi^3 (avant et arrière)
Performances:	0-100 km/h: 8,15 s - 7,17 s (Turbo)
vitesse max.:	200 km/h - 240 km/h (Turbo)
consommation:	10,5 litres/100 km - 11,4 (Turbo)
Échelle de prix:	22 000 $ à 32 000 $

Previa

La puissance est sous le siège

Après avoir connu un succès plutôt mitigé avec sa première fourgonnette qui n'était pas tout à fait adaptée à nos conditions d'utilisation, Toyota a mis le paquet avec sa remplaçante, la Previa. Cette dernière n'a pas réussi à ébranler la domination de Chrysler dans la catégorie, mais elle est un intervenant valable.

Tout porte à croire que Toyota est satisfaite de l'équilibre de sa fourgonnette puisque la Previa ne connaît aucun changement majeur pour 1993. Ce qui signifie que le moteur quatre cylindres de 2,4 litres est toujours placé sous le siège du conducteur. Sa position peut en inquiéter certains, mais ce moteur n'a pas inquiété les mécaniciens et c'est tant mieux car il n'est pas facile d'accès. Toutefois, plusieurs utilisateurs auraient apprécié avoir un peu plus de puissance en réserve lorsque leur Previa lourdement

chargée s'est pointée le nez devant une côte un peu trop raide. Une vingtaine de chevaux supplémentaires ne seraient pas superflus en certaines circonstances.

D'autre part, la conduite d'une Previa en hiver nous incite à opter tout de go pour la version quatre roues motrices car cette propulsion se fait joliment damer le pion par les fourgonnettes à traction qui sont beaucoup plus à l'aise lorsque la chaussée est enneigée. Par contre, la version 4x4 est plus lourde et ses performances laissent à désirer.

Quoi qu'il en soit, cette fourgonnette compense par sa silhouette qui est futuriste mais d'une belle élégance. Au goût de plusieurs, il s'agit de la plus jolie de sa catégorie. Curieusement, ces mêmes personnes sont beaucoup moins enthousiastes lorsque vient le temps de décerner les notes pour le tableau de bord. Plusieurs ont de la difficulté à s'adapter à cette présentation en forme de W. Toutefois, si l'esthétique en prend pour son rhume aux yeux de certains, cette disposition est très pratique puisqu'elle met les commandes de climatisation à portée de la main. Toutefois, les cadrans indicateurs sont d'une esthétique discutable compte tenu de l'équilibre harmonieux de l'ensemble. L'habitabilité est excellente, les sièges confortables et la possibilité de replier la banquette arrière sur les parois pour faire place aux bagages est une idée qui est appréciée de toute personne ayant déjà eu à lutter avec une lourde banquette arrière pour la remiser pour quelques heures afin de faire place aux bagages.

Si la tenue de route est assez bonne en virage, il faut déplorer la sensibilité au vent latéral de la direction qui semble devenir de plus en plus sensible au fur et à mesure que le vent prend de l'ampleur. Pour le reste, cette Toyota est efficace en plus de posséder une finition de qualité supérieure.

CE QU'IL FAUT SAVOIR

TOYOTA PREVIA

	Pauvre	Passable	Bon	Très bon	Excellent
• Comportement routier				•	
• Freinage			•		
• Sécurité passive			•		
• Visibilité					•
• Confort					•
• Volume de chargement					•

POUR

Finition exemplaire
Excellente visibilité
Bon aménagement intérieur
Suspension efficace
Habitabilité supérieure

CONTRE

Accès mécanique difficile
Freins peu efficaces
Cadrans peu esthétiques
Boîte manuelle quelconque
Moteur bruyant

Quoi de neuf?

Miroirs télécommandés standards

ASPECT TECHNIQUE

Groupe propulseur:	propulsion
Empattement:	286,5 cm
Longueur:	475,0 cm
Poids:	2 409 kg
Coefficient aérodynamique:	0,35
Moteur:	central, 2,4 litres, 138 ch.
Transmission:	
standard:	boîte manuelle 5 rapports
option:	boîte automatique 4 rapports
Suspension avant:	indépendante
arrière:	essieu rigide
Direction:	à crémaillère, assistée
Freins: avant:	disques
arrière:	tambours
Pneus:	P205/75 R 14

ASPECT PRATIQUE

Carrosserie:	fourgonnette
Nombre de places:	4 - 5 - 7
Valeur de revente:	très bonne
Indice de fiabilité:	8,5
Coussin gonflable:	conducteur
Réservoir de carburant:	75 litres
Capacité du coffre:	33,3 pi^3
Performances:	0-100 km/h: 11,6 s
vitesse max.:	165 km/h
consommation:	11,4 litres/100 km
Échelle de prix:	20 500 $ à 30 000 $

TOYOTA

Tercel/Paseo

La sagesse avant tout

La Tercel est une sous-compacte qui préconise la fiabilité et l'économie avant toute autre chose. De plus, sa silhouette quelconque n'aide pas à relever la barre. Comme la Paseo est dérivée de la Tercel, il n'est pas surprenant que son tempérament soit plus sage que sportif malgré une allure engageante.

La Tercel est le type même de ce que les Américains apellent un *«econo-box»* ou *«petite économique»* en traduction très très libre. Tout dans cette voiture respire l'économie autant par ses formes banales que par sa présentation générale. Les performances sont du même acabit alors que pratiquement tout a été sacrifié à la sacro-sainte fiabilité et à une durabilité supérieure à la moyenne. On ne saurait reprocher à Toyota cette approche puisque les acheteurs de cette catégorie privilégient ces traits de caractère avant tout.

Si l'on veut une voiture presque aussi économique mais un peu plus inspirée au plan de la conduite, il faut se tourner vers la Paseo qui partage la même plate-forme que la Tercel. Les deux voitures ont le même empattement, soit 238 cm.

Il serait toutefois faux de croire qu'on s'est contenté de dessiner une carrosserie d'allure sportive et de la greffer à des organes de la Tercel. La voiture est plus raffinée que cela. En premier lieu, le moteur est un quatre cylindres 1,5 litre à double arbre à cames en tête et 16 soupa-

pes développant 100 chevaux. Il est couplé à une boîte manuelle à cinq rapports tandis que l'automatique à quatre rapports est disponible moyennant supplément.

Si la Paseo avait été lancée il y a cinq ans, il y a de fortes chances que la carrosserie aurait proposé un hayon. Toutefois, les années 90 snobent cette forme de carrosserie et la Paseo ne fait pas exception à la règle. Heureusement, les sièges arrière se rabattent pour permettre de transporter des objets relativement encombrants. Il faut souligner que ce coupé a une ligne plaisante qui combine les éléments stylistiques à la mode tout en conservant une certaine retenue visuelle.

Du côté du comportement routier, ce coupé n'est pas une bombe, mais possède une bonne adhérence en virage, un moteur souple et une boîte de vitesses manuelle bien adaptée. Il faut déplorer cependant un intérieur plutôt triste et un équipement de base qui pourrait être plus complet. Mais comme sur toutes les Toyota, la qualité d'assemblage et la finition sont impeccables.

Bref, ce coupé pourrait facilement gagner en agrément de conduite si le groupe propulseur était plus musclé d'environ 25 chevaux.

CE QU'IL FAUT SAVOIR

TOYOTA TERCEL

	Pauvre	Passable	Bon	Très bon	Excellent
• Comportement routier			●		
• Freinage			●		
• Sécurité passive			●		
• Visibilité				●	
• Confort			●		
• Volume de chargement				●	

POUR

Moteur souple
Finition sérieuse
Caisse rigide
Insonorisation efficace
Prix intéressant

CONTRE

Silhouette anonyme (Tercel)
Direction floue
Roulis excessif en virage
Pneus étroits (Tercel)
Équipement standard décevant (Paseo)

Quoi de neuf?

Retouches esthétiques
Nouveau tissu des sièges

ASPECT TECHNIQUE

Groupe propulseur:	traction
Empattement:	238,0 cm
Longueur:	411,0 cm - 414,5 cm (Paseo)
Poids:	890 kg - 930 kg (Paseo)
Coefficient aérodynamique:	0,30 - 0,32 (Paseo)
Moteurs:	4L 1,5 litre, 82 ch. - 100 ch. (Paseo)
Transmission:	
standard:	boîte manuelle 5 rapports
option:	boîte automatique 3 rap. - 4 rap. (Paseo)
Suspension avant:	indépendante
arrière:	essieu rigide
Direction:	à crémaillère, assistée
Freins: avant:	disques
arrière:	tambours
Pneus:	P155/80 R 13 - P175/65R14 (Paseo)

ASPECT PRATIQUE

Carrosserie:	berline - coupé
Nombre de places:	5 - 2+2 (Paseo)
Valeur de revente:	très bonne
Indice de fiabilité:	8,5
Coussin gonflable:	non
Réservoir de carburant:	45 litres
Capacité du coffre:	10,7 pi^3 - 7,7 pi^3 (Paseo)
Performances:	0-100 km/h: 11,5 s
vitesse max.:	165 km/h
consommation:	7,8 litres/100 km
Échelle de prix:	8 500 $ à 13 000 $

VOLKSWAGEN

Corrado

La magie du V6

En dépit d'indéniables qualités routières, la Corrado ne pouvait se faire justice avec le moteur G60 qui était plus ou moins bien adapté à nos habitudes de conduite. L'arrivée d'un moteur V6 sous le capot a entièrement transformé ce coupé sport qui devient un des plus intéressants toutes catégories confondues.

La Volkswagen Corrado est sans contredit l'un des coupés sport les plus élégants qui soient. Ses lignes sont sobres, classiques mais donnent en même temps un air costaud à cette Allemande qui a pris du muscle au cours des derniers mois. On a remplacé le controversé moteur G60 à compresseur par un V6 2,8 litres développant 172 chevaux en mesure de transformer radicalement la personnalité de cette voiture. Ajoutez-y une transmission révisée et vous obtenez le meilleur coupé de la catégorie.

Précédemment, le moteur G60 proposait une vitesse de pointe impressionnante et une bonne économie de carburant en conduite urbaine mais manquait de cette vigueur initiale qui plaît tant aux Nord-Américains. L'arrivée du moteur V6 vient corriger toutes ces faiblesses. Non seulement il permet d'intensifier la nature des accélérations, mais il est d'une grande souplesse à tous les régimes. De plus, il est doux et silencieux tout en affichant un couple exemplaire.

Mais cette voiture ne propose pas que des accélérations intéressantes et un moteur souple, sa tenue de route est également nettement supérieure à la moyenne. Un châssis ultrarigide, une assise large et une direction précise permettent d'aborder les virages avec confiance. De plus, la voiture demeure très facile à contrôler et n'affiche pratiquement aucun sous-virage initial. Quant aux freins, leur assistance est bien dosée et leur efficacité ne peut être mise en doute. En plus de cette compétence au chapitre de la tenue de route, cette

Volkswagen procure un agrément de conduite nettement supérieur à la moyenne de la catégorie. Il est toutefois vrai que la suspension est ferme, et cela peut devenir agaçant pour certains, compte tenu des pauvres conditions des routes du Québec. Si cette sportive impressionne par son efficacité au chapitre du comportement routier, son habitacle est également digne de mention. Il est tout d'abord assez spacieux pour accueillir deux adultes dans un confort acceptable aux places arrière. Du moins pour des trajets de moyenne durée. Quant aux places avant, les sièges sont confortables tout en assurant un bon support latéral. Par ailleurs, le tableau de bord est typique des autres produits Volkswagen avec une présentation sobre et une ergonomie exemplaire.

CE QU'IL FAUT SAVOIR

VW CORRADO

	Pauvre	Passable	Bon	Très bon	Excellent
• Comportement routier					•
• Freinage				•	
• Sécurité passive			•		
• Visibilité			•		
• Confort				•	
• Volume de chargement			•		

POUR

Moteur V6 agréable
Tenue de route supérieure
Bonne habitabilité
Volume de chargement
  impressionnant
Caisse rigide

CONTRE

Suspension ferme
Faible diffusion
Radio AM à revoir
Certains bruits de caisse

Quoi de neuf?

Moteur V6 2,8 litres

ASPECT TECHNIQUE

Groupe propulseur:	traction
Empattement:	247 cm
Longueur:	404,8 cm
Poids:	1 206 kg
Coefficient aérodynamique:	0,32
Moteur:	V6 2,8 litres, 172 ch.
Transmission:	
standard:	boîte manuelle 5 rapports
option:	boîte automatique 4 rapports
Suspension avant:	indépendante
arrière:	essieu rigide
Direction:	à crémaillère, assistée
Freins: avant:	disques ABS
arrière:	disques ABS
Pneus:	P205/50 VR 15

ASPECT PRATIQUE

Carrosserie:	coupé
Nombre de places:	2 + 2
Valeur de revente:	très bonne
Indice de fiabilité:	8,5
Coussin gonflable:	non
Réservoir de carburant:	55 litres
Capacité du coffre:	18,6 pi^3
Performances:	0-100 km/h: 6,95 s
vitesse max.:	225 km/h
consommation:	11,2 litres/100 km
Échelle de prix:	25 000 $ à 29 500 $

VOLKSWAGEN

Eurovan

La championne de l'efficacité

L'Eurovan a pour tâche de remplacer une des légendes de l'automobile: la Vanagon qui était elle-même dérivée du célèbre «bus» de Volkswagen associé à tellement d'époques. La nouvelle venue n'est peut être pas aussi romantique que sa devancière, mais elle est drôlement plus efficace.

La fourgonnette Eurovan de Volkswagen se démarque de toutes les autres de par ses dimensions qui sont beaucoup plus imposantes. Ce qui se traduit naturellement par une habitabilité nettement supérieure à la moyenne. Les occupants des places arrière ont tout l'espace voulu et ils peuvent également apporter beaucoup de bagages car la soute est aussi de dimensions généreuses. Et l'accès à la soute à bagages est facile car le hayon est imposant. Tellement d'ailleurs que plusieurs utilisateurs le trouvent trop gros;

Volkswagen proposera cette année certains modèles dotés de portes à battants à la suite de ces critiques. La version 10 passagers a été abandonnée en raison d'une demande trop modeste. Par contre, une version commerciale à parois dépourvues de fenêtres sera disponible en 1993 afin de répondre aux demandes des utilisateurs commerciaux.

Les points forts de cette fourgonnette sont une habitabilité à toute épreuve, un confort supérieur pour les passagers, une finition plus que sérieuse et une ergonomie exemplaire. Le tableau de bord n'est pas uniquement plaisant; il est d'une grande efficacité tant au plan de la facilité de consultation que de son ergonomie. Il faut également noter que les espaces de rangement sont nombreux tandis que la porte coulissante se ferme avec autorité et un «thump» caverneux qui est un gage de solidité.

Comme vous pourrez le lire dans la première partie de cet ouvrage où l'on retrouve un essai «commercial» de cette fourgonnette, la position de conduite ne fait pas l'unanimité. Toutefois, pour de longs parcours, elle est très confortable. Et si le volant est plus ou moins vertical, il contribue à adopter une position de conduite profitant de l'excellente visibilité de cette fourgonnette. En conduite urbaine, on oublie rapidement ses dimensions car elle est très maniable et son rayon de braquage est exceptionnel pour une traction.

Le moteur cinq cylindres 2,5 litres monté transversalement émet un ronronnement sourd qui inspire confiance. Ses 110 chevaux font peur à ceux qui s'en tiennent aux statistiques, mais il accomplit un travail adéquat même si une trentaine de chevaux additionnels seraient appréciés par plusieurs. Quoi qu'il en soit, cette fourgonnette est l'une des plus efficaces et confortables qui soient.

CE QU'IL FAUT SAVOIR

VW EUROVAN

	Pauvre	Passable	Bon	Très bon	Excellent
• Comportement routier				•	
• Freinage			•		
• Sécurité passive			•		
• Visibilité				•	
• Confort				•	
• Volume de chargement					•

POUR

Habitabilité exceptionnelle
Moteur robuste
Sièges confortables
Bonne tenue de route
Tableau de bord efficace

CONTRE

Position de conduite
 controversée
Performances moyennes
Suspension ferme
Hayon lourd

Quoi de neuf?

Nombre de modèles réduit
Version commerciale sans fenêtre

ASPECT TECHNIQUE

Groupe propulseur:	traction
Empattement:	292 cm
Longueur:	474 cm
Poids:	1 730 kg
Coefficient aérodynamique:	0,37
Moteur:	5L 2,5 litres, 110 ch.
Transmission:	
standard:	boîte manuelle 5 rapports
option:	boîte automatique 4 rapports
Suspension avant:	indépendante
arrière:	indépendante
Direction:	à crémaillère, assistée
Freins: avant:	disques
arrière:	tambours
Pneus:	P205/65 R 15

ASPECT PRATIQUE

Carrosserie:	fourgonnette - camper
Nombre de places:	2-5-7
Valeur de revente:	très bonne
Indice de fiabilité:	8,5
Coussin gonflable:	non
Réservoir de carburant:	80 litres
Capacité du coffre:	n.d.
Performances:	0-100 km/h: 16,8 s
vitesse max.:	160 km/h
consommation:	12,5 litres/100 km
Échelle de prix:	23 000 $ à 30 000 $

VOLKSWAGEN

Golf

Un modèle tout neuf

Lancée en 1974, la Golf en est à sa troisième génération. Mais si on avait voulu faire de la seconde génération une révision du modèle original, la troisième est toute nouvelle. Cette fois, on a mis l'accent sur la sécurité et l'écologie. Toutefois, l'agrément de conduite et la solidité de l'ancienne Golf sont maintenus.

Après deux générations de modèles pleines de succès, la conception et le développement de la Golf de la troisième génération constituaient des défis sans pareils pour les connaissances et le sens des responsabilités des ingénieurs de Volkswagen. Pour assurer et consolider la position de pointe de la Golf, il fallait non seulement avancer, mais également tenter une percée. C'est dans cette optique que toutes les futures générations de véhicules VW ne rempliront pas seulement les prescriptions européennes en matière de

sécurité; elles s'orienteront également sur les critères valables aux États-Unis.
Par exemple, la nouvelle Golf réussit l'essai de collision latérale effectué à une vitesse de 54,5 km/h qui ne sera obligatoire aux États-Unis qu'à partir de l'année-modèle 1994. En outre, la nouvelle Golf satisfait également aux spécifications internes de VW relatives à une collision frontale désaxée avec un chevauchement de 50 p. 100 effectuée conformément aux conditions d'essai créées par des institutions gouvernementales.

LE FRUIT DE L'EXPÉRIENCE

Avec plus de 12,7 millions de Golf vendues depuis 1974, Volkswagen jouissait d'une belle expérience pour développer la nouvelle version, dévoilée cette année. La première Golf bénéficiait déjà de la conception de base des voitures compactes modernes, une conception qui s'est imposée au fil des ans. Le modèle de construction n'a pas varié jusqu'à ce jour: un moteur transversal à l'avant, une traction avant, une suspension à roues indépendantes, des roues arrière montées sur un essieu rigide de torsion et une carrosserie *fastback* dont le compartiment à bagages grandit en rabattant les sièges arrière.

De multiples raisons expliquent le grand succès de la Golf. L'une d'elles réside dans la largeur de la gamme. De la diesel à la GTI, du cabriolet à la Country, sans oublier la Caddy, la Golf ne connaît manifestement pas de frontière.

Avec la GTI, VW a engrangé un succès comparable à l'autre extrémité de la palette des Golf. En 1976, ce bolide racé a lui aussi lancé une nouvelle catégorie de voitures: celle des berlines sport, compactes et rapides. Cela lui a permis d'établir la «catégorie GTI» au sein même de la famille des Golf. Entre-temps, la GTI a depuis longtemps franchi la barre du million d'exemplaires: la millionième GTI est sortie de la chaîne en novembre 1990.

L'année 1983 a vu la naissance de la deuxième Golf. Aucune voiture n'avait jamais déclenché autant de discussions passionnées. Pour les uns, la petite nouvelle était trop moderne; pour les autres, elle ressemblait trop à l'ancienne. Mais, dès son lancement, la demande fut si forte que Wolfsburg dut régler les pendules pour les heures supplémentaires.

Avec les débuts du premier quatre cylindres VW dans la GTI 16V au salon automobile de Francfort de 1985, Volkswagen apparut comme le précurseur de cette technologie de demain. La Golf syncro à transmission intégrale apporta encore son lot d'innovations techniques en 1986. Peu de temps après, l'ABS électronique pointa le bout de son nez. Dans un premier temps, comme complément idéal de la transmission intégrale, puis en option sur toutes les Golf. La version la plus puissante, la GTI G60, marqua dès la fin de 1989 le sommet de la courbe ascendante de la Golf II.

caractère: la Golf reste la Golf. Car, côté forme, le fonctionnel dure toujours plus longtemps que la mode. «Déceler et interpréter l'esprit du temps», telle est la devise d'Herbert Schäfer, le chef-styliste de Volkswagen, et de son équipe.

UN AIR DE CONTINUITÉ

La forme de la carrosserie de la nouvelle Golf exprime la continuité... et le

Un autre exemple de la ligne stylisée de la Golf est constitué par l'enveloppe de pare-chocs fermée. Les solides surfaces déflectrices montées dans le châssis sans recourir à l'acier abritent les feux clignotants, les feux de brouillard et, du côté droit, un logement élégamment dissimulé pour l'œillet de remorquage à visser.

Dès qu'on prend place dans la cabine, plusieurs choses sautent aux yeux. Tout d'abord l'optique du cockpit. Il a été résolument agencé pour le conducteur; la zone à droite du volant est légèrement incurvée. De ce fait, les organes de commande du chauffage et de la ventilation, de la radio, etc., sont toujours à portée de la main. Tout cela sans «isoler» le copilote du poste de conduite par une trop forte accentuation. De plus, le conducteur n'a pas à s'étirer pour atteindre la boîte à gants: la serrure est excentrée et se situe dans la partie gauche de la boîte.

Des instruments clairs informent sur la vitesse, l'heure, la contenance du réservoir et la température du liquide de refroidissement. À partir de la version GT, la montre analogique est remplacée par un grand compte-tours avec affichage multifonctions intégré. Enfin, le tachymètre indique dans un afficheur à cristaux liquides le trajet total ou partiel parcouru. Et il informe aussi le conducteur sur les intervalles d'entretien. L'installation de chauffage et de ventilation a été profondément remaniée. Résultat perceptible: la Golf se caractérise par un brassage agréable de l'air, à l'avant comme à l'arrière, surtout grâce aux aérateurs arrière montés de

série. Résultat «audible»: vous n'entendez pratiquement plus la soufflante. De plus, il existe en option un filtre anti-poussière et anti-pollen qui, selon les tailles, retient de 50 à 90 p. 100 des particules et emprisonne le pollen presque complètement.

Il va de soi que la nouvelle Golf conserve son compartiment à bagages variable à banquette arrière rabattable. L'assise est relevée derrière les sièges avant. Le dossier a reçu une robuste paroi arrière en tôle qui procure une sécurité et une protection accrues contre les mouvements du chargement dans le compartiment à bagages lors du freinage. Une fois rabattus, les dossiers des sièges arrière forment

alors une surface de chargement plane et robuste. Lorsque les assises sont remises en position, les boucles des ceintures se replacent très aisément.

Dans la nouvelle Golf, Volkswagen propose pour la première fois une série de détails d'équipement, de série ou en option selon le niveau d'équipement choisi.

Volkswagen propose pour la première fois sur la nouvelle Golf un système antivol. Il est activé par la clé normale du véhicule en

maintenant la clé en position fermée pendant plus de 0,5 seconde dans la serrure de la portière. La désactivation s'effectue simplement par l'ouverture des portières; toute fausse alarme due à un «oubli» est exclue. De plus, une visualisation optique placée à côté des boutons de condamnation des portes indique que l'alarme est opérationnelle.

PLUS DE CYLINDRÉE

Volkswagen équipe la nouvelle Golf d'un groupe 2,0 litres de 115 ch. qui prend la relève du moteur 1,8 litre. Par rapport à

son aîné, ce moteur à injection à quatre cylindres se caractérise toutefois surtout par une traction plus puissante qui résulte d'un couple accru obtenu à un régime nettement inférieur. Le circuit électronique d'allumage et d'injection «Digifant» participe largement à l'exploitation efficace de cette puissance disponible. Ce système intégré détermine le point d'allumage séparément pour chaque cylindre et le corrige si nécessaire. De même, la quantité de carburant à injecter est définie avec exactitude de sorte que chaque cylindre reçoit à tout moment la quantité de carburant nécessaire. Enfin, la régulation intégrée du cliquetis garantit que, même avec une compression élevée de 10,0:1, la voiture évolue toujours juste en dessous de la limite de cliquetis — soit dans la plage de rendement optimum.

Résultat: des performances routières respectables. C'est ainsi que, au besoin, la voiture peut sprinter de 0 à 100 km/h en moins de 10 secondes et peut pousser des pointes jusqu'à 200 km/h. En cinquième, elle accélère en outre de 60 à 100 km/h en 13,0 s.

La conception en châssis à large voie avec traction avant et essieu rigide de torsion à l'arrière a été conservée. L'empattement demeure inchangé à 2 472 mm. La voie avant est passée à 1 478 mm (plus 49 mm) tandis que la voie arrière a crû de 38 mm et s'élève désormais à 1 460 mm Cette construction garantit que toutes les combinaisons roue-pneu affleureront avec la carrosserie.

UNE SENSATION TYPIQUE

En conduite, la voie élargie profite directement au comportement routier. Le comportement dynamique neutre ou légèrement sous-vireur est encore amélioré. Tant l'essieu avant à jambes de force avec bras oscillants transversaux en bas que l'essieu rigide de torsion à l'arrière bénéficient de nouveaux développements des éléments à ressort et de suspension de manière à améliorer le confort de conduite. La sécurité active s'en trouve renforcée, et la voie élargie n'y est pas étrangère.

Dans nos différents classements à l'intérieur du *Guide de l'auto*, nous avons toujours positionné la Golf devant toutes les autres de sa catégorie. Cette troisième génération maintiendra la tradition. Assez peu spectaculaire, elle demeure la plus agréable en conduite tout en atteignant de nouveaux sommets en ce qui concerne la sécurité et la solidité.

CE QU'IL FAUT SAVOIR

VW GOLF

	Pauvre	Passable	Bon	Très bon	Excellent
• Comportement routier					•
• Freinage				•	
• Sécurité passive					•
• Visibilité				•	
• Confort				•	
• Volume de chargement				•	

POUR

Sécurité assurée
Tenue de route précise
Caisse solide
Ergonomie améliorée
Performances intéressantes
Freins puissants

CONTRE

Silhouette un peu lourde
Absence du V6
Fiabilité inconnue
Sièges durs

Quoi de neuf?

Tout nouveau modèle

ASPECT TECHNIQUE

Groupe propulseur:	traction
Empattement:	247,2 cm
Longueur:	402,0 cm
Poids:	1 035 kg
Coefficient aérodynamique:	0,31
Moteurs:	4L 2,0 litres,115 ch. - 4L 1,8 litre, 90 ch. - 4L 1,9 litre Cata-diesel 75 ch.
Transmission:	
standard:	boîte manuelle 5 rapports
option:	boîte automatique 4 rapports
Suspension avant:	indépendante
arrière:	indépendante
Direction:	à crémaillère
Freins: avant:	disques
arrière:	tambours
Pneus:	P195/50R15

ASPECT PRATIQUE

Carrosserie:	*hatchback*
Nombre de places:	5
Valeur de revente:	nouveau modèle
Indice de fiabilité:	nouveau modèle
Coussin gonflable:	non
Réservoir de carburant:	50 litres
Capacité du coffre:	11,44 pi^3
Performances:	0-100 km/h: 9,2 s
vitesse max.:	200 km/h
consommation:	8,5 litres/100 km
Échelle de prix:	12 500 $ à 17 000 $

VOLKSWAGEN

Jetta

Tournée d'adieu

Solide, spacieuse, performante et fiable, la Jetta a connu une grande popularité chez nous depuis 1986. Une nouvelle série roule déjà en Europe, mais le modèle actuel tiendra l'affiche encore une année ici. Or, malgré son âge, cette série continue d'offrir la qualité de certaines des meilleures berlines actuelles.

Aux yeux de plusieurs, la première Jetta n'était qu'une «Golf avec un coffre». En 1986, cependant, la Jetta de deuxième génération allait changer tout cela. Sans la doter de composantes radicalement différentes, les ingénieurs de Wolfsburg réussirent à en faire une petite berline étonnante de performance, d'agilité et d'habitabilité, entre autres vertus. La Jetta se détacha aussitôt de la Golf et la doubla même au chapitre des ventes. Jusqu'à l'arrivée de la Passat, la Jetta occupa le centre de la gamme Volkswagen au

Québec. Son habitabilité et le volume de son coffre sont tels qu'on la considère malgré tout comme une compacte, elle qui descend d'une sous-compacte. La nouvelle Jetta, comme la nouvelle Golf, ressemblera beaucoup au modèle actuel, une approche qui a souri à Volkswagen en 1986. Au chapitre de la mécanique, le nouveau modèle disposera entre autres du moteur VR6 qui propulse déjà la Corrado. Aucun changement cette année, donc, pour le modèle actuel. Qu'à cela ne tienne. L'arrivée de la Passat a certes modifié le

rôle que joue la Jetta dans la gamme Volkswagen au pays, mais jamais celle-ci n'a été aussi attrayante et homogène que dans sa définition présente. Cela est d'autant plus vrai depuis que l'importateur a haussé le niveau d'équipement et néanmoins ajusté les prix de cette série à la baisse il y a deux ans. À notre goût, c'est évidemment la Jetta GTX qui ressort du lot. Avec un moteur de 2 litres, des pneus plus mordants et des sièges avant bien sculptés, provenant du grand spécialiste Recaro, ce n'est pas seulement la plus performante et la mieux équilibrée des Jetta mais aussi un des meilleurs achats que l'on puisse faire si l'on est en quête d'une berline sportive compacte. Contrairement à ce que l'on voit parfois chez la concurrence, cependant, toutes les Jetta possèdent les mêmes vertus essentielles que la GTX: moteur souple, carrosserie solide, direction précise, excellente motricité, tenue de route impeccablement sûre. Sur la GTX, elles sont simplement soulignées par les quelques retouches mentionnées plus haut. Même animée par ses moteurs diesel, la Jetta conserve son aplomb. Elle exige alors seulement plus de patience mais offre en compensation une consommation exceptionnellement faible et une grande endurance. Même avec ses quelques rides, la Jetta mérite un sérieux coup d'œil, une dernière fois cette année.

CE QU'IL FAUT SAVOIR

VOLKSWAGEN JETTA

	Pauvre	Passable	Bon	Très bon	Excellent
• Comportement routier					•
• Freinage				•	
• Sécurité passive				•	
• Visibilité				•	
• Confort				•	
• Volume de chargement					•

POUR

Version GTX étonnante
Choix de moteurs inégalé
Comportement routier
Berlines solides et fiables
Rapport qualité/prix
Coffre immense

CONTRE

Moteur bruyant (GTX)
En fin de carrière
Silhouette anguleuse
Pas de coussin gonflable
Pas de freinage antibloquant
Diesel poussif

Quoi de neuf?

Aucun changement majeur

ASPECT TECHNIQUE

Groupe propulseur:	traction
Empattement:	247,5 cm
Longueur:	436,2 cm
Poids:	1 027 kg
Coefficient aérodynamique:	0,36
Moteurs:	4L 1,8 litre, 100 ch. - 4L 2,0 litres, 134 ch. - 1,6 litre, turbodiesel, 68 ch.
Transmission:	
standard:	boîte manuelle 5 rapports
option:	boîte automatique 3 rapports
Suspension avant:	indépendante
arrière:	essieu rigide
Direction:	à crémaillère - assistée standard (GTX)
Freins: avant:	disques
arrière:	tambours - disques (GTX)
Pneus:	185/60HR14 - 185/55VR15 (GTX)

ASPECT PRATIQUE

Carrosserie:	berline
Nombre de places:	5
Valeur de revente:	très bonne
Indice de fiabilité:	9
Coussin gonflable:	non
Réservoir de carburant:	55 litres
Capacité du coffre:	19,4 pi^3
Performances:	0-100 km/h: 9,7 s - 8,3 s (GTX) - 12,8 s (turbodiesel)
vitesse max.:	175 km/h - 195 km/h (GTX)
consommation:	9,6 litres/100 km
Échelle de prix:	14 000 $ à 20 000 $

VOLKSWAGEN

Passat

Diesel et V6

La Volkswagen Passat est l'une des voitures les mieux équilibrées que l'on puisse trouver sur le marché. Et pour ajouter à ses qualités, on propose deux moteurs additionnels. Cette berline est donc en mesure de rencontrer les attentes d'un plus grand nombre de gens car elle conserve sa polyvalence.

Si la Passat demeure sensiblement inchangée sur le plan visuel, elle propose deux nouveaux groupes propulseurs qui vont permettre à cette intermédiaire de mieux répondre aux besoins d'une clientèle diversifiée. Dans un premier temps, les voyageurs de commerce désireux de conduire une voiture plus spacieuse que la Jetta turbodiesel seront heureux d'apprendre que la Passat sera dorénavant offerte avec un moteur diesel. Il s'agit de la version Ecodiesel 1,6 litre développant 68 chevaux. Selon Volkswagen, ce modèle

consomme moins de 6 litres aux 100 km sur la grande route. De plus, il ne faut pas se fier aux chiffres de la puissance pour estimer ses performances en accélération. Elles ne sont pas équivalentes à celles d'un moteur à essence, mais fort respectables pour un diesel.

Mais le moteur qui est en mesure de gagner bien des ventes pour la Passat est le VR6 2,8 litres. Avec ses 178 chevaux, sa souplesse et sa grande douceur, ce moteur va en convaincre plusieurs des qualités de la Passat. Car, pour plusieurs

acheteurs de cette catégorie, un V6 est un élément non négligeable comme le prouvent d'ailleurs les chiffres de ventes fortement à la hausse de la récente Toyota Camry.

Avec ces deux nouveaux groupes propulseurs qui viennent se joindre au moteur 2,0 litres toujours disponible, la Passat a plus d'atouts dans son jeu. Quant à la cabine, elle conserve sa même habitabilité, ses mêmes sièges offrant à la fois confort et support et une foule d'espaces de rangement qui la placent en avant de la catégorie. Sur le plan de la présentation, le tableau de bord est sobre mais il est difficile de critiquer sa disposition et son efficacité. Encore une fois, plusieurs constructeurs devraient s'inspirer de ce design sur le plan de l'efficacité.

Cette intermédiaire ne se contente pas d'être pratique et solide. Elle dispose également d'excellentes manières au chapitre de la tenue de route. La direction est bien dosée, le conducteur a toujours le «feedback» du positionnement des roues sur la chaussée tandis que la suspension est en mesure de maîtriser la plupart des courbes. Enfin, pour une voiture de cette catégorie, elle propose un agrément de conduite non négligeable qui nous fait oublier certains irritants au chapitre de la finition et quelques accessoires plus ou moins fiables.

CE QU'IL FAUT SAVOIR

VW PASSAT

	Pauvre	Passable	Bon	Très bon	Excellent
• Comportement routier					•
• Freinage				•	
• Sécurité passive				•	
• Visibilité					•
• Confort				•	
• Volume de chargement					•

POUR

Moteur V6 et diesel
Tenue de route rassurante
Habitabilité exceptionnelle
Familiale pratique
Finition sérieuse

CONTRE

Levier de vitesses imprécis
Suspension ferme
Boîte automatique brusque
Sièges durs

Quoi de neuf?

Moteur turbodiesel
Moteur V6 de 2,8 litres

ASPECT TECHNIQUE

Groupe propulseur:	traction - 4x4
Empattement:	262,3 cm
Longueur:	457,3 cm
Poids:	1 125 kg
Coefficient aérodynamique:	0,29
Moteurs:	V6 2,8 litres, 174 ch. - 4L 1,6 litre turbo-diesel, 68 ch. - 4L 2,0 litres, 134 ch.
Transmission:	
standard:	boîte manuelle 5 rapports
option:	boîte automatique 4 rapports
Suspension avant:	indépendante
arrière:	semi-indépendante
Direction:	à crémaillère, assistée
Freins: avant:	disques
arrière:	disques
Pneus:	P195/65 R 14

ASPECT PRATIQUE

Carrosserie:	berline - familiale
Nombre de places:	5
Valeur de revente:	très bonne
Indice de fiabilité:	8,5
Coussin gonflable:	non
Réservoir de carburant:	70 litres
Capacité du coffre:	18 pi³
Performances:	0-100 km/h: 8,5 s (V6) - 20 s (diesel)
vitesse max.:	220 km/h
consommation:	12,8 litres/100 km (V6)
Échelle de prix:	20 500 $ à 29 000 $

VOLVO

240

En sagesse et en grâce

La série 240 de Volvo est la doyenne de tous les modèles offerts chez nous. Elle suit son chemin depuis les années soixante, sans changement majeur mais constamment mise à jour. Loin de sombrer dans la désuétude, elle semble au contraire renforcer à chaque année son statut auprès d'une clientèle d'irréductibles.

La popularité invariable des Volvo 240 et le presque culte dont elles sont l'objet depuis quelques années rappellent la ferveur que suscitent également les Porsche 911. Comme la vénérable sportive allemande, la Volvo 240 peut même en remontrer à ses sœurs plus modernes au chapitre des ventes. Au contraire de la 911, cependant, ses composantes principales n'ont pas été transformées en cours de route. Ses suspension, moteur et freins sont encore du même type qu'il y a un quart de siècle. On les a simplement mis à jour patiemment

mais sans relâche durant tout ce temps. Il en résulte une voiture dont l'intérieur, par exemple, ne correspond pas depuis quelques années aux critères les plus modernes de design et d'habitabilité. Or, plusieurs s'y intéressent justement par réaction contre les changements incessants qui caractérisent cette industrie. Cela influence également de manière positive la valeur de revente des 240, qui ont maintenant acquis cette patine que seul le temps peut apporter. Elles correspondent toujours, d'autre part, aux normes de

robustesse et de sécurité exemplaires du premier constructeur suédois. C'est dire l'avance qu'elles possédaient à leurs débuts. Elles affichent également une fiabilité très correcte. C'est la moindre des choses, après toutes ces années. Tous ces éléments en font un choix de premier plan pour ceux et celles qui recherchent d'abord la sécurité et qui apprécient la stabilité inégalée de cette gamme. Ce seront souvent aussi des acheteurs qui n'ont aucune passion pour l'automobile et veulent simplement n'avoir aucune surprise avec la leur. Ceux-là n'auront sans doute rien à redire d'un comportement routier marqué par un solide roulis en virage ou par les performances modestes de son vénérable quatre cylindres de 2,3 litres.

MEILLEURE MOTRICITÉ EN OPTION

Le comportement des doyennes suédoises sur chaussée glissante pourra être rehaussé cette année par le simple ajout d'un nouveau différentiel autobloquant optionnel. Pour quelques centaines de dollars (385 $) on peut en effet doter sa 240 d'un différentiel à verrouillage électronique qui agit à toutes fins utiles comme un antipatinage. Il est d'ailleurs commandé par les capteurs de l'antiblocage qui commandent un verrouillage des disques du différentiel si un patinage est détecté. La roue qui profite de la meilleure motricité reçoit alors la plus grande part du couple du moteur, ce qui permet à la voiture de se mettre en mouvement. Le différentiel se «déverrouille» lorsque les roues retrouvent leur motricité ou lorsque la voiture atteint 40 km/h. Il est certain, malgré cela, que la 240 ne rajeunit guère. Si Volvo en poursuit la commercialisation, c'est strictement en réponse à une demande soutenue, quelles qu'en soient les raisons profondes. La berline, surtout, souffre de plus en plus difficilement la comparaison avec ses rivales, dans un segment extrêmement compétitif. Quant à la familiale, à prix à peu près égal, elle offre nettement moins de style, de performance ou d'habitabilité que les sveltes familiales Taurus ou Sable. Mais les fanatiques de Volvo ne voudront rien entendre. Là comme ailleurs, le cœur a des raisons...

CE QU'IL FAUT SAVOIR

VOLVO 240

	Pauvre	Passable	Bon	Très bon	Excellent
• Comportement routier			•		
• Freinage				•	
• Sécurité passive				•	
• Visibilité				•	
• Confort				•	
• Volume de chargement					•

POUR

Grande robustesse
Fiabilité reconnue
Comportement sûr
Bons sièges
Familiale homogène
Freins puissants

CONTRE

Roulis prononcé en virage
Performances modestes
Sensibles au vent latéral
Berline dépassée
Portières étroites
Tableau de bord terne

Quoi de neuf?

Différentiel autobloquant optionnel (antipatinage)
Climatiseur sans fréon
Sonorisation améliorée

ASPECT TECHNIQUE

Groupe propulseur:	propulsion
Empattement:	265 cm
Longueur:	482,4 cm
Poids:	1 325 kg
Coefficient aérodynamique:	0,41
Moteur:	4L 2,3 litres, 114 ch. à 5 400 tr/min 136 lb/pi à 2 700 tr/min
Transmission:	
standard:	boîte manuelle 5 rapports
option:	boîte automatique 4 rapports
Suspension avant:	indépendante
arrière:	essieu rigide
Direction:	à crémaillère, assistée
Freins: avant:	disques ABS
arrière:	disques ABS
Pneus:	185/75R14

ASPECT PRATIQUE

Carrosserie:	berline - familiale
Nombre de places:	5
Valeur de revente:	très bonne
Indice de fiabilité:	8,5
Coussin gonflable:	non
Réservoir de carburant:	60 litres
Capacité du coffre:	13,7 pi^3 (familiale: 41,7 pi^3)
Performances:	0-100 km/h: 11,8 s
vitesse max.:	170 km/h
consommation:	9,5 litres/100 km
Échelle de prix:	24 000 $ à 27 000 $

VOLVO

850

Une Suédoise à traction avant

Pour la première fois en plusieurs décennies, Volvo innove avec une voiture entièrement nouvelle. Non seulement cette voiture est dotée d'une nouvelle plate-forme, mais il s'agit d'une traction qui possède plusieurs autres raffinements techniques. Et, chez Volvo, on est fier de son comportement routier.

Selon les dires des responsables des relations publiques de Volvo, la 850 est vraiment toute nouvelle. En fait, il s'agit de la première nouvelle voiture à être lancée sur notre continent par ce constructeur en un quart de siècle. En effet, la série 244 n'était en fait qu'une version plus moderne de la légendaire P44. Puis, quand la 244 eut connu une carrière de près de 20 années, elle a servi de base aux voitures de la série 744 même s'il y a beaucoup de différences entre ces deux voitures. Et quant les modèles 940/960 sont apparus, c'étaient des dérivés nettement plus raffinés

de la 740/760. Quant à la 850, elle est toute nouvelle.

Mais on ne s'est pas contenté d'utiliser une nouvelle plate-forme. La suspension de même que le groupe propulseur ont été l'objet d'intéressantes innovations. Toutefois, cette nouvelle venue respecte la tradition Volvo au chapitre de la solidité, de la sécurité et du confort. Si on a choisi la traction au lieu de la propulsion, c'est parce qu'ainsi on pouvait offrir la même habitabilité que les autres berlines avec une carrosserie plus petite.

UN MOTEUR CINQ CYLINDRES

Lorsque la 960 a été dévoilée avec son moteur six cylindres, on nous avait prévenus que ce moteur était de conception modulaire et qu'il pourrait éventuellement connaître d'autres applications. Il n'a pas fallu attendre bien longtemps: le moteur de la 850 est une version cinq cylindres du six cylindres 3,0 litres de la 960. Ce cinq cylindres de 2,4 litres développe 168 chevaux et retient toutes les qualités de silence de roulement et de souplesse de son grand frère le six cylindres. Mais contrairement à ce dernier, il est monté en position transversale. Ce cinq cylindres 20 soupapes est également doté d'un collecteur d'admission à cheminement double qui permet d'obtenir une meilleure efficacité. Chaque cylindre est alimenté par un conduit double. Selon les conditions de conduite et la vélocité, un papillon bloque l'un ou l'autre conduit pour ainsi varier la longueur de la tubulure d'admission. Ce système est également très compact.

Mais comme on tient absolument chez Volvo à assurer un rayon de braquage court et une excellente manœuvrabilité, on a été obligé de dessiner des boîtes de vitesses tant manuelle qu'automatique qui soient en mesure d'assurer une telle maniabilité. Pour ce faire, on a conçu de nouvelles transmissions installées à l'extrémité du moteur, ce qui permet d'assurer un important rayon de braquage des roues.

Pour que ces boîtes de vitesses soient très compactes, on fait appel à trois arbres longitudinaux parallèles les uns aux autres, ce qui permet d'obtenir une boîte très compacte puisque les opérations sont effectuées en parallèle et non sur un axe exclusivement longitudinal. Le levier de vitesses

commande les changements de vitesses au moyen de câbles dont la course et la résistance d'engagement ont été développés à l'aide d'ordinateurs.

La boîte automatique est dérivée de la boîte à contrôle électronique de la 960. Toutefois, afin de pouvoir l'adapter à la 850, on a fait appel à deux arbres longitudinaux parallèles au lieu d'un seul.

UNE SUSPENSION INÉDITE

Mais l'ingéniosité des ingénieurs suédois ne s'est pas arrêtée au groupe propulseur. La suspension arrière est elle aussi un véritable petit bijou. En effet, rarement un système aussi simple sur le plan mécanique peut-il être aussi efficace. Cette suspension semi-indépendante appelée «lien-delta» consiste en deux bras parallèles en forme de triangle allongé dont les extrémités sont ancrées à des bras en forme de «L» reliés à la roue.

Cette unité de suspension est retenue au châssis par l'intermédiaire de coussinets déformants qui se déplacent légèrement lorsque soumis aux forces dynamiques des virages. Il s'agit en fait d'un système passif de roues directionnelles. Cette suspension est très simple, peu encombrante et s'est révélée drôlement efficace lors de notre essai routier. Il faut également ajouter que les amortisseurs sont montés hors des ressorts hélicoïdaux afin d'assurer un encombrement moindre.

Quant à la suspension avant, elle comprend des jambes de force dont les amortisseurs sont montés en excentrique à l'intérieur du ressort hélicoïdal. Ces jambes de force sont liées au sous-châssis par le biais d'un bras triangulé en aluminium. Cette configuration permet d'obtenir une unité efficace tout en étant d'un encombrement réduit.

LA SÉCURITÉ BIEN ENTENDU

On ne peut parler de Volvo sans parler de sécurité active et passive. Sur le plan de la sécurité active, on a conçu cette voiture pour être maniable et posséder un rayon de braquage court en plus de la doter d'une tenue de route neutre et de freins efficaces. Mais c'est surtout au chapitre de la sécurité passive que cette voiture se distingue. Dans un premier temps, elle dispose de coussins de sécurité gonflables aussi bien

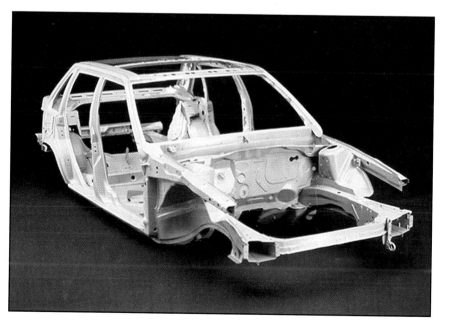

pour le conducteur que pour le passager. Quant aux ceintures de sécurité avant, elles sont équipées d'un tendeur automatique à action pyrotechnique qui permet d'obtenir une mise sous tension instantanée en cas d'impact. De plus, les ceintures avant sont dotées d'un enrouleur automatique qui ajuste automatiquement la hauteur de la ceinture en fonction de la taille de l'utilisateur. Ce système est tout simple mais il fallait y penser. On utilise un enrouleur de

lures transversales de renfort. En cas d'impact, ces tubulures vont entrer en contact avec des renforts dans les parois latérales et le tunnel du silencieux assurant ainsi une boîte rigide qui absorbe l'impact. À cela viennent s'ajouter des profilés d'acier dans le plancher et un autre renfort vis-à-vis du siège arrière. Bref, en cas d'impact latéral, la carrosserie tout entière sert d'enveloppe de protection tout en absorbant l'énergie générée par un tel impact.

pour une voiture de cette catégorie. En fait, on nous assure chez Volvo que la 850 possède un habitacle un tantinet plus spacieux que celui de la 940/960.

Quant à la présentation générale, elle s'inspire de toutes les autres Volvo. Le design est un peu plus moderne sans doute, mais c'est définitivement une Volvo. Ceux qui n'ont jamais pu apprécier cette approche seront déçus. Quant à ceux qui recherchent les conceptions simples et pratiques, ils seront en mesure d'apprécier la 850. Le tableau de bord a été rafraîchi par rapport à la 940/960, mais il offre toujours la même disposition et la même présentation générale.

Les sièges sont exemplaires et offrent même un meilleur support latéral que ceux de la série 9. Quant au volant, il est passablement massif avec son moyeu imposant, mais il s'ajuste en hauteur et en profondeur pour assurer la meilleure position de conduite possible. Les places arrière sont généreuses en plus d'offrir un bon dégagement pour la tête. Il faut ajouter que les dossiers de la banquette arrière se rabattent pour permettre de transporter des objets encombrants. Et le dossier du siège du passager avant se rabat pour permettre le transport d'objets plus longs.

plus grande dimension monté en position verticale. L'angle de la ceinture est ainsi optimisé. De plus, toutes les ceintures arrière sont à trois points d'attache. Mais la principale caractéristique sur le plan de la sécurité est sans contredit le système «SIPS» ou «Side Impact Protection System». Ce concept est aussi utilisé sur les voitures 940/960, mais il a été lancé dans la 850 où il est appliqué dans son entier. Ce système a pour but de dissiper dans la carrosserie l'énergie produite lors d'un impact. Le pilier «B» est relié à la bande de ceinture du toit afin d'assurer une bonne dispersion de l'énergie. De plus, chaque siège avant comporte deux tubu-

Encore une fois, ce système est simple, relativement peu coûteux et devrait s'avérer fort efficace si jamais une collision devait survenir.

UN HABITACLE SPACIEUX

L'un des buts visés par l'équipe qui a développé la 850 était de proposer une habitabilité équivalente à celle des berlines 940/960 en dépit de dimensions moindres. L'utilisation du tout à l'avant a permis de gagner de précieux centimètres tandis qu'une utilisation optimale de l'espace permet d'assurer un habitacle très spacieux

UN CONDUITE PLUS NERVEUSE

Il serait exagéré de prétendre que cette 850 est une sportive dans l'âme sacrifiant son côté pratique à la performance à tout crin. Elle possède un comportement qui est tout de même assez près de celui des autres Volvo. Toutefois, sa carrosserie plus compacte, son rapport poids/puissance intéressant et sa grande maniabilité en font une voiture plus agréable à conduire. De plus, il ne faut pas oublier de mentionner que la suspension arrière est drôlement efficace et permet d'enchaîner les virages à haute vitesse sans roulis et tangage exagérés. Si on ajoute une direction rapide et précise, on est au volant d'une voiture très homogène. Quant au moteur cinq cylindres, ses prestations sont dans la bonne moyenne. Ce moteur ne transforme pas la 850 en une bombe routière, mais les prestations sont fort adéquates aussi bien au chapitre des accélérations que des reprises.

Cette nouvelle Volvo est donc non seulement plus nerveuse sur le plan de la conduite, mais elle demeure tout aussi sûre et solide que les autres modèles de la marque. En fait, cette nouvelle venue ne possède pas de défauts majeurs et nous propose un raffinement technique digne de mention. Si on ajoute à cela un habitacle confortable et un prix de base qui ne devrait pas dépasser les 30 000 $, on est en droit de s'attendre à ce que cette berline connaisse beaucoup de succès.

CE QU'IL FAUT SAVOIR

VOLVO 850 GLT

	Pauvre	Passable	Bon	Très bon	Excellent
• Comportement routier				•	
• Freinage					•
• Sécurité passive					•
• Visibilité				•	
• Confort				•	
• Volume de chargement				•	

POUR

Moteur 5 cyl. bien adapté
Boîtes de vitesses
Suspension arrière efficace
Agrément de conduite
Sièges confortables

CONTRE

Roulis en virage
Moteur bruyant en accélération
Silhouette traditionnelle
Fiabilité inconnue

Quoi de neuf?

Tout nouveau modèle
Moteur 5 cylindres 2,4 litres

ASPECT TECHNIQUE

Groupe propulseur:	traction
Empattement:	266,4 cm
Longueur:	444,0 cm
Poids:	1 445 kg
Coefficient aérodynamique:	0,32
Moteur:	5 L 2,4 litres, 168 ch.
Transmission:	
standard:	boîte manuelle 5 rapports
option:	boîte automatique 4 rapports
Suspension avant:	indépendante
arrière:	semi-indépendante
Direction:	à crémaillère, assistée
Freins: avant:	disques ABS
arrière:	disques ABS
Pneus:	P195/60R15

ASPECT PRATIQUE

Carrosserie:	berline
Nombre de places:	5
Valeur de revente:	nouveau modèle
Indice de fiabilité:	nouveau modèle
Coussins gonflables:	conducteur - passager
Réservoir de carburant:	73 litres
Capacité du coffre:	14,7 pi^3
Performances:	
0-100 km/h:	8,5 s
vitesse max.:	210 km/h
consommation:	11,2 litres/100 km
Échelle de prix:	27 500 $ à 32 000 $

La sécurité toujours privilégiée

Même si la 850 fait ses débuts cette année, tout porte à croire que les propulsions vont continuer d'être les modèles les plus en demande chez Volvo. Comme toujours, cette marque met l'accent sur la sécurité, la solidité et la fiabilité. De plus, ses voitures sont fort bien adaptées à notre climat.

Au début de l'automne 1991, Volvo a dévoilé la nouvelle 960. Il s'agissait en fait d'une voiture proposant la même carrosserie que la 940 mise sur le marché une année plus tôt, mais dotée d'un tout nouveau moteur six cylindres et d'une boîte automatique à quatre rapports. Les ingénieurs de Volvo ont réussi un véritable tour de force en réalisant un moteur à peine plus long que le moteur quatre cylindres 2,3 litres utilisé sur toutes les autres Volvo. Ce moteur est conçu également pour pouvoir s'adapter dans le futur à des carburants alternatifs et on peut même y ajouter un turbocompresseur. Même si la cylindrée n'est que de 3,0 litres, la puissance est de 201 chevaux, ce qui est considéré comme un excellent rapport poids/ puissance pour une voiture de cette catégorie. La boîte automatique à quatre vitesses est, bien entendu, à commande électronique et elle a été spécialement programmée pour optimiser le rendement du moteur six cylindres.

En plus, cette boîte électronique propose trois modes d'opération au conducteur: sport, économie et intempérie ou hiver.

En conduite, ce moteur six cylindres s'est révélé non seulement doux et fiable, mais bien adapté à cette voiture. Les performances sont adéquates avec un temps de 8,1 secondes pour boucler le 0-100 km/h tandis que le moteur est doux et exempt de vibrations. Quant à la boîte de vitesses, elle permet de modifier sensiblement la personnalité de la voiture. En mode économie, les prestations sont honnêtes et adéquates mais les performances manquent un peu de vigueur. Toutefois, en mode sport, les reprises sont nerveuses et les conducteurs pressés sauront apprécier cette vivacité.

Enfin, lors des nombreuses tempêtes de neige de l'hiver, le mode intempérie ou hiver s'est révélé très efficace. Les roues arrière refusent pratiquement de patiner et la voiture s'est révélée stable même sur des routes enneigées ou glacées. Il faut ajouter que le différentiel à blocage automatique accomplit également du bon travail.

Quant à la version 940, elle se distingue avant tout par son moteur quatre cylindres 2,3 litres qui est offert en version atmosphérique ou turbocompressée. Robuste et fiable, ce moteur manque quand même de puissance dans sa version atmosphérique si vous prévoyez transporter de lourdes charges.

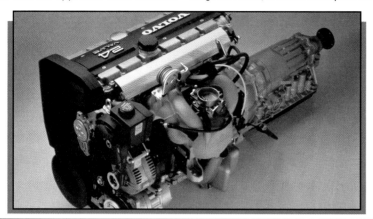

CE QU'IL FAUT SAVOIR

VOLVO 940/960

	Pauvre	Passable	Bon	Très bon	Excellent
• Comportement routier					•
• Freinage				•	
• Sécurité passive					•
• Visibilité				•	
• Confort					•
• Volume de chargement				•	

POUR

Choix de moteurs
Solidité garantie
Tenue de route sûre
Tableau de bord exemplaire
Rayon de braquage exceptionnel

CONTRE

Familiale à essieu rigide
Silhouette carrée
Position de conduite nécessitant
   un temps d'acclimatation
Roulis de caisse

Quoi de neuf?

Aucun changement majeur

ASPECT TECHNIQUE

Groupe propulseur:	propulsion
Empattement:	277 cm
Longueur:	487 cm
Poids:	1 570 kg
Coefficient aérodynamique:	n.d.
Moteurs:	4L 2,3 litres, 114 ch. - 4L 2,3 litres turbo, 160 ch. - 6L 3,0 litres, 201 ch.
Transmission:	
standard:	boîte manuelle 5 rapports
option:	boîte automatique 4 rapports
Suspension avant:	indépendante
arrière:	essieu rigide - ess. ind. (960)
Direction:	à crémaillère, assistée
Freins: avant:	disques ABS
arrière:	disques ABS
Pneus:	P205/60 H R 15

ASPECT PRATIQUE

Carrosserie:	berline - familiale
Nombre de places:	5
Valeur de revente:	bonne
Indice de fiabilité:	8,5
Coussin gonflable:	conducteur
Réservoir de carburant:	80 litres (960)
Capacité du coffre:	18 pi^3 - 39,3 pi^3 (familiale)
Performances:	0-100 km/h: 8,2 s (960)
vitesse max.:	215 km/h (960)
consommation:	12,6 litres/100 km
Échelle de prix:	33 500 $ à 44 000 $